DANIELLE STEEL

SCONTRO FATALE

Traduzione di Grazia Maria Griffini

Sperling & Kupfer

www.sperling.it

Scontro fatale
di Danielle Steel
Titolo originale dell'opera: *Accident*
Copyright © 1994 by Danielle Steel
All rights reserved including the rights
of reproduction in whole or in part in any form
© 1995 Sperling & Kupfer Editori S.p.A.

ISBN 978-88-6061-950-1

Anno 2017-2018-2019 - Edizione 1 2 3 4 5 6 7 8 9 10

A Popeye,
che è sempre presente
quando occorre,
per le cose grandi,
per le cose piccole.
Ogni ora,
ogni momento
di ogni giorno
io ti amerò sempre.
Con tutto il mio cuore
e il mio amore,

d.s.

1

ERA un sabato pomeriggio d'aprile, con un tempo perfetto e l'aria tiepida che accarezza la pelle lieve come una seta e fa venir voglia di rimanere all'aperto per sempre. La giornata era stata lunga, piena di sole, e verso le cinque, viaggiando sul Golden Gate Bridge diretta verso Marin, Page si ritrovò ad ammirare la bellezza di quella sterminata distesa d'acqua, uno spettacolo davvero mozzafiato.

Scrutò di sottecchi suo figlio, seduto di fianco a lei. Le somigliava in un modo incredibile, a parte i capelli che gli stavano ritti sulla testa come uno spazzolino spelacchiato, e il sudiciume che gli ricopriva il visetto. Andrew Patterson Clarke aveva compiuto sette anni il martedì precedente. E sarebbe bastato guardarli, seduti l'uno accanto all'altra, piacevolmente rilassati dopo la partita, per rendersi conto della forza e dell'intensità del legame che esisteva fra loro. Page Clarke era una buona mamma e una buona moglie, il genere di amica che chiunque sarebbe felice di avere. Premurosa e sempre disponibile per le persone a lei care, si impegnava a fondo in tutto ciò che faceva, e possedeva una sensibilità artistica inconsueta, che continuava a stupire i suoi amici. Era inoltre molto bella, ma di una bellezza semplice e naturale ed era anche una compagna divertente e spiritosa.

«Sei stato formidabile, questo pomeriggio.» Sorrise a suo figlio staccando per un attimo la mano dal volante per arruf-

1

fargli i capelli già spettinati. Andy li aveva del suo stesso colore, biondi come il grano maturo e altrettanto folti, così come aveva gli stessi grandissimi occhi azzurri e la pelle d'avorio, ravvivata però da una spruzzata di lentiggini. «Ti giuro che se non l'avessi vista con i miei occhi non ci avrei creduto... sto parlando di quella palla che hai bloccato nel campo esterno.» Non mancava mai di assistere alle sue partite e alle recite scolastiche, e partecipava alle gite di studio con la sua classe. Lo faceva perché gli voleva bene, e tutto questo le piaceva. Da come Andy guardava sua madre, era evidente che ne era consapevole anche lui.

«Anche a me è sembrato che fosse un buon punto guadagnato.» Scoppiò in una risata, mostrando uno spazio vuoto là dove fino a poco tempo prima c'erano stati i due incisivi superiori. «Ero convinto che Benjie ce la facesse ad arrivare alla casa base.» Scoppiò in una specie di sghignazzata, da vero monello, mentre raggiungevano l'estremità del ponte dove aveva inizio la Marin County «...e invece non ci è riuscito!»

Page si unì alla sua risata. Era stato un pomeriggio piacevole. Lei avrebbe voluto che ci fosse anche Brad con loro, ma ogni sabato pomeriggio giocava a golf con i colleghi d'ufficio. Era un'occasione per rilassarsi ma anche per fare il punto della situazione e discutere alcuni problemi di lavoro. Capitava di rado, adesso, che riuscissero a passare qualche sabato pomeriggio da soli. E quando era libero, avevano sempre qualcos'altro di cui occuparsi — per esempio assistere alle partite di baseball di Andy oppure a una delle gare di nuoto di Allyson... e pareva che tutte queste manifestazioni sportive venissero organizzate sempre in posti... dimenticati da Dio! Di solito il sabato pomeriggio succedeva sempre qualcosa. E così niente più pomeriggi da trascorrere in una piacevole indolenza... e da anni, ormai! Page ci aveva fatto l'abitudine e lei e Brad cercavano di approfittare dei pochi minuti di solitudine ogni volta che era possibile, di notte quando i ragazzi erano addormentati, nei brevi intervalli concessigli dai suoi viaggi di affari, oppure quando partivano per un rarissimo fine settimana da soli. Trovare il tempo per un piccolo idillio, creare un po' di atmosfera romantica, impegnati com'erano, stava diventando un'autentica impresa eppure, bene o male, ci riuscivano. Del resto Page era ancora perdutamente innamorata di suo marito dopo sedici anni di matrimonio e due figli. Aveva tutto ciò che desiderava, un uomo che adorava e che l'amava, una vita serena e due ragazzi splendidi. La loro casa a Ross, per quanto non avesse niente di particolarmente elegante o raffinato, era piacevole e accogliente, situata in una bella zona, e Page, grazie alla sua abilità e creatività, l'aveva trasformata in un'abitazione davvero incantevole. Gli anni di studio in campo artistico e l'apprendistato presso un designer di New York non le erano serviti gran che, ma in quegli ultimi anni aveva cominciato a usare il suo talento per dipingere bellissime decorazioni murali, veri e propri affreschi, non solo per sé ma anche per gli amici. Ne aveva realizzato uno, veramente spettacoloso, per la scuola di Ross. I quadri, come le decorazioni ad affresco e tutto quanto era riuscita a creare con il suo tocco artistico, avevano trasformato una piccola costruzione rustica piuttosto comune in qualcosa che tutti ammiravano e le invidiavano. E il merito di ciò era esclusivamente suo.

Su un parete della cameretta di Andy, l'anno prima aveva dipinto una partita di baseball in pieno svolgimento; era stato il suo regalo di Natale e il bambino ne era stato entusiasta. Per Allyson aveva invece scelto una scena che raffigurava una strada di Parigi e, in seguito, una fila di ballerine per le quali si era ispirata a Degas. Più di recente, con il suo tocco magico, aveva saputo trasformare quella cameretta addirittura in una vera e propria piscina! Aveva perfino dipinto mobili e arredi con la tecnica *trompe l'oeil* per rendere l'illusione perfetta. La ricompensa era stata un giudizio entusiastico da parte di Allyson e delle sue amiche, che consideravano quella camera un « vero schianto » e Page « ...proprio formidabile... una mamma davvero okay... » il che significava praticamente una promozione a pieni voti da parte di quel gruppo di quindicenni.

Allyson frequentava il secondo anno delle superiori.

Guardandoli, Page rimpiangeva sempre di non aver avuto altri figli. Ma Brad era stato irremovibile e aveva sempre ripetuto che gliene bastavano «uno o due», ponendo l'accento in modo particolare sull'«uno». Aveva subito dimostrato un affetto straordinario per Allyson, quando era nata e non capiva per quale motivo avessero bisogno di altri figli. Ci erano voluti sette anni per convincerlo del contrario. Ed era successo quando si erano trasferiti fuori città, nella casa di Ross, dove era nato Andy, il bambino del miracolo, come lo chiamava Page. Era nato due mesi e mezzo prima del tempo, quando Page era caduta da una scala mentre stava decorando per lui la cameretta con un affresco che aveva come personaggio principale il famoso orsetto Winnie-the-Pooh. E quando l'avevano ricoverata all'ospedale con una gamba rotta, le erano già cominciate le doglie. Andy, rimasto nell'incubatrice per due mesi, alla fine era risultato perfetto. A volte Page sorrideva, ripensando a quel periodo, ricordando il bimbo così piccolo e fragile... e il terrore che aveva provato quando avevano capito che rischiavano di perderlo! Quanto a lei, aveva sempre pensato che, se l'avesse perduto, forse non sarebbe riuscita a sopravvivergli, pur rendendosi conto, che non sarebbe stato giusto... verso Allyson e Brad. Ma in ogni caso la sua vita, senza di lui, non sarebbe mai più stata la stessa.

«Non avresti voglia di un bel gelato?» domandò mentre imboccava l'uscita dell'autostrada.

«Come no!» Andy sorrise e poi scoppiò in una risata quando sua madre si voltò a guardarlo. Era impossibile non sorridere quando si aveva davanti quella bocca sdentata.

«Mi sai dire quando hai intenzione di mettere un po' di denti, caro il mio Andrew Clarke? Un giorno o l'altro saremo costretti a comprarti una dentiera!»

«Nooo...» esclamò il bambino, e poi scoppiò in una risatina chioccia.

Era divertente quella corsa in macchina soli soletti; di solito, infatti, quando rientravano a casa da una partita la macchina era carica di bambini. Ma questa volta una delle altre mamme si era assunta questo compito. Page aveva comun-

4

que deciso di assistere ugualmente alla partita, soprattutto perché lo aveva promesso a suo figlio. Allyson passava il pomeriggio con le amiche e Brad giocava a golf. Quanto a Page, aveva sempre mille progetti, per esempio preparare il cartone di un altro affresco per la scuola; non solo, ma aveva anche promesso a un'amica di recarsi da lei per darle qualche suggerimento per ristrutturare il soggiorno. Ma, in fondo, nessuno di questi impegni era davvero urgente.

Andy ordinò un cono con una doppia porzione di gelato al torroncino e una spolveratina di scaglie di cioccolato, e Page si concesse una sola pallina di gelato allo yogurt, al sapore di caffè e senza grassi; un piccolo trucco per illudersi di aver fatto qualcosa di infinitamente peccaminoso. Rimasero seduti fuori della gelateria per un po' e Andy si ritrovò con tutta la faccia sporca di gelato. Lo aveva fatto perfino colare sulla divisa! Ma Page lo rassicurò: tutto quello che aveva addosso sarebbe finito in lavatrice e una piccola aggiunta di gelato non avrebbe fatto alcuna differenza. Rimasero a osservare l'andirivieni della gente e si godettero il tepore del sole del tramonto. La giornata era stupenda e Page cominciò addirittura a parlare di fare una scampagnata, con relativo picnic, la domenica.

«Sarebbe bellissimo.» Andy aveva l'aria molto soddisfatta quando per leccare il gelato in fondo al cono vi infilò la punta del naso imbrattandosi anche il mento. Page, guardandolo, si sentì travolgere da un'ondata di affetto.

«Sei proprio carino... lo sai? Forse non dovrei dirlo, ma sono convinta che sei straordinario, Andrew Clarke... e sei anche un grande giocatore di baseball... Che cosa ho fatto per avere tutte queste fortune nella mia vita?»

Lui sorrise di nuovo e questa volta il suo sorriso si fece ancora più largo e affettuoso di prima... mentre il gelato ormai gli copriva praticamente tutta la faccia... ne aveva persino sul naso, quando sua madre lo baciò.

«Sei un ometto straordinario.»

«Anche tu lo sei...» mormorò chinandosi sul cono, ma quasi subito rialzò gli occhi per guardarla e farle una domanda: «Mamma...?»

« Che cosa c'è? »

« Secondo te, non avremo mai un altro bambino? »

Page non riuscì a nascondere la sua meraviglia perché era una domanda che di solito non viene fatta dai maschietti. Allyson, invece, glielo aveva domandato molte volte. Ma adesso, a trentanove anni, Page non lo credeva più possibile. E non perché si sentisse troppo vecchia, o lo fosse realmente, ma perché capiva che non sarebbe mai riuscita a convincere Brad. Lui aveva ripetuto sempre che cose del genere appartenevano al passato.

« Non credo proprio, tesoro. Perché? » Era preoccupato o si trattava di pura e semplice curiosità? Page non poté fare a meno di domandarselo.

« La mamma di Tommy Silverberg ha avuto due gemelli la settimana scorsa. Li ho visti quando sono stato a casa sua. Erano davvero carini. Erano proprio uguali », le spiegò, non nascondendole che questo fatto lo aveva particolarmente colpito. « E pesavano tre chili e mezzo, che è più di quello che pesavo io. »

« Verissimo. » Lui pesava un chilo e mezzo scarso, grazie al suo arrivo così prematuro nel mondo. « Sono sicura che sono deliziosi. Però non credo che noi avremo dei gemelli... e neppure un bambino solo... » Strano, eppure provò una gran tristezza mentre pronunciava queste parole. Si era sempre dichiarata d'accordo con Brad, soprattutto per mostrarsi leale nei suoi confronti, che due figli costituivano la famiglia perfetta per loro, ma a volte si scopriva ancora a provare il desiderio di avere un altro figlio. « Magari dovresti parlarne con papà », concluse scherzosa.

« Dei gemelli? » Andy sembrò sconcertato.

« Di un altro bambino. »

« Sarebbe divertente... insomma... anche se ho capito che dovevano dare un sacco di problemi in casa. Da Tommy c'era un disordine terribile, e roba dappertutto... lo sai anche tu, lettini e ceste... e dondoli, due di ogni cosa... e c'era anche la nonna ad aiutare. Ha preparato la cena, ma ha bruciato tutto. E il suo papà... dovevi sentire che urli! »

« A me non sembra che sia stato proprio divertente come

dici. » Page sorrise, immaginando il caos che doveva aver provocato l'arrivo dei gemelli in una casa dove erano già abbastanza disorganizzati e c'erano altri due bambini. « All'inizio può essere così, fino a quando non ti abitui...! »

« Anche quando sono nato io abbiamo avuto tutto quel disordine? » Finalmente aveva finito il gelato e si stava pulendo la bocca sulla manica, e le mani strofinandole sui calzoni del completo da baseball sotto lo sguardo divertito di Page.

« No, ma adesso sei tu in disordine... guarda come ti sei conciato! Forse sarà meglio rientrare, così potrai cambiarti e lavarti. »

Risalirono a bordo della station wagon e si diressero verso casa chiacchierando di altri argomenti. Eppure quelle domande su un eventuale fratellino erano rimaste impresse nel cuore di Page. Per un attimo provò quell'antico struggimento così familiare. Forse era solamente colpa del caldo, della bella giornata piena di sole, oppure del fatto che era arrivata la primavera... ma a un tratto si ritrovò a desiderare che nascessero altri bambini... ci fossero viaggi romantici... e più tempo da passare con Brad... pomeriggi pigri e sonnolenti a letto senza altri obblighi o doveri tranne stare lì a fare l'amore con lui. Per quanto si sentisse soddisfatta, c'erano momenti in cui avrebbe voluto che le lancette dell'orologio tornassero vertiginosamente indietro. Ormai la sua giornata era scandita dagli impegni di routine: accompagnare il bambino e i figli di altre amiche a scuola o alle partite, aiutarlo nei compiti, partecipare alle riunioni dell'Associazione insegnanti e genitori... Finiva così per vedere Brad per pochi attimi, oppure alla fine di una giornata massacrante. Eppure, nonostante tutto questo, c'erano sempre amore e desiderio... mai, però, il tempo di poterli appagare.

Imboccarono il vialetto d'accesso a casa pochi minuti più tardi e Page notò subito l'auto di Brad mentre Andy raccoglieva tutta la sua roba. Guardò ancora il figlio con occhi colmi di orgoglio. « Oggi mi sono proprio divertita », esclamò sentendosi ancora riscaldata dal sole del pomeriggio, con il cuore gonfio di tutta la tenerezza che provava per lui. Era stata un'altra di quelle giornate speciali in cui ci si rende conto di quanto si è fortunati e si è grati per ogni momento prezioso che si è potuto vivere.

«Anch'io... grazie di essere venuta, mamma.» Andy sapeva fin troppo bene che sua madre non sarebbe stata obbligata ad assistere alla partita, ma era felice che lo avesse accompagnato ugualmente. Era buona con lui. D'altra parte lui era un bravo bambino, e se lo meritava.

«Figurati, lo farò ogni volta che mi sarà possibile, caro il mio signorino Clarke. E adesso vai a raccontare a papà quanto sei stato bravo. Oggi sei passato alla storia!» Andy scoppiò a ridere e corse in casa mentre Page toglieva dal vialetto la bicicletta che Allyson aveva abbandonato proprio in mezzo. I suoi pattini a rotelle erano appoggiati contro la porta dell'autorimessa e la racchetta buttata su una seggiola appena fuori della porta della cucina, insieme a una scatola di palle da tennis che aveva «preso a prestito» da suo padre. Era chiaro che doveva aver avuto una giornata molto intensa e Page, appena rientrata in casa, la vide al telefono della cucina, ancora vestita da tennis, i lunghi capelli biondi raccolti in una treccia. Le voltava le spalle. Evidentemente stava concludendo una chiacchierata che riguardava qualche progetto futuro e infatti, dopo aver riattaccato, si voltò a guardarla. Era una ragazza molto bella e questo sembrava a volte, stupire Page. Aveva una bellezza che faceva colpo e nello stesso tempo sembrava tanto matura! Un corpo da donna e un cervello da ragazzina, sempre in movimento, sempre indaffarata a fare e a progettare. Aveva sempre qualcosa da dire, da raccontare, da domandare o da organizzare. Anche in quel momento Page notò quell'espressione sul suo viso e capì che, per affrontarla, doveva... cambiare marcia, come suol dirsi, e prepararsi a qualcosa di ben diverso dalla pacifica coesistenza con Andy. Allyson aveva un carattere molto più vivace e irrequieto, molto simile a Brad in questo, sempre con il pensiero rivolto a quello che progettava di fare di lì a poco, sempre pronta a decidere ciò che era importante per lei. Aveva un carattere molto più appassionato e focoso di Page, più determinata a raggiungere gli obiettivi che si prefiggeva, e molto meno dolce e gentile di quanto un giorno lo sarebbe certo stato Andy. Comunque era una ragazza brillante e intelligente piena di buone idee e di intenzioni altrettanto buone. Ma di tanto in tanto il suo buon senso veniva meno... e allora nascevano accanite discussioni con Page a causa degli errori che commetteva, tipici degli adolescenti, ma di solito si mostrava quasi subito ragionevole e si calmava abbastanza per ascoltare suo padre e sua madre.

Del resto, a quindici anni niente di tutto questo poteva meravigliare. In fondo, Allyson stava cominciando a mettere alla prova se stessa, per vedere se era in grado di uscire dal nido e volare da sola; misurava i propri limiti e le proprie capacità, cercava di capire chi sarebbe diventata — non Page e nemmeno Brad ma se stessa, una persona totalmente diversa. Malgrado le molte affinità che aveva con loro, aspirava a essere una donna libera, padrona di sé. A differenza di Andy, che voleva semplicemente assomigliare a suo padre e invece sembrava tanto simile a Page. Agli occhi di Allyson era soltanto un bambinetto. Lei aveva otto anni, quando Andy era nato, e aveva subito pensato che fosse la creatura più deliziosa dell'universo. Non aveva mai visto un essere umano tanto piccolo. Come i genitori, si era terribilmente spaventata al pensiero che morisse appena nato e non c'era stato nessuno più fiero e orgoglioso di lei quando, alla fine, lo avevano portato a casa. Lo prendeva in braccio e lo portava dappertutto, da una stanza all'altra, e quando Page non riusciva più a trovarlo sapeva che non poteva essere che sul letto di Allyson, rannicchiato di fianco a lei, come una bambola viva. Per anni Allyson era stata pazzamente innamorata di lui. E perfino adesso continuava in segreto a viziare e coccolare il fratellino, a comprargli dolcetti, giocattolini e figurine delle squadre di baseball, e di tanto in tanto andava perfino a vederlo giocare, anche se quello era uno sport che detestava. Insomma, quasi sempre finiva per ammettere di volergli un bene dell'anima.

«Come ti è andata oggi, mezza cartuccia?» Si prendeva spesso gioco di lui per ricordargli quanto fosse piccolo appena nato, anche se adesso, a dire la verità, era piuttosto alto per la sua età e più robusto della maggior parte dei compagni di classe.

« Bene », rispose lui con modestia.

« È stato eccezionale, il migliore in campo », spiegò Page. Andy diventò rosso come un papavero e corse raggiungendo suo padre, mentre Page lanciava un vago grido di richiamo e di saluto in direzione della camera da letto. Voleva cominciare a preparare la cena prima di andare in cerca di suo marito. « E come è stata la tua giornata? » domandò alla figlia mentre apriva il frigorifero. Non avevano programmi per quella sera e non pensavano di uscire, ma poiché faceva tanto caldo stava meditando di sostituire la cena con una specie di picnic oppure di chiedere a Brad di fare un barbecue per tutti in giardino. « Con chi hai giocato a tennis? »

« Con Chloe e con altri ragazzi. Oggi, al nostro circolo sono venuti anche un po' di ragazzi da Branson e dall'accademia di Marin. Abbiamo gicato un doppio per un po' e poi io ho fatto un singolo con Chloe. E dopo siamo andati a nuotare. » Le raccontò tutto questo come se fosse normalissimo. In fondo Allyson viveva l'esistenza dorata della California. E per lei non era certo un miracolo, perché lì era nata, ed era sempre vissuta. Per Brad, che proveniva dal Midwest, e per Page, arrivata da New York, il tempo e occasioni simili avevano qualcosa di affascinante, di magico. Per i loro figli, no. Per loro era un modo di vivere, e a volte Page li invidiava perché tutto per loro era stato così facile. D'altra parte ne era anche contenta perché, in fondo, era proprio la vita che desiderava per i suoi figli. Facile, sicura, sana, comoda, protetta da qualsiasi cosa potesse rattristarli o danneggiarli. Del resto, era stata lei stessa a fare il possibile per garantire ad Allyson e Andy tutto questo, ed era felice quando li vedeva crescere così sani e sereni.

« Direi che è stata una giornata abbastanza buona. Hai qualche progetto per stasera? » Se non ne avesse avuti, oppure se Chloe li avesse raggiunti per passare la serata con loro, forse lei e Brad sarebbero riusciti ad andare al cinema. Allyson avrebbe fatto da baby sitter al fratellino. Ma se fossero stati costretti a rimanere in casa, non sarebbe stata comunque una tragedia. Del resto non avevano fatto progetti speciali per quella sera. E sarebbe stato piacevole starsene seduti fuori, nell'aria calda della notte, a chiacchierare e a rilassarsi, e magari, poi, andarsene a letto presto. «Che cosa hai in programma?»

Allyson si voltò a guardarla con aria nervosa e con quella caratteristica espressione che significava: Sarai la rovina della mia vita se non mi lascerai fare quello che ho programmato... è tutto il giorno che ci penso! «Il papà di Chloe ha detto che ci voleva portare fuori a cena e poi al cinema.»

«Va bene. Non agitarti. Ti ho fatto semplicemente una domanda.» Allyson si tranquillizzò subito e assunse un'espressione più serena e distesa. Page sorrise guardandola. Perfino in una casa normale e felice, ogni momento e ogni progetto potevano diventare un tormento. Non, non era facile. Indiscutibilmente.

«Che film andate a vedere?» Page mise un po' di carne nel forno a microonde per scongelarla. Aveva intenzione di preparare un pasto molto semplice.

«Non l'ha detto. I film che voglio vedere sono più o meno tre, e non ho ancora visto *Woodstock*, lo danno al *Festival*. Ad ogni modo suo padre ci porta a cena da *Luigi*.»

«Dovrebbe essere divertente. È molto carino da parte sua.» Page tirò fuori un po' di patate già affettate e cominciò a preparare l'insalata. Intanto osservava di sottecchi sua figlia. Com'era bella, appollaiata sullo sgabello vicino al piano di lavoro della cucina. Sembrava un'indossatrice. Aveva occhi nocciola, grandissimi, come quelli di Brad, i capelli d'oro di sua madre e una carnagione che diventava del colore del miele non appena prendeva il sole. E gambe lunghe e slanciate, e la vita sottile. Non c'era da meravigliarsi se la gente si fermava a guardarla — e negli ultimi tempi erano soprattutto gli uomini a farlo. A volte Page diceva a Brad che le sarebbe piaciuto appenderle al collo un cartello con scritto sopra che aveva soltanto quindici anni! Perfino uomini di trent'anni si voltavano a guardarla in strada, perché poteva essere presa facilmente per una diciottenne o una ventenne. «È molto gentile il signor Thorensen a dedicare un sabato sera a voi ragazze.»

«Non ha nient'altro da fare», replicò Allyson. Era il classico ragionamento di una quindicenne, e Page scoppiò in una risata. Soltanto le adolescenti erano capaci di riportare bruscamente chiunque con i piedi per terra, senza pietà.

«Come fai a saperlo?» La moglie lo aveva lasciato l'anno prima e subito dopo il divorzio aveva trovato lavoro presso un agente teatrale in Inghilterra. Si era offerta di portare con sé i tre figli e di metterli in collegio. Sebbene fosse americana, era convinta che il sistema scolastico inglese fosse migliore di quello degli Stati Uniti, ma Trygve Thorensen non aveva voluto rinunciare a nessuno di loro. Preferiva tenerli con sé. Dopo vent'anni di vita in un quartiere residenziale un po' fuori città, sua moglie aveva dichiarato di essere stanca di fare l'autista, la cameriera e l'insegnante dei suoi figli — era pronta a rinunciare a tutto questo. Proprio a tutto. A Trygve, ai ragazzi, alla sua vita a Ross. Erano tutte cose che detestava. E ogni volta che aveva cercato di spiegarlo a Trygve, lui aveva sempre preferito non sentirci da quell'orecchio! Non voleva far naufragare il loro matrimonio e di conseguenza si era rifiutato di prendere atto della rabbia e della disperazione della donna che viveva al suo fianco.

Erano rimasti tutti profondamente sconvolti quando Dana se n'era andata e Page non aveva nascosto di essere addirittura scioccata al pensiero che non avesse esitato ad abbandonare i figli. Ma evidentemente da troppo tempo quel ritmo di vita l'aveva logorata. E tutti, a Ross, adesso erano stupiti e ammirati per l'abilità con cui Trygve riusciva a cavarsela con i suoi ragazzi, e per tutto quanto sapeva fare per loro e con loro. Era uno scrittore freelance di politica e il suo lavoro gli permetteva di stare molto tempo in casa. Era riuscito così a organizzare la propria vita in un modo perfetto oltre al fatto che, a differenza della moglie, non sembrava mai stanco di assumersi obblighi e responsabilità, come tutti i genitori. Anzi, le accettava con un entusiasmo che tutti gli invidiavano. Certo non era facile, e a volte lui stesso finiva per ammetterlo, ma sapeva cavarsela discretamente e i suoi figli

12

sembravano più felici di quanto non lo fossero stati negli anni precedenti. Trygve dava l'impressione di essere in grado di trovare il tempo per sbrigare il suo lavoro mentre i ragazzi erano a scuola, oppure la sera tardi, dopo che erano andati a letto. E nelle ore nelle quali li aveva attorno, pareva che fosse sempre presente, sempre disponibile per loro. Era una figura familiare anche per i loro amici e quasi tutti lo trovavano simpatico. Ecco perché Page non era rimasta meravigliata sentendo che si era offerto di accompagnarle al cinema e a cena.

Chloe e Allyson erano coetanee. Chloe aveva compiuto quindici anni a Natale ed era graziosa quanto Allyson, anche se molto diversa. Piccola, minuta, con i capelli scuri della mamma e i grandi occhi azzurri, nordici, di suo padre, come la pelle chiara. Infatti i genitori di Trygve erano norvegesi e lui stesso, fino all'età di dodici anni, aveva vissuto in Norvegia. Ma ormai era un americano in tutto e per tutto, anche se gli amici, a volte, lo chiamavano «il vichingo».

Era un uomo attraente e tutte le divorziate di Ross gli avevano messo gli occhi addosso dopo il divorzio, ma subito erano rimaste amaramente deluse. Fra il lavoro e i figli, pareva che Trygve non avesse assolutamente tempo da dedicare alle donne. Page, però, sospettava che questo non succedesse tanto per la mancanza di tempo quanto piuttosto per la mancanza di fiducia in se stesso, o di interesse.

Non era un segreto per nessuno che era stato innamoratissimo della moglie, ma tutti sapevano che lei, esasperata per la situazione in cui era venuta a trovarsi, prima di lasciarlo definitivamente lo aveva ingannato e tradito almeno per un paio d'anni. Dana era sempre stata una creatura irrequieta; evidentemente la vita coniugale e la monogamia non erano per lei. Trygve aveva fatto tutto il possibile, era perfino ricorso a un consultorio matrimoniale e aveva accettato un paio di separazioni di prova. Ma da parte sua desiderava molto più di quanto lei fosse in grado di dargli; voleva una vera moglie, una mezza dozzina di figli, una vita semplice. Per esempio gli sarebbe piaciuto fare sempre le vacanze in campeggio. Dana, invece, voleva visitare New York, Parigi, Hollywood o Londra.

Insomma, Dana Thorensen era tutto ciò che Trygve non era. Si erano conosciuti a Hollywood, poco più che ragazzi. Lui aveva tentato, ma solo per poco tempo, di scrivere sceneggiature, appena terminati gli studi, e lei era un'aspirante attrice. Adorava quello che faceva e aveva tentato inutilmente di opporsi quando lui le aveva chiesto di trasferirsi a San Francisco. D'altra parte lo amava abbastanza per non rifiutare quella proposta. Per un certo periodo aveva tentato di fare la pendolare, poi si era messa a recitare con alcune compagnie che mettevano in scena commedie di repertorio, sempre a San Francisco. Purtroppo nessuna di queste due esperienze era stata particolarmente fortunata e a poco a poco Dana aveva cominciato a rendersi conto di sentire la mancanza delle amicizie e della vita animata ed emozionante di Los Angeles e Hollywood. Per rimanere nel giro, si sarebbe perfino adattata a fare la comparsa. Invece, di punto in bianco, si era ritrovata incinta, e Trygve l'aveva sorpresa insistendo per sposarla. Poi tutto aveva cominciato ad andare a rotoli, e sempre più in fretta. Dana si era trovata a ricoprire un ruolo che non le interessava e che non le era congeniale. Quando il loro secondo figlio, Bjorn, era nato con la sindrome di Down, per Dana era stata la goccia che aveva fatto traboccare il vaso. E di questo sembrava voler addossare la colpa a Trygve. Per quanto la riguardava, non avrebbe certo voluto altri figli, anzi, forse non avrebbe nemmeno mai voluto sposarsi. Poi era arrivata Chloe, e per Dana era stata la fine. Da allora in poi, così lei sosteneva, la sua vita era diventata un incubo. Trygve aveva tentato di aiutarla per quanto gli era possibile: fra l'altro in quel periodo i suoi articoli di politica sul *New York Times* e su molti quotidiani e periodici stranieri gli consentivano di condurre un'esistenza agiata. Quindi non aveva avuto difficoltà ad assicurare alla famiglia un alto tenore di vita. Dana, invece, voleva soltanto la libertà. Per una buona parte degli anni in cui erano stati sposati, era riuscita solo con grandi difficoltà a comportarsi in modo civile con lui. In fondo voleva soltanto essere una donna libera. Trygve, invece, voleva che il loro matrimonio funzionasse. Non solo, ma comportandosi da padre perfetto mandava Dana su tutte le furie.

Era paziente, gentile, sempre felice di includere altri ragazzi nei progetti della famiglia. Accompagnava gruppi di amici dei figli in campeggio o a pescare, era uno degli organizzatori più entusiastici di quelle gare che prendevano il nome di Special Olympics, nelle quali Bjorn riusciva a eccellere con grande soddisfazione di tutti, tranne di Dana, naturalmente, che non era riuscita a creare un legame di affetto con nessuno dei suoi famigliari. Quanto a Bjorn, ai suoi occhi costituiva una vergogna, un'atroce delusione. A poco a poco era diventata antipatica a tutti, sempre stizzosa, piena di livore, in lotta contro un destino che, almeno a giudizio degli altri, non sembrava tanto terribile. I suoi figli erano ragazzi straordinari, perfino Bjorn, con il suo carattere tenero e dolce. Quanto a Trygve, era il marito che ogni donna le invidiava. Nessuno comunque si era meravigliato quando Dana aveva cominciato a intrecciare una serie di relazioni extraconiugali, sempre più frequenti. E lei, da parte sua, sembrava indifferente al fatto che qualcuno potesse scoprirlo, perfino Trygve. Anzi, forse sperava che servisse a costringerlo a dare un taglio netto alla loro unione.

Quando si era finalmente decisa a lasciarlo, tutti avevano provato un enorme sollievo, tranne Trygve, il quale per anni aveva preferito rinunciare alla lotta fingendo che la situazione non fosse così tragica come sembrava. «...Ci farà l'abitudine... è stato molto difficile per lei rinunciare alla sua carriera... lasciare Hollywood è stato terribile per Dana... il matrimonio è più difficile per lei di quanto non lo sia per la maggior parte delle donne, perché ha un temperamento così creativo... e naturalmente Bjorn è stato uno choc tremendo per lei...» Per vent'anni aveva cercato ogni scusa possibile e quando Dana alla fine lo aveva abbandonato, aveva fatto fatica ad accettare una decisione del genere. Eppure, con sua grande sorpresa, si era reso conto che era stato come mettere la parola fine a un dolore costante. Adesso un'altra cosa sembrava ancor più sorprendente, cioè il fatto che non aveva

15

il minimo desiderio di ritentare e di rischiare di soffrire allo stesso modo con un'altra donna. Soltanto adesso aveva capito quanto la sua esistenza fosse stata terribile. Non riusciva a immaginare di poter sposare un'altra, e non pensava nemmeno a una relazione seria. Tutte le donne che conosceva in città gli sembravano avvoltoi in attesa di una nuova preda, e lui non aveva la minima intenzione di diventare la loro vittima. In fondo era molto felice così, solo con i suoi figli, almeno per il momento.

«Non ha una ragazza, o perlomeno non ha una relazione vera e propria da quando la mamma di Chloe se ne è andata, e ormai è più di un anno. Passa tutto il suo tempo con i ragazzi oppure a scrivere di politica, però lo fa la sera tardi. Chloe dice che adesso sta scrivendo un libro. Però gli piace uscire con noi, mamma. È lui che lo dice.»

«Be', buon per voi! Ma uno di questi giorni può anche succedere che trovi qualcuno un po' più... diciamo maturo, con cui passare il tempo, non ti pare?» Sorrise mentre Allyson si stringeva nelle spalle. Non riusciva a immaginare che Trygve potesse desiderare qualcosa di diverso. Per quasi tutta la sua vita aveva sempre visto Trygve Thorensen dedicarsi totalmente ai suoi figli, sempre disponibile per loro. Non le era mai passato per la mente che lo facesse non solo perché voleva bene ai ragazzi e gli piaceva la loro compagnia ma anche perché in questo modo evitava il senso di vuoto e di fallimento.

«E poi, gli piace stare con Bjorn. Adesso vuole insegnargli a guidare.»

«È davvero una brava persona.» Page finì di risciacquare la lattuga e trovò un recipiente nel quale metterla mentre Allyson divorava le patatine fritte. «A proposito, come sta Bjorn?» Non lo vedeva da molto tempo. Per fortuna la malattia lo aveva colpito in modo marginale, anche se aveva ugualmente un certo numero di limitazioni.

«Benone. Adesso gioca a baseball ogni sabato ed è pazzo di gioia quando può andare al bowling.» Era incredibile pensarci. Come si faceva ad affrontare una situazione del genere, e ad accettarla? In un certo senso Page poteva capire che Dana Thorensen a un certo punto si fosse sentita sopraffatta da tutto questo... anche se non riusciva a giustificare il suo comportamento. Benché non fossero amici intimi, conosceva Trygve Thorensen da anni e lo trovava simpatico. Non meritava davvero tutte le disgrazie che gli erano successe. E inoltre era un padre straordinario.

«E dormi anche, dai Thorensen?» domandò Page mentre metteva nell'insalatiera le ultime foglie di lattuga e si asciugava le mani. Non aveva ancora visto Brad da quando era rientrata e adesso voleva andare a salutarlo e a controllare che cosa stava combinando Andy.

«No.» Allyson scrollò la testa alzandosi in piedi e, dimenticate le patatine fritte, afferrò una mela. Era alta e slanciata, e con un rapido gesto del capo si buttò la lunga treccia bionda sulla spalla. «Hanno detto che mi accompagneranno a casa dopo il cinema. Chloe ha una riunione di atletica domattina presto.»

«Di domenica?» chiese Page mentre uscivano dalla cucina, non nascondendo la sua meraviglia.

«Già... non lo so... forse un allenamento... o qualcosa del genere.»

«A che ora esci?»

«Ho detto che sarei andata a prenderli alle sette.» Poi ci fu una lunga pausa, mentre i grandi occhi nocciola di Allyson cercavano di incrociare il suo sguardo. Page, scrutandoli, vi lesse qualcosa che per un attimo la lasciò sconcertata e che subito dopo in un lampo scomparve. Forse un segreto, una riflessione, un attimo di mistero che riguardava qualcosa di personale e che lei non voleva dividere con la madre. Potresti prestarmi il tuo maglioncino nero?»

«Intendi quello di cashmere con le perline?» Brad glielo aveva regalato a Natale. Non era adatto alla stagione e poi era troppo elegante per una quindicenne. Page non trovò nemmeno divertente quella richiesta, mentre Allyson faceva cenno di sì con la testa.

«Non mi sembra molto adatto per cenare da *Luigi* e per il *Festival*. Non credi?»

«Sì... va bene... e quello rosa?»

«Meglio.»

«Allora posso?»

«Va bene... va bene...» Page sospirò scrollando la testa mentre abbozzava un sorrisetto un po' malinconico. E si separarono. Allyson per infilarsi nella propria camera, e lei per andare in cerca di suo marito. A volte aveva l'impressione che fra loro si frapponessero di continuo ostacoli di ogni genere. Era come se fossero costretti a fare una vera maratona ogni giorno prima di poter trovare un momento da trascorrere insieme. Ma finalmente, girato l'angolo del corridoio che portava alla loro camera da letto, lo vide. A volte si ritrovava ancora a guardarlo come fosse la prima volta. Brad Clarke era senza dubbio un bell'uomo, alto e bruno, con la figura slanciata che superava il metro e ottanta, i capelli neri tagliati corti, i grandi occhi nocciola, le spalle possenti. Aveva i fianchi stretti, le gambe lunghe e un sorriso che bastava a incantarla, a farle tremare le ginocchia. Era stato fino a quel momento curvo su una valigia aperta sul letto, ma si rialzò con un lungo e lento sorriso, solo per lei, quando apparve sulla soglia.

«Come è andata la partita?» le chiese con un sorriso un po' triste. Non riusciva più a essere presente alle partite di baseball di Andy perché era sempre troppo impegnato con il lavoro. A volte, con quel ritmo di vita così pressante, Brad aveva l'impressione di non riuscire più nemmeno a vedere i suoi famigliari.

«Magnificamente. E l'eroe è stato tuo figlio.» Page scoppiò in una risata mentre si alzava sulle punte dei piedi a baciarlo.

«È quello che dice lui.» La mano di Brad scivolò istintivamente fino alla vita di sua moglie, per attirarla a sé. «Mi sei mancata.»

«Anche tu, a me...» mormorò stringendosi a lui, per un minuto prima di attraversare la stanza per lasciarsi cadere di schianto in un'accogliente poltrona mentre Brad tornava a dedicarsi alla sua valigia. Di solito la preparava la domenica pomeriggio e partiva per i suoi viaggi d'affari la domenica sera. Ma a volte, se trovava un po' di tempo, se ne occupava il sabato perché ciò gli permetteva di dedicarsi un poco di più a lei e ai ragazzi la domenica. « Te la sentiresti di organizzare un barbecue stasera? È talmente bello fuori, e ho appena scongelato qualche bistecca. Saremo solamente noi due, e Andy. Allyson esce con Chloe. »

« Mi piacerebbe », rispose Brad con aria dispiaciuta mentre faceva qualche passo verso di lei, « ma non sono riuscito a trovare un posto sul volo per Cleveland di domani sera. Perciò devo partire stasera alle nove. Probabilmente dovrò andarmene verso le sette. » Page non gli nascose la sua delusione. Per tutto il pomeriggio non aveva fatto che aspettare il momento in cui sarebbe rimasta sola con lui, sognando una serata in casa, magari seduti in giardino al chiaro di luna. « Piccola, se tu sapessi quanto mi dispiace! »

« Certo... anche a me... » Sembrava sinceramente rattristata da quella notizia. « Non ho fatto che pensare a te tutto il giorno. » Gli sorrise mentre Brad veniva a sedersi sul bracciolo della poltrona. Page cercava sempre di affrontare queste difficoltà da brava sportiva... Ormai avrebbe dovuto essere abituata ai viaggi d'affari di suo marito eppure, in un certo senso, non lo era affatto. Sentiva sempre la sua mancanza.

« Mi rendo conto che Cleveland, di domenica, non sarà un divertimento! » Le dispiaceva anche per lui. L'agenzia di pubblicità per la quale Brad lavorava, si aspettava sempre molto da lui. D'altra parte Brad rivestiva un ruolo importante in quanto sapeva attirare i nuovi clienti e ottenere i migliori contratti. Era diventato un mito nel suo campo; si diceva che fosse abilissimo nel portare all'agenzia nuovi clienti e, soprattutto... riusciva anche a conservarseli.

« Dal momento che resterò bloccato lì, pensavo di giocare a golf con il presidente della società con cui devo trattare. Gli ho telefonato nel pomeriggio e domattina ci troviamo al suo club. Se non altro, non sarà una completa perdita di tempo. » A questo punto la baciò sulle labbra e Page avvertì quel fremito tanto familiare, l'antico brivido di eccitazione, percorrerla da capo a piedi. « Se tu sapessi quanto preferirei, in-

19

vece, rimanere qui con te e con i ragazzi», bisbigliò Brad mentre lei gli buttava le braccia al collo.

«Lascia perdere i ragazzi...» mormorò con voce roca, e Brad scoppiò in una risata.

«L'idea mi piace... cerca di conservarla fino a martedì sera... rientrerò per l'ora di andare a letto. »

«Vedrò di ricordartelo... martedì», sussurrò Page mentre si baciavano di nuovo. In quel preciso istante Andy entrò come una bomba gridando: «Allie ha lasciato fuori le patatine fritte e adesso c'è Lizzie che se le sta mangiando! Starà male e vomiterà per tutta la cucina! » Lizzie era il loro cane, una femmina Labrador dal pelo dorato, famosa per la voracità con la quale ingurgitava indiscriminatamente qualsiasi cosa... e per di più aveva uno stomaco molto delicato. «Su, mamma, vieni! Finirà per star male se gliele lasci mangiare! »

«Va bene... adesso arrivo... » Page rivolse un sorriso malinconico a Brad e lui a malincuore lasciò che raggiungesse di corsa Andy in cucina. Come previsto, il pavimento era letteralmente coperto da un tappeto di briciole di patatine fritte e Lizzie si stava leccando allegramente le ultime rimaste. «Sei una vera porcellina, Lizzie», esclamò Page con aria affranta mentre si dava da fare per ripulire. Avrebbe tanto desiderato che Brad non partisse per Cleveland. Aveva davvero voglia di stare un po' con lui. Aveva l'impressione che la loro esistenza appartenesse un po' a tutti tranne a loro due, e proprio quel giorno si era ritrovata a rimpiangere di non avere un po' di tempo da passare, come una volta, con suo marito. Cercò di non pensarci e si voltò a guardare Andy, mentre Lizzie tentava invano di dare una leccatina alle ultime patate fritte che lei stava raccogliendo dal pavimento. «Che cosa ne diresti di combinare un bell'appuntamento con la tua vecchia mamma? Papà deve partire per Cleveland stasera e noi potremmo andare a mangiarci una magnifica pizza. » A dire la verità potevano mangiare la pizza anche in casa, o magari, le bistecche che aveva scongelato per tutta la famiglia, ma all'improvviso non aveva più nessuna voglia di rimanere lì senza Brad. E poi, forse, sarebbe stato più divertente andar fuori lei e Andy da soli. «Che ne dici? »

«Che bello! » esclamò il bambino correndo fuori dalla cucina in compagnia di Lizzie. E Page si decise a riporre di nuovo in frigorifero insalata e bistecche. Poi tornò in camera da letto a cercare Brad. Ormai erano le sei e mezzo e lui aveva già finito di fare la valigia. Era quasi pronto per andare all'aeroporto. Per il viaggio aveva scelto un blazer blu scuro, a doppio petto, i calzoni beige e la camicia azzurra con il collo aperto... Come sembrava giovane e bello! Bastò questo a Page per sentirsi improvvisamente, vecchia e stanca. Suo marito se ne andava in giro per il mondo, a combinare affari, a incontrare clienti, e a passare un po' di tempo con persone adulte e mature... mentre lei se ne stava a casa a stirare le sue camicie e a occuparsi dei loro figli. Cercò di definire tutto questo a parole mentre si lavava il viso e si pettinava, e Brad rise nel sentirla.

«Già... verissimo... tu non fai mai niente... semplicemente dirigi la casa meglio di qualsiasi altra donna al mondo... ti occupi dei nostri figli e di chiunque altro come nessun altro saprebbe fare... e quando hai un po' di tempo libero dipingi decorazioni murali per la scuola e per tutte le tue amiche, dai consigli ai miei clienti sull'arredamento e i mobili per i loro uffici, spieghi alle tue amiche come rifare la casa e di tanto in tanto riesci anche a dipingere un po'... È proprio una vergogna, Page, che tu non faccia mai niente di niente! » La prendeva in giro, ma ciò che diceva era la verità, e lei lo sapeva benissimo. Solo che, a volte, le sembrava tutto così insignificante; aveva l'impressione di non realizzare *niente di niente*. Forse perché tutte queste cose erano fatte per le amiche, o come un favore. Da anni nessuno le offriva più una ricompensa in denaro per le opere d'arte che eseguiva... addirittura fin dai giorni in cui, terminata la scuola d'arte, aveva trovato lavoro come assistente presso un designer di Broadway. E le era piaciuto molto! Adesso tutto ciò le pareva lontano addirittura anni-luce... gli scenari che dipingeva, le scenografie che progettava, e quell'unica produzione in un teatrino « off-off » Broadway, nel quale l'avevano perfino

21

consultata per i costumi! Adesso tutto quello che faceva era inventare un costume per i suoi bambini quando arrivava la festa di Ognissanti, o perlomeno questa era la sensazione che provava.

«Credimi», proseguì Brad mentre portava la valigia nell'ingresso e si voltava per prendere di nuovo Page fra le braccia, «preferirei di gran lunga fare quello che fai tu piuttosto che passare questo sabato sera su un aereo in viaggio per Cleveland.»

«Mi dispiace.» Certo la vita di Page era infinitamente più facile di quella di suo marito, e lei se ne rendeva perfettamente conto. Lavorava con impegno per mantenerli, e guadagnava bene. I genitori di Page erano benestanti, mentre quelli di Brad non avevano mai avuto nulla fino al giorno della loro morte. In realtà tutto ciò che Brad aveva raggiunto, lo aveva ottenuto con le proprie mani, imboccando la strada più faticosa e difficile. Era stata un lotta lenta e dura, un lavoro impegnativo, ma adesso poteva considerarsi un uomo di successo. Non solo, ma un giorno probabilmente avrebbe finito per dirigere l'agenzia di pubblicità nella quale lavorava. E se non quella, sarebbe diventato il direttore di un'altra. Era molto stimato e richiesto, e la sua agenzia faceva di tutto perché fosse soddisfatto della sua posizione. In aereo lo faceva sempre viaggiare in prima classe e gli prenotava i migliori alberghi. All'agenzia non volevano correre il rischio che lui si stancasse o fosse scontento, oppure accettasse un'offerta più lusinghiera.

«Torno martedì sera... ma ti telefonerò prima», disse mentre si avviava verso le camere dei figli. Diede un bacio ad Allyson, che sembrava addirittura un donna adulta con il maglioncino di cashmere rosa di sua madre dalla scollatura girocollo e le manichine corte e una gonna bianca cortissima. Si era anche un po' truccata e aveva lasciato i lunghi capelli biondi sciolti sulle spalle; le arrivavano quasi fino alla vita e le incorniciavano il viso con morbide onde dorate. Era molto seducente. «Caspita! E chi è il fortunato?» Sarebbe stato impossibile non voltarsi a guardarla. Allyson era un'autentica bellezza.

«Il papà di Chloe.»

Scoppiò in una risata. «Mi auguro che non abbia un debole per le ragazzine, altrimenti non è escluso che la prossima volta non ti lasci più andare fuori con lui. Sei un vero schianto, Principessa!»

«Oh, papà!» Alzò gli occhi al cielo, un po' imbarazzata, però le piaceva che lui la considerasse una ragazza carina. Quanto a Brad, era sempre generoso nel dispensare complimenti. Non solo a lei, ma anche a Page, e perfino a Andy. «Figurati! È proprio vecchio, sai!»

«Davvero? Fantastico! Grazie tante. Se non sbaglio, Trygve Thorensen ha come minimo due anni meno di me.» Brad ne aveva quarantaquattro, anche se non li dimostrava.

«Sai che cosa voglio dire, vero?»

«Certo... certo che lo so, disgraziatamente... ad ogni modo, bella bambina, cerca di fare la brava e di ubbidire alla mamma. Ci vediamo martedì sera.»

«Ciao, papà. Buon divertimento.»

«Già, senz'altro. Mi divertirò da morire a Cleveland. E poi, come potrei divertirmi senza di voi?»

«Parti adesso, papà?» chiese Andy entrando in quel momento e stringendosi a lui. Gli piaceva moltissimo sentirsi così vicino al suo papà.

«Già. Guarda che passo a te il comando. Abbi cura della mamma, per favore. Mi farai rapporto martedì sera, e mi riferirai se le signore hanno ubbidito ai tuoi ordini.» Per tutta risposta Andy scoppiò in una risata che mise in mostra le sue gengive sdentate. Gli piaceva alla follia quando suo padre gli dava qualche incarico, perché si sentiva importante.

«Stasera porto fuori a cena la mamma», annunciò serio serio, «a mangiare la pizza.»

«Controlla che non mangi troppo... c'è il rischio che possa star male...» mormorò Brad con aria da congiurato al suo piccolo aiutante «... sai, come Lizzie!»

«Uah!» Andy fece una smorfia e risero tutti. Poi seguì suo padre e sua madre fino alla porta di casa. Brad tirò fuori la macchina dall'autorimessa e poi scese di nuovo per mettere la valigia nel baule; poi strinse in un forte abbraccio Page e Andy.

«So già che sentirò moltissimo la vostra mancanza; state attenti a quello che fate, mi raccomando!» disse mentre si metteva alla guida.

«Senz'altro!» Page sorrise. Ormai avrebbe dovuto essere abituata alle partenze di suo marito, ma non era così. Tutto era più semplice quando Brad partiva la domenica sera, perché era qualcosa di già previsto. Questa volta, invece, si sentiva in un certo senso tradita. Che voglia aveva di stare un po' di più con lui... E lui... se n'era già andato! Senza contare il fatto che, con tutti quei viaggi, era impossibile non pensare ai pericoli. E se un giorno gli fosse successo qualcosa? E se... sapeva che non sarebbe riuscita a sopravvivere a una cosa del genere. «Mi raccomando... non correre rischi...» gli sussurrò mentre gli dava un bacio e pensava che, forse, avrebbe dovuto essere lei ad accompagnarlo all'aeroporto. D'altra parte a Brad piaceva trovare la macchina pronta quando tornava a casa. E sarebbe inoltre stato complicato andare a prenderlo il martedì sera. «Ti amo», gli sussurrò.

«Anch'io ti amo», mormorò lui, e poi si protese per fare un ultimo saluto ad Andy. Page fece un passo indietro e mentre agitavano la mano Brad partì. Erano esattamente le sette meno cinque minuti.

Rientrarono in casa, mano nella mano, e Page si sentì di nuovo sola. Cercò però di scacciare quelle sensazioni. Che sciocchezza. Era una donna adulta, non doveva sentirsi dipendente fino a quel punto da suo marito. D'altra parte, nel giro di tre giorni Brad sarebbe stato di ritorno. Invece si sentiva come se avesse in programma di rimanere lontano per almeno un mese.

A quel punto Allyson era pronta. Incantevole e stupenda. Si era messa un po' di mascara, e aveva passato un velo di gloss rosa chiaro sulle labbra per renderle un poco più lucide. Aveva un'aria sana, pulita, giovane. Anzi, sembrava il simbolo della giovinezza nel suo momento più bello. Aveva la stessa età di certe indossatrici che apparivano sulle copertine dì *Vogue* e, sotto certi aspetti — questa fu la riflessione di Page — sembrava ancora più bella.

« Divertiti, tesoro. E ricordati che vorrei vederti tornare a casa per le undici. » Era il solito coprifuoco. Ma Page si mostrava sempre molto ferma su questo punto.

« Mamma! »

« Non discutere, per favore. Le undici è un orario assolutamente ragionevole, e lo sai benissimo. » Aveva appena compiuto quindici anni e Page non riusciva a capire per quale motivo dovesse star fuori di più.

« E se non si esce dal cinema fin dopo le undici? »

« Allora facciamo le undici e mezzo. Se il film dovesse finire dopo le undici e mezzo, rinuncia. »

« Grazie tante! »

« Figurati. Vuoi che ti dia un passaggio fino alla casa di Chloe? »

« No, grazie, vado a piedi. Ci vediamo più tardi. » E scappò via mentre Page andava in camera a prendere una giacca di lana e la borsetta. Stava afferrando la borsetta quando suonò il telefono. Era sua madre da New York. Le spiegò che usciva a cena con Andy e che l'avrebbe richiamata il giorno dopo. E quando si ritrovò a bordo della station wagon con Andy, Allyson ormai se n'era già andata da un pezzo. Probabilmente era già arrivata da Chloe.

« Allora, giovanotto, dove andiamo? Da *Domino* oppure da *Shakey*? »

« Da *Domino*. L'ultima volta siamo andati da *Shakey*. »

« Mi sembra giusto. » Con un rapido gesto Page accese la radio e lasciò che fosse Andy a scegliere la musica che preferiva. E lui la sintonizzò sulla stazione che trasmetteva un programma di rock and roll. Quello che piaceva ad Allyson. Per avere solo sette anni, i suoi gusti in fatto di musica erano molto strani, e generalmente erano anche quelli della sorella maggiore.

Cinque minuti dopo aveva raggiunto il ristorante e Page cominciò a sentirsi meglio. Quel momento di malinconia era passato e trascorsero una bella serata. Come sempre, quando erano insieme. Lui le parlò dei suoi amici, di quello che facevano a scuola, e le spiegò che da grande aveva deciso di fare il maestro. E quando Page gli chiese per quale motivo avesse scelto quella professione, le rispose che gli piaceva occuparsi dei bambini piccoli e soprattutto lo attirava l'idea di avere lunghe vacanze estive.

«O magari diventerò un divo del baseball, per la squadra dei Giants oppure per quella dei Mets. »

«Non sarebbe niente male. » Page sorrise. Com'era semplice stare in compagnia di Andy. E com'era buffo, il bambino.

«Mamma? »

«Sì? »

«Sei un'artista? »

«Più o meno. Una volta lo ero, ma adesso non riesco più a dedicarmi seriamente al mio lavoro. Da molto tempo. » Lui fece cenno di sì con la testa. Intanto rifletteva.

«Mi piace l'affresco che hai fatto a scuola. »

«Ne sono felice. Piace anche a me. E mi sono divertita a dipingerlo. Anzi, sto pensando che ne farò un altro. » Andy sembrò molto soddisfatto e quando finirono la pizza fu lui che andò a pagare e lasciò, come mancia, la somma che la mamma gli aveva indicato. Poi le mise un braccio intorno alla vita e insieme si avviarono verso la station wagon parcheggiata fuori.

Dieci minuti più tardi erano a casa. Dopo aver fatto il bagno, Andy raggiunse Page nel suo letto per guardare insieme la TV. Lei lasciò che si addormentasse e sorrise mentre gli rimboccava le coperte e gli dava un bacio. A sette anni era già alto per la sua età, ma Page lo considerava ancora il suo piccolino. Forse lo avrebbe sempre considerato così. Come del resto faceva con Allyson. Chissà, forse è così per tutti i figli, a qualsiasi età. Sorrise, pensando al golfino rosa di cashmere che le aveva chiesto in prestito e a quanto era carina.

Poi pensò anche a Brad. E quando controllò i messaggi sulla segreteria telefonica scoprì che l'aveva chiamata dall'aeroporto. Probabilmente sapeva che dovevano essere usciti già, a quell'ora, ma aveva voluto telefonare ugualmente per dirle che l'amava.

Poi rimase a guardare un film alla televisione. Era stanca e si sarebbe addormentata volentieri, ma voleva rimanere sveglia per aspettare il ritorno di Allyson. Non si fidava ancora delle sue promesse fino al punto di non avere preoccupazioni sull'ora del rientro. Voleva saperlo, con certezza; così rimase sveglia ad aspettare.

Alle undici guardò il telegiornale. Non era successo niente di straordinario; notò con sollievo che non c'erano stati disastri aerei, e nemmeno incidenti all'aeroporto. Ogni volta che Brad si metteva in viaggio diventava nervosa e viveva nella paura che potesse succedergli qualcosa di terribile. C'erano state le solite sparatorie a Oakland, le solite guerre fra bande rivali, e gli uomini politici si erano scambiati i soliti insulti; inoltre un impianto per la depurazione dell'acqua aveva avuto un guasto di modesta entità. Oltre a questo c'era stato un incidente sul Golden Gate Bridge e il ponte era stato chiuso. Page sapeva di non doversi preoccupare. Brad era in volo e Allyson era rimasta a Marin, con i Thorensen. Quanto ad Andy, era lì, nel letto, accanto a lei. Grazie a Dio, nessuno dei suoi pulcini mancava all'appello. Ecco una cosa di cui essere grata, pensò, mentre controllava l'orologio. Erano le undici e venti proprio in quel momento e, conoscendola come la conosceva, Page sapeva che l'avrebbe sentita entrare come una furia dalla porta alle undici e ventinove minuti, con gli occhi splendenti, i capelli al vento... e probabilmente con un'enorme macchia di salsa di spaghetti sul golfino di cashmere. Sorrise tra sé, facendo questa riflessione, e sprofondò un poco di più fra le coperte, mentre seguiva distrattamente sullo schermo le notizie relative alle condizioni meteorologiche.

2

ALLYSON imboccò di corsa il vialetto che portava alla strada. Era già in ritardo di cinque minuti per l'appuntamento con Chloe. La sua casa si trovava a tre isolati di distanza da quella di Allyson, ma questa volta non doveva neppure arrivare fin là. Era d'accordo con l'amica di trovarsi più o meno a metà del percorso, sull'angolo di Shady Lane e Lagunitas.

Chloe l'aspettava già quando Allyson arrivò, senza fiato e accaldata, anche perché il golfino di cashmere era un po' troppo pesante per quella stagione.

«Accidenti! Ma lo sai che è molto carino?» esclamò Chloe in tono ammirato. «Di tua madre?» A lei, adesso, mancava il ricco guardaroba materno dal quale attingere, e di conseguenza si era fatta prestare un maglione nero dalla sorella maggiore di una compagna di scuola. O forse sarebbe stato più giusto dire che l'amica l'aveva sottratto di nascosto alla sorella e aveva fatto giurare a Chloe che glielo avrebbe restituito la domenica mattina. Altrimenti sarebbe stata una tragedia! Chloe aveva deciso di indossarlo con una minigonna di pelle nera avuta in prestito da un'altra amica, e un paio di collant, sempre neri, che sua madre aveva dimenticato in fondo a un cassetto prima della sua partenza per l'Inghilterra.

«Stai divinamente», esclamò Allyson, molto colpita da quel completo così sofisticato. Anzi, cominciò a preoccuparsi pensando che, vicino a Chloe, sarebbe sembrata una specie di scolaretta in libera uscita. Per fortuna erano diverse come il giorno e la notte, loro due! Il maglione nero, come la minigonna, metteva in risalto i lucenti capelli scuri di Chloe e creava un netto contrasto con la sua carnagione candida come l'avorio. Era una ragazza molto graziosa e, vicino ad Allyson, sembrava una ballerina scattante. Del resto studiava balletto classico da undici anni, e bastava osservare i suoi movimenti per capirlo. Sperava di poter entrare nella Ballet School di San Francisco in autunno, e proprio per questo si era sottoposta a tutta una serie di audizioni e di prove, una più impegnativa dell'altra. Ed era stata accettata. Allyson la stava osservando, sentendosi visibilmente a disagio. Chloe, invece, fissava alternativamente l'orologino da polso e la strada. Era evidente che stava aspettando qualcuno con impazienza. «Smettila! Mi metti in agitazione... forse era meglio lasciar perdere», esclamò Allyson sentendosi a un tratto piena di rimorsi — e accorgendosi di avere un nodo che le serrava la gola.

«Come puoi dire una cosa simile?» Chloe sembrava indignata. «Sono i due ragazzi più belli dell'intera scuola. E poi, Phillip Chapman frequenta l'ultimo anno!» Phillip era il ragazzo con il quale Allyson avrebbe fatto coppia; quello di Chloe era Jamie Applegate. Era sempre stato il suo sogno, fin dal primo anno delle superiori. Adesso lui era al secondo anno e, come Phillip, faceva parte della squadra di nuoto.

Era stato Jamie a organizzare la serata, e Chloe a combinare tutto. Si era consultata immediatamente con Allyson, la quale aveva dichiarato che sua madre non le avrebbe mai dato il permesso di uscire con un ragazzo che frequentava l'ultimo anno delle superiori. Fino a quel giorno si era limitata a qualche uscita serale, in genere per andare al cinema, con ragazzi che conosceva da sempre, oppure in gruppo, con altri amici e amiche ed erano sempre stati i genitori dell'uno o dell'altro ad accompagnarla o ad andare a riprenderla. Nessuno degli amici di scuola, finora, aveva la patente; ecco perché la questione del trasporto era di essenziale importanza. C'era stata qualche festa, naturalmente, e lei aveva perfino avuto un ragazzo fisso per qualche settimana prima di Natale, ma a Capodanno erano già stanchi l'uno dell'altra. In realtà non aveva mai avuto un vero appuntamento con un ragazzo che venisse a prenderla con la propria macchina e la portasse fuori, invitandola a una vera e propria cena. Fino a quella sera. E adesso tutto questo era vero... fin troppo vero.

Dopo lunghe consultazioni con Allyson e con altre amiche, Chloe era arrivata alla conclusione che suo padre non le avrebbe mai permesso di uscire con Jamie Applegate, soprattutto in macchina, e soprattutto se la macchina era guidata da lui. Sapeva, d'istinto, che suo padre le avrebbe fatto notare, prima di tutto il resto, che praticamente lei non conosceva Jamie. Forse, se lui fosse venuto a cena una o due volte e avesse frequentato la loro casa e la loro famiglia un po' più spesso, sarebbe stato diverso. Purtroppo tutto questo non era mai accaduto e adesso mancava il tempo per farlo. Si trattava di una di quelle occasioni che capitano una volta sola nella vita, e Chloe sentiva che non poteva lasciarsela sfuggire, che mai più se ne sarebbe presentata un'altra simile. *Carpe diem*. Approfittane. E così aveva fatto. Era riuscita a convincere Allyson che l'unica soluzione era una bella bugia da raccontare ai genitori. Solo per quella volta. Dopo tutto, che male c'era? E se poi, avessero scoperto che quei ragazzi erano simpatici, e avessero deciso di uscire ancora con loro in futuro, allora avrebbero potuto esporre il loro problema ai genitori, e discuterne. In fondo, adesso si trattava più che altro di un semplice esperimento.

Allyson non si era mostrata altrettanto convinta, almeno in principio; ma Phillip Chapman era talmente bello così freddo, controllato, adulto, che era stato praticamente impossibile resistere alla tentazione di uscire con lui. Chloe aveva ragione. Dopo una serie infinita di telefonate e di conversazioni sottovoce a scuola, accettarono di incontrarsi con i due ragazzi all'angolo della strada in cui Chloe abitava.

« Non ti permettono di uscire con i ragazzi? » le domandò

Jamie, con aria insolente, quando lei gli diede l'indirizzo, spiegandogli che sarebbero state lì ad aspettarli.

«Certo che me lo permettono! Voglio semplicemente evitare che i miei fratelli maggiori ti coprano di lividi se non gli riesci simpatico», ribatté lei, cercando di inventare una scusa; ma Jamie, con aria indifferente e senza mostrare la minima preoccupazione, ne prese atto scrivendo l'indirizzo e promise di riferire tutto a Phillip Chapman. Perché era Phillip ad avere una macchina, e sarebbe stato lui a mettersi al volante per accompagnarli a cena da *Luigi*.

«Facciamo alla romana?» domandò Chloe, sempre più innervosita. Anche quello poteva diventare un problema. Lei aveva già speso tutta la somma che mensilmente suo padre le passava per comprare un paio di scarpe di cui non aveva affatto bisogno. In certi casi, quanto poteva diventare complicata la vita a quindici anni! Come se non bastasse, aveva prestato a Penny Morris altri cinque dollari quando sapeva benissimo di non poterselo permettere. Jamie, invece, si limitò a rispondere a quella domanda con una risata. Aveva i capelli rosso fiamma e uno splendido sorriso; a Chloe piaceva tutto di lui.

«Non dire stupidaggini. Vi abbiamo invitato noi.» Sì, allora facevano proprio sul serio. Sarebbe stato un vero e proprio appuntamento. Era talmente emozionante che per tutta la settimana al solo pensiero scoppiarono in risatine irrefrenabili. E adesso ecco che il sogno si realizzava. I ragazzi, però, tardavano ad arrivare, tanto che Allyson si domandò se non fosse stato tutto uno scherzo, se lei e Chloe non si fossero comportate come due scioccherelle, facendosi prendere in giro a quel modo.

«Magari non vengono», disse con voce piena di ansia, terrorizzata e al tempo stesso sollevata a quel pensiero. «Magari volevano soltanto scherzare. In fondo, per quale motivo Phillip Chapman potrebbe aver voglia di uscire con me? Ormai ha diciassette anni, praticamente diciotto, fra un paio di mesi prenderà il diploma ed è il capitano della squadra di nuoto.»

«Be', e con questo?» Chloe si affannò a rassicurarla, an

che se era preoccupata quanto Allyson che i ragazzi volessero soltanto divertirsi alle loro spalle e che non si facessero neppure vedere. «Sei bellissima, Allie. È proprio fortunato a uscire con te», mormorò gentilmente.

«Magari lui è di un parere completamente diverso.» Ma aveva appena finito di pronunciare queste parole che una vecchia Mercedes grigia apparve all'angolo della strada e venne e fermarsi proprio davanti a loro. Phillip era al volante, Jamie di fianco a lui. Sia l'uno sia l'altro indossavano un blazer e avevano messo la cravatta... ed entrambi parvero incredibilmente belli ad Allyson e Chloe!

Phillip fece salire le ragazze, poi sorrise ad Allyson. «Ciao... mi dispiace se siamo arrivati in ritardo. Ho dovuto fermarmi a far benzina e non riuscivo a trovare una stazione di servizio che avesse il gasolio.» Intanto Jamie aveva aiutato Chloe a sistemarsi sul sedile posteriore, mostrandosi incantato dai suoi lucenti capelli scuri, dai grandi occhi azzurri e dalla minigonna di pelle nera. Anche Allyson si sistemò al suo posto. Erano un gruppo di bellissimi ragazzi e quando partirono diretti verso il ristorante, tutti li avrebbero presi per dei diciottenni. «Cinture di sicurezza, prego», ordinò Phillip in tono serio mentre la macchina si avviava. Sembrava molto maturo, mentre dava quel consiglio, e li fece sentire tutti grandi e importanti. Poi si voltò di nuovo a guardare Allyson e le rivolse la parola sottovoce, mentre i loro due amici chiacchieravano, seduti dietro, come se fossero abituati a uscire a cena insieme da anni e non avessero mai provato, prima, neppure un attimo di nervosismo.

«Stai davvero bene, vestita così. E sei molto carina», disse Phillip guardandola. «Sono contento che ti abbiano lasciato uscire.»

«Anch'io», rispose Allyson arrossendo e sorrise sperando che il nervosismo le passasse.

«I tuoi genitori sono in ansia per il fatto che uscite con noi oppure perché andiamo in giro in macchina?» le domandò molto sinceramente, e per un attimo Allyson fu tentata di rispondere che nessuna delle due cose era stata un problema. Poi si limitò ad alzare le spalle con un sorriso timido, e decise di essere onesta. Forse la cosa migliore era mostrarsi sincera con lui. Sembrava un ragazzo simpatico, e le piaceva.

«Probabilmente l'uno e l'altro. Non l'ho chiesto. A dire la verità, non hanno piacere che io vada in giro in macchina con i ragazzi. È una specie di regola che mi hanno imposto; sarà sciocca, ma è una di quelle cose su cui non transigono.»

«Probabilmente hanno ragione. Ma al volante io sono molto attento e non corro mai rischi. Mio padre mi ha insegnato a guidare quando avevo nove anni.» Le rivolse un'altra lunga occhiata e sulle sue labbra si disegnò un lento sorriso. «Forse, una volta o l'altra, potrei venire a fare la loro conoscenza. Magari servirebbe a migliorare un po' le cose.» Oppure il contrario... e tutto dipendeva da quello che avrebbero pensato i suoi genitori se avessero saputo che lei aveva cominciato a uscire con un ragazzo di quasi tre anni più grande. Magari lo avrebbero trovato simpatico. Come si faceva a dirlo? Ad ogni modo, non c'era dubbio che fosse un ragazzo educato, gentile e rispettabile. No, Phillip Chapman non era certo un piccolo delinquente.

«Mi farebbe piacere», gli rispose a fior di labbra, ancora stupita dall'ansia di Phillip di metterla a proprio agio e di chiarire le cose ad ogni costo con suo padre e sua madre.

«Anche a me.»

Chiacchierarono per tutto il tragitto, fino al ristorante; intanto dal sedile di dietro arrivavano le risatine di Chloe. Jamie le stava raccontando tutta una serie di storielle, una più divertente dell'altra, sulla squadra di nuoto. In massima parte si trattava di frottole, così affermò Phillip, che era molto più serio, ma molto simpatico. Era un piacere stare con lui. E quando ebbero finalmente ordinato la cena, Allyson aveva ormai deciso che le piaceva moltissimo.

La lasciò senza parole quando volle ordinare del vino per Jamie e per sé, e poi si offrì di dividerlo con loro. Avevano dei documenti d'identità falsi, ma il cameriere si guardò bene dal domandare loro l'età e si limitò a portare in tavola due bicchieri del vino rosso della casa e a voltare le spalle quando le ragazze ne bevvero qualche sorso. Phillip non finì nemmeno il proprio, ma al dessert Allyson si accorse che beveva due tazze di caffè nero molto forte.

«Bevi sempre vino?» non poté trattenersi dal domandargli. Suo padre e sua madre le consentivano di bere solo qualche sorso di champagne a Natale. Un paio di volte aveva assaggiato una birra, ma non le era piaciuta affatto. Quella sera invece, bere il vino era stato emozionante anche se, quanto a gusto, non lo aveva trovato migliore della birra.

«Qualche volta», le rispose lui. «Mi piace un bicchiere di vino quando ho voglia di divertirmi. Lo bevo a casa, con i miei. E non hanno niente in contrario se, quando sono fuori con loro, lo ordino anche per me.» Non c'era dubbio, invece, che avrebbero avuto qualcosa da dire se avessero saputo che lo aveva ordinato, servendosi di una carta d'identità falsa, non solo per sé ma anche per un altro minorenne, e con l'intenzione di mettersi al volante, e guidare, dopo averlo bevuto! E Phillip sapeva benissimo tutto questo. D'altra parte, adesso che era fuori con due belle ragazze, si sentiva incredibilmente audace e coraggioso.

«Ma non ti dà fastidio quando guidi?» gli domandò lei, preoccupata.

«No», le rispose in tono fermo. «Non mi dà alla testa. Non me ne accorgo neanche. Ad ogni modo, non ne berrei di certo più di un bicchiere. E ho preso anche due tazze di caffè.»

«Questo, l'ho visto.» Allyson sorrise. «E mi fa piacere che tu l'abbia fatto.» Era onesta con lui. Phillip era molto bello e aveva un'aria da persona adulta, ma Allyson sentiva di potergli parlare con grande sincerità, e le sembrava che a lui questo piacesse.

«Avevi paura?»

«Un po'.»

«Non è il caso.» Sorrise posando una mano su quella di lei. Si guardarono negli occhi, poi si affrettarono a voltare la testa dall'altra parte. Per Allyson, tutto questo era sorprendente. Se ne sentiva un po' sopraffatta. Per nascondere il loro imbarazzo, si voltarono verso Jamie e Chloe che stavano parlando della possibilità che Chloe si trasferisse a San

Francisco per frequentare i corsi della Ballet School. Jamie, in quel momento, le stava dicendo che l'aveva giudicata bravissima quando l'aveva vista a uno spettacolo al quale sua sorella l'aveva trascinato a viva forza.

« Grazie », rispose lei raggiante. Jamie le piaceva alla follia e un elogio come quello aveva un grandissimo valore. « Ti sei divertito? »

« No. » E scoppiò a ridere. « L'ho odiato dal principio alla fine, però ho trovato che eri bravissima, e anche mia sorella. »

« Frequentava anche lei i corsi di balletto con me, ma poi ha smesso. »

« Lo so. Non valeva niente, però continua a dire che tu sei brava. »

« Magari... non so... a volte penso che si faccia una terribile fatica e ci sia troppo da lavorare, e a volte mi piace alla follia. »

« A sentirti, si direbbe che sia un po' come il nuoto. » Phillip sorrise e poi propose di andare tutti insieme in città a prendere un cappuccino. « Che ne diresti di Union Street? Così possiamo anche fare quattro passi e magari sederci in qualche caffè. È un'idea che vi piace? »

« Sì, niente male », esclamò Jamie.

« Certo, mi sembra molto carina », confermò Chloe. Per un attimo Allyson si sentì in preda al nervosismo al solo pensiero di andare in città. Nessuno sapeva che meditavano di fare una cosa del genere. Ma poi si ripeté: che male c'era in fondo? Union Street si trovava in una zona abbastanza tranquilla e l'idea di entrare in un caffè non aveva niente di peccaminoso.

« Se potrò rientrare a casa per le undici e mezzo, sono d'accordo », aggiunse, cercando di assumere un'aria disinvolta.

« Allora, andiamo. »

Phillip lasciò una mancia generosa; poi salirono tutti di nuovo a bordo della sua automobile che era stata parcheggiata fuori del ristorante. A dire la verità, la proprietaria dell'auto era sua madre, come lui si affrettò a spiegare. Di solito gli lasciavano guidare una vecchia station wagon, ma poi ché era un'autentica carriola aveva preso a prestito la Mercedes dalla madre, un'automobile che aveva già quindici anni... anche perché i suoi si trovavano a Pebble Beach per il fine settimana.

Percorsero interamente il Golden Gate Bridge, pagarono all'uscita e poi si avviarono verso est, imboccando prima Lombard Street e poi Filemore, scendendo infine verso sud per raggiungere Union Street. Dopo una interminabile ricerca trovarono un posto dove parcheggiare e cominciarono a passeggiare senza fretta lungo la fila di negozi e di ristoranti. Era un sabato pieno di animazione e di vita, la serata era calda ed era divertente anche solo trovarsi in quel quartiere. Allyson si sentì grande, quando cominciò a passeggiare con il braccio di Phillip intorno alle spalle.

Era alto e molto bello, e si mise subito a raccontarle i suoi progetti per il college. Lo avevano appena accettato alla UCLA ed era emozionatissimo al pensiero di cominciare a frequentarla in settembre. Aveva pensato anche a Yale, ma suo padre e sua madre non si erano mostrati entusiasti all'idea di vederlo partire per la East Coast. Erano persone già anziane, e lui il loro unico figlio, perciò preferivano averlo un po' più vicino a casa. Del resto, continuò, a lui l'idea dell'UCLA piaceva di più... e chissà che Allyson non potesse fare una capatina a trovarlo in settembre. Bastò la sola idea a lasciarla strabiliata. Non riusciva nemmeno a immaginare da che parte cominciare a spiegare un'eventualità del genere a suo padre e sua madre. Così si limitò a scoppiare in una risata e lui ne comprese al volo il motivo.

«Forse corro troppo, e sono passi da gigante, i miei... Forse è un po' esagerato visto che stasera è la prima volta che usciamo insieme. Che cosa ne diresti di prendere un caffè?» Sembrava sapersi destreggiare in ogni situazione e mentre erano seduti in un bar a bere un cappuccino, Allyson si accorse che le piaceva sempre di più. A un certo momento Phillip si protese attraverso il tavolo e quasi le sfiorò le labbra con la bocca con il pretesto di curvarsi verso di lei a dir-

le qualcosa sottovoce. Nel frattempo Chloe e Jamie chiac
chieravano fitto fitto, per conto proprio.

In quel bar non bevvero neanche una goccia di vino, e alle
undici meno cinque si alzarono per andarsene. Tornarono
senza fretta verso l'automobile anche perché sapevano che a
quell'ora non avrebbero avuto difficoltà a raggiungere Ross
in tempo per far rientrare a casa Allyson prima che scoccas-
se l'ora del coprifuoco.

«Mi sono divertita immensamente», mormorò a Phillip
mentre si allacciava la cintura di sicurezza.

«Anch'io.» Le sorrise; eppure sembrava tanto più grande
che Allyson si domandò se avrebbe avuto voglia di invitarla
di nuovo a uscire oppure se non si mostrasse cortese e gentile con lei quella sera semplicemente per buona educazione.
Un po' difficile dirlo. Però le sarebbe piaciuto poterlo conoscere meglio.

Phillip imboccò Lombard Street e la percorse a un'andatu-
ra moderata, diretto verso il ponte. Ben presto si trovarono
di nuovo sul Golden Gate. Era una serata perfetta. Pareva
che tutte le stelle affollassero il cielo tanto scintillavano. Anche l'acqua luccicava lievemente al chiaro di luna e intorno
alla baia le luci, sulla costa, brillavano vivide. Soffiava una
leggera brezza tiepida, come capita soltanto di rado a San
Francisco, e pareva che quella notte la nebbia fosse completamente scomparsa. Mai Allyson aveva vissuto, o ricordava,
una serata più romantica.

«Come è bello!» bisbigliò quasi tra sé mentre attraversavano il ponte; intanto da dietro arrivavano scrosci di risate.

«Sentite un po', voi due... avete allacciato le cinture di si
curezza?» domandò Phillip, e a giudicare dal tono della sua
voce era ridiventato serio. Jamie si mise a ridere

«Pensa ai fatti tuoi, Chapman.»

«Se non ubbidite, appena raggiungiamo la fine del ponte
mi fermo. Su, allacciatele, per favore.» Dietro, nessuno si
mosse. Il silenzio che seguì era talmente singolare e talmente lungo che Allyson non ebbe il coraggio di voltarsi a guardarli. Invece, con un sorriso imbarazzato, scrutò di sottecchi
Phillip.

«Che cosa fai domani sera, Allyson?» le domandò Phillip.

«Io... non so... non ho il permesso di uscire la domenica sera.» Ormai era venuto il momento di essere onesta con lui. Non era una ragazza grande. Aveva solo quindici anni e doveva accettare determinate regole, che le piacesse o no. Quella serata era stata splendida, ma si era resa conto che uscire di casa di nascosto e fare qualcosa di proibito la rendeva terribilmente nervosa. Le piaceva l'idea che Phillip venisse a conoscere la sua famiglia, ma non aveva nessuna voglia di uscire di nuovo di nascosto con lui, indipendentemente da quello che avrebbe deciso di fare Chloe con Jamie.

Phillip, ad ogni modo, non sembrò particolarmente turbato dalla spiegazione che lei gli aveva dato. Sapeva quanti anni aveva, ma la giudicava più matura, anzi addirittura uno schianto di ragazza. La sua compagnia gli era piaciuta ed era disposto ad accettare anche lui le regole pur di approfondire la loro amicizia. «Domani nel pomeriggio ho un allenamento; pensavo che, magari, sarei potuto venire dopo, se per te va bene, e rimanere lì fuori da casa tua per un po'... fare la conoscenza dei tuoi genitori... che cosa ne dici?»

«Fantastico.» Allyson era raggiante. «Davvero non ti dispiacerebbe fare così?» Phillip scrollò la testa e le lanciò un'occhiata talmente significativa e talmente intensa che lei si sentì il cuore in gola. «Pensavo che forse... non so... credevo che per te fosse un'enorme scocciatura.»

«Sapevo quello che mi aspettava quando ti ho invitato a uscire stasera. E mi sono un po' meravigliato di non dover fare la conoscenza dei tuoi. Poi ho concluso che, con ogni probabilità, non avevi raccontato la verità. Ma non possiamo continuare così in eterno.»

«No.» Lei scrollò la testa, provando un sollievo infinito. «Non possiamo... o, meglio, credo che non potrei... e se i miei lo scoprissero, mi ammazzerebbero...»

«È quello che farà mia madre quando si accorgerà che ho preso la sua macchina, sempre che se ne accorga...» Phillip sorrise. Anche lui sembrava un ragazzino. Scoppiarono a ridere insieme. Avevano commesso gravi mancanze quella sera, e lo sapevano, ma in fondo erano tutti bravi ragazzi. Non avevano nessuna cattiva intenzione, lo facevano unicamente perché era divertente e si sentivano di buonumore.

Ormai avevano già superato la metà del ponte; Jamie e Chloe bisbigliavano piano piano sul sedile posteriore e i loro mormorii erano punteggiati di tanto in tanto da qualche occasionale silenzio. Phillip aveva attirato Allyson un poco più contro di sé, almeno per quanto era possibile, pur continuando a tenere allacciata la cintura di sicurezza. A dire la verità Allyson l'aveva un po' allentata e stava per togliersela, ma lui le aveva fatto capire che non glielo avrebbe permesso. Era stato in quel momento che aveva staccato gli occhi dalla strada, solo per un istante. E quando si voltò di nuovo era troppo tardi. Fu solo un lampo di luce, il riverbero accecante di una specie di fulmine che si avventava su loro. Allyson stava guardando Phillip quando li raggiunse, mentre Jamie e Chloe, seduti dietro, non se ne accorsero neppure. Una specie di arco dalla luce abbacinante, un rombo di tuono, una montagna di acciaio, un'esplosione di vetri che si sparpagliarono dappertutto quando li colpì. In un solo istante fu la fine del mondo, mentre le due automobili si toccavano, si scontravano, si schiantavano roteando selvaggiamente l'una intorno all'altra come due tori infuriati. E dappertutto, intorno, altre automobili sterzavano bruscamente per non colpirli, i clacson cominciarono a suonare, striduli, e ogni cosa venne soverchiata dal rumore di un'esplosione. Poi fu il silenzio, improvviso.

Adesso c'erano schegge di vetro dappertutto e ferri contorti. Un lungo grido squarciò la notte mentre i clacson continuavano a suonare in distanza. E infine il lento, lungo gemito di una sirena. Poi, prima lentamente, e all'improvviso più in fretta, qualcuno scese dalla propria automobile per accorrere verso le due incastrate l'una nell'altra, in una morte comune, almeno in apparenza, congelate in un ghigno orrendo, trasformate in una specie di groviglio di acciaio... e mentre la gente accorreva ad aiutarli, il lugubre lamento delle sirene si fece più vicino. Ma era impossibile pensare che potesse esserci qualche sopravvissuto.

3

DUE uomini furono i primi ad avvicinarsi a ciò che rimaneva della vecchia Mercedes grigia. E a quel punto risultò evidente che era stata una Lincoln nera a urtarla frontalmente. Il motore era schiacciato e le due automobili sembravano incastrate l'una nell'altra. Se non fosse stato per il colore, era quasi impossibile distinguerle. Lì nei pressi si aggirava una donna, che piagnucolava e mormorava frasi incoerenti tra sé, ma sembrava illesa e due degli automobilisti sopraggiunti le si avvicinarono. Intanto due uomini cercavano di dare un'occhiata all'interno della Mercedes grigia. Uno di questi aveva con sé una torcia elettrica e sembrava vestito da operaio; l'altro, un giovanotto in jeans, aveva già dichiarato di essere un medico.

« Lei vede qualcosa? » domandò l'uomo con la torcia elettrica accorgendosi di tremare da capo a piedi mentre cercava di guardare nell'interno della Mercedes. Aveva visto molte cose, ma mai niente di simile. Per evitarli aveva sterzato con tale violenza che per poco non era finito addosso a un'altra automobile. Su tutte le corsie il traffico si era fermato e nessuno, ormai, percorreva più il ponte.

In un primo momento nell'interno dell'auto sembrò che il buio fosse completo malgrado i lampioni e le luci che la illuminavano dall'alto; tutto pareva così schiacciato, così compresso che era praticamente impossibile capire chi si trovas-

40

se a bordo. Ma alla fine, lo videro. Aveva la faccia coperta di sangue, tutto il corpo compresso in uno spazio assurdo, la nuca schiantata contro la portiera, il collo piegato con un angolo impossibile. Fu subito chiaro che era morto, anche se il dottore gli cercò disperatamente il polso.

«Quello al volante è morto», disse poi a voce bassa al suo compagno, che puntò la torcia elettrica verso il sedile posteriore e si trovò a fissare gli occhi sbarrati di un giovane. Era cosciente e sembrava che si fosse reso conto di quello che era successo, ma non riusciva a pronunciare una parola e non faceva che fissare con gli occhi sbarrati l'uomo che impugnava la torcia elettrica.

«Come ti senti? Tutto bene?» domandò a Jamie Applegate, il quale gli rispose con un cenno di assenso. Aveva un taglio su un sopracciglio e doveva aver battuto con violenza la fronte contro qualche cosa, forse addirittura Phillip stesso. Sembrava stralunato ma, all'infuori di questo si sarebbe detto incolume, il che era addirittura stupefacente.

L'uomo cercò di aprire la portiera ma le lamiere erano talmente incastrate che non ci riuscì.

«La pattuglia della Stradale dovrebbe esser qui da un minuto all'altro, figliolo.» Cercò di parlare con calma e Jamie annuì di nuovo. Pareva che non riuscisse a pronunciare nemmeno una parola; evidentemente era sotto choc. Non faceva che fissare i due soccorritori e l'uomo con la torcia elettrica fu certo che il ragazzo avesse riportato una commozione cerebrale.

Il medico si spostò indietro per dare un'occhiata a Jamie attraverso il finestrino aperto e cercare di confortarlo come meglio era possibile. Fu soltanto allora che avvertì una specie di rantolo provenire dal sedile posteriore, di fianco al ragazzo infortunato. E poi un gemito acuto che si trasformò in un grido lacerante. Era Chloe. Jamie si voltò a osservarla come se non riuscisse a capire in che modo la ragazza potesse trovarsi lì, di fianco a lui.

Il dottore girò rapidamente intorno all'automobile e l'altro soccorritore, fermo sull'altro lato, tentò di puntare il cono di luce proprio su di lei. Fu così che, improvvisamente, la videro. Era rimasta schiacciata fra il sedile anteriore e quello posteriore; il sedile anteriore, tutto intero, era stato spinto indietro dall'impatto con la massa imponente della Lincoln al punto che, a guardarla, si aveva l'impressione che adesso si trovasse incastrato sulle sue ginocchia. Impossibile vederle le gambe; e Chloe cominciò a singhiozzare istericamente ripetendo che non riusciva a muoversi, urlando che le faceva male... e loro cercarono di calmarla. Jamie continuava a guardarla con gli occhi sbarrati e con aria sempre più confusa; poi mormorò qualcosa di vago a Phillip.

« Fatevi coraggio », disse a tutti e due l'uomo con la torcia elettrica. « Stanno arrivando i soccorsi. » Infatti si poteva sentire l'ululato delle sirene che si avvicinavano. Ma gli urli e i gemiti di Chloe, adesso, sembravano sempre più acuti e strazianti.

« Non posso muovermi... non posso... non posso respirare... ansimava; pareva senza fiato, era in piena iperventilazione per il panico... e fu a quel punto che il giovane medico decise di occuparsi di lei e cominciò a parlarle con voce calma e suadente.

« Stai bene... stai tranquilla... fra un minuto ti tiriamo fuori... ecco, adesso cerca di respirare lentamente... qua... stringimi la mano... » Era riuscito nel frattempo ad allungare la sua nell'interno dell'abitacolo e a prendere quella di lei; poi si accorse che quelle della ragazza erano coperte di sangue perché aveva cercato di toccarsi le gambe. Eppure, malgrado il cono di luce della torcia elettrica, non riuscì a capire che cosa poteva essere successo. In ogni caso, il fatto che fosse cosciente e gli parlasse era già un buon segno. Per quanto danneggiate potessero essere le sue gambe, lei era viva e c'erano buoni motivi di sperare che sarebbe riuscita a cavarsela.

Fu in quel momento che l'uomo che impugnava la torcia elettrica li lasciò per un attimo: aveva infatti scorto la figura di una ragazza svenuta sul sedile anteriore. Fino ad allora era stata quasi invisibile, tanto era scivolata in basso e tanto era contorto il metallo che la imprigionava. Mentre cercavano di esaminare Chloe, aveva notato all'improvviso il suo volto e i suoi capelli. Il dottore continuò a occuparsi di Chloe, mentre l'altro soccorritore cercava di aprire la portiera anteriore nella speranza di liberare la ragazza incuneata sotto il cruscotto. Ma tutto fu inutile. La portiera era talmente deformata che non c'era speranza di aprirla. La ragazza non si era mai mossa e continuò a non muoversi anche quando lui, allungando una mano attraverso i vetri scheggiati del finestrino rotto, cercò di toccarla. Allora si rivolse al medico mormorandogli qualcosa sottovoce e questi, dopo averle lanciato un'occhiata, gli rispose che secondo lui doveva essere morta, come il ragazzo al volante. Ma dopo un attimo preferì controllare e affidò Chloe all'altro uomo, perché continuasse a rassicurarla parlandole. Quando toccò il collo della ragazza incastrata sotto il cruscotto si stupì nel rilevare un battito, lievissimo e irregolare, anche se ebbe l'impressione di non sentirla nemmeno respirare. Aveva la testa e il viso completamente coperti di sangue, i capelli ne erano intrisi, il golfino che portava era diventato rosso cupo, aveva piccole ferite, graffi, tagli e contusioni dappertutto, e ormai era evidente che nell'impatto doveva avere riportato ferite gravi alla testa. Era viva per miracolo e la sua vita era appesa a un filo. Ritenne molto improbabile che vivesse abbastanza a lungo perché i soccorritori riuscissero a tirarla fuori di lì in tempo. Purtroppo non poteva fare niente per lei; anche se il battito cardiaco o il respiro si fossero interrotti, non sarebbe nemmeno stato in grado di tentare un massaggio cardiaco per rianimarla. Era in una posizione troppo difficile e bastava guardarla per capire che le lesioni dovevano essere gravissime. Non poteva far altro che tenerla sotto controllo, poiché non era in grado di prestarle aiuto. A giudicare da quello che era riuscito a vedere, per i due ragazzi sul sedile anteriore non c'era più nulla da fare. Solo i due seduti dietro erano stati incredibilmente fortunati.

«Cristo, ma quanto ci mettono!» mormorò sottovoce il soccorritore con la torcia elettrica. E al lume della torcia, si rese conto di quanto sangue i feriti avessero perduto. Sembrava che entrambe le ragazze continuassero a perderne ancora, in abbondanza.

43

«È un'impressione che si ha sempre, creda», spiegò il dottore. Dieci anni prima, poiché faceva parte dei suoi doveri di medico residente a New York, aveva lavorato su un'ambulanza e gli era capitato di vedere un numero incredibile di incidenti orribili, sulle autostrade, sulle strade cittadine, nei ghetti. Aveva perfino aiutato a mettere al mondo un bel numero di bambini in viuzze di squallidi quartieri malfamati, ma non aveva mai visto scene simili, e molto spesso aveva dovuto constatare che, in incidenti di quel genere, nessuno era sopravvissuto. «Saranno qui fra un minuto.»

L'altro soccorritore stava sudando abbondantemente, anche perché le urla disperate di Chloe cominciavano a poco a poco a fargli perdere l'autocontrollo. Quanto ad Allyson, aveva addirittura paura di guardarla tanto parevano disperate le sue condizioni.

E poi, finalmente, arrivarono. Due carri attrezzi dei vigili del fuoco, un'ambulanza, tre automobili della polizia. Molte persone li avevano chiamati con i telefoni cellulari per avvertirli della gravità dell'incidente; altri si erano avvicinati con cautela alle due automobili e avevano saputo che in quella più piccola i passeggeri erano quattro e due di loro sembravano feriti in modo molto grave. La persona al volante dell'altra automobile era rimasta miracolosamente illesa, a parte qualche graffio e poche contusioni; si trattava di una donna che adesso stava singhiozzando, colta da un attacco isterico, fra le braccia di uno sconosciuto.

Tre dei vigili del fuoco e due agenti di polizia si avvicinarono all'automobile insieme con i paramedici. I poliziotti cercarono di sbloccare il traffico, sia pure solamente in una direzione. Anche i loro stessi veicoli avevano contribuito a rendere più caotica la situazione, così come il posto di blocco che avevano creato; solo un'unica fila di automobili diretta verso nord riuscì a malapena a passare, lentamente, di fianco alle due carcasse e alle automobili dei servizi di soccorso, mentre gli occupanti allungavano gli occhi verso quell'autentica carneficina.

«E qui che cosa abbiamo?» L'agente della Stradale lanciò

44

un'occhiata all'interno della vettura una prima volta e, dopo aver osservato Phillip, scrollò la testa.

«Questo è andato», si affrettò a spiegare il dottore e il primo dei paramedici lo confermò. Una vita bruciata in un attimo. E non aveva importanza che fosse stato giovane, o intelligente, o buono e gentile e che suo padre e sua madre lo avessero amato molto. Era morto senza un motivo, senza uno scopo, senza una ragione. Phillip Chapman era morto a diciassette anni, un dolce e profumato sabato sera d'aprile.

«Non riusciamo ad aprire la portiera», aggiunse il medico. «La ragazza sul sedile posteriore è in trappola, bloccata. E credo che sia ferita in modo piuttosto grave alle estremità inferiori. Lui sta bene.» E indicò Jamie che continuava a fissarli con aria confusa e trasognata. «È sotto choc e bisogna ricoverarlo immediatamente in ospedale per un controllo generale. Ma credo che probabilmente se la caverà senza problemi. Forse con una commozione cerebrale.»

I paramedici, a quel punto, erano riusciti a raggiungere Allyson, mentre i vigili del fuoco si precipitavano a telefonare chiedendo che venisse mandata una squadra di cinque uomini per liberare i feriti. «Ma... che cosa ne pensa della ragazza che si trovava sul sedile anteriore, dottore?»

«Temo che non ce la farà.» Aveva continuato a controllarle le pulsazioni, era sempre viva, ma si indeboliva sempre di più e purtroppo fino a quando non fossero arrivati con l'attrezzatura più pesante, nessuno era in grado di liberarla. I paramedici le fecero subito una fleboclisi, che comunque non poteva danneggiarla, e uno di loro le sistemò con estrema delicatezza un cuscinetto pieno di sabbia sotto la nuca per evitare ulteriori danni. «È chiaro che ha una grave ferita alla testa», esclamò il dottore, «e chissà che altro troveremo là sotto!» Era infatti totalmente imprigionata da quella massa di acciaio. Era chiaro che le sue fratture dovevano essere numerose. E adesso più che mai parve impossibile che potesse salvarsi.

Fu a quel punto che Chloe cominciò a gridare in modo ancora più terrificante, e nessuno riuscì a capire se lo facesse perché aveva sentito quello che dicevano dei suoi amici oppure perché le sue sofferenze erano insopportabili. A quel punto, ormai, era impossibile farla ragionare. Sembrava che non si rendesse nemmeno conto di dove si trovava; non faceva che urlare gridando che le facevano male le gambe e la schiena. Per quanto quei lamenti fossero strazianti, l'équipe medica li giudicò un buon segno in quanto indicava chiaramente che cosa le faceva male. Sapevano per esperienza che quando una persona non provava praticamente dolore, significava che aveva la spina dorsale spezzata.

«Okay, cara, fra un minuto ti tiriamo fuori. Cerca di resistere. E fra un minuto qualcuno ti riaccompagna a casa.» Il vigile del fuoco continuava a ripeterle queste parole lentamente, come una specie di cantilena, nell'illusione di tranquillizzarla. Intanto la pattuglia della Stradale era riuscita a forzare la portiera dalla parte di Phillip, dopo aver tolto i vetri rotti dal finestrino servendosi di una coperta. Estrassero con tutta la delicatezza possibile il suo corpo dall'automobile e uno dei vigili li aiutò a distenderlo su una lettiga. Poi lo coprirono immediatamente con un lenzuolo e sospinsero la lettiga verso l'ambulanza. Gli automobilisti di passaggio, sconvolti, dovettero assistere a quello spettacolo; qualcuno scoppiò anche in lacrime quando si rese conto che il poveretto era rimasto ucciso.

Il fatto di aver aperto la portiera consentì al medico di insinuarsi nell'interno dell'abitacolo e di avvicinarsi ad Allyson per controllare meglio le sue condizioni, tutt'altro che buone. A quel punto, ormai, il suo respiro si era fatto ancora più irregolare; i paramedici le applicarono alla bocca un apparecchio per il passaggio dell'aria e vi attaccarono un sacchetto dal quale fuorusciva il tubo dell'ossigeno. Il dottore sapeva che lo facevano per aiutarla a respirare e che l'ossigeno, come la fleboclisi, non poteva che migliorare, per quanto era possibile, le sue condizioni. Purtroppo aveva le braccia troppo ferite, tagliuzzate e piene di contusioni, per poterle applicare l'apparecchio per misurare la pressione sanguigna. Ma il medico non ne ebbe bisogno. Sapeva quello che stava accadendo. Stava morendo lì, fra le loro braccia, e se non fossero riusciti a liberarla presto, non ce l'avrebbe fatta. Se ne sarebbe andata, come Phillip. Forse non ce l'avrebbe fatta ugualmente, ma anche coperta di sangue com'era, si capiva che era molto giovane... e il dottore si scoprì a desiderare con tutte le sue forze che si salvasse.

«Su, bambina... su coraggio... non piantarmi in asso proprio adesso...» Sembrava quasi che mormorasse una preghiera; poi si voltò e in tono secco disse ai paramedici: «Avanti, altro ossigeno». Dopo un po' aggiunsero qualche altra sostanza al liquido della fleboclisi con la quale la sostenevano per via endovenosa. Ma tutti erano consapevoli del fatto che non ce l'avrebbe fatta se non l'avessero ricoverata al più presto in un ospedale.

Poi, finalmente, si sentì il rombo del furgone con le attrezzature per liberare dalle lamiere incastrate i feriti. Cinque uomini scesero e correndo si avvicinarono all'auto. In una frazione di secondo valutarono la situazione e, dopo essersi rapidamente consultati con le persone che già si trovavano sulla scena dell'incidente, entrarono rapidamente in azione.

A quel punto Chloe stava cominciando a perdere i sensi e uno dei vigili del fuoco cercò di somministrarle l'ossigeno dal finestrino aperto. Ma innanzitutto era necessario liberare Allyson, che era praticamente in fin di vita e per la quale non ci sarebbe stata alcuna speranza se non fossero riusciti al più presto a estrarla da quel groviglio di lamiere. Anche se le sue condizioni erano gravi, Chloe poteva aspettare. Non era in pericolo di vita. E in ogni caso non avrebbero potuto rimuoverla dall'interno dell'abitacolo senza prima averne estratto il sedile anteriore sotto il quale si trovava incastrata. E con il sedile anteriore, anche Allyson.

Mentre uno degli esperti stabilizzava il veicolo servendosi di cunei e zeppe in modo che niente più si muovesse, un secondo operatore della équipe sgonfiava i pneumatici e altri due rimuovevano le schegge di vetro da tutti i finestrini. Il quinto, intanto, stava consultandosi con la pattuglia della Stradale e i paramedici presenti; poi raggiunse rapidamente il collega per aiutarlo a rimuovere il finestrino posteriore. I ragazzi che si trovavano nell'interno del veicolo erano stati accuratamente protetti con tele cerate in modo che nessuna scheggia di vetro potesse ferirli. Quanto al parabrezza, ci vollero due persone per toglierlo, mentre un'altra lavorava intorno ai bordi. Alla fine si staccò dalle lamiere e i due uomini riuscirono addirittura a ripiegarlo come se fosse stato una coperta. Poi lo fecero scivolare rapidamente sotto l'automobile. Era passato poco più di un minuto dal loro arrivo, e il dottore, osservandoli, non poté fare a meno di pensare che se Allyson fosse riuscita a sopravvivere, sarebbe stato solamente grazie a loro e alla rapidità e abilità del loro intervento.

Il corpo di Allyson era sempre protetto da un telo, e uno dei soccorritori si insinuò nell'interno dell'abitacolo per togliere dal cruscotto le chiavi e per tagliare le cinture di sicurezza. Poi, tutti insieme, in gruppo, cercarono di staccare e sollevare il tetto della macchina, utilizzando una fresa idraulica e seghe a mano. Il frastuono era terrificante; Jamie cominciò a lamentarsi mentre le urla di Chloe si fecero sempre più acute. Allyson, invece, non si mosse neppure; ma i paramedici continuarono a somministrarle ossigeno.

Nel giro di pochi attimi riuscirono a togliere il tetto e subito un foro venne praticato in una delle portiere in modo da poterla forzare grazie a una macchina che pesava quasi cento chili e doveva essere sostenuta da due uomini; il suo rumore assordante assomigliava a quello di una perforatrice pneumatica. Nel frattempo Jamie era scoppiato in singhiozzi e piangeva senza ritegno. Solamente Allyson pareva indifferente a tutto quello che stava accadendo; uno dei paramedici si era sdraiato vicino a lei sul sedile, al posto di guida, in modo da poter controllare il flusso della fleboclisi nella vena e quello dell'ossigeno e assicurarsi che continuasse a respirare. Respirava, ma appena appena.

Quando riuscirono a rimuovere una portiera poterono finalmente raggiungere lo sterzo e il cruscotto. Si servirono di catene lunghe quasi tre metri e di un enorme gancio per estrarlo dall'interno della vettura e prima ancora che avessero finito i paramedici avevano fatto scivolare un'asse sotto il corpo di Allyson in modo da immobilizzarlo ulteriormente. Ormai l'automobile era ridotta al puro e semplice scheletro:

la parte anteriore non esisteva più, il tetto era stato scoperchiato, e tolte le portiere. Finalmente Allyson poteva essere tirata fuori. Fu solo allora che poterono rendersi conto, mentre si chinavano su di lei, di quanto fossero gravi le sue ferite. Si sarebbe detto che fosse stata colpita con violenza non solo frontalmente ma anche ai lati della testa. Quando l'altra automobile si era scontrata con quella di Phillip, la sua testa doveva essere rimbalzata di qua e di là come una pallina di vetro, sbatacchiata da tutte le parti. Quanto alla cintura di sicurezza, era talmente allentata che pareva quasi non l'avesse nemmeno allacciata.

Adesso tutti gli sforzi erano concentrati su di lei, come muoverla e trasportarla, con tutta la delicatezza possibile, fino alla lettiga. Anche se la rapidità era essenziale, ogni movimento doveva essere infinitamente delicato e pianificato con somma cura, per non rischiare di provocarle un ulteriore danno al cervello o alla spina dorsale. Ormai la sua vita era praticamente appesa a un filo quando il capo della squadra di paramedici gridò: «Via!» e tutti insieme si misero a correre cercando di evitare ogni sobbalzo mentre spingevano la lettiga verso l'ambulanza in attesa. Nel frattempo erano arrivate altre due ambulanze e altri paramedici stavano occupandosi di Chloe e Jamie. Era mezzanotte quando l'ambulanza partì con a bordo il cadavere di Phillip, Allyson, e il giovane medico. Uno degli agenti della Stradale gli aveva assicurato che avrebbe provveduto a riportargli l'automobile al Marin General Hospital. Il medico era troppo preoccupato per lasciare che Allyson venisse condotta all'ospedale con la sola assistenza dei paramedici, pur rendendosi conto che poteva fare molto poco per lei, che aveva bisogno immediatamente dell'intervento di un neurochirurgo. Ma non se la sentiva di lasciarla sola.

Intanto erano arrivate altre automobili della pattuglia della Stradale, una quarta ambulanza e due furgoni dei vigili del fuoco. Il traffico continuava sempre a muoversi su una fila unica in direzione di Marin e il ponte era sempre chiuso nella direzione opposta, cioè dalla Marin County fino a San Francisco.

«Come sta?» domandò uno dei vigili del fuoco, alludendo a Chloe, mentre i paramedici aspettavano che la squadra di soccorso la liberasse. Perdeva molto sangue da entrambe le gambe, e ormai era in preda a un attacco isterico. Avevano già provveduto a farle una fleboclisi, ma aveva perduto i sensi più di una volta mentre tentavano di estrarla dalla carcassa della macchina.

«Ha perso più volte conoscenza», spiegò uno dei paramedici. «Ma fra un minuto la tiriamo fuori.» Dovevano estrarre il sedile per arrivare fino a lei, ma purtroppo si resero conto che era bloccato da qualsiasi angolo. Perciò ricorsero all'uso di attrezzi speciali per ridurlo in pezzi e per sollevarlo dal fondo dell'abitacolo. Dieci minuti più tardi, finalmente, le gambe di Chloe furono liberate. Fu subito evidente che aveva una serie di fratture gravi, tanto che qua e là si vedeva sporgere qualche osso dalla carne. E quando la sollevarono per estrarla dall'automobile e distenderla su un'asse con la massima attenzione e delicatezza, Chloe perse i sensi.

Una seconda ambulanza partì a sirene spiegate nella notte mentre i vigili del fuoco aiutavano Jamie a scendere dalla vettura. Quando si ritrovò fuori scoppiò in singhiozzi aggrappandosi a quegli uomini come un bambino, in preda al panico.

«Coraggio, figliolo... tutto bene...» Ma lui aveva visto cose terribili ed era ancora confuso e intontito. Non riusciva a rendersi conto di quello che era successo. Mentre lo facevano salire sull'ambulanza affinché venisse ricoverato, come gli altri, al Marin General Hospital, arrivò anche la troupe della TV. Questa volta giungeva in ritardo sulla scena dell'incidente, contrariamente al solito, ma il ponte continuava a essere completamente bloccato.

«Cristo, odio le notti come questa», esclamò uno dei vigili del fuoco rivolto a un compagno. «Cose come queste ti fanno venir voglia di non dare più il permesso ai tuoi figli di uscire di casa, vero?» Scrollarono la testa tutti e due, mentre la squadra dei soccorritori continuava a tentare di districare le carcasse delle due automobili, ridotte ormai a un ammasso di acciaio contorto, per poterle trainare fuori dal ponte. Intanto il cameraman della TV riprendeva la scena.

Tutti erano stupiti che la Mercedes fosse andata completamente distrutta. D'altra parte era vecchia e, molto probabilmente, nella collisione con la Lincoln era stata colpita da una strana angolatura. Se non si fosse trattato di una Mercedes, vecchia o nuova, probabilmente sarebbero morti tutti, e non soltanto Phillip.

La donna che si trovava al volante dell'altra automobile era rimasta seduta sul bordo della strada, inebetita, sorretta da uno sconosciuto. Indossava un abito nero e un cappotto bianco. Era spettinata e con i vestiti in disordine, ma senza nemmeno una macchia di sangue. Perfino il cappotto bianco era ancora immacolato e ciò pareva incredibile considerando le condizioni dei ragazzi a bordo della Mercedes.

« E lei non va all'ospedale? » domandò uno dei vigili del fuoco all'agente della Stradale.

« Dice che sta bene. Almeno in apparenza è incolume. Neppure un graffio. È stata maledettamente fortunata. Però sembra sconvolta. Soprattutto per quel ragazzo. Fra un minuto pensiamo noi a riaccompagnarla a casa. »

Il vigile del fuoco annuì, lanciando un'occhiata alla donna. Era attraente, vestita con eleganza e raffinatezza, e doveva avere appena superato la quarantina. Alcune persone l'assistevano e qualcuno le aveva offerto un po' d'acqua. Piangeva piano piano, con il viso nascosto nel fazzoletto e scrollava la testa come se non riuscisse ancora a credere a ciò che era accaduto.

« Non avete nessuna idea di come si sia svolto l'incidente? » domandò un cronista a un vigile del fuoco, ma questi si limitò a stringersi nelle spalle. Non aveva nessuna simpatia per i media e tanto meno per il loro macabro interesse nelle tragedie che toccavano il prossimo. Era fin troppo chiaro quello che doveva essere successo. Una vita perduta, forse addirittura due, se Allyson non se la fosse cavata. Che altro voleva sapere? Perché? Come? Ma aveva veramente importanza? I risultati non cambiavano, indipendentemente da chi poteva essere responsabile dell'incidente.

«Non ne siamo ancora sicuri», rispose il vigile del fuoco, senza sbilanciarsi: e dopo pochi minuti, parlando con uno dei colleghi, osservò: «Si direbbe che si siano spostati tutti e due verso il centro della strada quel tanto sufficiente a provocare una tragedia». Uno degli agenti della Stradale glielo aveva appena spiegato. «Basta girare gli occhi dall'altra parte per un attimo... A dire la verità, da un primo sopralluogo, la donna è risultata un po' troppo oltre la linea centrale rispetto a quanto sembra si siano spostati i quattro ragazzi. Però ripete che non è vero. E non abbiamo nessun motivo di non crederle. È Laura Hutchinson», spiegò, non nascondendo di essere profondamente colpito da questo fatto.

«Hutchinson, cioè come il senatore, che si chiama John?» chiese il collega.

«Già.»

«Cazzo. Immagina un po' se fosse rimasta uccisa lei. Secondo te, i ragazzi erano ubriachi oppure avevano sniffato?»

«Chi lo sa? Effettueranno un controllo all'ospedale. Non è escluso. Oppure potrebbe essere una di quelle cose che succedono senza che tu riesca a capire perché e di chi sia la colpa. Dalla posizione delle due macchine non si capisce con chiarezza quale sia stata la dinamica dell'incidente; e purtroppo è rimasto talmente poco!» Non solo, ma il poco rimasto era stato ridotto in pezzi per essere portato via. E stavano già cominciando a usare l'idrante per ripulire il fondo stradale dai rottami e dalle chiazze di benzina e di sangue.

Sarebbero passate come minimo un paio d'ore prima che il traffico sul ponte potesse riprendere e, anche in tal caso, fino alle prime ore del mattino sarebbe rimasta aperta una sola corsia in ciascuna delle due direzioni, almeno finché gli ultimi resti delle due automobili non fossero stati rimossi per essere esaminati.

Ormai anche la troupe televisiva era pronta ad andarsene. Non c'era nient'altro da vedere; quanto alla moglie del senatore, si era rifiutata di rilasciare dichiarazioni sulla morte della persona che si trovava al volante dell'altra vettura. La pattuglia della Stradale l'aveva protetta, con molta discrezione, dal loro assalto.

Era mezzanotte e mezzo quando finalmente la riaccompagnarono a San Francisco, nella casa di Clay Street dove abitava. Suo marito si trovava a Washington; lei era andata a una festa a Belvedere. I suoi figli dormivano nei loro letti e la governante, quando aprì la porta, scoppiò in lacrime vedendo in che stato era la sua padrona e sentendo quello che era successo.

Laura Hutchinson si profuse in ringraziamenti, insistette nel ripetere che non aveva bisogno di farsi ricoverare in ospedale e confermò che si sarebbe fatta visitare dal medico di famiglia la mattina dopo, se fosse stato necessario. Poi li pregò di telefonarle per informarla sulle condizioni dei ragazzi feriti.

Ormai era già al corrente della morte del giovane al volante, ma non le avevano ancora riferito che Allyson, molto probabilmente, non sarebbe sopravvissuta fino alla mattina dopo. Gli agenti della Stradale provarono quasi compassione per lei, tanto appariva sconvolta e angosciata per ciò che era successo. Era scoppiata in un pianto convulso quando aveva visto portar via il cadavere di Phillip coperto da un lenzuolo. Aveva tre figli anche lei e il pensiero di quei ragazzi era qualcosa che non riusciva quasi a sopportare.

L'agente della Stradale che l'aveva accompagnata a casa le consigliò di prendere un sedativo, o perlomeno di bere qualcosa di forte. Così si sarebbe tranquillizzata. Bastava guardarla per capire che ne aveva un gran bisogno.

«Non ho bevuto neppure un drink per tutta la sera», rispose lei parlando a scatti, innervosita. «Non bevo mai quando esco la sera senza mio marito», spiegò.

«Secondo me non le farebbe male, signora. Vuole che vada a prenderglielo io, adesso?»

Malgrado le sue esitazioni, l'agente intuì che avrebbe accettato; e avvicinatosi al bar, le versò un bicchiere di brandy liscio che lei sorseggiò con una smorfia di disgusto. Ma poi sorrise e ringraziò l'agente. Erano stati gentili e premurosi con lei per tutta la sera e li assicurò che anche il senatore sarebbe stato loro molto grato.

«Per carità!» L'uomo la ringraziò e uscì per raggiungere

il collega che era rimasto fuori. Fu appunto quest'ultimo a domandargli se non avesse pensato ad accompagnarla all'ospedale per un controllo con l'etilometro, in modo da poter escludere almeno questa possibilità nelle indagini che andavano fatte.

« Santo cielo, Tom! Quella donna è la moglie di un senatore. Da quando è successo l'incidente ha i nervi a pezzi; ha visto morire un ragazzo e mi ha detto lei stessa di non aver bevuto neanche un goccio di liquore in tutta la sera. Per me può bastare. » L'altro agente si strinse nelle spalle; forse il collega aveva ragione. Era la moglie di un senatore ed era assurdo pensare che si fosse messa sulla strada alle undici di sera mezza sbronza per andare a investire un branco di ragazzini. Nessuno poteva essere tanto stupido — e quella sembrava una donna simpatica e intelligente.

« Ad ogni modo io le ho versato un bicchiere di brandy, così adesso è troppo tardi per chiederle di fare il test con l'etilometro. Quella poveretta aveva bisogno di qualcosa di forte per tirarsi su. Credo che le abbia fatto bene. »

« Avrebbe fatto bene anche a me », commentò il compagno. « Perché non hai pensato di portarmene un bicchierino? »

« Zitto. Gesù... farle un controllo con l'etilometro... » scoppiò a ridere. « Che altro volevi che le facessi? Che le prendessi le impronte digitali? »

« Certo. E perché no? Probabilmente il senatore ci avrebbe dato un premio o raccomandato per una promozione. » I due uomini scoppiarono in una risata e si allontanarono nel buio. La notte era già stata molto lunga per loro, anche se era soltanto l'una e mezzo del mattino.

4

ALLE undici e cinquanta Page stava guardando un vecchio film alla TV e si era sollevata a sedere sul letto. Allyson era in ritardo di venti minuti e lei non lo trovava affatto divertente. A mezzanotte scoprì che era ancor meno divertente.

Andy dormiva pacificamente al suo fianco e Lizzie si era addormentata sul pavimento. In casa c'erano silenzio e una gran pace, mentre lei a ogni minuto che passava diventava sempre più esasperata e furiosa. Allyson aveva promesso di rientrare al massimo alle undici e mezzo, cioè mezz'ora più tardi di quanto Page aveva deciso. Quindi non aveva assolutamente scuse per non aver tenuto conto del famoso coprifuoco imposto dalla madre.

A quel punto cominciò a pensare di telefonare a casa Thorensen, ma si rese conto che sarebbe stato inutile. Se erano ancora al cinema, oppure fuori, in qualche posto, a prendere un gelato, non avrebbe avuto risposta in ogni caso. Pensò che probabilmente erano andati a mangiare qualcosa dopo il film e Allyson, naturalmente, non aveva detto al padre di Chloe che doveva rientrare a casa per le undici e mezzo.

Alle dodici e trenta Page era fuori di sé per la rabbia e l'indignazione; all'una era in preda all'angoscia. Stava per decidersi a chiamare casa Thorensen quando, all'una e cinque, squillò il telefono. Pensò subito che fosse Allyson, che lo chiamava per chiederle se poteva passare la notte da Chloe.

«No, *niente affatto*, non puoi!» furono le prime parole che pronunciò, alzando la cornetta.

«Pronto?» La voce all'altro capo del filo sembrava confusa e Page si scosse. Non era Allyson a chiamarla, ma una persona sconosciuta. Non riuscì neppure a immaginare chi potesse telefonarle a quell'ora di notte, a meno che non si trattasse di uno sbaglio oppure di una telefonata oscena.

«Parlo con casa Clarke?»

«Sì? Chi è?» D'un tratto un brivido di paura le corse giù per la schiena, ma non vi badò.

«È la pattuglia della Stradale, signora Clarke. Parlo con la signora Clarke, vero?»

«Sì.» Mormorò questa parola in un sussurro, perché di colpo il terrore le aveva chiuso la gola e non riusciva quasi a parlare.

«Mi dispiace di doverla informare che sua figlia è rimasta vittima di un incidente.»

«Oh, mio Dio!» All'improvviso si sentì invadere dal terrore. «È viva?»

«Sì, ma non ha mai ripreso i sensi per tutto il tragitto fino al Marin General. È ferita molto gravemente.»

«Oh Dio... oh Dio...» Che cosa significava «molto gravemente»? Grave fino a che punto? Come sta? Sopravviverà? Come è stata ferita?

«Che cosa è successo?» riuscì a malapena a chiedere con voce strozzata.

«Uno scontro frontale sul Golden Gate Bridge. Sono stati investiti da un veicolo diretto verso sud, mentre loro viaggiavano verso la Marin County.»

«Verso Marin? E da dove? Non è possibile.» Adesso era addirittura disposta a mettere in dubbio il fatto che Allyson si fosse trovata da quelle parti, e chissà che, riuscendo a dimostrare la validità delle sue argomentazioni, non si potesse anche dimostrare che non era mai stata lì, sul Golden Gate Bridge... E, quindi che.... non fosse successo proprio niente.

«Purtroppo è vero. Adesso è ricoverata al Marin General,

56

signora Clarke. È necessario che lei la raggiunga al più presto. »

«Oh Dio... grazie... » Riattaccò senza aggiungere altro e chiamò subito il servizio informazioni. Avuto il numero del Marin General, telefonò chiedendo che le passassero il Pronto Soccorso. Sì, Allyson Clarke era ricoverata da loro; era ancora viva ma non era in grado di fornirle ulteriori informazioni. I medici erano tutti impegnati intorno a lei e nessuno di loro poteva venire al telefono a parlarle. Allyson Clarke era nell'elenco dei feriti in condizioni critiche.

Adesso Page aveva gli occhi pieni di lacrime; le sue mani erano scosse da un tremito violento mentre componeva all'apparecchio il numero della sua vicina di casa. Doveva lasciare Andy con qualcuno... doveva chiamare... e vestirsi... e andare laggiù... Al telefono vennero a rispondere dopo quattro squilli mentre lei singhiozzava silenziosamente pregando in cuor suo che Allyson fosse ancora viva al suo arrivo all'ospedale.

«Pronto? » rispose finalmente una voce assonnata.

«Jane? Puoi venire? » Page pronunciò queste parole con il fiato mozzo, mentre le pareva di non riuscire nemmeno più a respirare. E se fosse svenuta? E se... e se Allyson fosse morta... oh Dio, no... ti prego, no...

«Che cosa è successo? » Jane Gilson la conosceva bene e non aveva mai visto Page in preda al panico. «Che cosa c'è? Ti senti male? C'è qualcuno da te? » Possibile che le fosse entrato in casa qualcuno?

«No», fu la sua risposta, un orrendo squittio carico di terrore, «si tratta di Allie. Ha avuto un incidente... scontro frontale... adesso si trova al Marin General in condizioni critiche... Brad è partito... e devo lasciare Andy... »

«Oh, mio Dio... arrivo fra due minuti. » Jane Gilson riattaccò e Page si precipitò verso l'armadio guardaroba per prendere un paio di jeans e il primo maglione che trovò. Era vecchio, azzurro, quello che usava per lavorare in giardino, pieno di macchie e di buchi, ormai sdrucito e sbiadito. Ma non se ne accorse nemmeno mentre lo infilava e metteva un paio di mocassini. Non pensò neppure a passarsi un pettine fra i capelli; poi si precipitò a cercare il blocco per appunti sulla scrivania dello studio, dove Brad lasciava sempre scritto il nome e il numero di telefono del suo albergo, quando era in viaggio. Sapeva che lo avrebbe trovato lì. Forse, però, era meglio vedere Allyson, prima di telefonargli, nel caso le notizie fossero migliori di quello che temeva. Avrebbe potuto chiamarlo dall'ospedale, dopo aver visto sua figlia. Ma questa volta, non trovò né il nome dell'albergo né il numero di telefono. Niente. Semplicemente una pagina vuota. Per la prima volta in sedici anni Brad si era dimenticato di lasciarle queste indicazioni. Era come se il destino volesse giocare un brutto scherzo a lei, a tutti loro. Non c'era tempo da perdere, adesso, e avrebbe poi potuto telefonare a qualcuno dell'ufficio di Brad e farselo dire in seguito. Ora doveva raggiungere l'ospedale e vedere la sua bambina.

Afferrò la borsetta mentre il campanello della porta suonava. Si precipitò ad andare ad aprire a Jane Gilson, che le buttò le braccia al collo. Conosceva i Clarke da quando erano andati ad abitare in quella casa, prima ancora che Andy nascesse, quando Allyson aveva solo sette anni.

«Vedrai che andrà tutto bene... Page, calmati. Probabilmente tutto ti sembra peggiore di quello che è in realtà. Cerca di non agitarti, mi raccomando.» Avrebbe voluto accompagnarla in macchina all'ospedale, ma anche suo marito era via, in campeggio con i loro due figli, rientrati a casa dal college per le vacanze di primavera. E non c'era nessun altro cui lasciare Andy, che continuava a dormire tranquillo nel letto di sua madre, all'oscuro di quello che era successo. «Che cosa vuoi che gli dica quando si sveglia, nel caso tu non fossi ancora rientrata?»

«Basterà dirgli che Allyson è stata male e io ho dovuto accompagnarla all'ospedale. Ti telefonerò per farti sapere qualcosa. E se Brad telefonasse, Jane, fatti dare il suo numero, per amor di Dio!»

«D'accordo... e adesso, vai... e non correre rischi guidando.»

Page corse fuori nella notte calda, i capelli sciolti sulle spalle, la borsa sotto il braccio. Balzò in macchina e dopo un attimo era già sulla strada. Per tutto il tragitto cercò di parlare a se stessa, di convincersi che doveva stare calma e respirare regolarmente. Di tanto in tanto cercava anche di rassicurarsi che Allyson non era in pericolo, o supplicava Dio che salvasse la sua bambina. Continuava ancora a non essere convinta che fosse potuta succedere una cosa del genere.

L'ospedale era a otto minuti di distanza; parcheggiò nel primo posto che riuscì a trovare. Dimenticò le chiavi nel cruscotto ed entrò correndo. Il Pronto Soccorso era illuminato e pieno di gente che andava e veniva, mentre una mezza dozzina di persone, sedute in un corridoio, aspettavano di essere visitate e assistite. Una donna con le doglie del parto camminava con aria ansiosa e sofferente, appoggiandosi pesantemente al marito. Ma tutto quello che Page voleva vedere era la sua bambina. Soltanto a quel punto si accorse dei cronisti dei giornali; ce n'erano due che prendevano appunti ascoltando quello che riferiva un agente della Stradale.

Raggiunse il banco dell'accettazione e domandò a un'infermiera dove poteva trovare Allyson. Quando sollevò gli occhi e guardò Page, la donna si fece immediatamente seria. Aveva un viso grazioso e due occhi pieni di dolcezza e provò subito comprensione e simpatia per lei che era pallida come una morta e tremava da capo a piedi.

«È la madre?»

Page annuì, accorgendosi che il tremito che la scuoteva si faceva più forte. «E lei... e lei...»

«È viva.» Page ebbe l'impressione di sentirsi mancare e la donna, alzandosi di scatto, uscì da dietro il banco per sorreggerla. «È ferita molto, molto gravemente, signora Clarke. Una ferita gravissima alla testa. Adesso è con lei la nostra équipe neurochirurgica; stiamo aspettando il nostro primario. Solo quando arriverà saremo in grado di dirle qualcosa di più. Ma per ora è ancora in vita...» Accompagnò Page verso una poltroncina e l'aiutò a sedersi. «Gradisce una tazza di caffè?» le chiese con gentilezza. Page cercò di non piangere mentre faceva cenno di no con la testa, ma non ci riuscì. Le lacrime le salirono agli occhi mentre cercava disperatamente di mettere ordine nei propri pensieri e capire meglio quello che la donna aveva detto... neurochirurghi... équipe neurochirurgica... lei era ferita molto, molto gravemente... ma perché? Come? Come era successo tutto questo? «Si sente bene?» le domandò l'infermiera. Ma bastava guardarla per capire che stava malissimo e, soffiandosi il naso, Page fece cenno di no con la testa desiderando con tutto il cuore che le lancette dell'orologio potessero correre a ritroso. Se pensava alla collera cieca che aveva provato nei confronti di Allyson perché non aveva obbedito agli ordini, perché non era rientrata prima del coprifuoco. Adesso le parve inconcepibile. E mentre lei era furiosa, Allyson era vittima di uno scontro frontale... no, non riusciva nemmeno a pensarci.

«È rimasto ferito anche qualcun altro?» riuscì, alla fine, a mormorare con voce rotta e l'infermiera annuì mentre la guardava tristemente.

«La persona che guidava la macchina è morta. E un'altra ragazzina è rimasta gravemente ferita.»

«Oh mio Dio...» *Ucciso?*... Trygve Thorensen morto? Ma come poteva essere successo tutto questo, in nome di Dio? Stava riflettendo su queste notizie quando vide uscire da una delle sale del Pronto Soccorso un uomo che gli assomigliava in un modo incredibile. Camminava come se fosse inebetito e si fermò a fissarla come se non la vedesse nemmeno. Fu lei a rendersi conto, d'un tratto, che quell'uomo era Trygve. Ma com'era possibile? L'infermiera le aveva appena detto che era morto. Dunque era tutta una bugia? Uno scherzo di pessimo gusto? Un brutto sogno? Stava diventando pazza, oppure sognava? Ma quell'incubo era fin troppo vero e, osservando Trygve, Page capì. L'infermiera si allontanò con molta discrezione e Trygve rimase immobile con gli occhi abbassati, mentre le lacrime gli scorrevano sulle guance.

«Page, quanto mi dispiace...» Allungò una mano, cercò quella di lei e gliela tenne stretta per un momento. «Avrei dovuto capirlo... immagino che avrei dovuto sapere che doveva succedere, ma non prestavo attenzione... non so come ho fatto a essere tanto stupido!» Lei lo fissava inorridita. La colpa era sua perché si era distratto mentre guidava e adesso i loro figli erano tutti feriti gravemente... ma come aveva il coraggio di dirle tutto questo? E perché l'infermiera le aveva appena spiegato che lui era morto mentre non era vero?

«Non capisco», disse Page, fissandolo con gli occhi colmi di angoscia. Trygve si mise a sedere lentamente di fianco a lei, scrollando la testa, ancora incapace di credere a quello che era successo.

«Io comincio soltanto ora. Avrei dovuto capirlo quando l'ho vista uscire vestita a quel modo. Si era messa una gonna di pelle nera presa a prestito da chissà chi, e i collant neri che dovevano essere quelli di Dana... sono un maledetto sciocco. Stavo facendo qualcosa con Bjorn, e così non ci ho badato. Ha detto che usciva con te, così ho pensato che andasse bene... come vorrei averglielo impedito, accidenti! »

«Fuori con *me*? Vuoi dire... che non eri tu a guidare? » Mentre se ne rendeva conto, si sentì travolgere da un'ondata di nuovo terrore. Ciò significava che non erano affatto uscite con lui! Ma, allora, in compagnia di chi erano, e chi guidava?

«No, io no. »

«Allyson ha detto che le portavi a mangiare da *Luigi* e poi al cinema. E a me non è mai passato per la testa che non fosse così... » poi, a un tratto, mentre ci ripensava, tutte le tessere del mosaico andarono a posto. Il golfino di cashmere che le aveva chiesto in prestito, la gonna bianca, il fatto che se n'era andata zitta zitta per raggiungere Chloe e non aveva lasciato che sua madre l'accompagnasse in auto. «Come ho potuto essere tanto sciocca? »

«Comincio a pensare che lo siamo stati tutti e due. » Trygve la guardava fra le lacrime; anche lei ricominciò a piangere. «Dovresti aver visto Chloe quando è arrivata... ha fratture multiple a tutte e due le gambe, il bacino fratturato, un femore rotto e lesioni interne. Adesso la stanno operando, le tolgono la milza e non è escluso che possa aver subìto dei danni anche al fegato. Devono sostituire una parte del femore; infilare dei chiodi nelle ossa pelviche... non è escluso

61

che non possa mai più camminare, Page. .» Adesso piangeva senza più controllarsi. «Se penso che il suo più grande
desiderio era iscriversi alla scuola di balletto classico... oh
Gesù... come è potuta succedere una cosa del genere?»

Page annuì, annientata da quelle notizie Chloe forse non
sarebbe mai più stata in grado di camminare... e Allyson
con una gravissima ferita alla testa. Poi si voltò di nuovo a
guardare Trygve. «Hai visto Allyson?» Era quasi terrorizzata al pensiero di doverlo fare lei, fra poco, eppure lo desiderava con tutte le sue forze; d'altra parte le avevano confermato che doveva aspettare fino a quando i neurochirurghi
non avessero finito di valutare la situazione. Ma... se fosse
morta prima... e Page non fosse stata lì con lei... e se... e
se...

«No, non ho potuto», le rispose Trygve con aria grave,
asciugandosi le lacrime per un attimo. «L'ho chiesto, ma
non me lo hanno permesso. Hanno semplicemente portato
Chloe in sala operatoria. Pensano che ci vorranno da sei a
otto ore, forse di più. Sarà una lunga nottata.» Oppure no.
Per Page, poteva essere anche peggio. Per Allyson, tutto sarebbe potuto finire molto in fretta.

«Mi hanno detto che Allyson è stata ferita molto gravemente alla testa, ma non hanno saputo riferirmi altro», riprese Trygve a bassa voce.

«È quello che hanno detto anche a me. Non so neppure
che cosa possa significare. Vuol dire che è rimasto danneg-
giato il cervello? Che morirà? Potrà tornare a essere quella
di prima?» si chiese Page con gli occhi colmi di lacrime.
«Ci sono i neurochirurghi con lei, in questo momento.»

«Cerca allora di convincerti che ci sono speranze. Al momento, è tutto quello che abbiamo.»

«E se invece non riuscisse a cavarsela?» Page era grata di
avere qualcuno con cui parlare, una persona che, se non altro, poteva condividere le sue paure.

«Cerca di non farti troppe domande», disse lui. «È quello
che faccio io, invece, pensando a Chloe... e se non potesse
più camminare... e se rimanesse paralizzata... sarà capace,
un giorno, di riprendere a camminare o a ballare o a corre-

re... e potrà avere dei figli? Qualche minuto fa mi sono ritrovato a fare piani su come mettere, in casa, le rampe per la sua poltrona a rotelle. Devi importi di smettere di fare queste riflessioni. Fino a questo momento, ancora non sappiamo. Viviamo minuto per minuto.» Page annuì, ben sapendo quello che le parole di Trygve significavano.

«Sai chi guidava?» gli domandò Page con aria grave, ricordando quello che l'infermiera le aveva detto, cioè che la persona al volante era morta. E lei era saltata alla conclusione che si trattasse di Trygve.

«Lo conosco solo di nome. Un ragazzo che si chiamava Phillip Chapman e aveva diciassette anni. È tutto quello che so. D'altra parte Chloe non era in condizioni di rispondere a nessuna domanda.»

«Ne ho sentito parlare. Se non sbaglio devo aver conosciuto i suoi genitori. Secondo te, in che modo possono esser diventati amici?»

«Chi lo sa... a scuola... oppure con una delle loro squadre sportive... o al circolo del tennis... ormai sono persone adulte, capisci. A ogni modo, non mi era mai capitato di affrontare situazioni del genere con i miei maschi. O perlomeno con Nick.» Certo, con Bjorn era stato diverso. «Ho la vaga sensazione che le ragazze siano un poco più intraprendenti o, perlomeno, che questo valga soprattutto per le nostre.» Cercava di costringerla a sorridere, ma Page era troppo sconvolta. E se per Allyson non ci fosse stato un futuro? Se non avesse avuto mai più un vero e proprio appuntamento d'amore? O un ragazzo? O un marito? O un bambino? Solo quindici brevi anni, e poi basta. Questo pensiero le fece salire di nuovo le lacrime agli occhi; Trygve le prese la mano e gliela strinse quando si accorse che piangeva.

«Non farlo, Page... cerca di non lasciarti prendere dal panico.»

«Come faccio? Come puoi dire una cosa del genere?» Ritirò la mano di scatto e scoppiò in singhiozzi. «Forse non riuscirà nemmeno a sopravvivere. Forse finirà anche lei come il ragazzo che guidava.» Trygve annuì con aria profondamente infelice e Page si soffiò il naso, in preda al terrore e alla disperazione; poi alzò di nuovo gli occhi a guardarlo. «Avevano bevuto?» Era stata la prima cosa che le era venuta in mente riflettendo sul fatto che al volante c'era un ragazzo di diciassette anni e lo scontro era stato spaventoso.

«Non lo so», le rispose lui con molta franchezza. «L'infermiera mi ha detto che hanno fatto un prelievo di sangue a tutti per controllare il tasso alcolico. Presumo che avessero bevuto...» concluse con aria tetra mentre un reporter si faceva avanti. Li stava osservando già da un po' mentre chiacchieravano e Trygve lo aveva visto avvicinarsi all'infermiera seduta dietro il banco per farle qualche domanda dopo aver finito di interrogare l'agente della Stradale.

Page stava ancora piangendo quando l'uomo, in jeans, camicia scozzese e scarpe da ginnastica, li raggiunse. Portava ben visibile, attaccato alla camicia, un cartoncino in plastica con il nome e la sua qualifica e reggeva fra le mani un piccolo registratore e un blocco per appunti.

«La signora Clarke?» le domandò avvicinandosi, attento a osservare le sue reazioni.

«Sì?» Page era talmente sconvolta da non rendersi nemmeno conto di chi fosse, e per un attimo, credette addirittura che si trattasse di uno dei medici. Sollevò la testa e lo guardò con aria terrorizzata mentre Trygve lo scrutava insospettito.

«Come va Allyson? Se la cava?» le domandò il reporter con il tono disinvolto del vecchio amico. Era stata l'infermiera a fornirgli il suo cognome.

«Non so... credevo lo sapesse lei...» Ma Trygve aveva cominciato a scrollare la testa e fu solo allora che lei notò il tesserino di riconoscimento, con il nome, la fotografia e l'indirizzo della rete televisiva per la quale lavorava. «Che cosa vuole da me?» chiese, confusa e spaventata, fissando quell'intruso.

«Volevo sapere semplicemente come sta lei... come sta Allie... Conosceva molto bene Phillip Chapman? Che tipo di ragazzo era? Scatenato? Un balordo? Oppure pensa che...» Insisteva, sempre più accanito, al punto che Trygve decise di intervenire.

«Non mi pare che sia il momento...» Fece un passo per

accostarsi un poco di più al giovane il quale, invece, rimase impassibile. «Era al corrente del fatto che, al volante dell'altra macchina, c'era la moglie del senatore Hutchinson? Se l'è cavata senza neppure un graffio», riprese lui in tono provocatorio. «E questo, come la fa sentire, signora Clarke? Immagino che sia furiosa, vero?» Page, ascoltandolo, sbarrò gli occhi... non riusciva a credere a quello che le stava dicendo. Che cosa voleva quell'uomo? Farla impazzire? Rivolse a Trygve uno sguardo smarrito, incapace di difendersi, e si accorse che lui era furibondo per quel vero e proprio interrogatorio da parte del cronista. «Secondo lei, i ragazzi a bordo di quell'automobile avevano bevuto? Che cosa ne pensa, signora Clarke? Phillip Chapman era l'accompagnatore fisso di sua figlia? Il suo boy-friend?»

«Si può sapere che cosa è venuto a fare qui, lei?» Intanto Page si era alzata in piedi e lo fissava con espressione indignata. «Forse mia figlia sta morendo e non è affar suo cercare di sapere se conosceva bene quel ragazzo, o no, oppure chi era l'altro guidatore, o quello che io posso pensare in proposito.» Singhiozzava in modo talmente convulso che non riusciva quasi a parlare. «Ci lasci in pace!» Si lasciò cadere di schianto sulla seggiola nascondendosi la faccia fra le mani, mentre Trygve si faceva avanti per mettersi fra lei e il cronista.

«Adesso voglio che lei ci lasci soli.» Sembrava inamovibile, impenetrabile come un muro fra Page e il giovane uomo. «Fuori di qui. Non ha nessun diritto di fare quello che sta facendo.» La sua voce era diventata una specie di ruggito. Ma anche se tentava di farla apparire minacciosa, in realtà era tremante come quella di Page.

«Io ho tutti i diritti. Il pubblico ha il diritto di essere messo al corrente di avvenimenti di questo genere. E se prima avessero bevuto e in quel momento fossero stati sbronzi? Oppure se fosse la moglie del senatore, ad avere bevuto?»

«Qual è il senso di tutto questo?» replicò Trygve infuriato. Che cosa faceva, lì, gente simile? si chiese. Quello che era successo non aveva niente a che vedere con l'opinione pubblica, o con l'importanza che potevano avere la verità, o i loro stessi diritti. In realtà era soltanto curiosità morbosa, e di pessimo gusto, qualcosa che faceva male a persone già profondamente ferite.

« Non ha provato a chiedere che venisse fatto un test con l'etilometro alla moglie del senatore? » I suoi occhi, intanto, erano di nuovo fissi su Page che adesso osservava inebetita i due uomini. A quel punto non resse più. Era troppo! E lei non riusciva a pensare che ad Allie.

« Non dubito che la polizia abbia fatto tutto quello che ci si aspettava facesse. Perciò, per quale motivo lei si comporta così? Perché viene qui a dare fastidio? Non si rende conto di quello che sta facendo? » gli domandò Page, disperata. Ma sembrava che il giovanotto non avesse nessuna intenzione di andarsene.

« Io sto cercando la verità. E nient'altro. Mi auguro che sua figlia guarisca presto », rispose in tono freddo e scostante, e poi si allontanò senza fretta per parlare con qualcun altro. Con il suo cameraman rimase in sala d'aspetto per un'altra ora, ma nessuno dei due venne più a disturbare Page. Trygve, comunque, continuava a essere profondamente indignato dalla sfacciataggine e dalla mancanza di sensibilità dimostrata nei confronti di Page in un momento simile.

Quando il cronista si allontanò erano entrambi profondamente scossi e circa mezz'ora più tardi quando un ragazzo con i capelli rossi si avvicinò a loro timidamente, quasi non lo notarono. Page non lo aveva mai visto, mentre Trygve trovò qualcosa di vagamente familiare nella sua fisionomia.

« Signor Thorensen? » domandò nervosamente il giovane. Era pallidissimo e aveva l'aria un po' stralunata, ma guardò il padre di Chloe dritto negli occhi.

« Sì? » Trygve lo fissò freddamente, senza riconoscerlo. Non era il momento adatto per parlare con nessuno. Il suo unico desiderio, ormai, era che Chloe uscisse dalla sala operatoria; voleva soltanto stare tranquillo e pregare silenziosamente che la sua vita non fosse distrutta per sempre. « Che cosa c'è? »

« Mi chiamo Jamie Applegate, signor Thorensen. Ero con

Chloe nel... nell'incidente...» Gli tremarono le labbra mentre pronunciava queste parole e Trygve lo fissò inorridito.

«Chi sei?» A quel punto si decise ad alzarsi in piedi e quando si trovò a faccia a faccia con il ragazzo si accorse che appariva sconvolto, e sembrava che si reggesse in piedi per miracolo. Gli avevano riscontrato un principio di commozione cerebrale e gli avevano dato qualche punto a un sopracciglio, ma all'infuori di questo sembrava uscito incolume da quell'orribile tragedia che aveva cambiato per sempre altre tre esistenze.

«Sono un amico di Chloe, signore. Io... noi... l'avevamo invitata fuori a cena.»

«Avevate bevuto?» Trygve sparò a zero, affrontandolo, senza pietà né esitazione, ma Jamie fece cenno di no con la testa. E c'era a confermarlo, il prelievo del sangue cui lo avevano appena sottoposto. E il test era risultato negativo anche per Phillip.

«Nossignore. Non eravamo ubriachi. Siamo andati a mangiare da *Luigi* a Marin. Io ho bevuto un bicchiere di vino, ma non guidavo; quanto a Phillip, ne ha bevuto ancora meno, forse solo mezzo; poi siamo andati a prendere un cappuccino in Union Street e siamo tornati a casa.»

«Siete tutti minorenni, figliolo», osservò Trygve in tono pacato, anche se ormai aveva messo a fuoco la situazione. «Nessuno di voi avrebbe dovuto bere. Neppure mezzo bicchiere di vino.» Jamie sapeva che aveva tutte le ragioni del mondo, ma si affrettò, comunque, a spiegare quello che era successo.

«Lo so. È giusto quello che dice, signor Thorensen. Ma nessuno era ubriaco. Lo giuro che non riesco a capire quello che è successo. Non mi sono nemmeno reso conto. Eravamo sul sedile posteriore e stavamo chiacchierando... e dopo mi sono ritrovato qui. Non ricordo che cosa è accaduto, tranne che la pattuglia della Stradale ha detto che qualcuno ci era venuto addosso, o che noi eravamo andati addosso a loro. La verità è che non lo so. A ogni modo Phillip era un buon guidatore... ci aveva ordinato di mettere la cintura di sicurezza ed era perfettamente sobrio.» Pronunciando queste parole, scoppiò in lacrime. L'amico era morto, e lui aveva vissuto un'esperienza spaventosa.

«Secondo te, la colpa è della persona che guidava l'altra macchina?» gli domandò Trygve in tono calmo. Era commosso da quello che il ragazzo aveva detto; bastava guardarlo per capire che era ancora sotto choc, profondamente sconvolto.

«Non so... non so più niente, salvo che... Chloe e Allyson... e Phillip...» ricominciò a singhiozzare pensando ai suoi amici e Trygve, senza un attimo di esitazione, lo prese fra le braccia.

«Quanto mi dispiace... quanto mi dispiace...» ripeteva Jamie.

«Anche a noi... coraggio, figliolo... calmati... sei stato fortunato stasera... ma così è il destino...» Sceglie qualcuno, distrugge una vita e poi fugge via, in un baleno. Annienta e distrugge come il fulmine.

«Ma non è giusto... perché io me la sono cavata, e loro....»

«A volte succede proprio così. In ogni caso tu stavi per ringraziare Dio che ti sia andata così!» Invece Jamie Applegate si sentiva soltanto in colpa. Non voleva pensare che Phillip era morto... che Chloe e Allyson erano rimaste ferite tanto gravemente... E perché lui si era ritrovato soltanto con un bernoccolo sulla testa? Perché non c'era lui, al volante, invece di Phillip?

«C'è qualcuno che ti può accompagnare a casa?» gli domandò Trygve con dolcezza, non riuscendo a sentirsi in collera con lui dopo quello che era accaduto.

«Fra un minuto arriva mio padre. Ma vi ho visti qui seduti e ho pensato che volevo almeno dire... spiegarvi...» Guardò Trygve e Page e ricominciò a piangere.

«Abbiamo capito.» Page si alzò e gli tese la mano e quando lui le buttò le braccia al collo, si ritrovò a singhiozzare disperatamente abbracciandolo. Quando il padre arrivò per accompagnare a casa Jamie, non gli risparmiò i rimproveri. Bill Applegate apparve sconvolto per tutto quello che era successo, ma al tempo stesso sollevato per il fatto che il figlio ne fosse uscito praticamente illeso. Aveva pianto quando gli avevano riferito che Phillip Chapman era morto, ma adesso ringraziava Dio con tutto il cuore che a suo figlio non fosse toccata la stessa sorte. Nella comunità in cui viveva era un uomo molto rispettato e Trygve aveva avuto occasione di incontrarlo varie volte a riunioni scolastiche o incontri sportivi.

Rimase a conversare per un po' con Page e Trygve, cercando di ricostruire, in base alle poche informazioni, ciò che era accaduto e arrivò addirittura al punto di scusarsi a nome di Jamie per averli ingannati. Purtroppo sapevano tutti che ormai era troppo tardi per scuse o rimpianti, era troppo tardi per ogni cosa salvo un'operazione chirurgica, un miracolo e le preghiere. Bill Applegate, alla fine, disse che si sarebbe fatto vivo per avere notizie di Allyson e Chloe. Prima di andarsene, anche lui chiese al figlio se avessero bevuto, ma Jamie insistette nel ripetere che non era così e, chissà per quale motivo, tutti gli credettero.

Quando gli Applegate si furono allontanati, Trygve guardò Page scrollando la testa. « Mi dispiace per lui... anche se c'è una parte di me che continua a essere così in collera! » Ce l'aveva con tutti, con Phillip perché aveva combinato quel disastro, con Chloe perché gli aveva raccontato una bugia, con la guidatrice dell'altra macchina, se la colpa era veramente sua. Ma chi poteva sapere quello che era realmente successo? Anzi, chi l'avrebbe mai saputo? Il capo della pattuglia della Stradale gli aveva spiegato, poco prima, che l'impatto era stato violentissimo e di conseguenza sembrava praticamente impossibile stabilire a chi attribuire l'effettiva responsabilità dell'incidente; non solo, ma in base alla posizione delle due automobili non erano nemmeno in grado di affermare con sicurezza chi avesse oltrepassato la linea divisoria al centro della strada o perché. I prelievi dimostrarono la presenza di alcol nel sangue di Phillip, ma non in quantità sufficiente da poterlo considerare ubriaco. Quanto alla moglie del senatore, aveva dato l'impressione di essere sobria e quindi nessuno aveva ritenuto necessario sottoporla al test. A giudicare da quello che era accaduto, si poteva soltanto supporre che Phillip si fosse distratto, e forse era Allyson la colpevole di quella distrazione, e quindi che la colpa dell'incidente fosse interamente sua. Ma non si sarebbe mai saputo niente con sicurezza.

In realtà Page non riusciva a pensare ad altro che alle condizioni di Allyson. Ma passò un'altra ora prima che l'infermiera arrivasse con delle notizie. Adesso i neurochirurghi erano pronti a riceverla.

« Posso vedere Allyson? »

« Fra un minuto, signora Clarke. Prima i medici preferirebbero parlare con lei, in modo da poterle spiegare quali sono le sue condizioni. » Se non altro, per fortuna, c'era ancora qualcosa da spiegare e, quando si alzò in piedi per seguirla, Trygve la fissò preoccupato. Era un buon amico, si erano incontrati a un'infinità di riunioni e anche se non si erano mai frequentati assiduamente, Page lo aveva sempre trovato simpatico. Quanto alle loro figlie, erano diventate molto presto amiche del cuore... fin da quando i Clarke si erano trasferiti nella Marin County.

« Vuoi che venga con te? » le domandò; e Page, dopo avere esitato per un attimo, annuì. Era terrorizzata al pensiero di quello che stavano per dirle, e ancora di più all'idea di rivedere sua figlia. Lo desiderava più di qualsiasi altra cosa, ma temeva ciò che avrebbe dovuto affrontare quando se la fosse trovata davanti.

« Ti dispiace? » gli bisbigliò Page con aria di scusa mentre imboccavano rapidamente il corridoio per raggiungere i locali in cui l'équipe neurochirurgica li stava aspettando.

« Non essere sciocca », rispose Trygve, mentre cominciavano a correre. Sembravano fratello e sorella, così biondi e con quell'aria un po' nordica. Trygve era un uomo piacevole e simpatico, con un bel fisico e in ottima forma, sempre gentile ed educato. La sua compagnia era gradevole. Page non si era mai sentita così a proprio agio con nessuno. E adesso dovevano affrontare insieme quella tragedia.

Perfino la porta della sala aveva un aspetto sinistro quando la spalancarono per entrare. Dentro, trovarono tre uomini con camice e calottina sulla testa, seduti intorno a un tavolo ovale. Avevano tolto la mascherina e quando Page notò che il camice di uno di loro era ancora macchiato di sangue, ebbe un brivido e pregò in cuor suo che non fosse quello di Allyson.

«Come sta?» Non riuscì a trattenersi dal domandarlo e, in fondo, era l'unica cosa che desiderava sapere. Ma la risposta non risultò semplice come la domanda.

«È viva, signora Clarke. È una ragazza robusta. Ha ricevuto un colpo tremendo e la sua ferita è molto brutta. Molte persone non ce l'avrebbero fatta a sopravvivere fino a questo momento. Invece lei, sì. E ci auguriamo che sia un buon segno. Ma d'ora in avanti la strada da percorrere è molto lunga.

«Quelle che ha riportato sono ferite di due tipi, ciascuna con complicazioni specifiche. Il primo impatto è avvenuto al momento dello scontro. Il cervello è stato decelerato contro il cranio o, in parole più semplici, è stato scrollato di qua e di là. È probabile che alcune fibre nervose siano state sottoposte a una specie di torsione e non si può escludere che ci sia stata una lacerazione di arterie e vene. Tutto ciò può provocare danni gravissimi.

«La seconda ferita, a dire la verità, sembra più grave della prima, ma potrebbe anche non esserlo. Si tratta di una ferita esposta dove il cranio è stato lacerato e si è verificata una frattura nelle ossa. Al momento in quella zona è addirittura a nudo il cervello... è probabile che questo sia accaduto quando, subito dopo la collisione, è stata colpita da un pezzo di acciaio appuntito nell'interno dell'abitacolo.» Ascoltandolo, Page si lasciò sfuggire una specie di gemito sommesso e istintivamente si aggrappò alla mano di Trygve, sentendosi svenire. Con uno sforzo si impose di rimanere lucida, di dominare la nausea che le faceva venir voglia di rigettare. Capiva di doversi concentrare con tutta l'attenzione possibile su quello che le stavano dicendo.

«C'è una buona possibilità...» proseguì intanto il primario. Sapeva benissimo quanto queste spiegazioni fossero sgradevoli, ma erano essenziali. Avevano il diritto di sapere quello che era successo alla loro figliola. Vedendoli insieme, aveva infatti concluso che Trygve fosse il padre di Allyson. «Ci sono buone possibilità che tutta la zona lontana dal punto in cui c'è la ferita aperta sia rimasta addirittura intatta. Abbiamo visto spesso che invalidità a lungo termine, ma di modestissima importanza, sono conseguenza di queste ferite alla testa. Quella che ci preoccupa è la prima ferita. E, naturalmente, le complicazioni che sia l'una sia l'altra possono avere. Ha perduto parecchio sangue e, in ogni caso, anche in seguito al trauma stesso la sua pressione è più bassa del solito. È molto indebolita dalla perdita di sangue. In aggiunta, c'è anche una carenza di ossigeno al cervello. Di quale entità, non sappiamo, ma i danni potrebbero essere quasi catastrofici... oppure molto lievi. Sono cose che ancora non abbiamo potuto controllare e misurare. Dobbiamo sollevare l'osso che è rimasto schiacciato in modo da alleviare la pressione. E dobbiamo eseguire un'opera di riassestamento intorno alla ferita, e medicarla. Poi ci sarà un altro intervento, intorno alle orbite degli occhi. Il colpo che ha ricevuto è stato terribile, e potrebbe addirittura renderla cieca.

«Ci sono altri rischi, però. Quello dell'infezione, prima di tutto; non solo, ma anche la respirazione è un po' difficoltosa. È naturale con lesioni di questo genere; d'altra parte, lo ripeto, potrebbe diventare causa di complicazioni catastrofiche. Continuiamo a tenere inserita la cannula tracheale che le hanno messo i paramedici e, dallo stesso momento in cui è arrivata qui, l'abbiamo anche collegata a un respiratore. Le abbiamo già fatto una TAC, che ci ha fornito ulteriori informazioni molto importanti.» Guardò Page, che lo fissava con gli occhi sbarrati, immobile al suo posto, e per un attimo si domandò se avesse ben capito quello che le aveva detto. Sembrava annichilita... quanto al padre, non era in condizioni migliori. Ma decise di parlare con lui, visto che la madre non sembrava in grado di comprendere.

«Sono stato chiaro, signor Clarke?» domandò con voce calma, quasi completamente priva di commozione.

«Io non sono il signor Clarke», replicò Trygve, sconvolto, schiacciato dall'immensità di quello che, insieme a Page, si era appena sentito spiegare. «Soltanto un amico.»

72

«Oh! » Il chirurgo parve deluso. « Capisco. Signora Clarke? Mi ha ascoltato? Ha capito? »

« Non ne sono del tutto sicura. Lei mi sta dicendo che mia figlia ha subìto due gravi lesioni. Come conseguenza, può anche morire oppure può avere lesioni permanenti al cervello... e anche restare cieca... dico bene? » gli domandò mentre le salivano le lacrime agli occhi.

« Più o meno. La nostra preoccupazione, dopo l'intervento chirurgico, sarà l'eventualità di quella che noi definiamo lesioni di terzo grado. Avrebbe potuto riportare anche ferite e lesioni di secondo grado, ma le ha evitate perché teneva allacciata la cintura di sicurezza. Come lesioni di terzo grado, noi ci aspettiamo una forte tumefazione del cervello, embolie, forti ecchimosi. E ciò potrebbe costituire un problema molto serio. È probabile che non si manifestino fino a ventiquattr'ore, dopo la lesione subìta, e quindi attualmente è un po' difficile fare previsioni in merito. »

Page provò a domandare l'unica cosa che desiderava sapere anche se era terrorizzata all'idea di quale sarebbe stata la risposta. « Esiste qualche possibilità che possa guarire... che torni a essere una ragazza normale, voglio dire? Può essere possibile, considerato quello che è successo? »

« È possibile, accettando però il fatto che possono esserci diversi gradi di normalità. Potrebbero essere compromesse le capacità motorie, almeno per un certo periodo di tempo o perfino indefinitamente. Non si può escludere che abbia subìto qualche danno cerebrale, con conseguenti problemi nei processi intellettivi, e che nella sua personalità si verifichi qualche cambiamento. Ma nel complesso è molto, molto fortunata, e con un piccolo miracolo potrebbe ritornare normale. » Ma Page ebbe l'impressione che non la giudicasse una probabilità realizzabile.

« Ma lei lo considera possibile? » Insisteva, e se ne rese conto; ma era essenziale sapere.

« No, veramente no. Secondo me è improbabile riportare lesioni di tale estensione e non subirne effetti deleteri a lungo termine, però credo che se tutto andrà per il meglio, risulteranno relativamente di minore entità... *se siamo fortu-*

nati. Non posso farle promesse, signora Clarke. In questo preciso momento le sue condizioni sono gravissime, non possiamo ignorarlo. Lei mi domanda quale può essere la soluzione più favorevole e io le rispondo spiegandole quello che è possibile, anche se non è detto che sarà necessariamente quello che accadrà. »

« E nel caso peggiore? »

« Non ce la farà... oppure, se riuscisse a farcela, potrebbe rimanere gravemente menomata. »

« Il che significherebbe...? »

« Che potrebbe rimanere in coma permanente o, nel caso riprendesse conoscenza, con gravi lesioni cerebrali, perdita delle capacità motorie, o psichiche. Potrebbe aver subìto gravissimi danni cerebrali, se lo choc è stato troppo violento, se le lesioni sono troppe e se non riusciremo a porvi riparo. Non solo, ma avrà anche un'enorme importanza controllare l'entità della tumefazione che potrà verificarsi nel suo cranio, e fino a che punto riusciremo a contenerla. Avremo bisogno di tutte le nostre capacità, signora Clarke, e di tanta fortuna... e la stessa cosa vale per sua figlia. Vorremmo intervenire immediatamente, se lei è disposta a firmarci i documenti relativi. »

« Non sono riuscita ad avvisare suo padre. » Page aveva la sensazione che un nodo le serrasse la gola, bloccandola. « E può darsi che io non riesca a mettermi in contatto con lui fino a domani... cioè, volevo dire oggi... » Era chiaramente in preda al panico e Trygve soffrì, nel vederla affrontare da sola un'esperienza simile. Purtroppo non poteva fare niente per aiutarla.

« Allyson non può aspettare, signora Clarke... anche un solo minuto può essere determinante. Come le ho detto, le abbiamo già fatto una TAC e una radiografia al cranio. Dobbiamo intervenire il più rapidamente possibile se vogliamo salvarla, o anche solo consentire al suo cervello di riprendere a funzionare in qualche modo. »

« E se aspettiamo? » Doveva interpellare Brad, perché Allyson era anche figlia sua. Non era corretto nei suoi confronti procedere senza aspettarlo.

74

Il chirurgo la fissò per un attimo lunghissimo e poi le parlò con estrema schiettezza. «Non credo che potrà sopravvivere per altre due ore, signora Clarke. E nel caso sopravvivesse, non credo che le funzioni del suo cervello potrebbero riprendere. Con ogni probabilità rimarrà anche cieca.» Ma... e se si fosse sbagliato? Forse sarebbe stato meglio sentire anche il parere di un altro medico... Il guaio era la mancanza di tempo. Ne avevano a malapena per una sola diagnosi, se era vero quello che il chirurgo le stava dicendo, cioè che Allyson aveva al massimo un paio d'ore di vita se non fossero intervenuti immediatamente. Quali scelte, quali alternative esistevano?

«Non mi lascia molte opzioni, dottore», disse, disperata, mentre Trygve le stringeva la mano.

«Sono certo che suo marito capirà, quando potrà mettersi in contatto con lui e spiegargli tutto. Per quello che ci riguarda, vorremmo fare tutto quello che possiamo.» Lei annuì, guardandolo, ma non sapeva bene se concedergli completamente la propria fiducia o no. D'altra parte non aveva scelta. La vita di Allyson dipendeva dalla loro abilità e capacità di giudizio. E se poi fosse vissuta, ma con gravi lesioni cerebrali — come non avevano escluso potesse accadere — oppure in coma per il resto dei suoi giorni? Che razza di vittoria sarebbe stata? «Adesso vuole firmare i moduli con i quali si dichiara d'accordo e accetta l'intervento?» le domandò il chirurgo con voce pacata e sommessa e lei, dopo un lungo momento di esitazione, fece cenno di sì con la testa.

«Quando la operate?» domandò con voce rauca.

«Fra mezz'ora circa», rispose lui, calmo.

«Intanto posso rimanere con lei?» domandò Page, sentendosi prendere dal panico. E se non gliel'avessero mai più lasciata vedere? E se quella fosse stata l'ultima volta? Perché non l'aveva stretta in un lungo abbraccio quella sera, prima che uscisse? Perché non le aveva detto tutte le cose che avrebbe voluto dirle nel breve arco della sua vita? Senza nemmeno rendersene conto, si ritrovò di nuovo a piangere, mentre il medico le sfiorava la spalla con la mano.

«Abbiamo intenzione di fare quanto sarà possibile per lei, signora Clarke. Le do la mia parola.» Si voltò a guardare i due medici al suo fianco, che in quell'ultima mezz'ora avevano parlato pochissimo. «Non solo, ma lei ha la miglior équipe neurochirurgica del paese. Si fidi di noi.» Page fece cenno di sì con la testa, perché non riusciva a parlare, e lui si alzò e si offrì di accompagnarla da sua figlia.

«È priva di sensi, signora Clarke, e inoltre ha riportato altre ferite di minore gravità. In un certo senso, la situazione potrà sembrarle peggiore di quanto non sia realmente. Molte di quelle lesioni guariranno. Per quanto riguarda il cervello, è un'altra storia.»

Ma niente di ciò che le era stato detto l'aveva preparata a quanto vide quando le consentirono di entrare nella stanza dove Allyson era sotto il costante controllo di un medico interno dell'ospedale e di due esperte infermiere. L'avevano intubata, le avevano infilato un altro tubicino nel naso, a un braccio aveva l'ago di una trasfusione e quello di una fleboclisi in una gamba; intorno, apparecchi e monitor di ogni genere. In mezzo a tutto questo la bellissima, piccola Allyson, con il volto talmente tumefatto che perfino sua madre faticò a riconoscerla, e la testa coperta da bende sterili che nascondevano i capelli. Nel giro di pochi minuti glieli avrebbero tagliati a zero.

Sì, era quasi impossibile riconoscerla... ma Page sarebbe stata capace di riconoscerla ovunque... come ovunque l'avrebbe trovata e avrebbe capito che era la sua bambina. Sarebbe stato il suo cuore a guidarla, se non i suoi occhi come in quel momento, mentre si avvicinava lentamente, fermandosi in silenzio al suo fianco.

«Ciao, tesoro.» Si chinò a parlarle dolcemente nell'orecchio, pregando in cuor suo che con qualche parte segreta e lontana della sua mente la figlia potesse sentirla. «Ti voglio bene, piccola... tutto andrà per il meglio. Ti voglio bene, Allie... tutti ti vogliono bene... ti vogliamo bene...» Non riusciva a ripetere che quelle parole, in continuazione, mentre piangeva disperatamente e accarezzava il braccio e la mano di Allie e la guancia che era rimasta illesa. Il cuore le doleva guardandola e ancora non riusciva a credere a quello che era successo. «Bambina, ti vogliamo bene tutti... devi guarire, per tutti... per me, per papà... e per Andy...»

Rimase a lungo accanto a lei, ma poi la pregarono di uscire perché dovevano preparare Allyson per l'intervento chirurgico. Page chiese di poter rimanere, perché voleva sapere quello che stavano per farle, ma le risposero che non era possibile e le spiegarono che dovevano somministrarle farmaci e anestetici, tagliarle i capelli e metterle il catetere. Avevano moltissime cose da fare e Allyson non si sarebbe accorta di niente. Ma per Page sarebbe stato un ulteriore strazio assistere a tutte quelle operazioni.

«Magari... potrei...» Scoprì di essere incapace di pronunciare quelle parole e fu solo con uno sforzo che riuscì a domandare: «Posso avere una ciocca dei suoi capelli?» Sembrava qualcosa di orribile, perfino a lei stessa, eppure lo desiderava con tutto il cuore.

«Senz'altro», rispose con dolcezza una delle infermiere. «Avremo cura di lei, signora Clarke, glielo prometto.» Page fece cenno di sì e tornò a voltarsi verso Allyson, si chinò su di lei e la baciò dolcemente.

«Ti vorrò sempre bene, tesoro... sempre e per sempre.» Era qualcosa che le aveva detto fin da quando era piccola piccola e chissà che in qualche remota parte di sé, Allyson potesse ricordarlo.

Era accecata dalle lacrime quando lasciò la stanza, anche se furono quasi costretti a staccarla a viva forza dal letto della figlia. Era straziante pensare che forse non l'avrebbe mai più riveduta viva, eppure continuava a ripetersi che non aveva altra scelta. Era necessario intervenire rapidamente su Allyson, subito, se rimaneva una fievole speranza di salvarla.

Nel corridoio trovò Trygve ad attenderla. E anche lui rimase sconvolto nel rivederla. Aveva un'espressione terribile, sembrava un fantasma. Quanto a lui, era riuscito solo a intravedere Allyson mentre Page entrava nella stanza, e aveva provato un tuffo al cuore. Fra l'altro, dopo aver ascoltato la prognosi del chirurgo, temeva che ci fossero ben poche possibilità di salvarla.

«Mi dispiace, Page», sussurrò e poi la prese tra le braccia. Lei si abbandonò contro il petto di Trygve, singhiozzando. Non poteva fare nient'altro. Fu la notte più lunga della loro vita, un incubo senza fine. Quanto a Chloe, Trygve sapeva che era ancora in sala operatoria. Un'infermiera era uscita per avvertirlo che tutto procedeva bene, ma sarebbero state necessarie ancora parecchie ore per portare a termine l'intervento.

L'infermiera dell'accettazione si fece avanti per porgere a Page alcuni documenti da firmare e poi Trygve insistette per accompagnarla nel bar dell'ospedale a prendere una tazza di caffè.

«Non credo che riuscirei a berlo.»

«Acqua, allora. Hai bisogno di un cambiamento di scena. Sarà una giornata molto lunga.»

Erano già le quattro del mattino e il primario aveva detto a Page che l'operazione avrebbe richiesto da dodici a quattordici ore. «Forse sarebbe meglio se tu andassi a casa per un paio d'ore a riposare un po'», le disse, preoccupato. Quelle ultime terribili ore avevano rafforzato il loro legame di amicizia come mai era successo negli anni precedenti, e Page si sentiva grata per il fatto di averlo lì, accanto a lei. Da sola sarebbe impazzita, se ne rendeva perfettamente conto.

«Io non vado in nessun posto», gli rispose testarda. E Trygve la capì. Del resto, anche lui non se la sentiva di lasciare Chloe. Ma per fortuna il figlio maggiore Nick era a casa e poteva occuparsi di Bjorn. Prima di uscire gli aveva riferito quanto era riuscito a sapere e da allora gli aveva già telefonato più di una volta. Per Page era diverso; lei aveva Andy di cui preoccuparsi, perché senza la madre e la sorella probabilmente si sarebbe spaventato.

«Con chi hai lasciato il bambino?» le domandò Trygve mentre sorseggiavano un pessimo caffè. Ormai, entrambe le loro figlie erano in sala operatoria e Page aveva acconsentito, sia pure con riluttanza, ad accompagnarlo al bar.

«Con la nostra vicina, Jane Gilson. Andy la trova simpatica, così non ci saranno problemi quando si sveglierà. D'altra parte, non posso farci niente. Non posso andarmene di qui proprio adesso. E dovrò fare qualcosa per rintracciare Brad nel giro di qualche ora. È la prima volta in sedici anni che dimentica di lasciarmi un numero di telefono. »

« Succede sempre così. » Trygve aveva l'aria mesta. « Una volta anche Dana se ne è andata a sciare con un gruppo di amici e si è dimenticata di lasciarmi un numero di telefono per poterla rintracciare, e naturalmente è stato proprio il fine settimana in cui Bjorn si è smarrito, Nick si è rotto un braccio e Chloe si è messa a letto con la polmonite. Ti giuro che è stato un autentico divertimento! »

Page sorrise, pensandoci. Che brav'uomo era Trygve, e com'era stato gentile e premuroso con lei quella sera! « Non so che cosa potrò dire a Brad. C'è un legame talmente stretto fra lui e Allie... lo ucciderà, una notizia simile! »

« È un incubo per tutti... se poi penso a quel povero ragazzo che era al volante... immagina che cosa devono provare i suoi genitori. »

Ebbero l'opportunità di constatarlo con i loro occhi quando i Chapman arrivarono al Marin General, alle sei del mattino. Una simpatica coppia che stava per toccare la sessantina. Lei aveva i capelli candidi e curatissimi, e il signor Chapman si sarebbe detto un banchiere. Page li vide presentarsi al banco dell'accettazione sconvolti e distrutti. Erano saliti in macchina a Carmel non appena li avevano chiamati al telefono e avevano viaggiato tutta la notte, incapaci di credere a quello che era successo. Phillip era il loro unico figlio, nato quando non erano più giovani e dopo di lui non erano più riusciti ad averne altri. Era la luce dei loro occhi, il raggio di sole della loro vita... ecco il motivo per il quale non avrebbero voluto che partisse per la East Coast per studiare al college. Non sopportavano l'idea che andasse tanto lontano... e adesso se n'era andato per sempre dalla loro vita.

La signora Chapman era rimasta ritta in piedi, a testa china, piangendo sommessamente, mentre ascoltavano il dottore; il marito le aveva messo un braccio intorno alle spalle ed era scoppiato in lacrime, senza ritegno, quando si erano sentiti spiegare che Phillip era morto sul colpo per una ferita alla testa e una frattura al collo che gli aveva addirittura spezzato la spina dorsale. Fin dal momento dell'impatto non c'era stata praticamente nessuna speranza che si salvasse.

Poi il medico spiegò che dal test era risultato che il suo tasso alcolico era molto modesto, non sufficiente per farlo considerare legalmente ubriaco ma tale da poter avere una leggera influenza sulla lucidità mentale e sui riflessi di un ragazzo della sua età. Non disse che l'incidente era avvenuto per colpa sua perché non erano risultate ancora chiare le responsabilità, né il motivo per cui le due automobili erano entrate in collisione. Esistevano solo alcuni sospetti, ma i Chapman si mostrarono inorriditi quando vennero a sapere tutto questo. Il medico del Pronto Soccorso continuò riferendo che al volante dell'altra automobile c'era la moglie del senatore Hutchinson la quale, adesso, sembrava letteralmente distrutta... ma, tutto questo non aveva importanza per i Chapman. La disperazione della signora Chapman si trasformò improvvisamente in collera ed esasperazione quando sentì il medico spiegarle che non si poteva escludere che Phillip si fosse messo al volante mentre si trovava in stato di ubriachezza. Domandò se il test del tasso alcolico fosse stato effettuato anche per la signora Hutchinson, ma si sentì rispondere di no. Gli agenti della Stradale, arrivati sulla scena dell'incidente, avevano affermato che in quel momento era perfettamente sobria. Su di lei non era sorto il più piccolo dubbio. Ma anche Tom Chapman, ascoltando queste spiegazioni, non nascose la sua collera. Anzi, parve offeso e indignato da ciò che gli avevano appena detto. Poiché era un avvocato di fama, mise subito il dito sulla piaga: secondo lui era inaccettabile che il test fosse stato eseguito su Phillip, con risultato praticamente negativo, mentre si era trascurato di sottoporre allo stesso test anche la moglie del senatore. Non solo, ma il fatto che per lei si fosse addirittura partiti dal presupposto che era sobria al momento dell'incidente e ormai non si potesse più dimostrare il contrario, gli sembrava un clamorso atto di ingiustizia. E lasciò capire che non avrebbe accettato né tantomeno si sarebbe rassegnato a una teoria del genere.

«Si può sapere che cosa mi sta raccontando? Che per il semplice fatto che mio figlio aveva bevuto mezzo bicchiere di vino, o più o meno il suo equivalente, lo si ritiene colpevole di uno scontro di quella portata? Mentre una donna adulta, che potrebbe aver bevuto molto più abbondantemente di lui e magari essere stata sotto l'influsso degli alcolici assorbiti, viene considerata al di sopra della legge unicamente perché è la moglie di un uomo politico?» Tom Chapman tremava dalla testa ai piedi, adesso, per l'angoscia e la rabbia, mentre rivolgeva queste parole concitate al giovane medico che gli aveva appena finito di spiegare che Laura Hutchinson non era stata sottoposta al test unicamente perché gli agenti della Stradale «erano partiti dal presupposto» che fosse sobria.

«Come osa alludere al fatto che mio figlio poteva essere ubriaco!» esclamò Tom Chapman con voce tonante, mentre sua moglie ricominciava a piangere al suo fianco. Tanta rabbia e tanta indignazione erano una specie di barriera difensiva contro la disperazione e il dolore inconsolabile che provavano. «Questa è calunnia. Il test del tasso alcolico ha dimostrato che non si poteva giudicare in nessun modo ubriaco, dal punto di vista legale, e nemmeno appena al di sotto del limite consentito. Conosco il mio ragazzo. Non beve, o se lo fa, lo fa di rado — e in ogni caso non beve di sicuro quando deve guidare.» Ma ormai tutto questo non poteva più essere utile a nessuno e anche il furore e l'indignazione di Tom Chapman cominciarono a poco a poco a placarsi, mentre si rendeva conto di quello che era successo. Voleva scaricare la colpa dell'incidente su qualcuno, fare del male a qualcuno, ferirlo... né più né meno come lui stesso si sentiva ferito adesso. Voleva che la colpa fosse dell'altra persona che guidava, non di suo figlio... non solo, voleva molto, molto più di questo... cioè che quella tragedia non fosse mai accaduta. Perché erano andati a Carmel? Perché lo avevano lasciato solo e si erano fidati di lui? Dopo tutto, era solo un ragazzo... un bambino... e adesso... Gli salirono di nuovo le lacrime agli occhi mentre si voltava con aria disperata verso la moglie. Per un attimo, quello scatto di furore lo aveva aiutato a dimenticare la disperazione e il dolore, ma adesso l'impatto lo colpì in pieno, e quando strinse sua moglie in un abbraccio, nella sala del Pronto Soccorso, erano in lacrime tutti e due.

Il fotografo li riprese da un angolo della stanza, lasciandoli confusi e abbagliati da quel lampo. Quante cose avevano già dovuto affrontare... e questa sembrava una in più, e del tutto incomprensibile. Quando si resero conto che erano stati quelli della stampa a fotografarli, si indignarono per una simile violazione della loro vita privata. In quel momento Tom Chapman sembrò sul punto di aggredire fisicamente l'uomo che aveva scattato la fotografia, anche se poi finì per non alzare neppure un dito contro di lui. Per quanto sconvolto e in preda alla disperazione, era un uomo ragionevole. D'altra parte, solo in quel momento si resero conto che anche la sua angoscia avrebbe fatto notizia, considerato chi era alla guida dell'altra automobile. La loro tragedia e il loro dolore avrebbero richiamato l'attenzione morbosa del pubblico. Era colpa della moglie del senatore, oppure doveva essere considerata una vittima tanto innocente quanto fortunata? E se la colpa, invece, era del giovane Chapman? Era ubriaco? Un irresponsabile? Oppure solamente troppo giovane? E se ci fosse stato qualche sospetto di voler confondere le carte e nascondere la verità da parte di Laura Hutchinson? Era possibile che qualcuno di loro, se non tutti, fossero stati sotto l'influsso di una droga? Eventi come la morte di un ragazzo di diciassette anni, la vita dei suoi genitori distrutta, un'altra ragazza con le gambe fratturate e una terza in fin di vita, erano materiale troppo prezioso per la stampa.

Sconvolti, i Chapman lasciarono l'ospedale, ma la prova più terribile era stata rivedere Phillip. Mary Chapman sapeva che non avrebbe mai più dimenticato l'orrore di quegli attimi quando, guardando quel volto terreo, era scoppiata in singhiozzi e poi si era chinata a baciarlo. Anche Tom aveva pianto senza ritegno. E Mary, prima di dargli l'ultimo bacio, si era chinata a sfiorargli dolcemente con la punta delle dita il viso ricordando soltanto il giorno in cui, diciassette anni prima, lo aveva stretto fra le braccia per la prima volta, al culmine della felicità per la nascita di quel figlio che ora la morte le aveva crudelmente strappato. Non lo avrebbe mai più visto ridere, o attraversare correndo il prato al ritorno da scuola. Non l'avrebbe mai più lasciata sorpresa e divertita con uno dei suoi scherzi innocenti, non le avrebbe mai più portato in regalo dei fiori. Non lo avrebbe visto diventare vecchio. Lo avrebbe sempre avuto davanti agli occhi come era adesso, immobile e senza vita, mentre il suo spirito ormai si trovava altrove. Malgrado tutto l'amore che avevano per lui e malgrado tutto l'affetto che lui provava per i genitori, era bastato un attimo, un momento assolutamente imprevedibile, perché li lasciasse per sempre.

E questo rese ancora più inaccettabile e crudele l'assalto di un fotografo mentre uscivano. Tutto questo fece sì che Tom Chapman giurasse a se stesso di fare in modo che Phillip non dovesse mai essere accusato di una simile tragedia. Se fosse stato necessario avrebbe lottato con tutte le sue forze perché il suo continuasse a essere un nome onorato. Non voleva che restassero dubbi o sospetti, né che Phillip diventasse il capro espiatorio per proteggere la moglie del senatore o il seggio stesso del senatore alle future, prossime elezioni. Era convinto che suo figlio non fosse né da criticare né da accusare e non aveva intenzione di consentire a nessuno di affermare il contrario. Lo spiegò anche alla moglie mentre salivano in auto e ripartivano; ma lei parve non udirlo nemmeno. Riusciva solo a pensare al volto cereo di Phillip quando l'aveva baciato.

Quella notte sembrò interminabile a Page mentre sedeva accanto a Trygve.

«Non faccio che riflettere sulle alternative», disse a bassa voce mentre il sole si levava su Marin, e cercò di interpretarlo come un segno favorevole. Era un'altra splendida giornata di primavera, ma lei non si sentiva più eccitata e felice da quel tepore. Nel suo cuore era entrato l'inverno, con il ghiaccio, la neve e con tutta la sua desolazione.

«Continuo a pensare a quello che il dottor Hammerman ha detto... Potrebbe salvarsi, ma c'è la possibilità di gravi lesioni cerebrali. Come potremmo affrontare una cosa del genere? Come si fa a convivere con cose come queste?» domandò, quasi parlando fra sé, ma all'improvviso pensò a Bjorn e si rese conto di avere commesso una gaffe terribile. «Scusami, Trygve... non volevo.»

«Non preoccuparti. Capisco benissimo quello che stai passando. O perlomeno credo di poterlo immaginare... anch'io mi sento un po' come te quando penso alle gambe di Chloe e ricordo che cosa ho provato quando ci hanno detto che Bjorn era nato con la sindrome di Down.» Voleva essere onesto con Page, anche perché stavano cercando entrambi di valutare come e quando sarebbe potuta cambiare la loro vita in futuro.

Page si voltò a guardarlo. Aveva i capelli arruffati, come del resto lei, e indossava un paio di jeans, una vecchia camicia scozzese, e un paio di scarpe da tennis. Solo allora si rese conto di essersi infilata il maglione informe e scolorito che usava per lavorare in giardino, e ricordò di non essersi nemmeno presa la briga di pettinarsi. In fondo non le importava niente di tutto questo, ma non poté trattenere un sorriso pensando all'aspetto che dovevano avere entrambi. «Siamo un vero spettacolo, noi due, sai?» Sorrise. «A dire la verità, il tuo aspetto è migliore del mio. Sono uscita di casa talmente in fretta che mi sto ancora meravigliando di essermi rammentata di vestirmi.»

Per la prima volta in quella notte Trygve rise guardandola, e in quel momento sembrò molto giovane e molto nordico, con i grandi occhi azzurri e le ciglia bionde. «Questi sono i jeans di Nick e la camicia è di Bjorn. Chissà di chi sono le scarpe. Non credo siano mie. Le ho trovate in garage. Figurati che stavo per salire in auto addirittura senza, scalzo.»

Page fece cenno di sì con la testa; sapeva fin troppo bene che cosa Trygve doveva aver provato ricevendo la notizia. Quanto a lei, anche se non voleva pensarci, sapeva di dover informare Brad. Un altro incubo da affrontare. Se almeno fosse stata in grado di dirgli che Allyson era ancora viva, che c'era qualche speranza! Purtroppo non era possibile saperlo con sicurezza per il momento.

«Stavo pensando a Bjorn», disse Trygve a bassa voce

mentre si appoggiava allo schienale della seggiola con aria assorta. «È stato tragico, atroce, quando ce l'hanno detto. Dana ha cominciato a odiare tutto e tutti, soprattutto me, perché non sapeva chi altri detestare. E anche Bjorn, in principio. Insomma, non riusciva ad accettare l'idea che non potessimo avere un figlio perfetto. Ne parlava come se il bambino potesse avere solo una vita vegetativa, e ci prospettava un quadro tragico di quello che sarebbe stato il nostro futuro. Voleva rinchiuderlo in un istituto. »

«Perché non lo avete fatto? » Era una domanda molto imbarazzante, ma ormai sapeva che avrebbe potuto chiedergli qualsiasi cosa. Pensò che Brad si sarebbe ribellato all'idea di dover accettare un figlio che non fosse normale.

«Non credo in queste soluzioni. Forse sarà colpa della mia educazione norvegese, o forse semplicemente perché sono fatto così. Non credo che si possa rifiutare le cose, o respingerle, perché sono difficili. Non sono mai stato capace di farlo, comunque», spiegò con un sorriso triste pensando al suo matrimonio sbagliato, «anche se, probabilmente, qualche volta avrei dovuto farlo. Ma tutto fa parte della vita per me: i vecchi, i bambini, le persone con qualche infermità o con qualche handicap. Il nostro non è un mondo perfetto e non è giusto aspettarsi che lo sia. Non so, ho semplicemente pensato che avremmo dovuto cercare di cavarcela alla meno peggio. Dana mi ha subito detto che non voleva saperne, non voleva essere coinvolta... perciò aiutare Bjorn è diventata la mia missione. E, in fondo, siamo stati molto fortunati. Non è stato colpito dalla malattia in modo grave. Certo, ha dei limiti, ma è anche in grado di fare moltissime cose. Per esempio è molto dotato per l'intaglio in legno, per il lavoro di falegname, e ha anche una certa sensibilità artistica, sia pure infantile; vuole bene alla gente, sa dare affetto, è molto leale, è un cuoco favoloso, ha un notevole senso dell'umorismo, sa assumersi certe responsabilità, almeno entro determinati limiti, e adesso sta perfino imparando a guidare la macchina. Naturalmente non diventerà mai come Nick, o me o te. Non potrà mai andare al college, o dirigere una banca o fare il medico. È Bjorn, ed è bravo in quello che rie-

85

sce a fare... adora gli sport, i bambini e la gente. E non è detto che, nonostante tante limitazioni, non possa avere una buona vita. Io, a ogni modo, me lo auguro di cuore. »

« Tu gli hai dato moltissimo », mormorò Page. « È un ragazzo fortunato. » Lui avrebbe voluto dirle che anche Brad lo era. Dopo aver visto come aveva reagito quella notte, la considerava una donna straordinaria. Aveva ricevuto un colpo che avrebbe annientato chiunque, e invece stava affrontando tutto ciò con coraggio, aiutando anche lui, e nello stesso tempo riusciva a pensare a tutti gli altri, a suo marito, al suo bambino, perfino ai Chapman.

« Lo merita, Page. Bjorn è un ragazzo fantastico. Non riesco neppure a pensare a quella che sarebbe stata la sua esistenza, chiuso in qualche istituto. Forse non sarebbe mai cresciuto, né maturato come è adesso, forse sì. Non so. Pensa che va a fare la spesa per noi e ne è molto orgoglioso. A volte so di potermi fidare di lui più di quanto non possa farlo con Chloe. » Sorrisero a queste parole, perché non c'era dubbio che anche le adolescenti avessero i loro limiti.

« Ma a volte non provi rabbia al pensiero che avrebbe potuto avere o fare di più? »

« No, Page, più di quanto fa adesso non è possibile. È il massimo a cui può arrivare. E io ne sono soltanto orgoglioso. » Ma sapevano entrambi che sarebbe stato molto diverso se Allyson fosse rimasta gravemente menomata, poiché fino ad allora aveva condotto un'esistenza normale.

« Non faccio che domandarmi come sei riuscito ad adattarti a una situazione del genere. Probabilmente hai modificato il tuo modo di valutare le cose. Sei ripartito da zero, afferrando ogni passo, ogni parola, ogni piccola prova di miglioramento... ma come si fa a dimenticare? Come si può dimenticare com'era e imparare ad accettare che abbia tanto poco? »

« Non so », rispose lui con tristezza, perché non riusciva neppure a immaginarlo. « Forse bisognerebbe soltanto partire dal fatto che si prova un'infinita gratitudine perché è viva », disse « e ricominciare da lì. » Page annuì, rendendosi conto che avrebbe dovuto considerarsi fortunata se Allyson fosse riuscita a sopravvivere.

«Non credo neppure di essere arrivata a questo punto, finora.»

Ormai erano quasi le otto del mattino, e Page decise di telefonare a uno dei colleghi di studio di Brad per tentare di rintracciarlo a Cleveland.»

Perciò svegliò Dan Ballantine e sua moglie e scusandosi, spiegò brevemente quello che era successo. Disse che Brad aveva in programma di giocare a golf con il presidente della società di Cleveland, quel giorno, e forse Dan sapeva in quale albergo alloggiava. In caso contrario, avrebbe magari potuto chiamare la società e lasciare un messaggio in modo che Brad la richiamasse. Dan promise di darsi da fare immediatamente e di lasciare il numero dell'ospedale per Brad, senza fornirgli troppe spiegazioni, per non spaventarlo. Poi cercò di confortare Page e le augurò che Allie se la cavasse nel migliore dei modi.

«È quello che mi auguro anch'io», rispose Page ringraziandolo di nuovo per il suo aiuto. Meno di un'ora dopo Dan la chiamò al telefono del Pronto Soccorso. Aveva parlato con il presidente della società con la quale avevano in corso delle trattative a Cleveland e questi gli aveva confermato che in effetti avrebbe dovuto incontrare Brad il giorno successivo. Ma non avevano mai combinato di giocare insieme a golf, né tantomeno di trovarsi quella domenica mattina.

«Strano! Brad aveva detto... non importa, probabilmente sono stata io a fraintendere. Dovrò aspettare che mi telefoni», disse stancamente. Era troppo esausta per preoccuparsi del motivo per il quale suo marito le aveva detto che sarebbe andato a giocare a golf mentre non aveva la minima intenzione di farlo. Immaginò che, con ogni probabilità, l'appuntamento fosse stato annullato e che Dan non avesse capito bene. Comunque, un tentativo di rintracciarlo era stato fatto, e quindi Brad presto o tardi l'avrebbe chiamata. E forse per quell'ora avrebbe potuto dargli notizie migliori.

«Non sono riusciti a rintracciarlo», spiegò a Trygve riprendendo il suo posto accanto a lui, su una scomodissima seggiola. Anche il padre di Chloe appariva stanco e sconvolto quanto Page. «Presto telefonerà e sarà Jane a informarlo che ci può chiamare qui. Mi sento male al solo pensiero di doverglielo dire.»

«Capisco. Ho chiamato Dana a Londra, mentre tu eri al telefono. Era appena rientrata da un fine settimana a Venezia. È rimasta inorridita e, come al solito, ha scaricato su di me le sue accuse. Tutta colpa mia, perché l'avevo lasciata uscire di casa, perché non ero riuscito a farmi dire con chi usciva, perché non avevo sospettato che stava combinando qualcosa di nascosto. Forse ha ragione lei. Sono stato incredibilmente stupido, ma ogni tanto bisogna aver fiducia in loro, altrimenti ti fanno impazzire! Non si può continuamente sorvegliarli e, se devo dire la verità, Chloe si è sempre comportata bene. Solo di tanto in tanto commette qualche sciocchezza.»

«La stessa cosa vale anche per Allie. Capita raramente che passi i limiti. Sa benissimo quello che è proibito. Credo che volessero più che altro tentare di cavarsela da sole. Una specie di primo volo fuori dal nido, insomma. È normalissimo, direi... ma hanno avuto una terribile sfortuna.»

«Già... a ogni modo Dana afferma che è tutta colpa mia.»

«E tu ci credi?» gli domandò Page con la massima calma.

«Veramente, no. Ma c'è una parte di me che continua a chiederselo. Capisci, potrebbe perfino aver ragione! Anche se non mi piace pensarlo.»

«Non ha nessun motivo e lo sai benissimo. Questa volta tu non c'entri. Non è stata colpa tua. Si è trattato semplicemente di un orribile scherzo del destino. Non è colpa di nessuno, o forse il responsabile è la persona che era al volante dell'altra automobile.» Entrambi volevano convincersi che la colpevole fosse Laura Hutchinson e non Phillip Chapman. Se l'incidente era stato solo una disgrazia, e Phillip non c'entrava assolutamente, sarebbe stato più facile accettarlo. O forse non faceva nessuna differenza!

Ma prima che potessero approfondire la questione, il chirurgo che aveva operato Chloe venne ad avvertire Trygve che l'intervento era riuscito. La ragazza aveva perso moltissimo sangue e avrebbe dovuto affrontare un lungo periodo di recupero, ma si sentivano ottimisti ed erano convinti che avrebbe riacquistato l'uso delle gambe. Le ossa pelviche erano tornate a posto, quello del femore, fratturato, era stato sostituito e adesso le avevano inserito chiodi e placche in entrambe le gambe, che avrebbero dovuto essere rimossi nel giro di uno o due anni. Naturalmente era da escludere che potesse ancora dedicarsi alla danza classica ma con un po' di fortuna sarebbe riuscita a camminare e perfino a ballare... e magari un giorno anche ad avere dei figli. Moltissimo dipendeva da come avrebbe reagito nelle settimane successive; ma il chirurgo era particolarmente soddisfatto di quello che era riuscito a fare e di come Chloe aveva sopportato l'intervento. Trygve, ascoltandolo, scoppiò in lacrime.

La ragazza si trovava ancora in sala di rianimazione e il medico intendeva lasciarla lì almeno fino a mezzogiorno; poi l'avrebbero trasportata nel reparto di terapia intensiva per una settimana e infine sarebbe stata trasferita in una stanza privata. Aggiunse anche che non era escluso di doverla sottoporre a un paio di trasfusioni in giornata, e per questo domandò a Trygve se lui o uno dei suoi figli avessero lo stesso gruppo sanguigno. Avuta risposta affermativa, invitò Trygve ad andare a casa. «Perché non va a riposare qualche ora, adesso? Al momento sua figlia non corre alcun pericolo. Potrebbe tornare qui nel pomeriggio quando la trasferiremo nel reparto di terapia intensiva. Non dimentichi che il recupero sarà molto lento e le cose andranno per le lunghe. Dovrà rimanere in ospedale per almeno un mese, se non di più. Mi sembra inutile che lei esaurisca adesso le sue energie, quando siamo soltanto all'inizio.» Trygve sorrise; in effetti l'idea di un sonnellino l'attirava moltissimo, ma non voleva lasciare Page da sola, mentre Allyson era ancora in sala operatoria, senza nessuno che le tenesse compagnia. Alla fine decise di rimanere con lei e andò a sdraiarsi su un divano nella sala d'aspetto. Sapeva che Page avrebbe fatto la stessa cosa, se fosse stata al suo posto, e quindi si sentì praticamente obbligato a rimanerle vicino.

Mezzogiorno arrivò e passò; e finalmente, verso le due,

Chloe fu trasferita nel reparto di terapia intensiva. Era sempre sotto l'effetto dell'anestesia, ma lo riconobbe. Sembrava che non provasse alcun dolore e ciò era straordinario, considerato tutto quello che le avevano fatto e il numero incredibile di monitor e di apparecchi di vario genere ai quali il suo corpo era collegato. Trygve si sentì enormemente sollevato vedendo che i medici erano non solo soddisfatti ma anche pieni di speranza.

«Come sta?» gli chiese Page quando lo vide ritornare. Aveva appena telefonato a Jane e parlato con Andy, che le era parso molto preoccupato per il fatto che lei fosse fuori di casa, e addirittura angosciato per quanto era successo a sua sorella, malgrado i tentativi di Page di minimizzare la gravità della situazione. Era troppo presto per spiegargli tutto in modo chiaro anche perché non aveva ancora potuto avvertire Brad. Non aveva ancora telefonato, ma Jane, adesso, sapeva di doversi aspettare una sua chiamata in modo da potergli riferire il messaggio di Page.

«È ancora intontita dai sedativi», spiegò Trygve con un sorriso. «Però si direbbe che stia discretamente, basta non guardare tutte quelle macchine alle quali è collegata. Ci sono tubi e armature di ferro di ogni genere che le escono dall'osso del femore, e ne ha altri nelle gambe. Fra qualche tempo gliele ingesseranno, ma adesso è troppo presto. È davvero malconcia, ma continuo a essere convinto che possiamo ringraziare Dio!»

«Ecco un'altra cosa che non finisce mai di meravigliarmi», mormorò Page, esausta. «In situazioni del genere, tutti non fanno che ripeterti che devi ringraziare Dio! Ieri a quest'ora Allie era una ragazza di quindici anni perfettamente normale, allegra e piena di salute, che mi tormentava perché voleva che le prestassi il mio golfino rosa. E oggi è in sala operatoria per un intervento al cervello, a lottare per la sopravvivenza... e io dovrei essere contenta e ringraziare Dio perché non è morta. Io dovrei... ma a confronto di ieri, tutto questo è uno schifo. Lo capisci quello che voglio dire?» Trygve rise; era assurdo, e sbagliato, però lo capiva. Quante persone gli avevano detto le stesse cose a proposito di Bjorn, affermando che doveva essere contento e ringraziare Dio che non fosse ancor più ritardato di quanto era. Ma perché doveva essere un bambino ritardato? Di che cosa bisognava ringraziare Dio? Di molte cose, forse. In fondo, bastava pochissimo per ritrovarsi ad affrontare il peggio.

Quando, finalmente, si decise ad andare a casa erano le tre del pomeriggio. Voleva più che altro farsi una doccia, cambiarsi e dare un'occhiata ai suoi figli. Più tardi li avrebbe accompagnati a far visita a Chloe. Nick gli aveva detto che Bjorn era molto preoccupato per lei, e molto agitato; perciò Trygve pensava che, rivedendola, forse si sarebbe tranquillizzato. Era sempre terrorizzato al pensiero che qualcuno potesse morire, il che non era insolito nei bambini piccoli, mentre lui aveva ormai diciotto anni, invece.

Trygve pregò Page di telefonargli se avesse avuto bisogno di qualche cosa e lei continuò così la sua attesa da sola, ma a un certo punto pensò di chiamare sua madre. Tuttavia non ebbe la forza di farlo. E a Brad non aveva ancora detto niente. Non le sembrava onesto avvertire lei per prima. Rimase ad aspettare un'altra ora, concentrandosi completamente su Brad come se avesse potuto, con la sua volontà, costringerlo a telefonarle.

Non aveva più notizie di Allyson dalle quattro del mattino; a quell'ora erano venuti a informarla che stava sopportando bene l'intervento e che le sue condizioni erano stazionarie. Sarebbero però state necessarie numerose altre trasfusioni e Page provò un grande sollievo quando seppe che poteva donarle il suo sangue. Anzi, volle addirittura che gliene prelevassero subito almeno mezzo litro e proprio quando avevano appena terminato finalmente Brad la chiamò al numero del Pronto Soccorso. A Page fu consentito di rispondere in un piccolo ufficio privato.

« Mio Dio, Page, dove sei? » Jane gli aveva semplicemente detto di telefonarle a quel numero. « Se ho ben capito, si tratta del Marin General, l'ospedale. »

« Precisamente. » Page si ritrovò a lottare cercando di non sentire la stanchezza e di scegliere le parole più adatte per

91

dirglielo, senza però trovarle... «Brad... tesoro...» Scoppiò in lacrime e non riuscì a proseguire.

«Stai bene? Ti è successo qualcosa?» Per un attimo pazzesco e assurdo Brad si domandò se non fosse per caso incinta e non avesse voluto confessarglielo, o fosse di nuovo caduta da una scala. Di che altro poteva trattarsi? Non riusciva assolutamente a immaginarlo.

«Tesoro... Allie ha avuto un incidente.» Fece una pausa per riprendere fiato e lui subito si affrettò a domandare: «Sta bene?»

Page scrollò la testa, mentre le lacrime le rigavano le guance. «No... non è... è rimasta vittima di un'incidente d'auto ieri sera. Se tu sapessi quanto mi dispiace doverti dire tutto questo. Ho cercato in ogni modo di mettermi in contatto con te, ma avevi annullato la partita a golf.»

«Io... oh... già. Lui aveva da fare o qualcosa del genere. A chi hai telefonato?»

«A Dan Ballantine. Lui ha provato a chiamare a Cleveland e ha lasciato un messaggio per te. Tu, invece, non mi avevi lasciato né il nome dell'albergo né il numero di telefono.»

«Me ne sono dimenticato.» Sembrava quasi irritato, e ciò la meravigliò, come se fosse seccato con lei perché aveva costretto Dan a telefonare a Cleveland. «Allora, come sta? Si può sapere che cosa intendi dire... perché un incidente d'auto? Chi guidava? Trygve Thorensen?»

«No, non era lui. Allyson in effetti così mi aveva detto, ma in realtà era fuori con un gruppo di ragazzi. Hanno avuto uno scontro con un'altra automobile, uno scontro frontale...» Si sentì morire al pensiero di dirglielo, ma non poteva far altro. «È ferita alla testa, Brad, una ferita molto grave. È in condizioni critiche. E adesso è in sala operatoria.»

«Hai lasciato che la operassero? Senza interpellarmi? Cristo, come hai potuto fare una cosa del genere?»

«Brad, sono stata costretta! Il chirurgo mi ha spiegato che non sarebbe sopravvissuta fino a stamattina se non avessi dato il permesso.»

«Balle. Avevi il pieno diritto di chiedere l'opinione di un

altro medico. Lo dovevi a me, e ad Allie. » Non ragiona, pensò Page, rendendosi conto però che era il suo modo di affrontare lo choc.

« Non c'era tempo, Brad. Non c'era tempo per niente. » Tranne per le preghiere. E per i miracoli. Adesso era tutto nelle mani di Dio e dei chirurghi.

« Come sta? »

« È sempre in sala operatoria. Ormai da dodici ore. »

« Oh, mio Dio! » Un lungo silenzio all'altro capo del filo; Page sospettò che Brad fosse scoppiato in lacrime. « Ma come è successo? Chi guidava? » Che importanza aveva tutto questo?

« Un ragazzo di nome Phillip Chapman. »

« Quel piccolo figlio di puttana. Era ubriaco? Sono pronto a far causa a quella gente, e a costringerli a pagare... a rivoltarli come guanti per quello che hanno fatto... » gli tremava la voce pronunciando queste parole, e Page scrollò il capo.

« È morto, Brad... erano in quattro a bordo dell'automobile. Uno se l'è cavata con un principio di commozione cerebrale. Anche Chloe è ferita molto gravemente, ma se la caverà... e Allie... può darsi che non riesca a farcela, Brad... oppure, anche se ce la facesse... devi tornare a casa, tesoro... abbiamo bisogno di te. »

« Arrivo fra un'ora. » Era impossibile, e lo sapevano entrambi. Sarebbe potuto arrivare non prima di sei ore se avesse trovato subito un posto su un aereo. Page non dubitava che sarebbe riuscito ad arrivare al più presto e si sentì più serena per il solo fatto che le avesse telefonato. Aveva un disperato bisogno di lui vicino. Trygve era stato una vera benedizione del cielo, ma Brad era suo marito.

« Arrivo più presto che posso », disse Brad preoccupato.

« Ti amo », rispose lei con voce triste. « Sono felice di sapere che torni a casa. »

« Anch'io », rispose lui, e riattaccò. Page non nascose il suo stupore quando lo vide entrare nell'ospedale alle sei, un'ora esatta dopo la telefonata e pochi minuti dopo che le avevano comunicato che fino a quel momento tutto procedeva bene e Allyson era sopravvissuta all'intervento. Le successive quarantotto ore sarebbero state determinanti. Le sue condizioni erano talmente gravi che non avrebbe potuto essere dichiarata fuori pericolo ancora per parecchio tempo, e comunque non era assolutamente possibile fare pronostici sulla sua ripresa, se sarebbe stata completa oppure no. In quel momento sapevano soltanto che era viva e, data la situazione, dovevano essere soddisfatti...

Finalmente una buona notizia per Brad, ma Page non riuscì a capire come avesse fatto ad arrivare all'ospedale soltanto un'ora dopo averla chiamata da Cleveland.

Brad volle avere un colloquio con i chirurghi e tempestò tutti di domande, ma non gli fu permesso di vedere Allyson. Fino alla mattina successiva sarebbe rimasta in sala di rianimazione.

« Come hai fatto? » gli domandò Page sottovoce mentre bevevano un caffè nella sala d'aspetto. Lei non aveva mangiato niente in tutto il giorno e non sarebbe riuscita a inghiottire un solo boccone. Aveva la gola chiusa e solamente il caffè le andava giù, oltre a quei pochi cracker che Trygve le aveva imposto quasi a forza di mangiare, poche ore prima. « Come hai fatto ad arrivare qui così in fretta? » Lui alzò le spalle e bevve un'altra sorsata di quel pessimo caffè. Fino a quel momento aveva evitato lo sguardo di Page e aveva parlato solamente di Allyson. Improvvisamente, lei avvertì una strana sensazione. « Dov'eri? » Sapeva che sarebbe stato materialmente impossibile arrivare da Cleveland a San Francisco, dall'albergo all'ospedale, nel giro di un'ora. Lo sapevano entrambi.

« Non è importante », rispose lui a bassa voce. « L'unica che abbia importanza è Allie. »

« Non esattamente », replicò Page, cercando di fissarlo negli occhi, ma senza riuscire a leggervi niente. « Anche noi siamo importanti. Dov'eri? » La sua voce a un tratto si era fatta stridula. Un nuovo terrore le serrava la gola. Aveva già affrontato attimi di atroce paura quella notte, e adesso era assalita da un dubbio tremendo. « Ti ho fatto una domanda, Brad. »

Quando lui parlò, nei suoi occhi c'era un'espressione che

94

lei non aveva mai visto. «E io ho deciso di non rispondere. Non ti basta? Sono arrivato qui più in fretta che potevo, Page... appena ho saputo... meglio di così non avrei potuto fare.»

Lei ebbe l'impressione che dita gelide si chiudessero intorno al suo cuore e lo stringessero in una morsa. No, non era giusto. Impossibile che in una sola giornata li avesse perduti tutti e due... Oppure sì? «Allora non eri a Cleveland, vero?» sussurrò. Lui distolse lo sguardo e non disse niente.

5

BRAD tornò a casa prima di Page poiché, a suo giudizio, in ospedale non poteva fare più niente per Allie. Non gli consentivano di vederla perché era in sala di rianimazione e lui aveva già parlato al capo della *équipe* di neurochirurghi. Di conseguenza disse a Page che si sarebbero ritrovati a casa e se ne andò in silenzio per raggiungere Andy.

Page rivide Trygve, ma solo brevemente, prima di andarsene. Era tornato all'ospedale con i figli e fu in quella occasione che lei gli spiegò che Brad era rientrato da Cleveland. Non fece alcun cenno al resto del colloquio che aveva avuto con lui, ma sembrava molto turbata quando salutò i due ragazzi e lo ringraziò per l'aiuto e il conforto che le aveva dato. Gli confermò che aveva intenzione di andare a casa per qualche ora, almeno finché Allyson rimaneva in sala di rianimazione, e che pensava di tornare di nuovo prima dell'indomani mattina.

« Perché non cerchi di riposare un po'? Direi proprio che ne hai bisogno! »

« Vedrò. » Gli sorrise, ma sul suo viso si leggeva il tormento e l'angoscia, e i suoi occhi erano colmi di tristezza, più di quanta a lui fosse mai capitato di vedervi da quando la conosceva.

« Riguardati, e non trascurarti », le disse con gentilezza prima che Page se ne andasse. Quando arrivò a casa, Brad stava cercando di spiegare ad Andy che cosa era successo a sua sorella, cioè che era rimasta gravemente ferita alla testa ma che i medici l'avevano operata e adesso cominciava a riprendersi. Jane Gilson era ormai andata via e lui era solo con Andy. A Page, però, quella versione dei fatti non piacque minimamente.

E glielo disse non appena Andy uscì in giardino. Sembrava preoccupato, ma non moltissimo, come poté notare guardandolo dalla grande finestra panoramica. Si era messo a giocare con Lizzie sul prato davanti a casa e lei sapeva che si poteva stare tranquilli perché la zona non presentava pericoli e conoscevano molto bene tutti i loro vicini.

«Non avresti dovuto dirglielo così, Brad», esclamò, senza voltarsi a guardarlo. Aveva ancora mille domande da fargli, ma pensava che fosse opportuno rimandare ogni spiegazione fino a quando Andy non fosse andato a letto.

«Cioè? Spiegati meglio», ribatté Brad con voce fremente. Anche lui aveva il cervello in tumulto. A parte la tragedia di Allyson, sapeva bene quanto Page che proprio quell'incidente sarebbe stato l'elemento scatenante di una gravissima crisi nella loro vita coniugale.

«Che presto guarirà.» Si voltò ad affrontarlo. «Ancora non lo sappiamo.»

«E invece sì, che lo sappiamo. Hammerman ha detto che ha buone probabilità di sopravvivere.»

«Già, ma in quale stato? In coma? Come una persona ridotta alla pura e semplice vita vegetativa, gravemente menomata, come dice, o addirittura cieca? Non hai nessun diritto di dare false speranze ad Andy e di rassicurarlo a quel modo.»

«Che cosa volevi che facessi... che gli mostrassi una radiografia del cranio di sua sorella? Per amor di Dio, è soltanto un bambino, Page. Dagli un po' di respiro. Lo sai anche tu che adora Allie.»

«Anch'io le voglio un bene dell'anima. Voglio bene a tutti e due... e a te... ma non è onesto dargli false speranze. E se morisse stanotte? E se non riuscisse nemmeno a sopravvivere all'operazione? Allora, come faremo?» Aveva le lacrime agli occhi quando glielo domandò, e quelli di Brad erano lucidi quando le rispose.

« Vuol dire che affronteremo ognuna di queste possibilità quando sarà venuto quel momento. »

« E noi? » riprese Page, con un'altra domanda. Lo lasciò sconcertato cambiando tono all'improvviso e affrontando tutt'altra questione. Per fortuna Andy sembrava felice di giocare fuori con Lizzie. « E quando sarà il momento di affrontare quello che riguarda noi? Si può sapere che cosa sta succedendo esattamente in questa casa? »

« È stata solo una sfortuna che le cose siano andate a questo modo », rispose lui a voce bassa. « Se Allie non avesse avuto quell'incidente, non lo avresti mai saputo. E non avresti mai dovuto pregare Dan di telefonare a Cleveland. »

« E per quale motivo non avrei dovuto farlo? » Adesso Page sembrava quasi offesa... La loro figlia aveva rischiato di morire in un incidente e lei non avrebbe nemmeno dovuto tentare di rintracciarlo?

« Perché adesso lui avrà mangiato la foglia, e non sono affari suoi. »

« Già, e io? Credo che siano affari miei, Brad. Si può sapere fino a che punto sono stata stupida? E quante volte lo hai già fatto? Molto spesso? » Non sapeva dove Brad fosse stato, ma ormai era chiaro che a Cleveland non aveva nemmeno messo piede.

« Non è questo il nocciolo della questione. » Sembrava di nuovo irritato. Si ribellava all'idea di essere costretto ad ammettere certe cose con lei ma, in un certo senso, ormai non gli rimanevano altre scelte.

« E invece lo è! Anzi, è proprio il punto focale della faccenda. Durante questo fine settimana sei stato colto in flagrante, e io ho il diritto di sapere dov'eri... e con chi. Non dimenticare che è in gioco anche la mia vita. Non te ne puoi andare in giro per il mondo a spassartela, fermandoti in questa casa come se fosse un recapito di passaggio, fra una partita di golf e l'altra. Tutto questo è vero e reale, come lo sono io. Ma la tua posizione qual è, Brad? Si può sapere con precisione che cosa sta succedendo fra noi? » Adesso tremava di collera e Brad, da parte sua, sembrava più in collera che in colpa.

«Immagino che tu abbia ormai afferrato il concetto. Oppure devo spiegartelo chiaro e tondo, parola per parola?» Sentendolo parlare con questo tono, Page ebbe l'impressione di sentirsi spezzare il cuore. E finì quasi per chiedersi fino a che punto, in un solo fine settimana, avrebbe resistito a colpi così duri uno dopo l'altro. Il suo più grande desiderio sarebbe stato che lui negasse ogni cosa; che niente di tutto ciò fosse vero. Purtroppo era esattamente il contrario; non solo, ma si trattava di un argomento che non poteva più essere evitato.

«Si tratta di una cosa nuova?» insistette, ma Brad le lasciò capire che non aveva nessuna intenzione di parlarne.

«Non discuterò di questa faccenda con te, Page.»

«Sarà meglio che tu la discuta, Brad. Non ho intenzione di accettare scherzetti del genere da parte tua, capisci? Si tratta di una persona che consideri importante nella tua vita?»

«Oh, per amor di Dio, Page, perché dobbiamo parlarne proprio adesso?»

«Perché non si può aspettare. Sei stato tu a cominciare, e adesso voglio sapere che cosa stavi facendo. Si tratta di una cosa seria? È da molto che va avanti? È già successo prima... e perché?» Lo guardò sentendosi al colmo dell'infelicità, e la sua voce fu un bisbiglio triste. «Che cosa è successo a noi due, e per quale motivo io non ho capito quello che stava accadendo?» Come aveva potuto essere tanto cieca? Possibile che le fosse sfuggito qualche indizio? Eppure, perfino adesso, provando a ripensare al passato, non riusciva a individuarli.

Brad si mise a sedere, con aria inquieta e recalcitrante, e cominciò a fissarla lasciando chiaramente capire quanto gli fosse odioso ogni attimo di quella discussione. Detestava dover dare simili spiegazioni a Page, lo aveva sempre detestato. D'altra parte capiva che a questo punto non potevano più essere né rimandate né evitate. Forse, era meglio così. Presto o tardi Page lo avrebbe dovuto sapere.

«Avrei dovuto parlartene qualche tempo fa, è vero, ma pensavo... pensavo che finisse, così non sarei stato costretto...»

«È una cosa seria?» Lui tacque talmente a lungo... e il suo sguardo, quando sollevò la testa, aveva un'espressione tale che Page provò un tuffo al cuore. No, non si trattava di un capriccio momentaneo, ma di una relazione importante, e con sgomento si domandò se il loro matrimonio fosse finito così, senza che lei neppure se ne rendesse conto. «Ebbene?» Insistette con voce rauca, fermamente intenzionata a costringere Brad a rispondere. «Lo è? Una cosa seria, intendo?»

«Potrebbe esserlo», rispose lui, ma sembrava confuso. «Page, la verità è che non lo so. Ecco il motivo per il quale non te ne ho parlato.» Sembrava profondamente infelice.

«Da quanto tempo va avanti?» Per quanto tempo era stata sciocca e cieca, e incredibilmente stupida? Lottò per ricacciare indietro le lacrime mentre aspettava la sua risposta.

«Otto mesi, più o meno. Tutto è cominciato durante un viaggio d'affari. Lei lavora nel settore creativo, e siamo andati insieme a New York a presentare una campagna a un cliente.»

«Che tipo è?» Page cominciò a sentirsi male mentre gli faceva questa domanda, ma ormai voleva sapere tutto... otto mesi... *otto mesi?* Come aveva potuto non accorgersi di niente?

«Stephanie è molto diversa... da te, voglio dire... non so... è molto indipendente, molto libera, riesce a essere se stessa. È originaria di Los Angeles ed è venuta qui per studiare a Stanford; poi ci è rimasta. Ha ventisei anni. Insomma è... non ti saprei spiegare... parliamo moltissimo, ci piacciono le stesse cose. Ho continuato a ripetermi che dovevo smetterla... ma la verità è che non ci sono riuscito.» La guardò con aria infelice, rivelando la propria impotenza, e lei avrebbe quasi provato compassione nei suoi confronti, ma con quelle parole Brad la stava uccidendo a poco a poco. Avrebbe voluto domandargli se era bella, se era fantastica a letto, se l'amava realmente. Ma che altro ancora avrebbe avuto la forza di ascoltare?

«Che cosa stai pensando di fare, Brad? Pensi di lasciarmi?»

«Non lo so. Ma sapevo che non sarebbe stato possibile andare avanti così. La verità è che da molto tempo mi sento terribilmente confuso.» Si passò una mano fra i capelli mentre la guardava. «E tutto questo mi sta facendo impazzire.»

«E io dov'ero mentre tutto questo accadeva? Per quale motivo non mi sono accorta di nulla?» Lo fissava, incredula. Era tutto troppo incredibile, troppo orrendo. I suoi peggiori incubi si erano realizzati. Allyson era in fin di vita e Brad innamorato di un'altra donna. «Che cosa ci è successo, Brad? Per quale motivo ci siamo lasciati travolgere dal nostro ritmo di vita? Perché tu sei sempre fuori città, oppure a giocare a golf, e io sempre seduta al volante di un'auto a trasportare mucchi di bambini? È questo che è successo? A poco a poco ci siamo allontanati l'uno dall'altra mentre io non me ne accorgevo?» Avrebbe voluto capire che cosa era successo a loro due, ma in quel momento non ne era capace. Troppe cose glielo impedivano.

«Non è colpa tua», disse Brad, cavalleresco, e poi scrollò di nuovo la testa, visibilmente confuso. «O forse è colpa tua... forse è colpa di tutti e due. Forse abbiamo lasciato che succedesse qualcosa che non sarebbe mai dovuto succedere. Forse ci siamo persi in un mucchio di stupidaggini prive di importanza. Vorrei saperlo. La verità è che non ho le risposte.» Non le aveva trovate in quegli otti mesi, e questo era il motivo per cui non l'aveva lasciata e aveva preferito tacere.

«Ti sentiresti di smettere di vederla?» provò a domandargli Page, affrontando apertamente la questione, e Brad esitò a lungo. Poi scrollò lentamente la testa mentre lei all'improvviso si sentiva come svuotata, priva di forze. «E che cosa dovrei fare io, adesso? Girare la testa dall'altra parte mentre tu continui a scoparti la Piccola Signorina Creativa?» Di colpo, guardandolo, si sentì travolgere da una collera indomabile e nello stesso tempo provò il desiderio incontrollabile di colpirlo, perlomeno con le parole se non con i pugni. Dall'espressione di Brad seppe che lui aveva capito. D'altra parte, in quegli ultimi otti mesi lui aveva provato ri-

101

morso per quello che stava facendo, soprattutto quando Page era gentile con lui, o voleva fare l'amore. In quegli ultimi mesi, ogni volta che erano insieme, soli, era stato tormentato da un'insopportabile senso di colpa. Ma non aveva avuto la forza di lasciare Stephanie. A dire la verità non era preparato a rinunciare a nessuna delle due. Continuava a ripetersi di essere innamorato di entrambe, ma la verità era un'altra. Voleva ancora bene a Page, ma non l'amava più come una volta, già da parecchio tempo e senza che se ne sapesse spiegare il motivo. Ad ogni modo era la verità. Provava affetto per lei, le voleva bene, la rispettava, la considerava una madre straordinaria per i loro figli, e un'ottima moglie. Era anche una grande amica, e una persona fuori del comune. Era tutto quello che un uomo avrebbe potuto desiderare... eppure, non gli incendiava più né il cuore né la mente, come invece accadeva con Stephanie — e niente avrebbe potuto cambiare questa realtà.

« E che cosa si presume che dovrei fare adesso? Scomparire, così... semplicemente? Rendere la vita facile a voi due? » A un tratto Page si sentì prendere dal panico e si domandò anche se, per caso, Brad non si aspettasse di vederla andar via di casa, visto che ormai lei era al corrente della sua relazione. Già, e Andy? Cominciò a piangere al solo pensiero di quello che il futuro le riservava, e tutto diventava più difficile e doloroso perché era complicato dalla loro angoscia per Allie. « Che cosa ti aspetti da me? » chiese guardandolo sconvolta. Anche il suo tono di voce era pieno di angoscia. Quanto a Brad avrebbe voluto rassicurarla, ma non poteva.

« Non mi aspetto niente. Lasciamo, piuttosto, che Allyson superi tutto questo, e concentriamoci nella speranza che sopravviva. Perché non affrontare la questione in seguito? Non possiamo fare entrambe le cose contemporaneamente. » Era un suggerimento razionale ma Page, a quel punto, era troppo sconvolta per mostrarsi ragionevole, e Brad lo capì.

« Già, e poi? Te ne andrai di casa quando Allie uscirà dal coma... oppure dopo il funerale? » gli domandò, amareggiata e tremante di terrore. Si rendeva conto di essere sull'orlo di una crisi di nervi, ma Brad non fece un gesto per confortarla. Ne era incapace. Anche lui era troppo sconvolto e capiva che qualsiasi cosa avesse tentato di fare non avrebbe che peggiorato la situazione. Adesso che Page era al corrente dell'esistenza di Stephanie nella sua vita, intuiva quanto fosse essenziale conservare, in un certo qual modo, le distanze.

« Non so che cosa dobbiamo fare, Page. Sono mesi che sto cercando di risolvere questo problema e non ci sono riuscito! Chissà che non sia tu, invece, a trovare una soluzione. » Non era ancora preparato all'idea di divorziare da lei, così come non era sicuro dei suoi progetti con Stephanie. D'altra parte lei sembrava disposta ad aspettare fino a quando lui non avesse tentato di mettere ordine nella propria esistenza. Non lo assillava, e non esercitava pressioni su di lui. Ma era la sua passione per lei a spingerlo verso una soluzione. D'altra parte non voleva neppure continuare in eterno a sostenere quella finzione né, tanto meno, a provare sensi di colpa nei confronti di Page, soprattutto adesso che la verità era venuta galla.

Brad sapeva soltanto una cosa: voleva bene a tutte e due, anche se in modo completamente diverso. Purtroppo si era lasciato coinvolgere in una situazione impossibile. E adesso che Page sapeva, sarebbe diventata insostenibile, soprattutto per lei. Per fortuna in quegli ultimi otto mesi Page non aveva mai avuto nessun sospetto quando le diceva di dover partire per un viaggio di affari. Qualche volta era la verità, naturalmente, ma molto più spesso era stata una bugia. Si era lasciato coinvolgere in una situazione terribilmente difficile. E tutti, adesso, ne avrebbero dovuto sopportare le amarissime conseguenze, Page, lui stesso, i suoi figli e Stephanie.

« Non credo che tutto questo possa essere affrontato adesso, Page. Secondo me dobbiamo salvare le apparenze fino a quando Allyson non starà meglio o, perlomeno, fino a quando non sarà fuori pericolo. »

« E poi? » Lei continuava a metterlo alle strette, a esigere risposte che lui non sapeva darle, ma Brad non si sentiva assolutamente di criticarla.

« Non so, Page... ancora non lo so. »

«Be', vedi di farlo sapere anche a me quando avrai chiarito le cose.» Si alzò in piedi e lo guardò. Improvvisamente le parve un estraneo. L'uomo che aveva amato tanto, con il quale aveva passato ore d'amore e di cui si fidava, l'uomo che da quasi un anno, ormai, la tradiva e la ingannava. Una parte della sua anima si accorse di odiarlo, l'altra, invece, era terrorizzata al pensiero di perderlo.

«Suppongo che possa sembrare patetico se ti dicessi che mi dispiace...» mormorò lui avvilito. Sapeva di doverle molto, molto più di quello, ma capì di non avere più niente da darle.

«Credo che, se dovessi scegliere io la parola più adatta, direi che inadeguato è più calzante. E credo che tu mi debba molto, ma molto di più di un semplice mi dispiace, Brad. Non trovi?» Aveva gli occhi lucidi di lacrime mentre i loro sguardi si incrociavano. Sul volto di Page Brad lesse l'odio e la collera, e anche una pena profonda.

«Ho sempre pensato che tutto quello che tu facevi andasse bene. Sei così forte e sei sempre così occupata. Credevo che forse non avresti nemmeno sentito la mia mancanza.» Era stata lei ad allontanarlo? Era sua la colpa, oppure di Brad? Era stata lei a smettere di prestare attenzione al loro rapporto coniugale? Accusò se stessa, e poi Brad, di ogni cosa, mentre ascoltava le sue spiegazioni.

«Secondo me ci stiamo comportando tutti e due da stupidi», commentò caustica. «O, forse, lo sono stata io.»

«Tu meriti molto di più, molto di meglio», disse Brad con molta onestà, e anche lui. Meritava di essere dove desiderava essere, e non lì, a strisciare ai piedi di Page, chiedendole scusa. Eppure sapeva di doverle almeno quello. Era un momento terribile nella loro esistenza... e l'incidente di Allyson rischiava di distruggerli, se ne rendeva conto.

«Noi tutti meritiamo molto di meglio di questo», ribatté Page a bassa voce e poi uscì per andare a vedere dove fosse il bambino.

Mentre si muoveva per la cucina, provò la sensazione di essere un robot. Infilò una pizza nel forno a microonde per Andy e cinque minuti più tardi lo chiamò in casa. Si sentiva ancora profondamente sconvolta e ogni volta che squillava il telefono era terrorizzata al pensiero che fosse l'ospedale che le dava notizie di Allie. Le pareva che il suo cervello continuasse a rimbalzare fra l'orrore di quello che era successo ad Allyson e lo choc di quello che Brad le aveva rivelato.

« Come andiamo, campioncino? » mormorò tristemente ad Andy mentre gli serviva la cena sul piano di lavoro della cucina. Brad era rimasto nell'altra stanza. Quanto a lei, aveva la sensazione che la sua vita fosse finita.

« Io sto benone », la rassicurò il bambino. « Tu sembri stanca, mamma. » Com'era sempre gentile e pieno di premure! Si era abituata a pensare che anche Brad fosse come lui, ma in quell'ultima ora aveva scoperto nel suo carattere un'ambiguità e una doppiezza di cui aveva sempre ignorato l'esistenza e che avrebbe preferito non conoscere. Intanto continuava ad arrovellarsi chiedendosi che cosa avrebbero fatto.

« Sono stanca, tesoro. Allie sta parecchio male. »

« Lo so. Però papà dice che guarirà. » Il Vangelo secondo San Papà. E se fosse morta?

« È quello che mi auguro anch'io. » Si accorse che Andy la guardava con un'aria un po' strana mentre pronunciava queste parole. « Tu non ne sei tanto convinta?... Cioè che guarirà presto, voglio dire... »

« È quello che mi auguro anch'io », fu tutto quello che riuscì a rispondergli; poi, finita la pizza, se lo prese sulle ginocchia e lo tenne stretto a sé. Era ancora abbastanza piccolo da poter stare rannicchiato in grembo alla mamma, e ciò fu di conforto per tutti e due. In quel momento sentiva l'assoluto bisogno di averlo vicino, più di qualsiasi altra cosa e più che mai.

« Ti voglio bene, mamma. » Com'era schietto e sincero, Andy.

« Anch'io voglio bene a te, tesoro. » Si ritrovò con gli occhi pieni di lacrime mentre pronunciava distrattamente queste parole, perché non pensava a lui ma ad Allie, a Brad e a tutto quello che era successo.

Dopo avergli fatto il bagno lo mise a letto e cominciò a leggergli una storia. Poi si ritirò nella camera matrimoniale e si distese in silenzio sul letto per dieci minuti. Chiuse gli occhi e cercò di addormentarsi, ma troppi pensieri le turbinavano nel cervello, troppe cose terribili, troppa angoscia, troppe domande... su Allyson... su Brad... sul loro matrimonio... sulla vita e la morte, sul significato di ogni cosa. Sentì un lieve rumore e spalancò gli occhi. Vide Brad fermo sulla soglia.

«Posso portarti qualcosa?» Non sapeva che altro dirle. Troppe cose erano successe, troppe cose erano state dette perché potessero continuare a essere le stesse persone di un tempo, l'uno per l'altra. Il solo pensarci era sconvolgente, ma era anche impossibile fingere che non fosse successo. «Hai mangiato?»

«No, grazie.» Non aveva assolutamente appetito, e per molti buoni motivi.

«Vuoi che ti vada a prendere qualcosa in cucina?» Lei fece cenno di no con la testa e cercò di non pensare a quello che lui le aveva confessato, ma riuscì soltanto a riflettere sul fatto che adesso esisteva quella donna, che lavorava nella sua stessa agenzia, e che con lei suo marito aveva passato gli ultimi otto mesi. Già, e prima? Chi c'era stato prima? Da quanto tempo Brad continuava a tradirla? C'erano state altre donne? Qual era la verità? Non aveva più attrattive per lui oppure, molto più semplicemente, lo annoiava?

Fu a quel punto che si accorse di indossare ancora lo sdrucito maglione che usava per lavorare in giardino e che aveva infilato a casaccio la sera prima, e un vecchio paio di jeans. Dopo tutte quelle ore trascorse in ospedale aveva i capelli ridotti a un groviglio arruffato. Impossibile entrare in concorrenza con una laureata a Stanford, una ventiseienne senza responsabilità e senza obblighi. Si domandò che cosa avessero fatto durante il fine settimana.

«Dove sei andato con lei?» provò a insistere per strappare a Brad altre informazioni prima che lui lasciasse la stanza.

«Che differenza vuoi che faccia?» Sembrava irritato da

tutte quelle domande insistenti e il solo fatto di scoprire che Brad era seccato e di cattivo umore la fece infuriare ancora di più.

« Mi domandavo semplicemente dove fossi quando non sapevo dove trovarti. » Quali erano i posti che frequentava abitualmente con lei? Adesso Page si sentiva totalmente tagliata fuori dalla sua vita, come se Brad fosse un perfetto sconosciuto.

« Siamo andati al John Gardiner », rispose lui, lasciandola a bocca aperta per la meraviglia. Era un ranch famoso per i suoi campi da tennis, nella Carmel Valley. Ma era già rientrato nell'appartamento di Stephanie in città quando le aveva telefonato. Ecco perché aveva potuto raggiungere l'ospedale tanto in fretta. Anzi, aveva cercato di aspettare il più possibile, in modo che Page non sospettasse dov'era stato. Ma dopo mezz'ora non era più riuscito a resistere.

« Dovresti mangiare qualcosa », le disse a questo punto, come se volesse cambiare argomento. Era ansioso di non discutere la propria vita con Stephanie con lei. Invece sembrava che Page volesse conoscerla in tutti i particolari, come se questo potesse permetterle di valutare meglio quello che era successo.

« Adesso vado a fare un bagno e poi torno all'ospedale », gli disse con voce sommessa. A casa non aveva nient'altro da fare. Andy era a letto e lei voleva stare vicina ad Allie.

« Hanno detto che non ti permetteranno di vederla », rispose Brad con calma.

« Non me ne importa. Voglio essere là. »

Lui fece cenno di sì con la testa, ma poi si rammentò di un'altra cosa: « E per Andy come facciamo? Tornerai prima di domattina? »

Lei scrollò la testa. « Puoi occuparti tu di prepararlo per la scuola domani. Non hai bisogno di me per questo. » Oppure sì? Era questa l'unica utilità che poteva avere per lei, adesso? Occuparsi di suo figlio?

« No », ammise lui, anche la sua voce aveva adesso un tono desolato, « ma ho bisogno di te per altre cose... »

« Oh? » esclamò Page in tono stranamente distaccato,

guardandolo. «Per esempio...? In questo momento non mi viene in mente proprio nulla! »

«Page... ti voglio bene... » Ma a un tratto sembrarono solo parole senza significato.

«Davvero, Brad? » gli domandò con infinita tristezza. «A quanto mi sembra di capire, non ho fatto che illudermi per molto tempo... e forse ti sei illuso anche tu... Forse è meglio che ce ne siamo resi conto. » In realtà non si sentiva particolarmente sollevata per questa scoperta, ma solo amareggiata e ferita nel profondo del cuore.

«Mi dispiace... » le mormorò a bassa voce, ma non fece il minimo gesto per andarle vicino. E questo fu sufficiente. Adesso era come se ci fosse il mondo intero fra loro.

«Anche a me », replicò lei, e si alzò, lanciandogli una lunga occhiata. Poi, senza aggiungere una sola parola, passò nella stanza da bagno. Aprì il rubinetto, chiuse la porta e, quando si trovò nella vasca, lasciò che le lacrime le scorressero sulle guance mentre pensava a Brad e ad Allie. Intanto si ripeteva che, adesso, le persone per le quali aveva motivo di piangere erano due. Che magnifico fine settimana, davvero!

6

PAGE trascorse la notte di domenica all'ospedale, rannicchiata in una seggiola della sala d'aspetto. Ma non si accorse neppure di quanto era scomoda. Non riuscì quasi a chiudere occhio tanto era preoccupata per Allie. E a tenerla sveglia c'erano i rumori dell'ospedale, gli odori e la paura che sua figlia, da un momento all'altro, potesse morire. Fu un sollievo quando, alle sei della mattina dopo, le concessero finalmente di vederla. Un'infermiera giovane e carina l'accompagnò in sala di rianimazione chiacchierando affabilmente con lei e dicendole che Allie era una ragazza bellissima con dei capelli stupendi. Page la ascoltò distrattamente e mentre procedevano lungo quei corridoi interminabili si accorse che il suo cervello non riusciva a concentrarsi su niente. Era troppo confusa e turbata per poterle dedicare un po' di attenzione. Ma le fu ugualmente grata di quei tentativi di darle conforto. Non riusciva nemmeno a immaginare come facessero, adesso, a valutare quale fosse stata la bellezza di Allyson tanto le era parsa irriconoscibile.

Lungo il tragitto si aprì automaticamente tutta una serie di porte mentre Page cercava, con uno sforzo di volontà, di ritornare alla realtà dei fatti. Per un attimo si era trovata a pensare a Brad e a tutto quello che le aveva detto. Ma adesso sapeva che l'incontro con Allyson avrebbe richiesto tutta la sua attenzione. Purtroppo quello che vide da lontano, mentre si avvicinava al lettino di sua figlia, le parve tutt'altro che incoraggiante.

Allyson le sembrò in condizioni peggiori di quanto fosse prima dell'intervento chirurgico. La testa era coperta da bende, dopo essere stata rasata a zero, il viso di un pallore cadaverico, il corpo circondato da apparecchi di ogni genere e monitor. E sembrava lontana, a mille chilometri di distanza, sprofondata com'era nel coma.

Un'infermiera della sala operatoria aveva messo da parte una lunga ciocca di capelli biondi, morbidi come la seta, per Page; non appena la vide, gliela consegnò. Gli occhi di Page si riempirono di lacrime mentre stringeva convulsamente quella ciocca di capelli in una mano e sfiorava delicatamente Allyson con l'altra.

Rimase in silenzio, accanto a lei, accarezzandole una mano con dolcezza e pensando a quella che era stata la sua vita solo due giorni prima. Così diversa. Com'era possibile che tutto fosse andato a rotoli tanto in fretta? Si finiva per non credere più in niente e in nessuno, e comunque mai più nel destino, o nella sorte. Com'era stata crudele... anche Brad lo era stato... Ripensandoci, Page si rese conto che non sarebbe riuscita a sopportare un dolore atroce come quello di perdere Allie. A poco a poco le riaffiorò alla mente il ricordo di ciò che aveva provato anni prima, quando era nato Andy e per qualche tempo avevano avuto paura di perderlo. Rammentava di aver trascorso ore e ore con gli occhi fissi su di lui, imponendogli, quasi, di vivere con uno sforzo della sua volontà, mentre osservava quel corpicino attaccato a tutti quei tubi, che lottava per sopravvivere nell'incubatrice. E, miracolosamente, lui ce l'aveva fatta.

Page prese posto accanto a sua figlia, su uno sgabellino, e cominciò a parlarle piano piano all'orecchio, pregando in cuor suo che potesse udirla. « Non ti lascio andare, tesoro... non voglio... abbiamo bisogno di te... ti amo troppo... devi essere coraggiosa, adesso, fai la brava e combatti... bambina mia, devi!... Ti voglio bene, amore... non mi importa di niente, sarai sempre la mia piccolina a dispetto di tutto. » Da Allie esalava odore di disinfettante e di medicinali, e di tanto in tanto da tutti quegli apparecchi si levava il suono lieve di un avvisatore acustico, ma a parte quello... non un rumore, non un movimento, non un gesto che lasciasse capire che l'aveva riconosciuta... D'altra parte, Page sapeva che sarebbe stato assurdo aspettarseli. Ma aveva ugualmente bisogno di parlarle, di sentirsi vicino a lei.

Le infermiere la lasciarono rimanere con Allyson molto a lungo e quando, finalmente, arrivarono quelle del nuovo turno, verso le sette, le proposero di scendere al bar dell'ospedale a bere un caffè. Lei, invece, preferì tornare in sala d'aspetto. Si sedette, annichilita, continuando a pensare ad Allie com'era stata e com'era adesso. Non si accorse nemmeno che qualcuno era entrato fino a quando non si sentì sfiorare il braccio da una mano e, alzando gli occhi, vide Trygve. Si era cambiato e aveva fatto la barba; indossava una camicia bianca di bucato e un paio di jeans, i folti capelli biondi erano ben pettinati e sembrava riposato e pieno di salute. Ma si mostrò subito preoccupato non appena la guardò. Era lunedì mattina e gli bastò un'occhiata per valutare fino a che punto gli avvenimenti di quel fine settimana avessero lasciato brutalmente il loro segno su di lei.

« Sei rimasta di nuovo qui tutta la notte? »

Lei fece cenno di sì con la testa. Aveva un aspetto da far spavento, peggio del giorno precedente. D'altra parte lui capiva fin troppo bene quanto disperato fosse il suo bisogno di rimanere con Allie.

« Ho dormito in sala d'aspetto. » Cercò di sorridergli, ma aveva l'aria affranta e disperata.

« Hai dormito? » Insistette nel domandarle lui, con il tono di un padre severo.

« Ho sonnecchiato. » Gli sorrise. « È stato sufficiente. Stamattina mi hanno lasciato vedere Allie in sala di rianimazione. »

« Come sta? »

« Sempre lo stesso, mi sembra di capire. Però è stato bello poter rimanere un po' vicino a lei. » Se non altro era ancora in vita, lì con loro; e Page aveva almeno potuto esserle vicino e toccarla. Ma non riusciva nemmeno a pensare tutto questo, e avrebbe voluto semplicemente ritrovarsi di nuovo in quella stanza con lei, a ripeterle quanto le voleva bene. «Come sta Chloe?»

«Dorme. Sono passato adesso a darle un'occhiata. È ancora sotto l'effetto dei sedativi, ma è quello che vogliono, in modo che non soffra troppo. E credo che questa, per lei, sia la soluzione migliore.»

Page annuì guardando Trygve che prendeva posto su una seggiola accanto a lei. «E i ragazzi? Tutto bene?»

«Più o meno. Bjorn è rimasto piuttosto scosso quando l'ha vista. Avevo chiesto al dottore se era il caso di portarlo qui all'ospedale e lui mi ha assicurato che era importante che Bjorn la vedesse. Qualche volta, se non vede le cose non le capisce fino in fondo. Ma è stato un brutto colpo. Ha pianto moltissimo ieri sera, e ha avuto gli incubi.»

«Povera creatura.» Si sentiva triste per lui. Com'era difficile la vita, a volte. E ingiusta, incomprensibile.

«E Andy? Come sta?»

«Impaurito. Brad non ha fatto che ripetergli che Allie presto starà bene e se la caverà; io non sono stata altrettanto rassicurante. Non trovo che sia giusto ingannarlo o dargli delle false speranze.»

«Sono d'accordo. D'altra parte è probabile che anche Brad abbia qualche difficoltà ad affrontare lui stesso la situazione. A volte rifiutarla è più facile.»

«Già. Può darsi», disse Page, con un tono di voce disincantato e deluso che rifletteva quanto provava in quel momento.

«Può sembrare una domanda sciocca», riprese Trygve, «ma tu stai bene? Voglio dire... considerato quello che sta succedendo. Sembri distrutta.»

«Lo sono. Ci farò l'abitudine, credo... o qualcosa di simile.»

«Quando è stata l'ultima volta che hai mangiato qualcosa?»

«Non so... ieri sera... ieri... ho preparato una pizza per la cena di Andy, ieri sera, e ne ho mangiato un boccone.»

«Non puoi fare così, Page. Devi tenerti in forze. Se ti ammali, non sei più utile a nessuno. Su, vieni con me. » Si alzò in piedi e la guardò con aria severa. « Alzati. Ti accompagno a fare colazione. »

Lei si sentì commuovere... ma l'ultima cosa al mondo che desiderava era trovarsi davanti qualcosa da mangiare. Le sarebbe piaciuto raggomitolarsi su se stessa, farsi piccola piccola e dimenticare il mondo o, magari, morire... semplicemente... se Allie fosse morta. Le pareva di essere già in lutto. In lutto per ciò che Allie era stata e forse non avrebbe mai più potuto essere in futuro... per ciò che aveva avuto con Brad e non avrebbe mai più avuto. Era in lutto per molte cose. Se stessa. Sua figlia. Il suo matrimonio. E una vita che adesso sarebbe stata diversa. Per sempre.

« Grazie Trygve. Ma non credo che potrei mandar giù nemmeno un boccone, in questo momento. »

« Dovrai sforzarti di farlo », ribatté lui tranquillamente, ma con fermezza. « Io non mi muovo di qui finché non vieni a fare uno spuntino. Altrimenti chiamo il dottore e ti faccio alimentare per endovena, se preferisci. Su, vieni », insistette afferrandola per una mano e costringendola ad alzarsi.

« Va bene, va bene. Verrò », disse Page riluttante; poi sorrise mentre lo seguiva lungo il corridoio verso la sala del bar dalla quale arrivava un miscuglio di odori che le sembrarono ripugnanti.

« Non sono sicuro che questo sia il posto migliore », esclamò Trygve in tono di scusa, « ma è tutto quello che abbiamo a disposizione, quindi dobbiamo accontentarci. » Le consegnò un vassoio e insistette perché si servisse di porridge, uova strapazzate, pancetta, pane tostato, gelatina di frutta e una tazza di caffè.

« Se credi che io riesca a mangiare tutta questa roba, sei matto. »

« Se anche riuscirai a mangiarne soltanto metà, ti sentirai molto meglio. L'ho imparato da ragazzo, quando vivevamo in Norvegia. È sbagliato digiunare con il freddo... o nei momenti di tensione. A volte mi è capitato di passare giorni e giorni senza aver voglia di mangiare, quando Dana e io ci siamo lasciati, ma poi mi sforzavo di farlo. E mi sono sempre sentito meglio, dopo. »

« Sembra così inutile e superfluo, adesso. Mangiare in piena tragedia. »

« Quando non si mangia, o non si dorme, tutto sembra che vada molto peggio. Dovrai imparare ad aver cura di te, e a riguardarti, Page. Per esempio, perché non torni a casa, adesso, dormi per qualche ora? Potrebbe rimanere qui Brad. »

« Credo che probabilmente vorrà andare in ufficio. Forse potrei concedermi qualche ora di pausa e andare a prendere Andy a scuola. Questa storia sarà molto difficile da accettare per lui. Non ho neppure pensato a come organizzarmi, cercare qualcuno che vada a prenderlo e ad accompagnarlo e condurlo alle partite di baseball. »

« Forse posso esserti di aiuto io. Fra qualche giorno Nick rientrerà al college e Bjorn è a scuola tutto il giorno; quanto a Chloe non ci sono problemi, perché è qui. Ogni volta che ti troverai in difficoltà, fammelo sapere e accompagnerò Andy dovunque debba andare. » Le sorrise; gli era sempre piaciuta Page.

« È molto gentile da parte tua. »

« Per carità! Non è niente di straordinario. Ho il tempo per farlo. E, in ogni caso, preferisco sempre dedicarmi al mio lavoro di sera. Durante il giorno non riesco a scrivere una riga! »

Continuarono a chiacchierare mentre Page giocherellava con il porridge e spingeva le uova strapazzate da un lato all'altro del piatto; ma alla fine riuscì a inghiottire qualche boccone. Trygve, da parte sua, fece il possibile per distrarla, parlandole degli articoli che scriveva, dei suoi parenti norvegesi e chiedendole qualcosa della sua pittura. Le confidò che aveva trovato molto bello l'affresco da lei eseguito per la scuola e Page lo ringraziò dei complimenti. Apprezzava sinceramente la sua gentilezza e le sue premure, non solo, ma il fatto che fosse lì anche lui faceva sì che l'ospedale le sembrasse meno sinistro e pauroso. Però la sua mente continuava a tornare con insistenza ad Allyson e Brad e

Trygve si rese conto che faceva uno sforzo per prestargli attenzione.

Le spiegò che quel giorno aveva accompagnato Bjorn a un colloquio in una nuova scuola dove pensava di iscriverlo, e lei gli promise di passare da Chloe — cosa che puntualmente fece — anche se Chloe passò l'intera giornata assopita. Ogni volta che l'effetto dei calmanti cominciava a diminuire, diventava irrequieta e si agitava, ma un'infermiera interveniva subito con una iniezione di Demerol per tenerla tranquilla e non farla soffrire. L'influsso dei sedativi, comunque, era tanto forte che quando Page si avvicinò al suo letto non se ne accorse neppure.

A mezzogiorno trasferirono Allyson nel reparto di terapia intensiva e allora fu più semplice tenere d'occhio entrambe le ragazze. Brad passò un momento durante l'intervallo dell'ora di pranzo e scoppiò in lacrime quando vide Allyson. Poi, uscendo, si fermò a dire due parole a Page. Si sentì imbarazzato ritrovandosela davanti, adesso che sapeva tutto. E gli bastò guardarla per capire che il colpo doveva essere stato durissimo per lei.

« Sono dolente, Page, che tu debba affrontare anche questa storia, con me, oltre a tutto il resto. » Aveva l'aria avvilita, ma anche Page appariva addolorata e affranta.

« Immagino che, presto o tardi, sarei stata costretta ad affrontarla ugualmente, no? » gli chiese lei con voce spenta.

« Purtroppo è andata così. È già terribile questa preoccupazione che abbiamo per Allie. » Indubbiamente. Ma era inevitabile che tutta la storia venisse a galla, visto che lui aveva raccontato una fandonia così clamorosa sul proprio viaggio e su dove sarebbe stato possibile trovarlo. E Page era ormai arrivata alla conclusione che quella fosse la soluzione migliore: sapere tutto, invece di continuare a illudersi sulla solidità del proprio matrimonio. Ecco quello che le dava più fastidio: aver continuato a credere che tutto andasse nel migliore dei modi mentre era esattamente il contrario. Si domandò se Brad avesse già detto a Stephanie che lei era al corrente di tutto, o di quasi tutto, e se questo le avesse fatto piacere. E quante altre cose avrebbe voluto sapere, che ri-

115

guardavano loro due, e lei stessa, e sul perché il loro matrimonio a Brad non era bastato. Purtroppo capiva che, molto probabilmente, non avrebbe mai avuto risposte a tutte queste domande.

«Vorrei sapere perché è successo», chiese Page a bassa voce, mentre si fermavano nel corridoio fra l'andirivieni della gente. Non era il posto più adatto per una discussione privata, ma non avevano altro a disposizione. La sala d'aspetto era piena di gente preoccupata per i propri cari ricoverati nel reparto di terapia intensiva. Nel corridoio sembrava che ci fosse più aria e per quella conversazione, in fondo un posto valeva l'altro. Forse non avevano nemmeno grande importanza le ragioni per cui il loro matrimonio era andato a rotoli, ma importante era la realtà dei fatti. Page alzò gli occhi a guardare suo marito con una strana espressione. «Non avete mai pensato, voi due, che io facessi la figura della stupida in tutta questa storia? Io che, mentre voi ve la spassavate, me ne stavo a casa a curare i bambini, o li scarrozzavo di qui e di là in macchina?» Brad aveva detto che Stephanie era così diversa da lei, così «indipendente», così «abituata ad essere se stessa e a manifestare la propria personalità»... E perché non avrebbe dovuto esserlo? Non aveva figli, né un marito, non doveva rendere conto a nessuno. Era libera di divertirsi con Brad mentre lei, Page, rimaneva a casa per assolvere doveri e obblighi. Bastò questo pensiero a farla sentire livida di rabbia.

«Nessuno ha mai cercato di farti fare la figura della stupida o di prenderti in giro, Page», le rispose Brad a mezza voce mentre un gruppo di medici passava di fianco a loro. «Sapevo perfettamente che la situazione era imbarazzante. Non sapevo, invece, come risolverla. Ma nessuno ha mai pensato di farti passare per l'imbecille di turno in questa storia. Eventualmente, sei la vittima innocente.»

«Se non altro, su questo siamo d'accordo», mormorò lei con tristezza.

«L'interrogativo è un altro: adesso che cosa facciamo?» Parve innervosito, Brad, mentre pronunciava queste parole.

«Trovi? Mi sembra abbastanza ovvio.» Page cercò di fare

116

la spavalda, ma nei suoi occhi si leggeva una storia ben diversa, una storia di choc, di disperazione e confusione.

«Niente è ovvio. Almeno per me.» Poi, di colpo, sembrò turbato. «Hai intenzione di lasciarmi?» Sembrava addirittura sbalordito di fronte a questa eventualità, e Page abbozzò un sorrisetto amaro guardandolo. Suo marito era davvero stupefacente!

«Vuoi scherzare? Mi lasceresti credere che ti meraviglierebbe, o che non dovrei farlo, oppure che tu, da parte tua, non stai meditando di lasciarmi in ogni caso?»

«Non ho mai detto che me ne sarei andato di casa», ribatté lui, intestardito. «Non ho mai detto una cosa simile. Semplicemente che non sapevo che cosa fare.»

«Mi sembra una interpretazione molto semplicistica della verità, comunque. Be', neanch'io. A ogni modo ritengo che andarsene di casa sia la decisione giusta nella situazione in cui ci troviamo, sia per me sia per te. Non ti pare? Si può sapere perché esiti? Che cosa mi vuoi lasciar capire? Che vuoi continuare a rimanere sposato con me, oppure che non sei sicuro di questa ragazza, o hai semplicemente una paura maledetta di fare una mossa qualsiasi? È così, Brad?» Stava cominciando ad alzare la voce e lui parve profondamente a disagio in mezzo a quel corridoio.

«Abbassa la voce. Non è il caso che l'intero ospedale venga messo al corrente dei fatti nostri.»

«E perché non dovrebbe? Suppongo che chiunque altro lo sappia già, non è vero? In ufficio è chiaro che devono saperlo tutti; anzi penseranno che sei una specie di macho... il grande amatore. Mi sembra impossibile che, quando eri con lei, non ti sia mai capitato di incontrare almeno qualcuno dei nostri conoscenti. Comincio a credere di essere stata proprio l'ultima a saperlo, come sempre succede in questi casi.»

«Vorrei che tu non lo avessi mai saputo... o, almeno, non in questo modo...»

«Poteva capitare in qualsiasi modo e in qualsiasi momento. Chiunque avrebbe potuto lasciarsi sfuggire qualcosa. Magari avrebbe potuto farsi male Andy invece di Allie, mentre tu eri via come tutti credevamo, o magari avrei potuto ammalarmi io. E perché non pensare che avrei potuto incontrarvi per caso, in un momento qualunque? Ma vorresti spiegarmi meglio quello che vuoi che io capisca? Si tratta di una relazione casuale, senza importanza? Ieri sera mi hai dato l'impressione che si trattasse di una faccenda seria e che tu non avessi nessuna voglia di troncare. Ho capito male, oppure sto diventando pazza? »

Voleva convincersi di aver frainteso le sue parole anche se dentro di sé sapeva che i suoi sentimenti verso di lui non sarebbero più stati gli stessi. Chissà, forse un giorno la rabbia e il livore sarebbero scomparsi, ma certo non sarebbe più riuscita ad avere fiducia in lui. E non era escluso che a quel punto si accorgesse di non amarlo nemmeno più... Ma adesso era difficile capirlo; non le restava che domandarsi quali fossero le sue intenzioni.

« Non avevi capito male », riprese Brad con tono di nuovo astioso e irritato. « Non ho detto che avrei troncato la mia relazione. Ma continuo a pensare che sia troppo presto perché tu prenda una decisione. È il momento meno adatto, con tutto quello che sta succedendo ad Allie. »

« Oh, capisco. » Page stava di nuovo perdendo le staffe, ma cercò di controllarsi e parlare a voce bassa. « Non vuoi smettere di vederti con la tua amichetta, ma non vuoi neppure che io ti chieda di andartene di casa, e tantomeno vuoi decidere di andartene da solo, perché è il momento meno conveniente per farlo. Mi dispiace, ma non l'avevo proprio capito. Non è un problema, Brad. Rimani pure fino a quando vuoi. E ricorda di invitarmi alla festa di nozze. » Aveva le lacrime agli occhi, e quelle parole aspre e amare le erano salite istintivamente alle labbra, ma si rendevano conto entrambi che non era possibile risolvere la situazione nel corridoio di un ospedale, davanti alla stanza in cui la loro figlia era in coma. Troppe cose stavano accadendo contemporaneamente, e la situazione in cui adesso si trovavano era esplosiva.

« Secondo me, dobbiamo cercare di calmarci ed esaminare la situazione con una certa freddezza. E vedere come andranno le cose per Allie », osservò Brad tranquillamente. Il suggerimento era ragionevole, ma Page si sentiva ancora troppo in collera per ascoltarlo. «Fra l'altro, sarebbe un grande dolore per Andy se prendessimo decisioni così drastiche.» Era la prima cosa di buon senso che diceva, e Page fu costretta ad accettarla. Era pienamente d'accordo.

«Sì, credo che tu abbia ragione.» Poi sollevò la testa e lo guardò con occhi pieni di interrogativi angosciosi. «Perciò tu continuerai come se niente fosse... con questa relazione... e ne parleremo un'altra volta, più avanti, è questo che vuoi?»

«Più o meno», mormorò lui, imbarazzatissimo mentre incrociava lo sguardo di sua moglie. Sapeva di chiederle moltissimo e sapeva che, se si fosse trovato al posto di Page, non avrebbe accettato. Invece da lei se lo aspettava.

«Si direbbe un ottimo affare per te. Una soluzione che ti va a pennello. E io? Che cosa faccio? Volto la testa dall'altra parte per non vedere? Ho capito bene?» gli domandò Page, chiedendosi come Brad avesse il coraggio di chiederle una cosa simile.

«Non so che fare, Page. Tocca a te trovare una soluzione», replicò quasi con asprezza. Non era assolutamente disposto a mettere in pericolo la sua relazione con Stephanie eppure, nello stesso tempo, sembrava volesse continuare la vita di prima, almeno finché non avesse deciso che cosa desiderava con esattezza. Gli pareva una soluzione conveniente, mentre Page era letteralmente furibonda per il solo fatto che Brad osasse chiederle di accettare una simile proposta. D'altra parte, in quel momento non aveva altra scelta, e lo sapeva benissimo. Come sapeva di non poter affrontare la separazione da suo marito, l'incidente di Allie e le reazioni di Andy a tutto questo... per non parlare delle proprie! Comunque, indipendentemente da tutto il resto, si rendeva conto che, presto o tardi, avrebbe dovuto affrontare seriamente il problema del futuro.

«Se è il mio permesso quello che vuoi, non ho intenzione di dartelo», gli rispose in tono glaciale. «Non hai il diritto di aspettartelo da me. Non avevi il mio permesso prima, eppure hai fatto quello che volevi. E adesso non ho alcuna intenzione di renderti la vita facile dicendo che va tutto bene. Non sarebbe vero. Fra l'altro, prima o poi sarai costretto ad affrontare le conseguenze delle tue azioni.» In un certo senso, Brad poteva considerarsi fortunato perché adesso avevano cose ben più importanti di cui occuparsi e il momento della resa dei conti poteva essere rimandato. Ma un giorno sarebbe arrivato comunque, indipendentemente da quello che poteva succedere ad Allie; lo sapevano benissimo tutti e due. Ed era questo che terrorizzava Brad e faceva sentire Page depressa, mentre discutevano nel corridoio dell'ospedale.

Brad lanciò a Page una lunga occhiata, non sapendo bene che cosa dirle, e poi guardò l'orologio. Aveva un disperato bisogno di un momento di quiete. Di una pausa. Troppe cose erano successe — aveva il cervello e il cuore in subbuglio — ed era terrificante la realtà che stavano affrontando. In un attimo le loro esistenze erano cambiate in modo radicale e lui capiva di non essere ancora riuscito ad assorbire e valutare ciò che era accaduto.

«Ne possiamo parlare in un altro momento. Adesso devo tornare in ufficio.»

«Dove posso trovarti, nel caso avessi bisogno di te?» gli domandò Page, gelida. Ecco che Brad stava cercando di prendere le distanze non solo da lei, ma anche da Allie, dall'ospedale che incuteva paura e disagio a tutti e due, e perfino dal fatto di essere costretto ad affrontarla, e parlarle, adesso che lei era al corrente della sua relazione. Se ne andava, molto semplicemente... tornava a nascondersi in ufficio... da Stephanie, che lo avrebbe consolato. Improvvisamente Page si trovò a domandarsi che tipo di donna fosse.

«Che cosa vuoi dire? Come sarebbe... dove posso trovarti?» le domandò lui in tono irritato. «Te l'ho detto proprio adesso. In ufficio.»

«Mi è sembrato opportuno chiederlo, nell'eventualità tu pensassi di squagliartela chissà dove.» Brad aveva capito benissimo ciò che Page voleva dire, e diventò rosso mentre lottava per dominare la rabbia e l'imbarazzo. «Se dovesse succedere qualcosa del genere, lasciami un messaggio al centralino del reparto di terapia intensiva, indicandomi dove puoi essere rintracciato. »

« Naturalmente », ribatté lui, freddo.

Page avrebbe voluto domandargli se sarebbe rientrato a casa quella sera, ma improvvisamente scoprì di non aver più voglia di chiedergli niente. Non voleva sentire bugie, non voleva più discutere con lui, o insultarlo, o cogliere certe sfumature di disprezzo o di ansia nella sua voce. Dopo quella conversazione con lui, si sentiva completamente svuotata.

« Ti chiamo più tardi », le disse, e si allontanò a passi rapidi. Page lo seguì con gli occhi. Guardando la sua figura che si allontanava, le parve di provare un tumulto di sensazioni: era in collera e triste, offesa, tradita, furiosa... indignata... spaventata... e tanto sola.

Poi tornò da Allyson e alle tre salì in macchina per andare a prendere Andy a scuola. Che sollievo riprendere le antiche abitudini, ritrovarsi con lui, accompagnarlo in luoghi familiari. Gli tenne compagnia tutto il pomeriggio e poi lo lasciò da Jane Gilson per la cena. Brad sarebbe dovuto passare a prenderlo più tardi, rientrando a casa dall'ufficio.

« Ci vediamo domattina », gli disse baciandolo, felice di sentire il profumo delicato della sua pelle, la morbidezza dei suoi capelli, la stretta delle sue braccia intorno al collo mentre ricambiava il suo bacio. « Ti voglio bene. »

« Anch'io ti voglio bene, mamma. Da' un bacio ad Allie per me. »

« Certo, caro. »

Ringraziò di nuovo Jane Gilson che le raccomandò, come aveva già fatto Trygve, di non strapazzarsi troppo. « Perché? Che cosa dovrei fare? » le rispose Page, irritata. « Credi che dovrei rimanere a casa a guardare la televisione? Come faccio a non stare lì, vicino a lei, in quelle condizioni? »

« Lo so, però ti raccomando di essere ragionevole. Cerca di non esagerare, altrimenti rischi un crollo nervoso. » Ma era troppo tardi per raccomandazioni del genere, lo sapevano fin troppo bene tutte e due. Page ormai andava avanti meccanicamente, per forza di inerzia, e non aveva altra scelta. Sentiva di dover rimanere vicino a sua figlia.

Alle sette e un quarto, tornò all'ospedale, dove rimase seduta vicino al letto di Allyson fino a quando glielo concessero; poi si trasferì nel corridoio. Prese posto su una seggiola dallo schienale rigido e appoggiò la testa al muro, con gli occhi chiusi. Rimase lì a lungo, aspettando che le permettessero di rientrare. Nessuno poteva rimanere permanentemente ad assistere i propri cari nel reparto di terapia intensiva; sia perché il personale aveva troppo da fare e, soprattutto, sia perché gran parte dei pazienti stava troppo male per poter apprezzare le visite.

«Che posizione scomoda.» Sentì la voce di Trygve, sommessa, vicino a lei e Page aprì gli occhi sorridendogli mestamente. A quel punto si sentiva esausta; la giornata sembrava interminabile e Allyson dopo l'intervento chirurgico non era migliorata e non aveva ripreso i sensi. In fondo, non se lo aspettavano. Invece tenevano sotto controllo altri elementi importanti che potevano indicare l'insorgere di ulteriori complicazioni. Anche se era in coma, veniva continuamente sottoposta a esami. E non risultava che si fosse verificato qualche miglioramento. «Come è andata la giornata?» le domandò Trygve prendendo posto nella sedia vicina. Anche per lui non era stato facile. Chloe soffriva molto, malgrado i sedativi.

«Niente di bello.» Poi le tornarono in mente i messaggi che aveva trovato sulla segreteria telefonica. Erano talmente tanti che avevano addirittura consumato l'intero nastro. Ne era rimasta sbalordita. «Anche tu hai ricevuto un'infinità di telefonate dagli altri ragazzi?»

«Credo di sì. Ne è arrivato qui un gruppetto dopo la scuola, ma non li hanno lasciati entrare nel reparto di terapia intensiva. Credo che qualcuno abbia perfino cercato di vedere Allie, ma naturalmente le infermiere non hanno dato il permesso.»

«Magari farà bene a tutte e due... quando staranno meglio...» ...se... quando... forse mai. «La notizia deve aver fatto il giro della scuola in un batter d'occhio.» E come erano rimasti tutti sconvolti per la morte di Phillip Chapman.

«Uno dei ragazzi mi ha detto che a scuola si è presentato

qualche giornalista per parlare di Phillip con i suoi compagni. Volevano sapere che tipo di ragazzo fosse. Fra i migliori, nella squadra di nuoto; voti eccellenti, l'allievo perfetto. Probabilmente queste notizie servivano a rendere più succoso l'articolo.» Scrollò la testa pensando, come Page, che le loro figliole avrebbero potuto trovarsi al posto di Phillip.

Quel giorno il giornale aveva pubblicato un lungo articolo sull'incidente, corredato di fotografie e di un breve commento su ciascuno dei quattro ragazzi coinvolti. Com'era comprensibile, la parte maggiore era dedicata a Laura Hutchinson e al suo dispiacere per la morte di Phillip Chapman. Si era tuttavia rifiutata di rilasciare un'intervista, ma c'era una sua fotografia, molto bella, e venivano citati alcuni commenti delle persone che facevano parte dell'entourage del senatore, le quali avevano spiegato come la signora Hutchinson fosse troppo sconvolta per rilasciare qualsiasi dichiarazione ufficiale. Avendo anche lei dei figli, comprendeva fin troppo bene quale dovesse essere il dolore dei Chapman e l'ansia dei genitori delle due ragazze ferite. In sostanza, l'articolo lasciava chiaramente capire come non si potessero fare accuse sul suo conto, ma alludeva, senza affermarlo apertamente, al fatto che il gruppetto dei ragazzi aveva bevuto, benché il giovane che era al volante non potesse venir dichiarato ufficialmente ubriaco. Dopo la lettura dell'articolo, a chiunque sarebbe rimasta l'impressione che la colpa dell'incidente fosse tutta e soltanto di Phillip, anche se chi l'aveva scritto si era ben guardato dal dichiararlo apertamente.

«È stato scritto molto bene», fu il commento di Trygve, mentre ne parlavano. «Non hanno mai detto chiaro e tondo che fosse ubriaco, però sono riusciti a dare esattamente questa impressione. E si sono affrettati ad affermare che la signora Hutchinson è una persona responsabile e matura, con una posizione importante nella società, una madre esemplare. Come si potrebbe pensare che sia responsabile della morte di un ragazzo e delle condizioni in cui si trovano altri due?»

«A sentirti, si direbbe che tu non gli creda.» Page non gli nascose di essere inquieta e turbata. Non sapeva più che cosa pensare, ormai. L'ospedale aveva dichiarato senza mezzi termini che Phillip non era ubriaco, eppure qualcuno doveva pur essere colpevole dell'incidente... ma, forse, tutto questo non aveva più molta importanza. Il fatto di individuare il colpevole non avrebbe certo fatto uscire Allyson dal reparto di terapia intensiva come per magia, né tantomeno di risanare le fratture alle gambe di Chloe. Niente poteva cambiare. Forse si sarebbe ottenuto qualcosa solamente con una causa legale, ma a quel punto Page non aveva neppure voglia di pensarci. Le condizioni delle due ragazze non sarebbero certo migliorate, e niente poteva restituire la vita a Phillip. La sola idea di un processo, comunque, le dava la nausea. Che confusione aveva nel cervello!

« Non è che non voglia crederci », le rispose Trygve, « ma io so come lavorano i giornalisti. Conosco le bugie, le allusioni, i sottintesi, il modo in cui riescono a trovarsi una copertura, e come sanno sviluppare una storia per farla coincidere con le proprie opinioni. I giornalisti che si occupano di politica lo fanno in continuazione. Riferiscono unicamente fatti e avvenimenti che possono confermare e avallare il loro punto di vista, o quello del loro giornale, e non dev'essere necessariamente la verità. Ecco quello che potrebbe essere successo anche qui. Non dimentichiamo che l'entourage del senatore si è dato molto da fare per rilanciare l'immagine della signora Hutchinson e farla apparire sotto l'aspetto migliore. Magari non sarà stata colpa sua, però come si fa ad affermare il contrario? E quella gente ha lavorato sodo per dare l'impressione che lei sia la Moglie, la Madre, la Guidatrice Perfetta. »

« Pensi che possa essere stata colpa sua? »

« Forse. O forse no. Potrebbe essere stata lei, come potrebbe essere stato Phillip. Ho parlato di nuovo con la pattuglia della Stradale, e mi hanno confermato che le prove non sono conclusive. Anzi, forse la responsabilità è di entrambi. L'unica differenza è che Phillip era un ragazzo e non aveva un'esperienza di guida come la signora Hutchinson. In genere si pensa che i giovani, quando si trovano al volante, perdano completamente il controllo... Mentre, a detta dei ragazzi, Phillip Chapman era un ragazzo assennato e responsabile. Jamie Applegate ha detto che deve aver bevuto mezzo bicchiere di vino al massimo, e due tazze di caffè nero. Se penso che io, a volte, mi sono messo in macchina dopo aver ingollato ben altro! Ma lui era un ragazzone e non si può pensare che mezzo bicchiere di vino lo abbia fatto ubriacare, soprattutto seguito da due tazze di caffè e da un cappuccino. Invece la signora Hutchinson sostiene di non aver bevuto neppure un goccetto in tutta la sera. Quindi lei era più nota, più rispettabile e più adulta. E senza ulteriori prove, finisce che è proprio Phillip a sembrare il colpevole. In fondo, non è giusto. Credo che sia questo che mi dà fastidio. I ragazzi hanno sempre una pessima reputazione e vengono sempre incolpati di tutto anche quando non se lo meritano. In questo caso mi sembra particolarmente ingiusto nei confronti della sua famiglia. Per quale motivo dovrebbero accollare a lui tutte le colpe, se nessuno sa con sicurezza come sono andate veramente le cose?

« Proprio oggi ho parlato con Jamie e lui giura e spergiura che non erano sbronzi e che Phillip era attentissimo a quello che faceva. In un primo momento ho avuto anch'io una gran voglia di riversare tutte le colpe su di lui... volevo scaricare la mia rabbia su qualcuno, e lui era la scelta più logica. Ma adesso non ne sono più così convinto. E ti confesso che ho avuto anche il desiderio di ammazzare il ragazzo Applegate per aver combinato quell'appuntamento con Chloe, persuadendola a raccontarmi una bugia, e soprattutto per averla fatta salire su quell'automobile. Però mi sembra un bravo figliolo e ho anche parlato un paio di volte al telefono con suo padre. Jamie è letteralmente fuori di sé per quello che è successo. Continua a ripetere che vuole venire a far visita a Chloe, ma secondo me è troppo presto. Gli ho detto di aspettare qualche giorno, poi vedremo. »

« Hai intenzione di permettergli una visita a Chloe? » Page non nascose di essere molto colpita dal suo senso dell'onestà e dalla sua correttezza. E trovava intriganti i suoi sospetti sul conto di Laura Hutchinson. Probabilmente la verità era quella emersa dalle indagini della Stradale. Un incidente.

Nessuno da accusare e troppe persone che avevano pagato un prezzo altissimo per un attimo di distrazione, uno sguardo nella direzione sbagliata, un impercettibile movimento con la mano sul volante... In fondo, lei non si sentiva in collera con nessuno. Desiderava soltanto con tutto il cuore che Allyson si salvasse.

Trygve annuì in risposta alla sua domanda se avrebbe permesso a Jamie Applegate di venire a trovare Chloe. « Probabilmente gliela lascerò vedere. Se lei vuole vedere Jamie. Preferisco che sia Chloe a decidere, quando si sentirà meglio. Può darsi che non voglia rivederlo mai più. D'altra parte lui è così dispiaciuto, così teso e nervoso per quello che è successo, che potrebbe fargli bene vederla quando starà un po' meglio. Suo padre dice che è convinto che tutti... » Si rese conto che le sue parole avrebbero potuto sembrare crude e pensò che era meglio non mettere Page ancor più in agitazione. « Ha paura che possano morire e si sente in colpa perché lui se l'è cavata. L'ha detto anche a me; continua a ripetere che avrebbe dovuto toccare a lui e non a Phillip... a Chloe... e ad Allie. A quanto pare, il ragazzo Chapman era da anni il suo più intimo amico. È in uno stato terribile. » Poi lanciò un'altra occhiata a Page e con delicatezza le fece una domanda. « Hai intenzione di andare al funerale di Phillip Chapman domani, Page? » Avrebbe preferito non chiederglielo.

Ma lei fece cenno di sì con la testa, lentamente. Prima non ne era stata del tutto sicura, ma adesso cominciava a convincersi che fosse un dovere. Sentiva di doverlo ai genitori del ragazzo morto. Avevano perduto un figlio. E lei aveva quasi perduto Allie. Ma « quasi » non era la stessa cosa, e provò una stretta al cuore al pensiero della loro disperazione.

« Dev'essere terribile per quei due poveretti », mormorò, mentre Trygve annuiva.

« Verrà anche Brad o preferisci che ti accompagni io con la macchina? Credo che sia stato fissato per il pomeriggio, così potranno essere presenti anche i compagni di scuola. Forse sarà meno doloroso non andarci da soli. » In fondo era qualcosa che terrorizzava anche lui, e Page sospirò pensando a tutto l'orrore di quanto era successo, e al dolore. Non poteva far altro che pregare di non vedersi costretta ad affrontare anche lei la stessa cosa con Allie.

« Non so che cosa abbia intenzione di fare Brad, ma dubito che verrà. » Brad odiava i funerali e lei sapeva che, a differenza di Trygve, aveva dichiarato apertamente, e senza mezzi termini, che tutta la colpa dell'incidente, secondo lui, era di Phillip. Ecco perché era convinta che non avesse alcuna intenzione di accompagnarla al funerale, e vista la loro situazione, adesso le sembrò ancor meno probabile.

« Non so davvero come tu riesca a cercare di sopravvivere a tutto questo », gli disse in un bisbiglio, mentre si sforzava di non pensarci. Poi guardò di nuovo Trygve con occhi colmi di angoscia. « Sono passati solo due giorni e io comincio ad avere la sensazione che tutta la mia vita stia sbriciolandosi tra le mie mani. Non so... che cosa si fa in questi casi? Come si impara a superare cose del genere e a impedire che il tuo mondo venga interamente distrutto? » Mentre gli rivolgeva queste domande aveva gli occhi lucidi. E Trygve si sentì una specie di vecchio amico, o di fratello maggiore.

« Forse perché non si fa niente per impedire che si sgretoli di fronte ai tuoi occhi. Forse è vero che tutto va a rotoli, ma trovi il coraggio di raccoglierne i pezzi, dopo, e di mettere tutto di nuovo insieme. »

« Può darsi », replicò Page con tristezza, pensando a Brad. Sembrava che Trygve le avesse letto nel pensiero quando le domandò, subito dopo: « E Brad? Come l'ha presa? Chissà il suo choc... quando ha saputo la notizia mentre era a Cleveland ».

Per un attimo lei provò la tentazione di rivelargli che a Cleveland Brad non aveva mai messo piede, ma non le parve onesto. Si limitò a scrollare la testa e rimase in silenzio per un attimo interminabile. « Non l'ha presa per niente bene. È sconvolto, spaventato e furioso. Attribuisce la colpa dell'incidente a Phillip. E, in un certo senso, credo che ce l'abbia anche con me perché non sapevo quello che mia figlia stava facendo. Non me l'ha proprio detto apertamente, però lo ha lasciato capire. » Era anche un modo di scaricare su qualcun altro il senso di colpa. Era un sollievo, per Brad, poter trovare qualcosa di cui accusare sua moglie. «Il peggio», riprese Page rivolgendosi a Trygve con gli occhi pieni di lacrime, «è che non sono affatto convinta che si sbagli. Forse è *davvero* colpa mia. Forse se avessi prestato maggiore attenzione, se mi fossi insospettita e le avessi fatto qualche domanda, se non le avessi creduto... questo non sarebbe mai successo.» E cominciò a singhiozzare senza ritegno, per la stanchezza e per la commozione. Trygve le mise un braccio intorno alle spalle.

«Guai a te se cominci a pensare cose simili! Non avevamo nessun motivo di sospettare di loro. Non avevano mai fatto niente del genere in tutta la loro vita... Ma, d'altra parte, non si può stare sempre in guardia. Ci siamo fidati di loro, e questo non è un delitto. In fin dei conti la bugia che ci hanno detto non era poi così terribile. Quanti altri ragazzi hanno fatto la stessa cosa! Purtroppo terribile è stato il risultato, ma chi avrebbe potuto immaginarlo?»

«Io, secondo Brad.»

«La stessa cosa vale anche per Dana. Ma sono soltanto chiacchiere, queste. Hanno bisogno di qualcuno su cui scaricare un'accusa, e ci siamo noi per questo. Ma non devi prendertela così. Brad è sconvolto. Probabilmente non sa neppure quello che dice.»

«Forse», mormorò lei, e poi tacque mentre le tornavano alla mente certe statistiche, relative alle disgrazie o agli incidenti, o addirittura alla morte dei figli di una coppia, e la loro incidenza sul fallimento del matrimonio. Se c'era già qualche incrinatura, sia pure impercettibile, si poteva essere sicuri che sarebbe stata la fine di tutto. Evidentemente, adesso se ne rendeva conto, nel loro matrimonio c'era stata un'incrinatura delle dimensioni più o meno del Gran Canyon. «A dire la verità», riprese a mezza voce, lasciando Trygve senza parole per lo stupore, «le cose non vanno troppo bene fra me e Brad.» Non capiva con chiarezza per quale motivo glielo stesse confessando, ma sentiva di doverlo dire a qualcuno. Mai in vita sua si era sentita tanto sola o tanto infelice, e non c'era nessun altro con cui desiderasse parlare in quel momento. Sapeva che un giorno o l'altro avrebbe dovuto telefonare a sua madre, che viveva a New York, per avvertirla di quello che era successo ad Allie, ma ancora non si sentiva pronta a farlo. Aveva bisogno di tempo per abituarsi ad accettare la realtà, prima di affrontare quel discorso con lei. L'unica cosa che adesso le importava era stare lì, in ospedale, per sedersi accanto al letto di Allyson o chiacchierare con Trygve. «Brad e io...» fece per pronunciare quelle parole, ma scoprì di non riuscirci.

«Non devi spiegare niente, Page.» Trygve cercò di facilitarle le cose. «Sono momenti difficili per tutti, questi. Figurati che poco fa, mentre me ne stavo qui seduto, stavo pensando che Dana e io non ce l'avremmo mai fatta a venir fuori senza guai da una cosa del genere.» Anzi, non riusciva ancora a convincersi che, persino dopo averle telefonato, Dana gli avesse lasciato capire di non avere ancora preso una decisione e di non sapere se sarebbe venuta a vedere sua figlia o no. Lo aveva accusato di negligenza, ma non aveva nessuna voglia di sobbarcarsi il lungo viaggio in aereo fino a San Francisco per far visita a Chloe in ospedale. No, non era affatto una donna che lui si sentisse di ammirare, e nemmeno una buona madre. Adesso non poteva che chiedersi con stupore come avesse fatto a rimanere con lei per vent'anni. A volte si sentiva un perfetto idiota, quando ci pensava... D'altra parte sapeva di essere rimasto con lei in quegli ultimi anni più che altro per non creare problemi ai loro figli.

Page cercò ugualmente di spiegargli quello che stava succedendo al suo matrimonio. «Il nostro problema non ha niente a che vedere con la disgrazia. È capitato, così... come per caso... che sia venuto a galla proprio adesso, nel bel mezzo di tutto questo.» Era un po' misteriosa, ma bastava guardarla per capire che doveva essere profondamente angosciata per qualcosa che era successo tra lei e suo marito. Forse Brad si era fatto un'amante, pensò Trygve, che ne aveva una certa esperienza e sapeva quale impatto avesse su un rapporto coniugale. Eppure non gli sembrava probabile. Brad non gli aveva mai dato l'impressione di essere il tipo dell'uomo infedele.

«In un momento di crisi non si può dare un giudizio su niente.»

«E perché? E se qui si trattasse di una cosa vera e importante? E se niente fosse effettivamente come io ho sempre creduto per tutti questi anni? Se fosse stata sempre, e soltanto, una bugia?»

«In questo caso, lo capirai più avanti. Non giudicare proprio adesso. Nessuno di voi due è nelle condizioni più adatte per riflettere con lucidità.»

«Ma tu... come puoi saperlo?» gli domandò turbata. Quante cose aveva a cui pensare... e in un certo senso l'ospedale sembrava proprio il posto adatto per farlo.

«Ho un sacco di esperienza, io, con le relazioni difficili e le cose che non sono quelle che sembrano. Credimi, so quello che dico. Nessuno di voi due può essere preso sul serio per quello che fa o dice, o per il modo in cui reagisce. Guardati! Sei esausta, non dormi e non fai un pasto decente da due giorni. La tua bambina ha corso il rischio di morire. Sei ancora scioccata e sconvolta. E chi non lo sarebbe? Così sono anch'io... e Brad... e i nostri figli... sei proprio convinta di poterti fidare con sicurezza di quelle che sono le tue reazioni in questo momento? Perdio, ho perfino paura di scrivere la lista delle cose da ordinare nei negozi, e con ogni probabilità ordinerò mangime per gli uccelli per il nostro cane e cibo per cani per i ragazzi. Ascolta... cerca di darti un po' di respiro! Prova a non pensare a niente e sforzati soltanto di superare questo momento.»

«Non sapevo che tu facessi anche il consulente matrimoniale per le coppie in crisi.» Gli sorrise e Trygve scoppiò in una risata.

«So quello che succede perché ho vissuto uno dei casi peggiori. Se dovesse verificarsi qualcosa di bello, invece, pensaci bene prima di venire a consultarmi.»

«È stato brutto fino a questo punto?» Adesso si sentivano ormai come vecchi amici e Trygve le teneva un braccio intorno alle spalle.

«Ancora peggio.» Ma sorrideva, dicendolo. «Secondo me, il nostro dev'essere stato uno dei matrimoni peggiori

130

della storia. Credo di esserne guarito, alla fine, però ha lasciato un brutto segno... e mi guardo bene dal tentare un secondo esperimento! » A Page tornò alla mente quello che Allyson aveva detto sabato pomeriggio, cioè che Trygve non usciva mai con nessuna donna, e provò un po' di pena per lui. Era un uomo molto attraente, intelligente e simpatico.

« Forse hai bisogno semplicemente di un po' di tempo », gli disse in tono pieno di comprensione, e lui scoppiò in una risata.

« Già, magari altri quaranta o cinquant'anni! Non ho nessuna fretta di commettere gli stessi errori e di rendere infelice me e i miei figli. Nel frattempo, me la prendo comoda. Meritano molto, ma molto di più di quanto hanno avuto. E anch'io. Solo che non è facile trovare la persona giusta. »

« Chissà! Forse se tu smettessi di esserne così impaurito, la troveresti più facilmente », rispose Page con dolcezza.

« Può darsi, però credimi... non sono qui ad arrovellarmi nell'attesa! Adesso sono felice così come sono, e anche i miei ragazzi. E questo vuole dire tutto per me, Page. Molto meglio soli che costretti a vivere con la donna sbagliata. »

« Può darsi. Non so. Sono stata sposata con lo stesso uomo da quando avevo ventitré anni. Ho sempre pensato che tutto fosse perfetto e adesso, all'improvviso, ecco che mi trovo davanti il baratro. Non so che cosa pensare, non capisco nemmeno con chi sono sposata. Tutto è diventato talmente confuso! » E solo nel giro di giorni, ore e minuti.

« Ricordati quello che ti ho detto », l'ammonì di nuovo Trygve. « Guai a dare giudizi in piena crisi. »

« Forse no », gli rispose lei a mezza voce, stupita di essere così pronta a raccontargli tanto della propria vita. Ma quello che aveva saputo da Brad l'aveva profondamente sconvolta e sentiva il bisogno di parlarne con qualcuno. Di Trygve aveva piena fiducia. Non sapeva perché, ma era così. In quelle ultime quarantott'ore era stato sempre lì, accanto a lei, come nessun'altra persona amica avrebbe mai fatto. Perfino Brad l'aveva delusa e abbandonata. Invece Trygve era sempre stato presente e, crisi o non crisi, sapeva che non l'avrebbe mai dimenticato.

Ormai era quasi mezzanotte. Avevano parlato a lungo entrando di tanto in tanto nel reparto di terapia intensiva a controllare come andassero le cose da Allyson e da Chloe Chloe dormiva, mentre Allyson non aveva ancora ripreso conoscenza. Trygve stava pensando di tornare a casa quando arrivò uno dei medici in cerca di Page per spiegarle che stava insorgendo qualche complicazione. Aveva cominciato a manifestarsi la tumefazione del cervello, come avevano temuto, che esercitava una pressione fortissima non solo sulla ferita ma anche all'interno del cranio. Di questa possibilità Page era stata già messa al corrente e il medico le spiegò anche che avevano paura di qualche coagulo di sangue.

Trygve si offrì subito di rimanere in ospedale con lei e, nel frattempo, arrivò anche il chirurgo che aveva operato Allyson per spiegare che erano insorti altri problemi. Con la tumefazione era aumentata anche la pressione sanguigna, mentre il polso era debole. All'una tutto lasciava presupporre che non ce l'avrebbe fatta. Page era sconvolta e non riusciva a credere a quello che stava succedendo. Solo un'ora prima le sue condizioni parevano stazionarie... D'altra parte, come non pensare che due giorni prima era stata una ragazza normale? La vita poteva fare un completo voltafaccia da un momento all'altro, senza il minimo preavviso.

Quando arrivarono anche gli altri medici dell'équipe che aveva eseguito l'intervento, Page aveva già cercato di mettersi in comunicazione con Brad parecchie volte, ma evidentemente lui aveva inserito la segreteria telefonica e non venne mai di persona a rispondere all'apparecchio. Alla fine, disperata, pregò Trygve di chiamare Jane Gilson per chiederle di andare a casa a svegliare Brad e domandarle se poteva fermarsi con Andy in modo che il marito la raggiungesse in ospedale. Ma quando tornò, Trygve si limitò a scrollare la testa e a informarla che Brad non era passato a prendere Andy a casa sua, come d'accordo. Il bambino dormiva da Jane, ma lei non aveva la minima idea di dove Brad si trovasse. Non le aveva mai telefonato.

«Non le ha mai telefonato?» Page sembrava allibita. Come poteva fare una cosa del genere, con tutto quello che stava succedendo e dopo quello che aveva detto? A che cosa stava pensando? Alla sua vita sessuale o a sua figlia?

«Mi ha risposto che non ha mai chiamato, neppure una volta. Mi dispiace, Page.» Le prese la mano e gliela strinse, intuendo che probabilmente si stava verificando quello che lui aveva già sospettato da un pezzo. Brad Clarke aveva una relazione extraconiugale oppure si stava sbronzando perché non sapeva resistere a quell'atroce tensione. In ogni caso, si stava rivelando un vero irresponsabile. Provò una gran compassione per Page, che adesso stava affrontando una simile responsabilità completamente sola. Ma ormai non si meravigliava più di niente. Aveva già visto e vissuto situazioni simili con Dana. «Non preoccuparti», provò a rassicurarla mentre aspettavano che i medici visitassero Allie per un'ulteriore valutazione delle sue condizioni. «Si farà vivo. E ad ogni modo, qui non può far niente. Come nessuno di noi.» Ma avrebbe potuto almeno stare lì con lei. «Non tutti sono in grado di affrontare cose come queste, capisci? Una volta il solo pensiero di un ospedale mi faceva star male.»

«E come mai adesso sei cambiato?»

«I miei figli. Ho dovuto farmi forza per loro, perché Dana non ha mai alzato un dito quand'era necessario. Brad ha te, e quindi sa che Allie è in buone mani.» Le sorrise dolcemente cercando, per Brad, scuse che non meritava, e Page lo capì. Infatti, chi c'era lì, con lei? Se Trygve non fosse rimasto a tenerle compagnia, si sarebbe trovata completamente sola. Quanto a Brad, non le restava che pensare che fosse in compagnia della sua amichetta. Ma non sapeva dove rintracciarlo.

Alla fine i medici tornarono a riferire la loro opinione. Bene o male le condizioni di Allyson si erano stabilizzate di nuovo, però la sua vita era ancora in pericolo. La tumefazione cerebrale non era un buon segno, anzi poteva essere indizio di una lesione ulteriore, oppure il risultato dell'intervento chirurgico della domenica precedente. Era difficile dirlo e non volevano nemmeno darle troppe speranze. Comunque, adesso cominciavano a temere che Allyson non se la sarebbe cavata.

« Adesso, volete dire? » domandò Page, con aria terrorizzata. « Stanotte? » Era questo che intendevano? Che stava per morire... o Dio no, per favore... Quando glielo permisero, entrò di corsa a vederla e si mise a sedere in silenzio vicino al suo letto con il viso rigato dalle lacrime, tenendo stretta nella propria la mano di sua figlia come se, questo potesse trattenerla lì, impedirle di allontanarsi lentamente o, addirittura, di lasciarli dopo tutto quello che aveva passato.

Le diedero il permesso di rimanere vicino a lei per tutta la notte e Page non si mosse nemmeno per un attimo, accontentandosi di tenerle la mano, guardarla e pregare.

« Ti voglio bene », bisbigliava di tanto in tanto. « Ti voglio bene », come se, con uno sforzo di volontà, potesse imporre ad Allie di sentirla. E quando si alzò il sole, la situazione non era peggiorata e Allie continuava a respirare meccanicamente, aiutata da un apparecchio. Non si erano registrati miglioramenti, ma era ancora lì, con loro. Ogni cosa poteva però cambiare di nuovo nel giro di pochi attimi e Page fu invitata a rimanere nelle vicinanze o tenersi in continuo contatto con loro nel caso avesse deciso di tornare a casa, anche se le fu assicurato che, almeno per il momento, Allyson non correva pericolo immediato ed era ancora sotto l'effetto delle massicce dosi di sedativi che le avevano somministrato.

Erano le sei e mezzo del mattino quando Page uscì dal reparto di terapia intensiva dopo aver dato un bacio lunghissimo e dolcissimo alla sua bambina. Si incamminò per il corridoio con il corpo irrigidito, muovendosi a fatica e sentendosi dolorante dalla testa ai piedi. Rimase sbalordita quando scorse Trygve che l'aspettava. Si era addormentato su una seggiola e non si era più mosso di lì da ore. Aveva preferito rimanere con lei, preoccupato che Allyson potesse morire da un momento all'altro, mentre Brad non c'era. Che perfetto imbecille, Trygve pensò, anche se sapeva che non avrebbe mai osato dirlo a Page. Con lei si limitò a manifestare la propria gioia che Allie avesse superato la notte e non si fosse verificato un altro peggioramento.

« Su, vieni, ti accompagno a casa. Puoi lasciare qui la macchina. Penso io a riaccompagnarti più tardi. »

« Se è necessario, posso anche prendere un taxi », gli rispose lei, mostrandogli tutta la propria gratitudine. Era troppo stanca per camminare, figurarsi per guidare. Perciò lo seguì fuori, fino al parcheggio, sollevata al pensiero che Allyson avesse superato un'altra notte. Se almeno fosse rimasta in vita, pensò mentre scivolava sul sedile dell'automobile di Trygve. Se, con la loro volontà, fossero riusciti a farla rimanere in vita!

« Sei stata molto coraggiosa », le mormorò Trygve allungandosi verso di lei per baciarla su una guancia. Poi le strinse forte le spalle, che le aveva circondato con un braccio, e le accarezzò affettuosamente una mano. Solo a quel punto si decise ad accendere il motore.

« Quanta paura ho avuto, Trygve... e che voglia di scappar via a nascondermi! » confessò Page. Tutto era stato molto, ma molto peggio di quanto non avesse mai creduto possibile, peggio dell'incubo peggiore del mondo!

« Però non lo hai fatto. E Allyson è riuscita ad arrivare fino al mattino. Accontentati di affrontare le cose ora per ora », fu il commento pieno di saggezza di Trygve mentre la riaccompagnava a casa. Quando arrivarono si accorse che dormiva profondamente e si rammaricò di essere costretto a svegliarla. Provò a scuoterla piano piano e lei si riscosse, poi lo guardò con un mesto sorriso.

« Grazie... di essere un così buon amico. »

« Vorrei che fossimo diventati buoni amici in qualche altro modo », rispose lui un po' triste, « per esempio alle partite della squadra di nuoto oppure per festeggiare l'affresco che hai dipinto per la scuola. » E poi ricordò un'altra cosa. « Vuoi sempre andare al funerale di Phillip, oggi? » le domandò piano piano, e lei fece cenno di sì con la testa. Ormai era sicura che Brad non l'avrebbe mai accompagnata.

« Vengo a prenderti alle due e un quarto. Cerca di dormire un po' in questo intervallo di tempo. Ne hai proprio bisogno. »

« Farò del mio meglio. » Gli sfiorò una mano con una carezza e scese dall'auto. Trygve la seguì con lo sguardo fino a quando non entrò in casa, dopo aver aperto la porta con la propria chiave. Dunque non c'era nessuno ad aspettarla, ed erano le sette del mattino.

La salutò con un cenno del capo e ripartì, mentre Page richiudeva piano la porta chiedendosi che cosa avrebbe detto a Brad quando lo avesse visto. Niente, ormai ne era convinta, tranne dirsi addio per sempre. O forse se lo erano già detto?

7

PAGE si ritrovò nel soggiorno della sua casa, alle sette del
mattino, senza sapere che cosa fare: era meglio infilarsi subito a letto o uscire di nuovo per andare a casa di Jane a
prendere Andy? Era esausta e aveva un bisogno disperato di
sonno, ma sapeva che per suo figlio era importante la presenza della mamma e quindi preferì darsi una rinfrescata,
pettinarsi e trasferirsi in cucina ad ascoltare i messaggi registrati sulla segreteria telefonica. Scoprì che Brad non aveva
chiamato e questo le fece perdere le staffe. Come poteva
comportarsi in quel modo proprio adesso, con Allyson in pericolo di vita? E che genere di donna poteva essere Stephanie, ammesso che fosse stata lei a impedirgli di farsi vivo
con la sua famiglia?

Poi andò a prendere Andy. Lo trovò che faceva colazione
con Jane. La televisione era accesa e Jane stava preparando
focaccine dolci, da mangiare con burro e melassa, e intanto
cantava.

« Non ti ha mai detto nessuno che sei un bambino fortunato? » mormorò Page con voce stanca baciandolo sulla testa.
Intanto sorrideva a Jane. Ma l'amica si accorse subito che i
suoi occhi erano ancora più segnati.

« Come sta Allie? » le domandò Andy immediatamente, e
Page esitò per un attimo. Prima di rispondere, dovette ricacciare indietro le lacrime. A un tratto si rese conto che non

riusciva a pronunciare una sola parola. Aveva rischiato di morire quella notte, ma grazie a Dio ce l'aveva fatta. Jane capì che Page aveva un nodo alla gola e, dopo averle dato un colpetto affettuoso su una spalla, andò a prenderle una tazza di caffè.

« Tutto bene », rispose Page ad Andy e poi, approfittando del fatto che il bambino si era distratto mormorò a bassa voce rivolta a Jane: « Stanotte la situazione è improvvisamente peggiorata. Dopo l'intervento chirurgico, si è manifestata la tumefazione al cervello e ha avuto anche difficoltà respiratorie. »

« Sta per *morire*? » Andy, che l'aveva ascoltata, la guardò con gli occhi sbarrati. Page fece cenno di no con la testa. Perlomeno fino a quel momento, niente del genere era successo e tutti continuavano a pregare che si salvasse.

« Spero di no! »

Andy rimase in silenzio per un attimo mentre rifletteva su quello che gli era stato detto e poi le fece un'altra domanda difficile: « E papà? Dov'è? Non è venuto a prendermi ieri sera. »

« Credo che abbia avuto degli impegni che l'hanno trattenuto in ufficio: tu dormivi quando è arrivato a casa. E non ha voluto svegliarti. »

« Oh! » Andy non nascose di essere sollevato. Aveva intuito che doveva aver litigato la sera prima, e non gli era piaciuto affatto. L'incidente di Allie aveva cambiato ogni cosa. All'improvviso niente gli pareva più sicuro come prima, e si accorgeva che le persone alle quali voleva bene erano tutte spaventate, sconvolte e arrabbiate. « Oggi posso andare a trovare Allie? »

« Non ancora, tesoro. » Era impensabile che Page gli permettesse di vederla. Con i capelli ràsati a zero, la testa e gli occhi nascosti dalle bende, tubi e macchine e monitor dappertutto, e quell'odore di morte e di paura, così intenso, che la circondava... Sarebbe stata una visione terrificante per chiunque... figurarsi per un bambino di sette anni! « Quando starà meglio. Quando si sveglierà... » disse, sforzandosi di ricacciare indietro le lacrime. Questa volta dovette voltarsi dall'altra parte perché lui non la vedesse, e Jane le mise un braccio intorno alle spalle.

« Più di qualsiasi altra cosa, tu hai bisogno di sonno. Perché non te ne vai a letto? Penso io ad accompagnare Andy a scuola oggi. » Bastò quella proposta perché Andy si mostrasse deluso. Non poteva immaginare quanto sua madre fosse stanca o quale fosse la situazione all'ospedale. La voleva vicina.

« Io sto benone. » Page respirò a fondo e bevve un lungo sorso di caffè. « Torno fra pochi minuti, così potrò andarmene a letto subito. » Si era già ripromessa di mettersi a letto fino all'ora in cui Trygve sarebbe venuto a prenderla per il funerale. Se ci fosse stato qualche problema all'ospedale, sapevano come raggiungerla. E aveva un disperato bisogno di sonno; in quel momento le sembrava di non avere neppure la forza di fare un altro passo. Infatti fu costretta a lottare per rimanere sveglia lungo tutto il tragitto fino alla scuola elementare di Ross. Quanto al ritorno a casa, viaggiò letteralmente a passo d'uomo. Appena rientrata, controllò di nuovo i messaggi sulla segreteria telefonica. Brad non si era fatto vivo. Ed era troppo presto per chiamarlo in ufficio.

Era difficile poter credere che avesse avuto il coraggio di rimanere fuori tutta la notte senza telefonare nemmeno una volta. D'altra parte, che cosa avrebbe potuto dirle? Scusami, passo la notte con la mia amica. Comunque, Page era letteralmente sgomenta al pensiero che le cose fossero arrivate fino a quel punto in così pochi giorni. Sembrava che tutta la loro vita coniugale, il loro stesso rapporto, fosse andato in pezzi.

Alle otto e un quarto era già a letto e anche se all'inizio continuò a rigirarsi sotto le coperte perché ormai era giorno fatto e il pensiero di Allyson non la lasciava, alle otto e mezzo la stanchezza ebbe il sopravvento e, senza più riuscire a concentrarsi su niente, cadde in un sonno di piombo. Non si era neppure spogliata... Dormì profondamente fino a mezzogiorno, quando venne risvegliata dallo squillo insistente del telefono. Balzò subito fuori dal letto, terrorizzata al pensiero che la chiamassero dall'ospedale.

« Sì? » Era rauca, senza voce. Ma per fortuna, scoprì che si trattava soltanto di sua madre.

« Dio santo, che cosa ti è successo? Sei malata? »

« No, mamma... io... ecco, stavo dormendo. » Troppe erano le cose da spiegare e sarebbe stato molto difficile fargliele capire!

« A mezzogiorno? Che strano. Sei incinta? »

« No. Sono rimasta alzata fino a tardi... » con la tua nipotina che ha rischiato di morire... Improvvisamente si sentì colpevole per non averle telefonato prima.

« Non ti sei più fatta viva per tutto il fine settimana. Eppure lo avevi promesso! » Adorava lamentarsi, le piaceva il ruolo della persona offesa. Aveva sempre affermato che Page la trascurava, ma la verità era un'altra; c'era molta più intimità, e molta più affinità, tra lei e la sorella maggiore di Page, Alexis, che viveva a New York e che passava molto tempo con la madre.

« Sono stata impegnata, mamma. » Come poteva dirglielo? Chiuse gli occhi mentre lottava con la commozione e con i propri sentimenti. « Allyson ha avuto un incidente, sabato sera. »

« E adesso come sta? Bene? » Sua madre le sembrò turbata. Certo non poteva far finta di non aver capito la gravità di quelle parole, o ciò che significavano.

« No, per niente. È in coma. È stata operata al cervello domenica. Non sappiamo quello che succederà. Mi dispiace di non averti telefonato, mamma. La verità è che non sapevo che cosa dirti e volevo aspettare fino a quando la situazione non fosse un po' migliorata. »

« E Brad? Come sta? » Page trovò strana quella domanda.

« Brad? Sta bene, lui non c'era quando Allyson ha avuto l'incidente. Lei era con un gruppo di ragazzi. »

« Dev'essere stato terribile per lui. »

Era tipico di sua madre concentrare tutte le proprie preoccupazioni su Brad e non sulla propria figlia, e neppure su Allie, che rischiava di non sopravvivere. Pensava solo a Brad. Se Page non l'avesse conosciuta bene avrebbe potuto credere di aver capito male.

«È una cosa tremenda per noi tutti. Per Brad, per me, per Andy... e Allie...»

«Se la caverà? Guarirà presto?»

«Ancora non lo sappiamo.»

«Sono sicura che tutto andrà per il meglio. Queste cose sembrano sempre terribili al primo momento, ma c'è un mucchio di gente che se la cava dopo un incidente del genere.» Oh, dio! Era tipico da parte di sua madre. Sempre pronta a evadere, a sfuggire alla realtà dei fatti, a qualsiasi prezzo. Niente era cambiato. D'altra parte, senza vedere Allyson riusciva difficile valutare la gravità delle sue condizioni. «Ho letto certe storie assolutamente incredibili di ferite alla testa, di gente in coma, che poi si alza dal letto e se ne va con i propri piedi. È giovane. Ogni cosa si sistemerà.» Com'era sicura! Page si augurò di poterle credere.

«È quello che spero anch'io», le rispose con voce fievole, gli occhi fissi sul pavimento, mentre si domandava come si potesse trovare il modo di comunicare con sua madre. Niente era cambiato da quando lei aveva quattordici anni. Quella donna continuava ad ascoltare e a credere solo a ciò che le faceva piacere, o comodo, indipendentemente da quello che le veniva raccontato. «Ti terrò informata su come vanno le cose.»

«Devi dirle che le voglio bene», ribatté Maribelle Addison in tono fermo. «Dicono che la gente in coma sente tutto. Tu le parli, Page?»

Page fece cenno di sì con la testa, mentre le lacrime le scorrevano sulle guance. Certo che le parlava... di tutto il bene che le voleva, e glielo ripeteva... e la pregava di non morire e di non lasciarli... «Sì», bisbigliò rauca.

«Bene. Allora devi dirle che la nonna e la zia Alexis le vogliono un gran bene.» Poi, come se ci avesse ripensato: «Vuoi che veniamo?» Facevano quasi tutto insieme. Ma Page si affrettò a rispondere senza nemmeno riprendere fiato. Ci mancava anche quello!

«No! ...Telefonerò, se avessi bisogno di voi.»

«Brava, cerca di farlo, cara. Ti richiamo domani.» Sembrava che prendesse un appuntamento per una partita di bridge. Era stupefacente la sicurezza completa e assoluta che dimostrava, la certezza che Allyson si sarebbe ripresa, senza neppure prendere in considerazione qualche altra possibilità, anche per un solo attimo. Come al solito non offrì il minimo aiuto né una parola di conforto alla sua figlia più giovane, così come non le lasciò capire che avrebbe voluto esserle vicino con tutto il suo affetto.

« Grazie, mamma. Ti telefono se dovesse succedere qualcosa. »

« Sì, devi farlo, cara. Alexis e io domani abbiamo in programma un giro di spese. Ti telefonerò al mio ritorno a casa. Saluta affettuosamente Brad e Andy. »

« Senz'altro. » Poi riattaccò e Page rimase seduta, con gli occhi fissi sul pavimento. Rimase così a lungo, cercando di non ricordare com'era stata la sua vita con lei... con loro... tutte le bugie e l'infelicità... e quel suo continuo rifiuto della realtà. Alexis, per questo, era perfetta. Adorava fare gli stessi giochetti della mamma. Ogni cosa era sempre stupenda, deliziosa o incantevole; nessuno faceva mai niente di cattivo o di sbagliato, e se lo faceva, non se ne parlava mai. Le acque erano sempre calme, le loro voci sempre pacate, ma nel loro intimo era un dibattersi continuo... come chi sta per annegare e non vuole essere sommerso da tutto quanto lo circonda. Page aveva quasi rischiato di annegare. E, appena possibile, se ne era andata di casa. Lo aveva fatto subito, appena aveva cominciato a frequentare l'istituto d'arte. Loro non avrebbero voluto e si erano rifiutati di pagarle la scuola, ma lei si era messa a fare qualche lavoretto e aveva accettato un posto di cameriera in un ristorante, la sera, in modo da potersi mantenere agli studi. Avrebbe fatto di tutto pur di andarsene di casa. Era in gioco la sua sopravvivenza, e lei lo sapeva benissimo.

Era talmente assorta nei propri pensieri che non sentì neppure Brad che rientrava.

E lui non la vide. Aveva già attraversato metà della stanza quando Page si strappò a quelle riflessioni e trasalirono entrambi quando si ritrovarono di fronte.

«Per amor di Dio!...» esclamò lui non appena i loro sguardi si incrociarono. «Perché te ne stai lì zitta zitta?»

«Non sapevo che tu fossi in casa. Sei tornato a pranzare?» gli domandò in tono gelido. Era ancora seduta sul letto e indossava gli abiti spiegazzati del giorno prima. Però il suo aspetto era migliore e più riposato.

«Sono venuto soltanto a lasciare qualcosa», le rispose Brad con aria vaga mentre passava nella stanza da bagno e buttava una camicia nel sacco della biancheria sporca.

«È quella di ieri? Da mettere in bucato? E quando ne avresti bisogno? Presto? Oppure sei semplicemente tornato a casa a prendere una camicia pulita per poter restar fuori di nuovo anche stasera?» Dalla voce di Page traspariva rabbia e veleno. «Non credi che, almeno, avresti potuto telefonare? O abbiamo addirittura abbandonato ogni finzione e preferiamo dimenticarci di essere sposati?»

«Tu, comunque, non eri qui. Che differenza avrebbe fatto?» A un tratto le sembrò diventato insensibile, senza cuore. Lo rivelava perfino il tono della sua voce. E Page provò una gran voglia di schiaffeggiarlo.

«Avresti potuto telefonare in ospedale, oppure a Jane. Andy ti aspettava. E ha pensato che avessi avuto un incidente anche tu. Oppure non ti importa più niente neppure di lui? Allyson ha rischiato di morire, stanotte.» Meglio non risparmiargli niente, dargli tutte le brutte notizie in un colpo solo. E lui si mostrò subito sconvolto e addolorato.

«E adesso sta bene?»

«È ancora in vita. Ma per un pelo.»

Allora Brad la guardò con occhi colmi di infelicità e di disperazione. Aveva solo desiderato dimenticare ogni cosa per una notte. Che sollievo starsene lontano dall'ospedale, da Page e perfino da Andy!

«Credo di essermi semplicemente dimenticato di telefonare.» Era atroce, come spiegazione, e Brad se ne rendeva perfettamente conto.

«Vorrei aver potuto fare la stessa cosa anch'io. Dimenticarmene. Forse tu sei fortunato», ribatté Page tristemente. Non poteva andarsene piantando tutti in asso, non poteva

143

scappare, e forse non lo avrebbe nemmeno desiderato. Del resto, soltanto tre giorni prima non avrebbe pensato mai, nemmeno lontanamente, di andarsene e di lasciarlo. Adesso tutto era cambiato. «Non puoi cancellare quello che è successo, e rifiutarlo, Brad. Perché è la realtà, è quello che sta succedendo, e devi affrontarlo. Che cosa avresti provato se Allie fosse morta la notte scorsa?»

«Secondo te, che cosa avrei dovuto provare?» Aveva l'aria cupa adesso, guardandola.

«Andy ha bisogno anche di te. E può darsi che tu senta la necessità di stare un po' con Allyson. Se dovesse succedere qualcosa...» Quanto a lei, non avrebbe avuto il coraggio di staccarsi dal suo capezzale nemmeno per un momento, ma Brad le lasciò capire di non essere d'accordo.

«Non puoi cambiare niente, anche se continuerai a startene seduta vicino ad Allyson», disse, mettendosi sulla difensiva. «Se deve vivere o se deve morire, succederà che io sia lì o no. Per quel che mi riguarda, serve solamente a lasciarmi sconvolto, e forse perfino il volerla strappare alla morte per riaverla con noi ad ogni costo... non è la risposta giusta.»

«Si può sapere che cosa mi stai dicendo?» Page, adesso, sembrava inorridita. «Vuoi forse insinuare che dovremmo lasciarla morire?» Provava una gran voglia di mettersi a urlare. Che cosa era successo a Brad? Perché manifestava certe idee?...

«Ti sto dicendo che voglio riavere indietro Allie. *Allie*, cioè la ragazza che era una volta, la ragazza che sarebbe diventata se questo non fosse successo. Bella, robusta e intelligente, e in grado di fare tutto quello che voleva. Ma... tu *vuoi sul serio* che viva, se dovesse ritrovarsi diversa da com'era prima? Vuoi sul serio una figlia alla quale è stato leso il cervello, da assistere e curare per il resto dei tuoi giorni? È questo che vuoi per lei? Io, no. Io preferisco lasciarla andare adesso, se i risultati dovessero essere questi. E il fatto di rimanere lì a guardarla, non fa neanche un briciolo, un maledetto briciolo di differenza. Da parte nostra abbiamo fatto tutto quello che era possibile. Adesso non ci rimane che aspettare. E aspettare qui o aspettare là non fa nessuna differenza per lei. » E se, invece, fosse stato vero il contrario? E se lei avesse capito che loro erano lì, al suo capezzale?

Page non nascose di provare orrore per quello che Brad stava dicendo. « Andy ha bisogno di te né più né meno come lei. Oppure anche questo è troppo per te? » Non gli dava tregua, non aveva nessuna pietà. D'altra parte riteneva che in quel preciso momento non se la meritasse neppure. Aveva deluso tutta la sua famiglia; non era al loro fianco nel momento del bisogno, e per ragioni totalmente egoistiche.

« Forse tutto questo è troppo per me. Non ci hai mai pensato? » le domandò, Brad, avvicinandosi di un passo. Adesso detestava trovarsela di fronte, perché i loro discorsi si trasformavano sempre in discussioni, in rimproveri, in una serie di accuse.

« Io ho pensato che stai solo facendo i tuoi comodi, che sei indulgente con te stesso, e che stai prendendo decisioni tremende. Il tempo non si è fermato semplicemente perché tu lo vuoi, Brad. Questo non è un intervallo perché tu possa mettere ordine nella tua vita amatoria. Allie ha bisogno di te, indipendentemente da quello che tu puoi pensare delle sue condizioni e del suo futuro. Anzi, proprio per questo ha ancora più bisogno di te. E anche Andy. Quel povero bambino è impaurito, vede la sua famiglia che si sfascia davanti ai suoi occhi, capisce che sua sorella potrebbe morire, non sa dove sei tu, e tutto a un tratto si trova sballottato, di qua e di là, presso i vicini. »

« Questo significa che forse sarebbe necessario che tu tornassi a casa la sera », ribatté Brad, ma sussultò quando Page, alzandosi di scatto, fece qualche passo nella sua direzione e gli venne vicino.

« Permetti che ti dica qualcosa, Brad. Io non ho nessuna intenzione di lasciare Allie più di quanto sia assolutamente indispensabile fino a quando non sapremo se riuscirà a cavarsela... o fino al momento della sua morte. Se dovesse morire... » I suoi occhi si colmarono di lacrime mentre pronunciava queste parole, ma la sua voce non ebbe un tremito. « Ho intenzione di rimanere lì con lei, di tenerle la mano e di continuare a tenergliela stretta fino a quando dovesse lasciare questo mondo, proprio com'ero presente quando vi è entrata. Non sarò qui in casa, o con te, a meno che tu non venga all'ospedale. E la stessa cosa vale per Andy. Ma, se non altro, io non sono, chissà dove, con qualche puttanella, cercando di fingere che niente di tutto questo sia successo. » Solo a questo punto gli voltò le spalle. Non riusciva a sopportare l'espressione che era apparsa sul viso di Brad, perché significava che, in fondo, lui praticamente li aveva già lasciati.

« Page. » A quel punto si voltò a guardarlo perché si era accorta che aveva la voce tremante e un nodo alla gola e questo la lasciò sbalordita. Brad si abbandonò pensantemente su una seggiola e si nascose la faccia fra le mani. « Non sopporto di vederla a quel modo. È come se se ne fosse già andata per sempre... non sono capace di resistere. » Ma Page non riusciva a capire che cosa lo inducesse a pensare di avere un'altra scelta. Anche lei non riusciva a sopportarlo. Ma capiva di doverlo fare. Per Allie.

« Ma Allyson non se ne è ancora andata per sempre », gli fece osservare con voce calma, provando il desiderio di consolarlo ma al tempo stesso con la paura di andargli troppo vicino. Ormai c'erano talmente tante cose fra loro, troppo dolore e troppe delusioni! Non si fidava più di lui né tantomeno gli credeva. Ormai le pareva quasi di non riconoscerlo più. « Una speranza le resta sempre, Brad. E fino a quando esiste, non si può abbandonarla. »

« Meglio morta piuttosto che ridotta a una pura e semplice vita vegetativa, Page... lo sai. »

« Non dire queste cose! » ribatté lei con veemenza. Non aveva mai rinunciato a niente senza lottare, e adesso non riusciva a capire questo atteggiamento. Era come se Brad volesse cavarsela nel modo più semplice, non solo per se stesso ma anche per Allie, perfino se ciò significava che avrebbe dovuto perderla, o arrendersi senza speranze. Fino a questo punto Page non era arrivata. Non poteva.

« Non so... » continuò Brad, con l'aria di sentirsi in colpa per i sentimenti che manifestava. D'altra parte, non poteva farci niente. «Quando l'ho vista, non sono riuscito a immaginare che potesse cavarsela, in nessun modo, e non voglio che rimanga totalmente invalida per il resto dei suoi giorni perché ha avuto una lesione al cervello... e le cose di cui parlano, poi... il coma... la possibilità che rimanga paralizzata... la perdita delle capacità motorie... come puoi ascoltare tutte quelle cose e illuderti ancora che possa tornare a essere normale? »

«Posso perché ci sono ancora delle speranze per lei. Forse non sarà facile... forse non otterremo mai un recupero totale... accidenti, forse non riuscirà nemmeno a sopravvivere... ma se dovesse... » i suoi occhi si colmarono di nuovo di lacrime « ... ma se dovesse... dobbiamo aiutarla. »

Lui guardò Page con aria piena di disperazione, piangendo sommessamente. «Io non posso... io non posso fare questo, Page... » Era impaurito, spaventato da morire, e lei lo capiva. Allora gli andò vicino, gli buttò le braccia al collo e lui appoggiò la testa sulla sua spalla. Cominciò ad accarezzargli lentamente i capelli, mentre si augurava che nessuno di loro avesse già fatto troppi passi sulla strada della distruzione totale. Ma quello che era successo non poteva essere cancellato, esattamente come non si poteva cancellare l'incidente di cui Allie era rimasta vittima. «Se tu sapessi quanta paura ho», le bisbigliò Brad appoggiando la testa contro il suo seno « ... non voglio che muoia... ma non voglio neppure che viva così, Page... non sopporto nemmeno di vederla... mi dispiace per la notte scorsa... non avrei dovuto scomparire a questo modo, ma non ho avuto il coraggio di affrontarlo. » Lei annuì, perché comprendeva quello che Brad doveva provare, ma tutto questo non le rendeva certo la vita più facile. Brad aveva voluto fuggire, allontanarsi il più possibile da tutto quanto era successo, e lo aveva fatto. E lei era rimasta sola a lottare al fianco di Allie, in quell'incubo terribile. «E se morisse?» Alzò gli occhi a guardarla, pieni di angoscia, e lei respirò a fondo riflettendo e cercando di pensare anche a un'eventualità del genere.

«Non so», rispose a bassa voce. «Credevo che morisse stanotte... invece no. Abbiamo un altro giorno... un'altra ora... non ci resta che pregare. » Lui annuì, rimpiangendo di non avere tutta la sua forza. Il suo desiderio più grande, in quel momento, era scappare, e Stephanie gli facilitava una decisione del genere. Era dispiaciuta per lui e lo aiutava a fuggire all'orrore di quello che era successo alla sua creatura. Lo aveva convinto che in ogni caso non avrebbe potuto essere di nessun aiuto. Brad le aveva spiegato quanto era brava Page ad affrontare la situazione, e lei aveva insistito perché lasciasse che di tutto si occupasse lei. Ma adesso, vedendo Page che lottava contro il dolore e l'angoscia, si sentì in preda ai sensi di colpa e capì di avere sbagliato abbandonandola a cavarsela da sola.

Appoggiato così contro di lei, Brad si accorse di provare un senso doloroso di nostalgia e di desiderio nei suoi confronti, un fremito che, lo capiva, avrebbe potuto riavvicinarli. L'abbracciò e cercò di costringerla a sedersi sulle sue ginocchia in modo da poterla baciare. Ma Page si irrigidì immediatamente e lo guardò indignata.

«Come puoi?» Dopo quello che era venuta a sapere il giorno dell'incidente, Page non riusciva nemmeno più a immaginare di poter sopportare la sua vicinanza fisica. In ogni caso, non in quel momento. E molto probabilmente mai più.

«Ho bisogno di te, Page. »

«Che schifo», gli rispose, ed era sincera. Brad aveva Stephanie. Che altro desiderava? Un harem? Prima, quando lei era ancora all'oscuro di tutto, sarebbe stato diverso. Ma adesso non poteva. Lui riuscì ugualmente a baciarla e rivelò che la sua passione, in quel momento, aveva qualcosa di tumultuoso, di frenetico. Ma non servì ad ammansire Page né a renderla più comprensiva e arrendevole. Anzi, sentì un distacco ancora maggiore. Improvvisamente Brad era diventato un estraneo. Adesso non apparteneva più a lei, ma a un'altra.

Si sciolse con fermezza da quell'abbraccio e lasciò Brad ansante, ritraendosi di un passo. «Scusami», disse, andandosene. E lui rimase con la sensazione di essere stato un vero imbecille. Ma anche furibondo. Capiva che sbagliava comportandosi così, che la offendeva e la faceva soffrire, mentre continuava ad aggrapparsi a Stephanie ma disgraziatamente era vero ciò che Page aveva appena detto, e cioè che stava prendendo tutte le decisioni sbagliate.

Poco dopo la raggiunse in cucina. Page si stava preparando una tazza di caffè, ma non si voltò quando lo sentì arrivare alle proprie spalle.

« Scusami. Mi sono lasciato trascinare e non ho saputo resistere. Mi rendo conto che è sbagliato, considerando tutto quello che è successo. » Anzi, era addirittura incredibile se Page pensava che solo una settimana prima avevano fatto l'amore come se tutto filasse liscio, e lei non aveva immaginato nemmeno lontanamente che Brad avesse un'amante. Adesso tutto era cambiato. Non solo, ma, considerata l'importanza della sua relazione con Stephanie, Page non voleva nemmeno che Brad la toccasse. Tutto, forse, sarebbe potuto essere diverso se lui, mostrando rimorso e pentimento, avesse promesso di dare un taglio netto a quel rapporto. Ma nessuna promessa del genere le era stata fatta. Ed era piuttosto il loro matrimonio che stava finendo. Sembrava che Brad desiderasse una soluzione del genere. Adesso questo era chiaro, soprattutto dopo che era sparito la sera prima, anche se avrebbero potuto aver bisogno di lui o si fosse verificata un'emergenza qualsiasi. Non aveva nemmeno pensato che faceva soffrire Andy. Stephanie veniva prima di tutto. E rendendosi conto di tutto questo Page ebbe la sensazione di essere schiacciata da una realtà opprimente, che non poteva ignorare.

« Penso che dovresti darmi il suo numero di telefono. Se qualcosa succede, e tu sei là, vorrei sapere come raggiungerti. » Parlò senza voltarsi, senza guardarlo, e Brad non vide che aveva gli occhi pieni di lacrime.

« Io... non succederà più, stasera rimarrò a casa con Andy. »

« Me ne infischio. » A quel punto Page si voltò di scatto ad affrontarlo e l'espressione del suo viso lo spaventò. Era indignata, offesa e arrabbiata, e più che determinata! Era chiaro che, ormai, quel breve attimo di intimità era stato dimenticato. « Succederà ancora, e voglio quel numero di telefono. »

« Bene. Te lo lascio sul blocco. »

Lei annuì e bevve un sorso di caffè bollente.

«Che cosa hai intenzione di fare oggi?» Presumeva che tornasse all'ospedale e rimase meravigliato scoprendo che non era così.

«Vado al funerale di Phillip Chapman. Vuoi venire?»

«Non ci penso neppure. Quel piccolo bastardo ha quasi ammazzato la mia bambina. Piuttosto, dimmi come fai ad andarci.» Sembrava su tutte le furie, ma Page gli lanciò un'occhiata che non nascondeva il suo disprezzo e la sua disapprovazione.

«I Chapman hanno perduto il loro unico figlio. E finora non abbiamo nessuna prova che la colpa sia sua. Come hai il coraggio di non farti vedere?»

«A quelli io non devo un bel niente», ribatté Brad, glaciale. «E gli esami di laboratorio dimostrano che aveva bevuto.»

«Ma non molto. E che cosa pensare, allora, della persona che guidava l'altra automobile? Non può essere colpa sua?» Trygve se lo era già domandato, e anche Page. Brad, invece, no. Era tanto più facile accollare ogni colpa a Phillip Chapman!

«Laura Hutchinson è la moglie di un senatore, ha tre figli, e di sicuro non se ne stava andando in giro sbronza, al volante della sua automobile, e nemmeno si può pensare che abbia avuto un attimo di sbadataggine.» Brad ne sembrava davvero convinto.

«Come puoi saperlo?» Lei, invece, non era più sicura di niente, né della moglie del senatore né del proprio marito. «Come puoi essere tanto sicuro che non sia stata colpa sua?»

«Ne sono sicuro, e basta. Anche la polizia lo è. Non hanno pensato al test con l'etilometro perché, evidentemente, non lo giudicavano necessario. Altrimenti glielo avrebbero fatto! E di conseguenza non l'hanno incolpata di niente.» Era chiaro che Brad credeva ciecamente a tutto questo.

«Forse sono rimasti intimoriti dalla sua posizione sociale.» Discutevano di qualsiasi cosa, ormai, e Page fu contenta che Andy non fosse lì ad ascoltarli. «Ad ogni modo, al funerale, io ci vado. Alle due e un quarto passerà Trygve Thorensen a prendermi. »

Brad la guardò alzando un sopracciglio. «Molto comodo. »

«Lascia perdere questi commenti. » Gli lanciò un'occhiataccia; adesso il suo viso rivelava di nuovo tutta la stanchezza e tutta la collera che provava. «Noi due siamo rimasti là, seduti in quell'ospedale che tu detesti tanto, per la maggior parte di questi ultimi tre giorni, aspettando di vedere se le nostre figlie ce l'avrebbero fatta a sopravvivere. Phillip Chapman era al volante dell'automobile in cui si trovava anche sua figlia, ma questo non gli impedisce di mostrare un minimo di comprensione per i genitori del ragazzo, e di partecipare al loro lutto. »

«Dev'essere proprio un grand'uomo! E chissà che non nasca fra voi anche una certa 'amicizia', dal momento che io, per te, non ho più alcuna attrattiva. » Era ancora risentito per essere stato respinto da Page poco prima, anche se la capiva. Ma tutti quegli elogi di Trygve lo irritavano.

«Effettivamente è un uomo formidabile, Brad. E un buon amico. Ed era lì, con me e per me. È rimasto seduto al mio fianco a tenermi la mano la notte scorsa, quando nessuno sapeva dove tu fossi, e anche la notte dell'incidente, quando tu eri al John Gardiner con la tua amichetta. È stato magnifico, straordinario. E sai un'altra cosa... è tanto intelligente da non andare in giro a cercarsi qualche avventura, preferisce rinunciare al sesso e pensare piuttosto ai suoi figli. Quindi, se stai facendo di tutto perché io mi senta colpevole o imbarazzata, lascia perdere. Sono convinta che a Trygve Thorensen non importi niente di me come donna, e mi va benissimo perché non è un innamorato quello che sto cercando. Mi occorre semplicemente un amico che mi tenga compagnia quando sono all'ospedale, visto che si direbbe che io non abbia più un marito. » Non c'era molto che Brad potesse dire, a quel punto, e preferì passare nella stanza da bagno. Poi, dieci minuti dopo, senza rivolgerle più la parola, uscì di casa sbattendo la porta. Page avrebbe voluto strangolarlo, tanto era furiosa con lui. Ma provava anche un'infinita tristezza al

151

pensiero che tutto fosse finito fra loro, e così in fretta! Le pareva quasi impossibile. Certo, avevano dovuto affrontare una realtà terribile, ma sembrava che già molte altre cose fossero andate distrutte, e senza che lei lo sapesse. Era stato l'incidente di Allyson a rivelare ogni cosa, e quanti problemi aveva portato con sé!

Poi andò a farsi una doccia e si vestì per il funerale. Alle due e un quarto Trygve venne a prenderla. Indossava un completo blu, camicia bianca e cravatta scura. Aveva l'aria molto seria ed era incredibilmente affascinante. Page aveva un tailleur di lino nero comperato a New York l'ultima volta che era andata a trovare sua madre.

La cerimonia funebre si svolse nella chiesa di St. John, e chissà perché Page scoprì di non essere preparata alla visione di quelle centinaia di ragazzi venuti ad assistervi, con i volti segnati dal dolore per la perdita dell'amico, un dolore profondo, che non cercavano di nascondere. Sul programma che venne distribuito all'ingresso dai compagni di scuola di Phillip, c'era una sua bellissima fotografia insieme agli altri studenti che facevano parte della squadra di nuoto. In chiesa vide anche Jamie Applegate. Aveva l'aria distrutta, seduto in mezzo ai genitori che pareva cercassero di confortarlo in ogni modo. Suo padre gli aveva addirittura messo un braccio intorno alle spalle.

Anche le musiche che vennero suonate durante la funzione furono quelle che piacevano ai ragazzi e Page, ascoltandole, si trovò con la gola chiusa da un nodo di pianto. La chiesa era affollata da tre o quattrocento ragazzi, come minimo, e lei non poté fare a meno di pensare che sarebbe stata presenta anche Allyson se non si fosse trovata in coma in una stanza d'ospedale.

Poi, molto dignitosi anche se annientati da un dolore immenso, entrarono i genitori di Phillip e presero posto nel primo banco. Con loro c'era un'altra coppia, molto più anziana — i nonni del ragazzo morto —: bastava guardarli per sentirsi salire le lacrime agli occhi. I loro visi rivelavano quanto fosse immensa la disperazione per la sua perdita.

Il sacerdote parlò con accenti toccanti dei misteri dell'amore divino e delle sofferenze terribili che dobbiamo affrontare con la perdita di una persona amata. Poi dedicò qualche altra parola a Phillip, che era stato un ragazzo straordinario, ammirato da tutti, per il quale si poteva prevedere un brillante futuro. Page si accorse che quasi non riusciva ad ascoltarlo, mentre cercava di non pensare a quello che avrebbero detto se fosse morta Allie. Più o meno le stesse cose. Anche lei era amata e ammirata da tutti. E lo strazio per la sua perdita sarebbe stato insopportabile.

La signora Chapman pianse senza ritegno per tutta la durata della cerimonia, e al termine della funzione il coro della scuola cantò l'inno *Grazia meravigliosa*. Poi tutti vennero invitati ad avvicinarsi all'altare per un momento particolare di preghiera e un ultimo tributo al loro amico. Ci andarono soprattutto i ragazzi, a gruppetti o soli, piangendo e tenendosi per mano, e posarono dei fiori sulla bara di Phillip. Tutti in chiesa ormai singhiozzavano e Page, guardandosi intorno e osservando quei visi giovanili sconvolti, si sentì sopraffatta dall'angoscia e dalla disperazione. Soltanto allora notò Laura Hutchinson che piangeva sommessamente in un banco, a poca distanza da lei. Sembrava che si fosse presentata da sola alla cerimonia, e sembrava commossa come chiunque altro. Page la fissò a lungo, ma non riuscì a cogliere nella sua espressione nient'altro che un dispiacere profondo. Tutti sembravano annientati. Era una scena troppo penosa.

Poi, mentre uscivano dalla chiesa, Page e Trygve notarono i giornalisti. Dapprima avevano cercato di seguire Laura Hutchinson la quale, però, era salita rapidamente al bordo di una limousine senza parlare con nessuno di loro. Poi scattarono qualche foto dei ragazzi che erano fermi, in lacrime, sul marciapiede. E infine, all'improvviso, diedero l'impressione di concentrarsi sui Chapman. Ma il padre di Phillip andò su tutte le furie e si mise a gridare, fra le lacrime, che erano un branco di bastardi senza cuore. Qualche amico si fece avanti per condurlo via, con gentilezza. Ma i giornalisti non desistettero e si limitarono a mettersi da parte.

Dopo la funzione funebre ci fu un ricevimento nella sala

delle conferenze della scuola e, al termine, i Chapman invitarono alcuni amici a casa loro. Page non se la sentì di fare un'apparizione, per quanto breve, in nessuno di questi posti. Non ne aveva la forza. Il suo unico desiderio era rimanere sola. Alzò gli occhi verso Trygve, che era rimasto in silenzio al suo fianco, e si accorse che aveva pianto non meno di lei.

«Come ti senti? Bene?» le domandò lui con dolcezza, e Page fece cenno di sì con la testa mentre ricominciava a piangere. «Anch'io. Vieni, ti accompagno a casa.» Lei annuì nuovamente e lo seguì fino all'automobile, dove sedettero in silenzio per un attimo che sembrò interminabile. Non aveva avuto il coraggio di avvicinarsi nemmeno ai Chapman, per porgere le sue condoglianze, ma aveva messo la sua firma sul libro aperto in fondo alla chiesa. In seguito lesse sul giornale che avevano partecipato alla cerimonia più di cinquecento persone.

«Oh Dio, che momento difficile.» Finalmente si decise a parlare, mentre tentava di riprendere fiato e di calmarsi. Trygve la guardò, affranto anche lui.

«È stato terribile. Non c'è niente di peggio. Io mi auguro di non vivere abbastanza per vedere la morte di uno dei miei figli.» Poi si pentì di quello che aveva detto ricordando che la vita di Allyson era ancora appesa a un filo, ma Page lo capì. Anche lei preferiva non pensare a come avrebbe affrontato un momento simile.

«Ho visto la signora Hutchinson. Devo dire che ha avuto una bella faccia tosta a presentarsi in chiesa. Avrei pensato che i Chapman fossero sconvolti dalla sua partecipazione alla cerimonia.»

«Senz'altro, però pensa all'effetto di una scena simile; chissà come ne è rimasta favorevolmente colpita la stampa, invece. Serve a dimostrare che soffre anche lei. È una mossa abile», osservò Trygve, in tono amaro.

«Quanto cinismo!» ribatté Page, senza usare mezzi termini. «Magari è sincera!»

«Ho i miei dubbi. Conosco gli uomini politici. Credimi, è stato suo marito a dirle che doveva essere presente al servizio funebre. Magari non ha nessuna colpa di quello che è successo, forse è completamente innocente. Però, nel frattempo, lo fa apparire sotto una buona luce. »

« Dunque si riduce tutto a questo? » Page non gli nascose di essere delusa.

« Probabilmente. Non lo so. Continuo ad avere la sensazione che lei, bene o male, abbia avuto un momento di distrazione, che non sia stata colpa dei ragazzi, ma forse sono soltanto io che voglio crederlo. » Trygve avviò la macchina e si accodarono a una lunga fila di altre automobili, prendendo la via del ritorno. Era lo stesso percorso che si faceva per raggiungere la scuola e fu a quel punto che Page si ricordò che doveva tornare all'ospedale perché la sua macchina era rimasta là. E poi sentiva il desiderio di rivedere Allie dopo quello che avevano appena passato. Voleva sentirsi rassicurata e avere la conferma che era ancora lì, con loro, dopo la tristezza e l'angoscia del funerale di Phillip, dopo aver condiviso tanta disperazione.

« Ti dispiacerebbe lasciarmi all'ospedale? » gli domandò con un triste sorriso. Che pomeriggio terribile per tutti e due! Durante quelle ore Page aveva già chiamato l'ospedale parecchie volte per sapere come stava Allyson, ma non c'erano stati cambiamenti.

« Nessun problema! Del resto anch'io voglio fare una visitina a Chloe. Tutto questo ci fa sentire pieni di gratitudine al pensiero che loro siano vive, non ti pare? »

Page annuì ripensando a quello che Brad aveva detto poco prima, cioè che non avrebbe voluto che Allie rimanesse menomata. E sembrava convinto di quello che diceva. « Io preferirei ritrovarmi con Allie ridotta in qualsiasi condizione piuttosto che perderla. Forse è sbagliato da parte mia, ma la penso così e non posso cambiare. Brad, invece dice che preferirebbe perderla piuttosto che ritrovarsi ad averla menomata. »

« È una visione della vita piuttosto riduttiva, e terribilmente cruda. O bianco o nero, senza sfumature. Io sono d'accordo con te. Preferirei avere quello che riuscirò a ottenere. Sarà sempre meglio di niente. » Page gli confermò di essere completamente d'accordo, ma questa speranza non riguardava il suo matrimonio. In quel caso era molto meno disposta al compromesso.

« Si direbbe che non riesca ad affrontare quello che sta succedendo. Preferisce voltar le spalle e darsela a gambe », continuò con voce sommessa cercando di non andare di nuovo in collera pensando al modo in cui era sparito la sera prima.

« Ci sono persone che non sanno affrontare cose di questo genere. »

« Già, come Dana... Brad... e allora come mai noi, invece, ne rimaniamo coinvolti e resistiamo stringendo i denti? Davvero siamo così bravi? Oppure semplicemente stupidi? » Page gli sorrise.

« Probabilmente l'una cosa e l'altra », ridacchiò Trygve. « Credo che succeda perché non ci resta altra scelta. Quando non c'è nessun altro, sei tu che devi occupartene. » La guardò con occhi pieni di sincerità. Ormai aveva trascorso con lei tempo sufficiente per poterle fare una domanda diretta. « E questo non ti manda su tutte le furie? » c'era qualcosa di intrigante in lei, nella sua disponibilità ad accettare quello che chiaramente era un matrimonio tutt'altro che perfetto. Dal giorno della disgrazia Brad non si era praticamente fatto vedere, o quasi, e Trygve lo sapeva.

« In effetti mi manda su tutte le furie », ammise lei con un sorriso. « Anzi, proprio oggi, all'ora di pranzo, abbiamo avuto uno di quei litigi in cui emergono cose di ogni genere, che riaffiorano dal passato, e te ne dici di tutti i colori. »

« Il che significa che, se non altro, sei un essere umano! Anche a me queste cose facevano impazzire... per esempio quando Dana non era mai presente proprio nel momento in cui avremmo avuto bisogno di lei. »

« In questo caso c'è qualche altra complicazione in più. »

Trygve annuì, deciso a non chiederle altro. Ma poi finì per farle ugualmente una domanda: « Complicazioni serie? »

« Si direbbe proprio di sì », rispose Page con sincerità. « E non è escluso che possano essere finali. Definitive. »

« Allora è stata una totale sorpresa? » le domandò Trygve con dolcezza.

«A dire la verità, sì. Sono stata sposata sedici anni e fino a tre giorni fa ero convinta che il nostro fosse un matrimonio fantastico», riprese Page mentre si avvicinavano all'ospedale. «Apparentemente ho commesso un errore. E grosso.»

«Forse no. Magari questo è semplicemente il momento più difficile. Ogni matrimonio, di tanto in tanto, incappa in qualche ostacolo.»

Lei scrollò la testa mentre ci ripensava. «C'erano un sacco di cose che non sapevo. Mi sono illusa per molto tempo, senza rendermene conto. Ma adesso che lo so, è duro fingere che non sia successo. E io non ci riesco, molto semplice. Disgraziatamente tutto è coinciso con un periodo drammatico.» Aveva l'aria molto grave, addirittura incupita, mentre gli spiegava tutto questo.

«Ricorda quello che ti ho già detto: ci sono certe persone che perdono la testa e non sanno più quello che fanno se devono affrontare una crisi.»

«Secondo me è già da molto tempo che lui ha perduto il senso della misura. La verità è molto più semplice: è stato colto sul fatto... mi capisci?» Gli rivolse un sorriso triste e Trygve rise davanti all'espressione del suo viso e al tono con cui aveva pronunciato quelle parole.

«È stato sfortunato», commentò con un sorriso. Page fu stupita di trovare tanto facile confidarsi con lui. Le sembrava di potergli raccontare qualsiasi cosa. Perfino quello che si sarebbe ben guardata dal raccontare a sua sorella o perfino a Jane Gilson, che era una vecchia amica ma non una vera e propria confidente. Dopo le difficoltà dell'adolescenza, non era mai riuscita a entrare in intimità con nessuno all'infuori di Brad, e questo rendeva ancor più penoso il suo tradimento. Adesso, invece, scopriva con meraviglia di poter raccontare a Trygve cose che forse avrebbe perfino esitato a raccontare a Brad.

Ormai erano arrivati all'ospedale e si diressero verso il reparto di terapia intensiva ancora turbati dopo il funerale. Quindi fu quasi un sollievo per tutti e due rivedere le loro figlie. Chloe era un po' agitata, ma cominciava a stare me-

157

glio; quanto ad Allie, le sue condizioni erano sempre stazionarie, almeno per il momento.

Questa volta Page lasciò l'ospedale prima di Trygve e tornò a casa verso le cinque per andare a prendere Andy da Jane. Altre mamme si erano preoccupate di condurlo agli allenamenti di baseball, ma a quell'ora doveva essere ormai ritornato. Quando arrivò a casa scoprì che non desiderava altro che rivedere e abbracciare il suo bambino.

Che pomeriggio tremendo, e quanto dolore per la morte di Phillip! Era ancora sconvolta. Continuava a pensare a tutti quei ragazzi che piangevano il compagno, all'espressione inconsolabile dei suoi genitori mentre uscivano dalla chiesa, tanto che perfino lei avrebbe dato chissà che cosa per poterli consolare un po'.

Si riscosse da quei pensieri quando suonò il campanello della casa di Jane.

«Ciao, come va?» Jane le diede un'occhiata e poi currugò subito la fronte quando Page le passò davanti per entrare. «O forse non dovrei domandartelo?» Magari la situazione era peggiorata. Page aveva l'espressione tesa, era pallida e sembrava profondamente infelice.

«Io sto bene», le rispose a voce bassa. «Sono andata al funerale di Phillip Chapman.»

«Come è stato?» le chiese Jane mentre Page si lasciava cadere sul divano, sempre più esausta.

«Terribile, del resto c'era da aspettarselo. Quattrocento ragazzi che piangevano da spezzare il cuore, e almeno duecento genitori.»

«Proprio quello di cui avevi bisogno adesso, vero? Brad è venuto con te?»

Page fece cenno di no. «Mi ha accompagnato Trygve Thorensen. Abbiamo visto la moglie del senatore. Sembrava addolorata, naturalmente, e si è comportata in un modo molto dignitoso e corretto. Francamente, secondo me ha avuto un bel coraggio a farsi vedere. Trygve pensa che lo abbia fatto per una questione di pubbliche relazioni, e che sia stata al gioco dei cronisti in modo da lasciar capire a tutti che lei è convinta di essere assolutamente innocente.»

« E se lo fosse sul serio? » le domandò Jane, andando subito al sodo.

« Sto cominciando a pensare che non lo sapremo mai. Probabilmente non è stata colpa di nessuno, solo una questione di sfortuna. »

« Altroché... a dir poco... Perché c'erano i giornalisti? »

« C'era la televisione e qualche fotografo dei quotidiani. Secondo me hanno montato le cose perché c'è di mezzo la signora Hutchinson, ma ti giuro che a vedere come piangevano quei ragazzi c'era da sentirsi straziare il cuore. »

« L'articolo sul giornale di ieri, quello che ho letto, sembrava alludesse, senza dirlo chiaro e tondo, a una colpevolezza da parte del giovane Chapman. Sono solamente chiacchiere oppure c'è qualcosa di vero? C'è da credere sul serio che avesse bevuto? »

« A quanto pare, non abbastanza perché potesse influire sul suo modo di guidare. E ho sentito che il signor Chapman ha intenzione di far causa al giornale, perché vuole che il nome di suo figlio rimanga onorato. Che non ci siano ombre sulla sua memoria, insomma. Come ti dicevo, non esistono prove che dimostrano di chi sia stata la responsabilità dell'incidente. Forse né di Phillip né della signora Hutchinson, ma lui è un ragazzo e aveva bevuto mezzo bicchiere di vino... e in aggiunta due tazze di caffè. » Con Trygve ne avevano parlato fino all'esaurimento, ma la storia era sempre la stessa. Uno scontro. Un incidente. Apparentemente senza colpa da parte di nessuno. Del resto, non se la sentiva di criticare i Chapman che volevano fare chiarezza sulla reputazione del loro ragazzo. Era stato un bravo figliolo e meritava, se non altro, per amore dei suoi, che anche dopo la morte il suo rimanesse un nome onorato.

Intanto Andy l'aveva vista e stava arrivando di corsa a salutarla. Portava la divisa della sua squadra di baseball ed era talmente carino che Page, vedendolo, si sentì salire le lacrime agli occhi. Che aria sana e normale, aveva! Non poté fare a meno di ricordare che solo pochi giorni prima era stata lei stessa ad accompagnarlo alla partita... Come tutto sembrava semplice, allora! Allie non era in coma e Brad non aveva confessato di averla tradita.

«Come ti è andata oggi, caro il mio signorino Andrew Clarke?» gli domandò, guardandolo con espressione raggiante. Lui le buttò le braccia al collo.

«Magnificamente. Facevo il battitore e ho guadagnato un punto!» Era molto soddisfatto di sé e Page si sentì felice di vederlo.

«Sei fantastico!» Anche lui era felice di rivedere sua madre; ma poi la guardò con espressione preoccupata. «Adesso torni di nuovo all'ospedale? E io rimango qui?»

«No, adesso torni a casa con me.» Aveva deciso di interrompere per una notte la sua veglia all'ospedale, soprattutto per amore di suo figlio. Sapeva quanto fosse importante per Andy, e anche per lei, stargli vicino. Fintanto che le condizioni di Allie rimanevano immutate, sentiva di poterlo fare. Perciò aveva pensato di preparargli la cena — qualcosa di più di una pura e semplice pizza surgelata — e poi aveva voglia di chiacchierare un po' con lui in modo che non si sentisse trascurato.

«Credi che papà ci farebbe un barbecue?» Ma Page non sapeva se Brad sarebbe rientrato oppure avrebbe preferito rimanere fuori di nuovo e decise perciò di non promettere niente. Disse ad Andy che non era possibile. «Okay. Allora vuol dire che avremo una cena vera e propria.» Andy si mostrò entusiasta all'idea e, dopo pochi minuti, andarono a casa. Page gli preparò hamburger, patate al forno e un'insalata con l'aggiunta di pomodori e avocado; rimase meravigliata quando sentì Brad che rientrava proprio mentre si stavano sedendo a tavola. A dire la verità, non si era aspettata di vederlo tornare, ma aveva preparato in abbondanza nel caso si fosse fatto vedere.

«Papà!» gridò Andy tutto eccitato e Page, guardandolo, si rese conto di quanto bisogno avesse il bambino di conservare i contatti con tutti e due i genitori. Era chiaro che Andy soffriva ed era molto preoccupato anche lui.

«Che sorpresa!» mormorò, ma non abbastanza sottovoce perché Brad non la sentisse. Le lanciò un'occhiataccia.

«Cerchiamo di non ricominciare, Page», le rispose stizzito. Anche per lui la giornata era stata molto lunga, ma aveva voluto assolutamente, quasi fosse stato un punto d'onore, tornare a casa per cena, soprattutto per amore del bambino. «C'è qualcosa anche per me?» le domandò secco, lanciando un'occhiata alla tavola apparecchiata per due e alla cena che stava servendo ad Andy.

«Nessun problema», ribatté Page e, dopo un minuto, gli mise davanti un piatto pieno. Andy cominciò a raccontargli come si era svolta la partita e gli descrisse il punto guadagnato dal battitore durante il quarto inning. Poi continuò a chiacchierare dei suoi compagni di scuola. Sembrava una piccola spugna pronta ad assorbire quei pochi momenti che avevano a disposizione per lui, che potevano dedicargli togliendoli alla sorella... A Page bastò osservarlo per rendersi conto di nuovo di quanto il bambino fosse impaurito e di quanto bisogno avesse di loro in quel momento. A modo suo era terrorizzato, né più né meno come lei. E, in un certo senso, per Andy era ancora peggio perché non aveva più visto Allyson.

«Posso andare all'ospedale a far visita ad Allie questo fine settimana?» domandò mentre finiva di mangiare le patate al forno. Page era molto soddisfatta che avesse divorato quello che gli aveva messo davanti e sembrasse più tranquillo e rilassato di quando si erano seduti a tavola. Ma era convinta che non fosse ancora preparato a rivedere sua sorella. Le condizioni di Allie erano troppo gravi e la prognosi ancora riservatissima. Se fosse morta, non voleva che quello fosse il suo ultimo ricordo di lei.

«Non credo proprio, tesoro. Aspetteremo fino a quando non si sentirà un po' meglio.» Fra l'altro sapeva che per far visita a un paziente nel reparto di terapia intensiva bisognava avere come minimo undici anni, anche se il loro dottore le aveva già detto che per Andy avrebbe fatto un'eccezione.

«Ma... e se non si sente bene ancora per tanto tempo? Io ho bisogno di vederla.» Aveva cominciato a piagnucolare e Page lanciò un'occhiata a Brad, che però non gli prestava la minima attenzione. Stava sfogliando il giornale con aria accigliata. Stephanie si era infuriata quando le aveva detto che non si sarebbe fermato a cena con lei. Ormai ci aveva fatto l'abitudine. C'era sempre qualcuno in collera con lui.

«Vedremo», concluse Page mentre sparecchiavano. Poi servì, come dessert, gelato di crema con salsa di cioccolata, e si versò un'altra tazza di caffè. Nessuno dei due se n'era accorto, ma lei non aveva quasi toccato cibo. Dopo qualche minuto lanciò un'occhiata a suo marito. «Brad... perché non lo leggi dopo cena?» Non sopportava che leggesse il giornale durante i pasti, e lui lo sapeva.

«Perché? Hai qualcosa da dirmi?» rispose tagliente Brad. Lei si inalberò e fu sul punto di ribattere. Ma Andy li stava osservando con espressione sgomenta. Non li aveva mai visti litigare a quel modo, ma in quegli ultimi giorni non avevano fatto altro e lui si sentiva sconvolto.

Dopo cena Brad andò a cercare qualcosa nella sua scrivania. E Andy si ritirò nella sua cameretta, con l'aria desolata, seguito da Lizzie.

Page riordinò la cucina, sparecchiò, preparò la tavola per la prima colazione e poi ascoltò i messaggi registrati sulla segreteria telefonica. Ce n'erano come minimo un'altra dozzina, e tutti chiedevano notizie di Allie. Qualcuno dei ragazzi, al funerale, era venuto a domandarle quando potevano andare a trovarla. Fortunatamente l'ospedale vietava le visite a chiunque; i fiori che qualcuno le aveva mandato erano stati trasferiti in un altro reparto perché non era consentito tenerli nel reparto di terapia intensiva. Da parte sua Page si rallegrò di non essere costretta a vedere qualcuno degli amici di Allie. Capiva che non avrebbe avuto la forza di sopportare anche la loro paura e la loro angoscia. L'ultimo messaggio registrato era quello di un giornalista che voleva fare alcune domande. Ma lei non si preoccupò nemmeno di prendere nota del suo nome.

Poi ritelefonò a qualcuno dei ragazzi che le avevano lasciato i messaggi e, come sempre, fu molto penoso cercare di spiegare a tutti come andavano le cose o essere costretta a ripetere la storia dell'incidente, non solamente a loro ma anche alle loro madri.

Alla fine andò a controllare che cosa stava facendo Andy e lo trovò seduto sul suo lettino a piangere e a parlare con Lizzie. Stava spiegando al cane l'incidente di Allie, gli ripeteva che presto sarebbe guarita ma che intanto continuava a dormire con gli occhi bendati e la testa un po' gonfia. Era una specie di sommario, forse non proprio accurato, della verità. E Lizzie, ascoltandolo, scodinzolava.

«Come vanno le cose, amore mio?» gli domandò Page stancamente, lasciandosi cadere sul letto vicino a lui. Era felice di poter trascorrere quel po' di tempo a casa con suo figlio, anche se era chiaro che doveva essere sconvolto e lei, purtroppo, poteva fare ben poco per confortarlo. Fu contenta di aver deciso di passare la sera, e la notte, a casa con lui. Non c'era dubbio che Andy avesse bisogno di suo padre e di sua madre. Brad aveva fatto bene a tornare a casa, anche se non si stava affatto comportando in un modo molto simpatico.

«Come mai tu e papà non fate che litigare, adesso?» le domandò Andy con aria triste. «Una volta non litigavate mai!»

«Siamo agitati... per Allie... qualche volta quando le persone grandi sono tristi o hanno paura, non sanno come mostrarlo e allora discutono, o si mettono a gridare. Mi dispiace, tesoro. Non volevamo darti un dispiacere.» Gli accarezzò la testa cercando di rassicurarlo.

«Hai una voce così cattiva quando parli con lui.» Come faceva a spiegargli che suo padre la tradiva, che il loro matrimonio non esisteva praticamente più? Non poteva farlo, e non l'avrebbe fatto. «È faticoso stare all'ospedale con Allie.»

«Come mai, se continua a dormire?» Niente di tutto questo aveva un senso per lui. Era tutto così difficile, e così complicato... e poi le persone grandi alle quali voleva bene si comportavano in un modo così strano!

«Sono molto preoccupata per lei. Come sono preoccupata per te.» Gli sorrise, ma lui corrugò di nuovo la fronte.

«E papà? Sei preoccupata anche per lui?»

«Naturale! Mi preoccupo per tutti voi. È il mio lavoro.»

Gli rivolse un altro sorriso e, dopo qualche minuto, andò a riempire la vasca per fargli il bagno. Dopo il bagno, gli lesse una storia. Lui andò a dare la buona notte a Brad, ma suo padre era al telefono, e stava parlando con qualcuno, e lo mandò via bruscamente. Pareva che Brad avesse i nervi a fior di pelle, e lo faceva capire non soltanto a Page ma anche al figlio. Tornare a casa per l'ora di cena non era stato facile e non si sentiva per niente soddisfatto. Forse non era stata una buona idea. Non solo, ma sapeva che Stephanie gliel'avrebbe fatta pagare cara. Adesso che aveva scoperto le carte con Page, Stephanie si mostrava molto meno disposta a essere paziente.

Page mise a letto Andy, gli rimboccò le coperte e lui la pregò di lasciare accesa la luce del corridoio, richiesta che faceva di rado. Solo quando era proprio impaurito per qualche cosa o stava molto male, come in quel momento.

«Va bene, tesoro. Ci vediamo domattina.» Gli diede un bacio e, mentre tornava in cucina a metter via i piatti si sentì infinitamente grata della sua presenza.

Vide Brad seduto nel soggiorno, ma non gli rivolse la parola. Sembrava che non ci fosse più niente da dire. E non si era sbagliata: poco prima, quando era stato interrotto da Andy, Brad stava parlando al telefono con Stephanie.

Svuotò la lavastoviglie, finì di mettere tutto in ordine, fece ancora qualche telefonata e si versò un'altra tazza di caffè.

Erano le dieci quando Brad arrivò in cucina. Appariva ansioso e irritato. Era stata un'altra giornata difficile per tutti e due, con quello scambio concitato di idee a mezzogiorno e il funerale di Phillip Chapman... E anche la cena insieme era stata tutt'altro che facile. Page stava esaminando rapidamente la posta, che non toccava da due giorni, quando alzò gli occhi a guardarlo.

«Mi pare che le cose non vadano troppo bene», disse Brad, con aria infelice. Lanciandogli un'occhiata, Page notò che aveva addosso un paio di jeans e una maglietta. Per un attimo le tornarono alla memoria tutte le sensazioni e i sentimenti che aveva provato per lui per tanti anni e si domandò se, in fondo, lui non fosse sempre rimasto un estraneo. Avevano avuto due figli e vissuto insieme per sedici anni, ma, a un tratto, si era trasformato in una persona completamente diversa dall'uomo con il quale aveva sempre creduto di vivere.

« Puoi ben dirlo », rispose con tristezza mentre si versava un'ultima tazza di caffè. Aveva già i nervi a fior di pelle e un po' di caffeina in più o in meno non avrebbe certo fatto una grande differenza. « Credo che Andy stia cominciando a rendersi conto della situazione. » E chi non se ne sarebbe accorto? Pareva che perfino l'aria, fra loro, trasudasse dolore, collera e delusione. Erano addirittura palpabili.

« È stata una brutta settimana. »

« Già. Anzi è stato un doppio brutto colpo. »

« Si può sapere che cosa vorresti dire? » le domandò Brad con aria sconcertata.

« Allie e il nostro matrimonio. »

« Forse fa tutto parte della stessa cosa. Forse non appena lei guarirà riusciremo ad avere le idee chiare e a sistemare ogni cosa. » Era strano sentirlo parlare a quel modo, soprattutto visto quanto era apparso risoluto nel dichiarare che non aveva nessuna intenzione di rinunciare a Stephanie. Page si domandò se avesse capito bene. Che speranza poteva esserci per loro? Aveva cambiato idea? Era successo qualcosa? Ormai non riusciva più a capirlo, e forse non ci teneva neppure.

« Magari riusciremo ancora a sistemare le cose. » Brad ripeté le stesse parole di prima, anche se non sembrava molto convinto di quello che diceva. « Se vogliamo. »

« Noi e Stephanie? È questo che hai in mente, Brad? » esclamò con amarezza, in tono stanco. « Non ricominciamo e non divertiamoci a darci false speranze. Accontentiamoci di riportare Allie alla vita, poi potremo dedicare la nostra attenzione a quest'altro problema. Per il momento, non sono affatto in vena di discuterne. »

Brad annuì. Non poteva che essere d'accordo con lei. Ma, a un tratto anche Stephanie aveva cominciato a esercitare pressioni su di lui. Come se si sentisse spodestata da Allyson, e si rendesse conto di non essere più il centro dei suoi pensieri. Di punto in bianco manifestava esigenze che lui, prima, non aveva mai dovuto affrettarsi a soddisfare. Voleva passare più tempo insieme, essere continuamente con lui, voleva che trascorresse la notte da lei, quando sapeva benissimo che non era possibile. Sembrava quasi che volesse dimostrare qualcosa, come se cercasse di affermare che Brad apparteneva a lei, adesso, non più a Page. E queste pressioni esercitate dall'una e dall'altra adesso lo facevano impazzire.

Ma prima che potesse aprire bocca per rispondere a Page, sentirono un urlo terrificante provenire dalla camera da letto di Andy. Corsero da lui più fretta che poterono e Brad fu il primo a entrare. Andy, ancora mezzo addormentato, sembrava in preda a una crisi isterica. Aveva avuto un incubo atroce.

«Calma... va tutto bene, figliolo... sta' tranquillo... è stato solo un brutto sogno...» Ma nessuno dei due riuscì a calmarlo. Aveva sognato che erano rimasti tutti vittime di un incidente ed erano tutti morti all'infuori di lui e di Lizzie. E c'era sangue dappertutto, così raccontò, e vetri rotti... e avevano avuto quell'incidente perché papà e mamma stavano litigando. Al di sopra della sua testa Brad e Page si guardarono con aria colpevole; alla fine il bambino riuscì a tranquillizzarsi e smise di piangere, ma Page scoprì che aveva bagnato il letto e fu costretta a cambiargli le lenzuola. Non era più accaduto da quando aveva quattro anni, e le parve un segno preoccupante. Era chiaro che, a livello del subconscio, doveva essere molto turbato.

«Credo che non ci voglia uno strizzacervelli per capire quello che prova il bambino», mormorò Brad mentre passavano nella loro camera da letto.

«È rimasto terribilmente sconvolto per quello che è successo ad Allie. Ci sente parlare delle sue condizioni e di quanto sono gravi e non è ancora riuscito ad andare a trovarla. Per quanto ne sa lui, potrebbe già essere morta.»

«Non è questo che lo tormenta, e lo sai benissimo», replicò Brad.

«Sì, lo so», ammise lei con voce quieta. «Dobbiamo stare più attenti.» Andy li aveva sentiti litigare.

«Odio doverti dire quello che sto per dirti», Brad la guardò con aria triste. «Ma forse sarebbe meglio che non mi facessi più vedere per qualche giorno, o perlomeno fino a quando non riusciremo tutti a essere un po' più calmi e ci sentiremo in grado di affrontare quello che ci sta succedendo...» Page rimase scandalizzata dalla proposta.

«Vuoi dire che andresti a vivere da lei?» Sapevano benissimo a chi alludeva con quel «lei», ma Brad preferì non rispondere.

«Posso stare in albergo o affittare una camera in un residence in città.» Page, intanto, si rendeva conto che quella sarebbe stata la soluzione perfetta perché Brad, a questo modo, avrebbe potuto rimanere con Stephanie e non essere costretto ad affrontare i rimproveri e le accuse di sua moglie. Date le circostanze, non sapeva nemmeno se criticarlo per una scelta simile, anche se sarebbe stato sicuramente difficile da spiegare ad Andy.

«Non so che cosa dire», gli rispose guardandolo negli occhi, rattristata da quella proposta. Quanto cammino avevano percorso in così poco tempo; ed erano giunti a un punto al quale non avevano mai immaginato di poter arrivare. Ma mentre lo guardava con aria pensosa il telefono si mise a squillare, interrompendoli e lei alzò subito la cornetta pensando fosse qualcuno che chiamava dall'ospedale. Infatti era così. La tumefazione era aumentata e la pressione stava diventando un pericolo gravissimo. Se non ci fossero stati miglioramenti, avevano intenzione di sottoporre Allie a un altro intervento, la mattina successiva. E nel caso vi fossero stati costretti, volevano che lei o Brad firmassero i relativi documenti. Ritenevano di poter aspettare, senza correre rischi, tutta la notte, a meno che non fossero subentrati cambiamenti improvvisi, ma era molto probabile che Allie dovesse essere di nuovo operata la mattina dopo. Sarebbe stato il secondo intervento al cervello nel giro di quattro giorni; d'altra parte il dottor Hammerman ripeté che non c'era altra alternativa. Se non avessero fatto niente, Allie sarebbe stata di nuovo in pericolo di vita.

«Vogliono operarla di nuovo?» Brad la guardò con aria

cupa e Page annuì. «E poi? Di nuovo, e di nuovo ancora... per amor di Dio, ma quante volte vogliono farlo? »

«Forse fintanto che sarà necessario... fintanto che non migliora... e che il suo encefalo non riacquista proporzioni normali. »

«Già, e se non le riacquistasse? » Manifestò di nuovo la propria opinione e le proprie preoccupazioni, ma questa volta Page si rifiutò di ascoltarlo. Per lei non era cambiato niente.

«Anche in questo caso continua sempre a essere nostra figlia. Andrò a firmare quei documenti, Brad. Ha il diritto di avere tutto quello che possono fare per lei. » Era pronta a lottare contro suo marito fino alla morte se avesse cercato di impedirglielo, ma Brad, malgrado tutto quello che stava succedendo al loro matrimonio, era una persona ragionevole e anche lui voleva solo il meglio per Allie. Bastò un'occhiata furiosa di Page e lui rinunciò a lottare.

«Fai quello che devi, Page. » Poi andò in camera e si buttò sul letto pensando ad Allyson e a che figlia meravigliosa era stata. Quasi quasi adesso non riusciva a ricordarlo, se pensava a com'era ridotta, distesa in quel letto d'ospedale, praticamente irriconoscibile.

«Vai a dormire da lei? » domandò a Page che era entrata a prendere, dal guardaroba, la sua camicia da notte. Ma lei scrollò la testa guardandolo.

«Pensavo di dormire con Andy. »

«Puoi dormire qui. » Le rivolse un sorriso esitante. «Mi comporterò come si deve. Sono ancora capace di farlo, sai? » Si scambiarono uno di quei sorrisi che ormai erano diventati rari fra loro. Ma erano arrivati a un bivio della loro esistenza, ed era ormai un problema perfino decidere con chi ciascuno di loro dovesse dormire, se Brad dovesse andarsene di casa o rimanere. E Page, di nuovo, ebbe l'impressione di vivere in un incubo.

Distesa nello stretto lettino di Andy, tenendolo abbracciato a sé, quella notte lasciò che le lacrime scorressero senza trattenerle fino a quando si accorse di avere addirittura il guanciale bagnato. Quanti erano i motivi per i quali piangeva; quante cose aveva dato per scontate, che adesso non esistevano più.

La mattina dopo Andy si meravigliò moltissimo vedendo che la mamma aveva dormito con lui, ma non le fece domande. Si alzò e si vestì mentre Page preparava la colazione per tutti e tre. Non accennò più all'incubo che aveva avuto, e rimase in silenzio quando lei lo lasciò davanti alla scuola. Brad le aveva detto che si sarebbe recato in ospedale più tardi, in mattinata. Si sarebbero rivisti là. Page, invece, doveva esserci per le otto e un quarto, per firmare i documenti. Avevano predisposto l'intervento chirurgico per le dieci e Brad promise che per quell'ora, l'avrebbe raggiunta.

8

Page trovò il primario di neurochirurgia fuori del reparto di terapia intensiva. Poiché non si era verificato alcun miglioramento durante la notte, preferì firmare i documenti ed entrò subito per vedere sua figlia. Allyson era ancora in coma, collegata a tutti quei macchinari e a tutti quei monitor, eppure Page riuscì ugualmente ad avere un momento di tranquillità al suo fianco. Per fortuna a quell'ora non c'erano altri visitatori e le infermiere le lasciarono sole. Potevano eseguire il monitoraggio di Allyson dal banco centrale del reparto, da dove controllavano gli apparecchi mediante gli schermi e i computer da cui erano circondate. Page rimase in silenzio di fianco a lei, le prese la mano e cominciò a parlarle, accarezzandole piano piano la guancia di tanto in tanto; poi la baciò con tutta la delicatezza possibile quando vennero a portargliela via, alle nove e mezzo.

E da quel momento cominciò una lunga, solitaria attesa; sapeva che stavano preparando Allyson per il nuovo intervento e che non ce l'avrebbe fatta a sopravvivere se l'operazione non avesse avuto successo. La pressione sul cervello a quel punto avrebbe provocato lesioni particolarmente gravi e fratture e ferite non potevano migliorare finché perdurava quella pressione traumatizzante.

Il dottor Hammerman le aveva spiegato che l'operazione avrebbe richiesto otto o dieci ore e sarebbe stata eseguita dalla stessa équipe. Era probabilmente un intervento di routine, per loro, ma per lei era ben diverso. Si sentiva letteralmente terrorizzata, ma sapeva che era indispensabile conservare la calma. Non aveva il coraggio di pensare a quello che avrebbe potuto succedere in sala operatoria o se fossero venuti ad annunciarle che Allyson era spirata. Erano pensieri che respingeva totalmente.

Era tesa e pallida quando Brad, finalmente, arrivò. Si presentò con mezz'ora di ritardo sull'ora prevista, ma aveva almeno mantenuto la promessa.

« Hanno detto qualcosa? » le domandò in tono ansioso.

« Niente di nuovo », rispose lei a bassa voce. E poi aggiunse: « Aveva un'aria così dolce lì distesa, in quel letto, prima che la portassero via. Continuavo a desiderare che si svegliasse, invece... no. » Con gli occhi colmi di lacrime girò la testa dall'altra parte. Non voleva più assillarlo con la propria commozione. Aveva perduto tutta la fiducia in lui e si rendeva conto di non poter essere con lui schietta e aperta come una volta. Come se Brad, adesso, fosse un'altra persona. Strano che si potesse perdere qualcuno tanto facilmente, strano che tutto potesse cambiare nel giro di pochi istanti. Mentre aspettavano, cercò di costringersi a non pensare nemmeno a quello.

Fu una lunga giornata di attesa nella sala d'aspetto del reparto di terapia intensiva, seduti su seggiole dure e scomodissime, in mezzo a gente che andava e veniva. Parlò molto poco con Brad, quel giorno. Anche lui era molto taciturno e insolitamente paziente nei suoi confronti, come se si sentisse obbligato a mostrarsi cortese. Un paio di volte provarono a ricordare qualcosa di quando Allie era piccola, ma si accorse che entrambi soffrivano troppo. Per la maggior parte del tempo rimasero lì seduti, in silenzio, assorti ciascuno nei propri pensieri, senza dirsi niente.

Alla fine si decisero ad andare a prendere un panino imbottito al bar; erano già le quattro del pomeriggio e non avevano ancora avuto nessuna notizia. Prima di allontanarsi dissero all'infermiera dove avrebbe potuto trovarli. E nell'atrio incontrarono Trygve. Dopo aver fatto i suoi auguri perché

171

tutto andasse nel migliore dei modi, lui salì a far visita a Chloe. E da quel momento non lo rividero più. Rimasero in quella stanzetta senz'aria, dove si soffocava, a fissare le lancette dell'orologio aspettando di avere notizie dal chirurgo.

Si presentò, finalmente, alle sei e un quarto; a quel punto Brad e Page erano allo stremo delle forze, ormai vicini al collasso per quella tensione senza fine. Era stata un'altra giornata di terrore.

« Come sta? » Brad balzò in piedi cercando di incrociare lo sguardo del dottore, che fece subito cenno di sì con la testa, soddisfatto.

« Ha reagito meglio di quanto ci aspettassimo. »

« E questo che cosa significa? » replicò Brad in tono aggressivo mentre Page, sempre seduta al suo posto, li ascoltava tesa e preoccupata. Stava pensando che se si fosse alzata in piedi avrebbe rischiato di svenire e quindi preferì non muoversi.

« Significa che è sopravvissuta e che i segni vitali sono buoni. In principio ci ha fatto un po' spaventare, ma poi si è ripresa. Abbiamo cercato di alleviarle per quanto possibile tutta quella pressione. Confesso che la situazione era peggiore di quanto avessimo inizialmente sospettato. A ogni modo continuiamo a ritenere che potrà avere un recupero totale, o pressoché totale. Naturalmente bisogna aspettare e vedere come reagirà adesso; e anche, come è logico, quanto rimarrà in coma. Anzi, a dire la verità, vogliamo che rimanga il più tranquilla possibile, adesso, e quindi abbiamo provveduto a somministrarle i farmaci necessari. Bisogna permettere al suo cervello di recuperare quanto è possibile, ma nel giro di poche settimane sarà necessario effettuare una nuova valutazione delle sue condizioni. »

« Ha parlato di poche settimane! » esclamò Brad inorridito. « Dunque lei si aspetta che rimanga in coma per qualche settimana ancora? »

« È possibile... e niente affatto improbabile. Anzi, perfino un periodo di tempo più lungo non significherebbe che non potremmo avere risultati soddisfacenti, signor Clarke. Lesioni di questo tipo richiedono moltissima pazienza. » Brad alzò gli occhi al cielo e il chirurgo sorrise. Poi si rivolse a Page e, guardandola, disse gentilmente: « Va benino, signora Clarke; non è ancora fuori pericolo, ma abbiamo fatto un altro passo avanti, è passata un'altra giornata e sua figlia è sopravvissuta a un ulteriore trauma fortissimo. E questo è un segno incoraggiante. Naturalmente, per valutare nella giusta misura il suo recupero dovremo aspettare di sapere quale può essere stato l'impatto del trauma, e se si prolungherà oppure no. Ma tutto questo lo vedremo in futuro. » Dovevano anche vedere se sarebbe sopravvissuta. C'era ancora il rischio che potesse spirare da un momento all'altro, e se ne rendevano conto tutti. « Rimarrà per tutta la notte in sala di rianimazione. Può darsi che lei desideri tornare a casa. Se ci fosse qualche problema, le telefoneremo. »

« Vi aspettate che ci siano? » domandò Page con voce strozzata, e il chirurgo esitò un attimo prima di rispondere.

« No, ma bisogna essere realistici. Questo è il secondo intervento chirurgico al quale sua figlia è stata sottoposta nel giro di quattro giorni; e ha sopportato una serie di traumi gravissimi sia per l'operazione in sé sia per l'incidente. Tutto questo comporta dei rischi, finché il suo stato non si stabilizzerà, naturalmente. Se la cava benino, ma dobbiamo continuare a tenerla rigorosamente sotto osservazione. »

« Più di quanto non abbiate fatto per l'intervento precedente? » domandò Page, e lui fece cenno di sì con la testa.

« È più debole di allora. Però nutriamo molte speranze per quello che riguarda l'esito. »

« Molte speranze. » Page era arrivata a detestare quella parola, ma aveva capito perfettamente quello che il chirurgo le stava dicendo. Allie aveva reagito bene, ma non si poteva escludere che l'intervento chirurgico potesse essere la classica goccia che fa traboccare il vaso. Poteva morire da un momento all'altro.

Il chirurgo li lasciò dopo pochi minuti e Brad, sospirando, si mise di nuovo a sedere e la guardò. Si sentivano come due persone che hanno corso il rischio di annegare e adesso, distese sulla sabbia e ansimanti, senza forze, rivivono ancora il terrore di ciò che hanno provato.

173

«Ti lascia letteralmente svuotato, non trovi? Oggi mi sento come se avessi scalato l'Everest, e invece sono sempre rimasto seduto su questa seggiola», fu il commento di Brad, affranto e disperato.

«Io ti confesso che avrei preferito essere stata a scalare l'Everest», rispose Page con tristezza. E lui le sorrise.

«Anch'io. Però è stata brava. E per il momento non possiamo chiedere altro.» Intanto pensava a tutto quello che aveva detto a proposito del suo desiderio che non sopravvivesse se il suo cervello fosse rimasto gravemente leso e a un tratto si rese conto che nemmeno quello aveva più importanza. Voleva semplicemente che Allie continuasse a vivere... solo per un'altra ora... un altro giorno... e chissà che alla fine non avessero anche loro un briciolo di fortuna!

«Vuoi andare a casa?» domandò, ma Page fece cenno di no.

«Voglio rimanere qui.»

«Perché? Non te la lasciano vedere, lo hai sentito, vero? E poi hanno detto che ci telefoneranno, se dovesse sorgere qualche problema.»

«Il fatto è che mi sento più tranquilla se rimango qui.» Non sapeva spiegarlo a parole, ma capiva di dover rimanere lì. La stessa cosa era successa anche quando Andy era rimasto nell'incubatrice. Si sentiva come allora. Che le lasciassero o no vedere Allie in sala di rianimazione, voleva essere lì, vicino a lei.

«Ma tu, potresti tornare a casa, da Andy. Chissà come sarà preoccupato.» E adesso, dopo l'incubo della notte precedente, erano entrambi molto più angosciati sul suo conto. Nel pomeriggio Page aveva telefonato al suo pediatra, il quale le aveva spiegato che tutte quelle ansie e quegli incubi erano prevedibili. Bisognava aspettarseli. L'incidente di cui Allie era rimasta vittima aveva assunto le proporzioni di un autentico trauma per lui, come per i suoi genitori. Forse era stato addirittura più forte.

«Sei sicura di non volere che rimanga qui con te?» le domandò Brad a bassa voce prima di lasciarla, ma lei fece cenno di no e lo ringraziò. Era stato difficile rimanere lì, vicino a lui, tutto il giorno; avrebbe voluto dirgli tante cose, fargli tante domande. Da quanto tempo si era creata questa situazione? Perché aveva mentito?... Perché lei non gli era bastata?... Non l'amava? Tutte cose inutili, ormai, e lo sapeva benissimo. Di conseguenza si era imposta di non dire niente. Però aveva avuto mal di stomaco tutto il pomeriggio. Brad aveva sempre il solito aspetto, era bello come sempre, ma adesso non era più suo ma di un'altra. E quando lo guardava, era come se guardasse un estraneo. Si erano mostrati cortesi l'uno verso l'altra per tutto il giorno e lei era stata contenta che fosse lì, ma in fondo non riuscivano più a comunicare, non sapevano più dirsi niente che avesse importanza.

«Ricordati di dire ad Andy che gli voglio bene», gli raccomandò mentre se ne andava. Lui annuì, la salutò con un cenno della mano e scomparve assicurandole che le avrebbe telefonato la mattina dopo. Poi Page tornò a vegliare nella stanza silenziosa, e fu in quel momento che si rese conto che Brad non l'aveva né toccata né baciata prima di andar via. Il legame che li univa era stato spezzato.

Trygve passò un momento a salutarla nella sala d'aspetto. Era con Bjorn, ma si accorse subito che Page non aveva voglia di scambiare qualche parola con lui. Aveva l'aria preoccupata e triste; Bjorn, poi, continuò a domandarle dove fosse sua figlia e se anche a lei facevano male le gambe come a Chloe. Allora tentò di spiegargli che Allie si era fatta male alla testa, non alle gambe, e lui le rispose che una volta gli era capitato di soffrire di mal di testa e che gli dispiaceva molto di sentire che adesso ce l'aveva anche Allie.

Lasciarono qualche panino imbottito a Page e Trygve, prima di andar via, le strinse forte il braccio e la guardò. Gli sembrò così minuta ed esile, stanchissima. «Tieni duro, mi raccomando», le disse dolcemente. Lei fece cenno di sì mentre le salivano le lacrime agli occhi, ma quando si ritrovò di nuovo sola si sentì più in pace. A volte la gentilezza della gente peggiorava le cose. Ormai piangeva ogni volta che qualche persona le diceva di essere desolata per le condizioni di Allie.

Fu una lunga notte quella che trascorse sul divano della stanzetta e in quelle ore ebbe più tempo per pensare di quanto non le accadesse da molto tempo. Pensò a Brad e a come erano stati felici... e ad Allie, quando era nata! Provò a chiudere gli occhi e si rivide nella casa che avevano avuto in città. Era in condizioni disastrose quando l'avevano acquistata... ma lei si era data da fare per sistemarla e arredarla, e nel momento in cui l'avevano rivenduta era diventata splendida. Poi pensò alla casa di Marin e ad Andy quando era nato, così incredibilmente piccolo e fragile. Ma sempre più spesso il suo pensiero tornava ad Allyson. Era come se la bambina che era stata fosse lì, presente, in quella stanzetta d'ospedale... e le tornavano alla mente le cose che aveva detto... l'aspetto che aveva... quindi non rimase affatto meravigliata quando l'infermiera venne a chiamarla. Mezzanotte era passata da poco. Lo sapeva. Aveva sentito Allyson in quella stanza con lei, e quando l'infermiera aprì la porta balzò in piedi immediatamente e intuì che c'era bisogno di lei.

« Signora Clarke? »

« Sì? » Era come vivere in un sogno e Page non riusciva a credere che tutto ciò dovesse succedere proprio a lei. Eppure era vero, innegabile.

« Allyson ha avuto qualche complicazione in seguito all'intervento. »

« È stato chiamato il chirurgo? » Page diventò pallidissima mentre le faceva questa domanda.

« Sta arrivando. Ma pensavo che le avrebbe fatto piacere vederla. È sempre in sala di rianimazione, ma se vuole l'accompagno. »

« Mi farebbe piacere... » poi la guardò, cercando una risposta onesta. « Sta... sta morendo? »

L'infermiera esitò, ma fu solo un attimo. « Si direbbe che si stia spegnendo... no, le cose non vanno molto bene, signora Clarke. Potrebbe anche succedere. » Le infermiere della sala di rianimazione dissero più o meno lo stesso. Avevano chiamato immediatamente il chirurgo, ma non credevano che sarebbe stata ancora in vita al momento del suo arrivo.

« Ho il tempo di chiamare mio marito? » Rimase stupita al

suono della propria voce. Si sentiva stranamente calma, come se ormai sapesse che cosa doveva aspettarsi. Era stata con Allie al momento della nascita e sarebbe stata con lei anche adesso, nel momento in cui li lasciava. Aveva gli occhi pieni di lacrime, ma si sentì lucida e padrona di sé quando l'infermiera, scrollando il capo, l'accompagnò verso l'ascensore.

« Credo che sia meglio che salga di sopra subito. Penseremo noi ad avvertire suo marito, se vuole. Abbiamo il numero. » Page pensò allo choc di Brad se lo avesse saputo da un'infermiera. Avrebbe preferito chiamarlo personalmente, ma aveva paura di non trovare più viva Allie. Momenti simili, una volta perduti non tornavano più, e voleva dirle addio. Adesso capiva che per quanto Allie potesse sembrarle lontana, avrebbe sentito la presenza di sua madre.

L'aiutarono a infilarsi un camice e a mettere sul viso una mascherina; poi seguì un'altra infermiera nell'interno e finalmente la vide. Giaceva in un letto circondata da tutte quelle macchine. Ma a un tratto le parve più piccola, e in pace. « Ciao, tesoro », sussurrò Page andandole vicino. Stava piangendo, ma improvvisamente non si sentiva triste. Solo felice di rivederla. « Papà e io ti vogliamo tanto bene, se sapessi quanto... e voglio che tu lo capisca... anche Andy ti vuole bene. Sente la tua mancanza, come la sento io... la sentiamo tutti... ci manchi terribilmente... ma so che rimarrai sempre con noi... » Un'infermiera le avvicinò uno sgabello e lei sedette; poi prese una delle mani di Allie fra le proprie. Le sembrò molto fragile e sottile. Le dita erano irrigidite, come le braccia, ciò era una conseguenza del danno che aveva subìto al cervello. Era un po' anche per questo che Page non aveva voluto che Andy la vedesse. Sarebbe rimasto troppo sconvolto.

« Abbiamo telefonato a suo marito », le sussurrò un'infermiera mentre Page, tenendo stretta la mano di Allie nella propria, gliela accarezzava piano piano.

« Sta arrivando? » domandò Page calma. Adesso non si sentiva più spaventata, solamente in pace e più vicina che mai ad Allie. Ormai erano insieme, madre e figlia, unite per sempre in un momento che aveva lo stesso altissimo significato della sua nascita, sia pure in un modo completamente diverso. Era stato un inizio, e adesso una fine. Aveva chiuso il cerchio. Prima di quanto avessero previsto. Però erano sempre insieme.

« Ha detto che non voleva lasciare il bambino. » Page fece cenno di sì mentre pensava che avrebbe potuto chiamare Jane. Brad aveva paura di venire all'ospedale. E lei lo capiva. Adesso lo accettava. Brad non se la sentiva di affrontare questo momento. L'infermiera toccò la spalla di Page e gliela strinse lievemente. Quante volte aveva visto situazioni simili, e non erano mai facili, soprattutto quando si trattava di ragazzi giovani.

« Allie? » le sussurrò Page. « Tesoro... va tutto bene... non aver paura... io sarò sempre qui se avrai bisogno di me. » Ecco quello che voleva dirle. Allyson aveva sempre provato una strana riluttanza ad andare in posti nuovi, e adesso si stava incamminando verso un luogo che non conosceva. E Page non avrebbe potuto essere lì, con lei, ad aiutarla. Sarebbe rimasta al suo fianco in spirito, proprio come Allyson sarebbe sempre stata vicina alla sua mamma.

« Signora Clarke? » Era il dottor Hammerman, ma Page non lo aveva sentito avvicinarsi. « Stiamo per perderla », le mormorò.

« Lo so. » Adesso piangeva senza nemmeno accorgersene. Lo guardò con un sorriso e l'espressione dei suoi occhi straziò il cuore del chirurgo.

« Abbiamo fatto tutto il possibile. I danni sono troppo gravi ed estesi. Nel pomeriggio ho creduto che forse ce l'avrebbe fatta ma... mi dispiace... » Le era rimasto vicino, anche se non voleva che lei avvertisse la presenza di un estraneo in quel momento. Continuava a tenere d'occhio i monitor e volle controllare personalmente il battito del polso di Allyson. Poi esaminò alcune schermate sui computer e si consultò con le infermiere. A parer suo Allyson non sarebbe vissuta ancora per molto. Solo pochi minuti ancora. Era infinitamente addolorato per sua madre. « Signora Clarke?» si decise a domandarle alla fine. «Possiamo fare qualcosa? Forse desidera un sacerdote?»

«Va bene così», gli rispose Page, ricordando lucidamente il primo momento in cui l'aveva presa tra le braccia. Era morbida e tonda, una bambina che sembrava una piccola palla con un visetto roseo, luminoso, e la testa coperta di peluria bionda. Per quanto la sua nascita fosse stata una dura prova, Page era scoppiata a ridere e le aveva teso le braccia nello stesso momento in cui gliel'avevano presentata. Ripensandoci adesso, abbozzò un sorriso e, rivolgendosi ad Allyson, le ripeté quella storia, come aveva fatto almeno mille volte durante la sua esistenza, mentre due infermiere si asciugavano gli occhi e andavano a controllare le condizioni di un altro paziente.

Il chirurgo continuò a tenere d'occhio Allyson; dopo un'ora eseguì un altro controllo dei monitor e si accorse che niente era cambiato. Non era migliorata, ma nemmeno peggiorata. Nel profondo, in un punto segreto dentro di lei, stava lottando.

Page continuò a rimanere lì seduta, tenendole la mano e parlandole piano piano. Nel suo cuore, aveva aperto le porte lasciandola andare. Non aveva nessun diritto di trattenerla, se il destino aveva deciso altrimenti. Adesso era come un angelo e il solo fatto di esserle vicina la rendeva felice.

«Ti voglio bene, tesoro.» Non si stancava mai di ripeterlo, era come se avesse bisogno di dirglielo mille volte prima che lei li lasciasse. «Ti voglio bene, Allie...» Con una parte di sé continuava ad aspettare che sua figlia si risvegliasse, le sorridesse e dicesse: «Anch'io ti voglio bene, mamma», ma sapeva che non lo avrebbe fatto.

Il dottor Hammerman la teneva sotto continua sorveglianza e di tanto in tanto le sfiorava le mani, muoveva i pulsanti di un apparecchio, controllava il respiratore, e poi si allontanava. Page era lì da quasi due ore e si rammaricava che Brad non fosse venuto. Anche lui doveva dirle addio. Trasalì quando il dottor Hammerman le si avvicinò per bisbigliare: «Vede quella macchina?» e le indicò uno dei monitor, mentre lei annuiva. «Il suo polso è adesso meno debole. Ci ha

179

fatto prendere un bello spavento... e adesso comincio a pensare che si sia verificato un capovolgimento della situazione. Si sta riprendendo. » Gli occhi di Page si colmarono di lacrime; riuscì solo a pensare a quella volta in cui Allyson era caduta in una piscina e per poco non era annegata. Quando era riuscita ad averla tra le mani aveva provato soltanto una gran voglia di sculacciarla per lo spavento terribile che aveva fatto prendere a tutti. Adesso la guardò sorridendo, fra le lacrime, provando quasi il desiderio che sua figlia si fosse ripresa a sufficienza per darle una scrollata, baciarla o stringerla fra le braccia o piangere con lei.

« Ne è sicuro? »

« Continuiamo a tenerla in osservazione. »

Page rimase seduta vicino a lei e non smise di parlarle; provò a ricordarle la storia della piscina e dello spavento che aveva fatto prendere a tutti. Allie, a quell'epoca, doveva avere quattro o cinque anni. Poi c'era stata la volta che si era infilata con la sua bicicletta nel traffico di Ross, mentre lei era incinta di Andy. Provò a ricordarle anche quell'episodio e continuò a ripeterle quanto le voleva bene.

Poi, mentre il sole sorgeva lentamente sulle colline di Marin, Allyson diede quasi l'impressione di lasciarsi sfuggire un sospiro e di sprofondare in un sonno pieno di pace. Come se fosse stata chissà dove e adesso fosse tornata, molto stanca. A Page parve addirittura di sentirla muovere in uno spazio diverso. Adesso non provava più quella strana impalpabile sensazione che sua figlia fosse sul punto di lasciarli. Le sue condizioni erano tornate stabili, aveva deciso di non abbandonarli.

« In una professione come la mia, ci sono sempre dei miracoli », disse il dottor Hammerman con un sorriso, mentre le infermiere si radunavano intorno al letto di Allie, parlottando fra loro. Si erano infatti ormai convinte che la giovane sarebbe spirata prima del mattino. « Questa signorina ha una forza incredibile. E una gran voglia di vivere. Non è ancora pronta a rinunciare... e nemmeno io. »

« Grazie », disse Page sopraffatta dalla commozione. Era stata la notte più incredibile della sua vita. Piena di terrore e nello stesso tempo senza che nulla la spaventasse. Aveva capito che Allie stava per lasciarli eppure si era sentita felice per lei, e sollevata, anche se era triste per tutti. Aveva quasi avuto l'impressione che sua figlia si staccasse lentamente da quel luogo, e poi vi ritornasse. Guardandola e baciandole la punta delle dita, capì che niente d'ora in avanti avrebbe potuto spaventarla mai più. Erano anni che non si sentiva tanto in pace. Come se avessero ricevuto una benedizione divina. E quando finalmente lasciò l'ospedale per tornare a casa, si rese conto di essere ancora sopraffatta di fronte alla potenza divina. Per tutta la notte aveva sentito vicino a loro la mano di Dio, e mai come durante quelle ore si era sentita al sicuro, al sicuro per sempre.

Provò un senso di gratitudine infinita, ed era completamente in pace quando si mise al volante per tornare a Ross nel sole del primo mattino.

9

PER il resto della giornata Page si sentì come se la sua vita fosse cambiata radicalmente. Mai aveva provato una simile serenità. Era qualcosa d'impossibile da spiegare, o da descrivere, ma era come se avesse capito che non avrebbe mai più avuto paura, mai più si sarebbe sentita infelice. Le piccole miserie quotidiane non la toccavano più, si sentiva infinitamente calma, placata e in pace con il mondo.

Perfino suo marito si accorse del cambiamento. Page non sembrava né stanca né sconvolta, e anche se era rimasta sveglia tutta la notte aveva l'aria distesa e la pelle quasi luminosa mentre si accingeva a preparare la colazione per tutti.

Brad provava anche un sollievo infinito al pensiero che Allyson ce l'avesse fatta e che la notte, bene o male, fosse passata. E quando Page gli riferì gli avvenimenti si sentì profondamente commosso. Accompagnò Andy a scuola e disse a Page che si sarebbero rivisti per l'ora di cena. Non appena se ne fu andato, lei si affrettò a telefonare a sua madre per darle le ultime notizie su Allie. Anche questa volta sua madre si offrì di raggiungerla, e di nuovo diede alla figlia la sensazione che non riuscisse a mettere a fuoco la realtà dei fatti, ma Page non vi badò neppure. Si sentiva ancora piena di pace e di serenità quando riattaccò con la promessa di ritelefonare entro qualche giorno. Mai si era sentita vicina a sua figlia come in quel momento, con la certezza che era in salvo, nelle mani di Dio. E, a differenza dai giorni precedenti, adesso non sentiva più quell'esigenza spasmodica e assoluta di essere all'ospedale ogni momento.

Si fece una doccia e andò a letto, piombando di colpo in un sonno profondo. Si svegliò in tempo per vestirsi e fare una capatina in ospedale prima di andare a prendere Andy a scuola. Ormai Allyson era stata trasferita di nuovo nel reparto di terapia intensiva e Page ebbe l'impressione che, durante la notte appena passata, avessero fatto un lungo viaggio insieme. Sedette accanto a lei, le prese la mano e cominciò a parlarle dolcemente.

«Ciao, tesoro... bentornata...» Sapeva che Allie, in un punto imprecisato della sua coscienza, avrebbe capito quello che intendeva dire, con il cuore, con lo spirito, qualunque fosse il luogo nel quale erano state insieme. «Ti voglio un bene immenso,... ma la notte scorsa mi hai fatto un brutto scherzo... proprio brutto, sai? Però sono contenta ugualmente.» Le pareva quasi di sentire Allie sorridere e questo le riscaldava infinitamente il cuore. Era come se, adesso, esistesse di nuovo un punto di contatto con lei, come se potessero comunicare senza parole ma solo per mezzo dei sentimenti. «Ho bisogno di te, Allie... tutti ne abbiamo bisogno... devi fare in fretta e migliorare, e guarire. Sentiamo la tua mancanza.» Rimase a lungo lì, seduta accanto a lei, a parlarle; e quando se ne andò, si accorse di essere in pace, serena.

Mentre usciva, incontrò Trygve che stava arrivando in quel momento; anche lui si rese conto del cambiamento. Page aveva il passo scattante, i capelli bellissimi, soffici e morbidi, e per la prima volta dopo molti giorni gli rivolse un caldo sorriso.

«Mio Dio, che cosa ti è successo?»

«Non so... un giorno o l'altro ne parliamo.»

«Come sta?» Trygve sembrava preoccupato.

«Meglio. Sempre lo stesso. Ieri ha superato l'intervento chirurgico e dopo un bello spavento che ci ha fatto prendere la notte scorsa, adesso dicono che le sue condizioni sono stazionarie. È già qualcosa.» C'era molto di più da raccontargli, ma era praticamente impossibile farlo lì, in quell'atrio di ospedale. «A proposito, sono appena stata da Chloe. Adesso dorme. Però era sveglia quando sono entrata nella sua camera. Si lamentava molto e questo è un buon segno. E mi sembra che anche il suo aspetto sia migliore.»

«Grazie a Dio. Poi torni di nuovo qui?» le domandò con interesse.

Lei fece cenno di no con la testa. «Non credo. Voglio andare a prendere Andy per accompagnarlo agli allenamenti di baseball. E poi pensavo che non mi dispiacerebbe rimanere a casa per cena fino a quando la signorina Allyson non ci farà di nuovo correre da lei con un nuovo strattone alla catena alla quale ci tiene legati.» Ma adesso si sentiva praticamente certa che non lo avrebbe fatto. Qualsiasi cosa dovesse succedere, capiva che momenti come quelli passati con sua figlia non si sarebbero più ripetuti. Sono cose che accadono una volta sola nella vita.

Allora ci vediamo domani.» Sembrava deluso. Si erano fatti compagnia per giorni, e si erano aiutati a vicenda a superare momenti difficili.

«Tornerò dopo aver lasciato Andy a scuola domattina.» Poi Page gli sorrise e lo lasciò per andare a prendere il bambino.

Trascorsero un bellissimo pomeriggio e Andy giocò una discreta partita, anche se non bene come al solito. Era sempre inquieto e turbato, ma di fronte alla calma di Page cominciò a reagire positivamente e tornando a casa si rannicchiò accanto a lei sul sedile con un gelato in mano. Di colpo, quella scena le fece tornare alla mente il sabato appena passato. Sembrava impossibile che fossero trascorsi soltanto cinque giorni dall'incidente e quattro da quando si era aperto quel baratro nel suo rapporto con Brad... e le sembrava di avere alle spalle una vita intera.

Brad non rientrò per cena, ma telefonò per informarla che doveva rimanere in ufficio fino a tardi a lavorare e che sarebbe stato «più facile» se si fosse trattenuto in città. Page sapeva benissimo a che cosa alludeva, ma se non altro si era fatto vivo e quindi non avrebbe dovuto preoccuparsi. Non solo, ma avrebbe potuto anche inventare qualche scusa valida per Andy. Si meravigliò che la decisione di Brad la lasciasse quasi indifferente. Era felice di trovarsi a casa con il suo bambino, e sollevata al pensiero che le condizioni di Allie fossero rimaste stazionarie.

Dopo aver messo a letto Andy, chiamò al telefono Jane, la quale aveva avuto una informazione a dir poco inquietante. Parlando proprio quel giorno con una sua amica che conosceva da anni Laura Hutchinson, si era sentita raccontare che fin dall'adolescenza aveva sempre avuto il problema dell'alcolismo. Parecchi anni prima si era anche sottoposta a una terapia particolare per guarire e, almeno per quanto se ne sapeva, da allora in poi non era più ricaduta nelle abitudini di un tempo. «E se invece qualcosa fosse cambiato?» domandò Jane con voce venata di preoccupazione. «E se avesse ricominciato a bere, o si fosse sbronzata proprio quella sera?» Non lo avrebbero mai saputo. Dopo aver ascoltato queste notizie, Page ci rimuginò sopra a lungo. Solo chiacchiere, supposizioni e pettegolezzi; tutti volevano soltanto addossare la colpa a qualcuno. In ogni caso, quello che era successo non poteva essere cambiato.

«Probabilmente, adesso è completamente astemia», rispose Page, più che altro per correttezza.

«Ma se non lo fosse, chissà che cosa leggeremo uno di questi giorni su certi giornaletti scandalistici», replicò Jane. «Non dimenticare che i quotidiani hanno lasciato capire di essere molto interessati a quella donna, quando è successo l'incidente.»

«Spero, per il suo bene, che non sia così», rispose Page con voce calma. «Spero che lei stia bene. E credo che i pettegolezzi non siano di aiuto a nessuno.»

«Io ho semplicemente pensato che avresti provato un certo interesse per la sua storia», ribatté Jane. La notizia l'aveva letteralmente sconvolta. E se fosse stata colpa di Laura, una donna ormai matura, e non di Phillip?

«In fondo non è giusto giudicarla in base a un problema che lei ha avuto tanto tempo fa», osservò Page. «A ogni modo, ti ringrazio per l'informazione.»

« Nel caso dovessi venire a sapere qualcos'altro, ti chiamerò. » Poi la conversazione tornò di nuovo su Allie. In quei giorni pareva che non ci fosse tempo di parlare d'altro... Page si occupò quindi di pagare alcune fatture e di smistare la posta che era arrivata. Era la prima volta, da quasi una settimana, che dedicava qualche momento alle incombenze di routine, e si rese conto che le faceva bene.

L'indomani mattina accompagnò Andy a scuola e tornò all'ospedale a vedere come stava Allie. In quegli ultimi due giorni le sembrava di avere risolto molte cose. Soprattutto era riuscita a passare un po' di tempo con Andy, che aveva un disperato bisogno di sua madre. E si sentiva più calma di prima. Adesso capiva che la strada da percorrere sarebbe stata ancora lunga e doveva controllarsi, non perdere la testa, rimanere lucida e non disperdere le proprie forze.

Le condizioni di Allie erano ancora stazionarie, quando Page arrivò all'ospedale, verso le nove del mattino, e tutte le infermiere le sorrisero rivedendola. Sapevano bene quale rischio Allyson avesse corso la notte successiva all'intervento chirurgico e questo rendeva ogni attimo, ogni giorno, un dono infinitamente più prezioso.

« Come sta? » domandò Page esitante. Dalla sera prima aveva già telefonato all'ospedale parecchie volte, ma l'avevano sempre rassicurata sulle condizioni della figlia.

« Più o meno come prima. » L'infermiera le sorrise. Aveva pressappoco la stessa età di Page, era intelligente, sensibile e con uno straordinario senso dell'umorismo. Si chiamava Frances. « Il dottor Hammerman l'ha vista un'ora fa ed è sembrato soddisfatto dei suoi progressi. »

« La tumefazione è un po' diminuita? » Era impossibile vedere qualcosa sotto quelle fasciature, ma sembrava che Allie riposasse più serena e anche il colorito era migliore.

« Un po'. Si direbbe che l'intervento chirurgico abbia notevolmente ridotto la pressione. » Page rispose con un cenno affermativo e andò a sedersi accanto a sua figlia, prendendole la mano come faceva sempre e cominciando a parlarle piano piano. Rispetto al giorno prima non si notava alcun cambiamento, ma Page continuava a sentirsi meglio, in ogni senso. Adesso pensava di poter accettare quello che stava succedendo con maggior rassegnazione, di essere perfino meno in collera con Brad. Non avrebbe saputo spiegarsene il motivo, ma intuiva di essere cambiata dopo l'esperienza di quella notte con Allie.

Quando si presentò alle dieci, con un sacchetto di croissant da offrirle, anche Trygve notò il cambiamento che era avvenuto in lei.

« Sembri più serena e rilassata di tutti gli altri giorni della settimana », le disse con un sorriso. « È bello vederti così! » era incredibile la capacità che le persone hanno di adattarsi a qualsiasi cosa. Perfino lui si sentiva meglio dopo sei giorni di veglia continua e di visite a Chloe. Quello stesso pomeriggio l'avevano dimessa dal reparto di terapia intensiva e nel giro di qualche settimana sarebbe tornata a casa. Era stata una settimana lunghissima! Ma se non altro erano riusciti, tutti, a superarla.

Page li salutò con la mano quando lasciarono il reparto di terapia intensiva e passò a trovare Chloe qualche ora più tardi, prima di andarsene. Adesso era meno intontita dai sedativi, anche se continuava a soffrire molto. Ma aveva la camera piena di fiori e qualcuno degli amici più cari era venuto a trovarla. Trygve era fuori della porta e approfittava della visita di quei ragazzi per tirare il fiato un momento. Dal giorno dell'incidente era la prima volta che Chloe riceveva persone che non fossero gli stretti parenti, il padre e i fratelli. Jamie Applegate aveva telefonato pregando di lasciarlo andare all'ospedale — voleva assolutamente vedere Chloe — ma Trygve gli aveva risposto che sarebbe stato meglio rimandare la visita a un altro giorno, durante il fine settimana. Jamie aveva insistito tanto; era ancora molto angosciato ed estremamente ansioso di vedere Chloe. Il mazzo di fiori più grande fra tutti quelli arrivati dopo che l'avevano trasferita nella sua camera, era proprio quello di Jamie e dei suoi genitori.

« Direi che va meglio! » esclamò Page sorridendo. Era bello vedere che anche lui cominciava a sentirsi sollevato e sembrava più sereno.

«Confesso che non ne sono ancora del tutto sicuro.» Trygve le rivolse un triste sorriso. «Può darsi che la fase numero due non sia altrettanto facile. Vuole la sua musica, i suoi amici, vuole tornare a casa la settimana prossima — il che è impossibile — e vuole che mi occupi io di lavarle i capelli!» Però sapevano tutti e due quanto Trygve fosse emozionato al pensiero di dover affrontare e risolvere questi problemi — che non erano più strettamente connessi alla pura e semplice sopravvivenza di sua figlia.

«Sei molto fortunato», disse Page con un sorriso dolce.

«Lo so», rispose lui con gentilezza. «Ho sentito che hai quasi rischiato di perdere Allie, la notte dell'intervento.» Una delle infermiere gli aveva raccontato quanto era successo.

Page annuì, ma non era del tutto sicura che sarebbe stata in grado di spiegargli tutto ciò che aveva provato senza che lui la giudicasse completamente folle. «È stata l'esperienza più strana della mia vita. Capivo quello che stava per succedere. L'ho sentito prima ancora che venissero a chiamarmi. Ero convinta che Allie stesse per morire, e ne erano convinti anche loro... eppure non mi sono mai sentita così vicina a mia figlia come in quel momento... mi sono tornati alla mente ogni ora, ogni giorno, ogni minuto... mi sono riaffiorate alla memoria cose che avevo dimenticato da anni, e poi, a un tratto, ho potuto sentire che le cose cambiavano... ho potuto sentire che lei tornava indietro da una distanza infinita. Non ho mai provato una sensazione altrettanto forte e potente, ma anche altrettanto rassicurante. È stato incredibile.» Si sentiva ancora profondamente turbata e Trygve glielo lesse negli occhi mentre glielo raccontava.

«A volte si sente parlare di cose come queste... grazie a Dio è tornata indietro», disse guardando Page quasi con il desiderio di essere stato lì, accanto a lei. L'infermiera gli aveva anche raccontato che avevano chiamato Brad al telefono, ma lui non si era fatto neppure vedere.

«Ha sorpreso tutti, sai?» disse Page con un caldo sorriso.

«Mi auguro che continui a farlo!»

«Anch'io», mormorò lei.

« E Andy? Come se la cava? »

« Non proprio benissimo. Adesso soffre spesso di incubi la notte », e Page abbassò la voce. Si vergognava un po' a parlarne perché sapeva che Andy non avrebbe sopportato che qualcun altro lo sapesse « ... e poi ha ripreso a bagnare il letto. Credo che tutto quanto è successo lo abbia sconvolto profondamente, però non voglio ancora che venga a vedere sua sorella. »

« Sono d'accordo. » Allie aveva ancora un aspetto terribile. Per quanto le sue condizioni fossero tornate stazionarie dopo il secondo intervento chirurgico, chiunque la vedesse rimaneva ancora scioccato. Perfino Chloe era rimasta sconvolta la prima volta, ed era scoppiata in singhiozzi quando aveva capito che si trattava di Allie. Al primo momento non l'aveva neppure riconosciuta. « Sarebbe troppo traumatizzante. »

« E poi, per il bambino adesso è anche difficile convivere con me e con Brad. » Esitò per un lungo momento, assorta, fissando un punto lontano in fondo al corridoio, e infine si voltò a guardarlo. « Le cose stanno diventando sempre più complicate con Brad, e Andy lo capisce. In questi giorni non torna molto spesso a casa. E... be', a dire la verità sta addirittura parlando di trasferirsi a vivere altrove », disse quasi con calma. Solo un leggero tremito trasparì dalla sua voce mentre pronunciava quelle parole, ma Page rimase stupita che le fossero uscite dalla bocca con tanta facilità. Dopo sedici anni Brad stava per lasciarla. A dire il vero, l'aveva già lasciata in ogni senso. Proprio quella mattina l'aveva chiamata al telefono per informarla che era meglio non lo aspettasse a casa per tutto il fine settimana.

« Povera creatura. Troppe cose da affrontare in una sola settimana! » esclamò Trygve.

« Già, ma ancora non gliel'ho detto. Però ha capito che c'è qualcosa che non va, ed è molto agitato. »

« Non alludevo ad Andy quando ho detto 'povera creatura', ma a te. Devo dire che ne stai passando di cotte e di crude! In un primo momento ho pensato che Brad fosse rimasto scioccato per l'incidente, ma adesso mi sembra che la situazione sia un po' più complicata. » Lo addolorava quello che era venuto a sapere.

« È verissimo. Da otto mesi ha una relazione con un'altra donna. Sembra innamorato di lei. Chissà come, non me ne sono accorta. Probabilmente ero troppo occupata a dipingere e a portare a zonzo eserciti di bambini! » Page cercò di mostrarsi distaccata, ma senza riuscire a convincerlo. Trygve, che adesso le era vicinissimo, la osservava con attenzione.

« So quello che si prova, e non è per niente bello », le mormorò.

Page alzò le spalle tentando, senza successo, di sdrammatizzare la situazione. « Io non ho nemmeno sospettato... riesci a immaginarlo? Mi sento talmente stupida... » e offesa, e ingannata, e privata di qualcosa... e molto sola.

« Tutti, qualche volta, siamo stupidi. Cose del genere sono molto difficili da affrontare. Tutti sapevano di Dana e io, invece, cercavo ancora di fingere che il nostro fosse un matrimonio solido. »

« Già... anch'io... » Aveva gli occhi umidi quando lo guardò e Trygve provò un desiderio infinito di abbracciarla e di stringerla a sé. Non sapeva spiegarselo, ma era molto diverso quando parlavano di Brad e non di Allie. « È strano come tutto sia successo contemporaneamente... Allie... Brad... è stato uno choc... e il povero Andy che cerca di affrontare tutta questa situazione. Come me, del resto, ma io dovrei comportarmi da persona adulta. »

« Meglio che te lo dimentichi! E se hai voglia di dargli qualche calcio negli stinchi, ti consiglio di farlo! » Page rise a quell'idea.

« Credo che sia quello che abbiamo fatto, più o meno, per buona parte di questa settimana. Non riesco ancora a convincermi di quanto sia stata brutta, ma nel momento in cui Allie ha corso il rischio di morire, di colpo ho visto le cose in una prospettiva completamente diversa... niente mi sembrava più tanto catastrofico... alludo a Brad... ma solo qualche cosa che dovremo risolvere... come l'incidente di Allie... perché è qualcosa che devo affrontare e superare. E adesso mi sento più forte anche se, a dire la verità, non ti so spiegare per quale motivo. »

« Eppure basta guardarti per capirlo. Lo spirito è qualcosa di straordinario. Vi attingiamo sempre le risorse di cui abbiamo bisogno. » Page annuì, rendendosi conto che si sentiva stranamente a proprio agio in compagnia di Trygve. Poi lui la guardò quasi intimidito prima di farle una domanda: « Avete già qualche programma, tu e Andy, per domani pomeriggio? »

« Veramente non lo so. Caso strano, non è impegnato in una partita di baseball e io pensavo di lasciarlo a casa di Jane. Brad non si farà vedere, ma ad Andy non l'ho ancora detto. E io non voglio nemmeno lasciare Allie sola tutto il giorno. Perciò non ho ancora deciso niente. Perché? A che cosa stavi pensando? »

« Stavo pensando che sarebbe simpatico avervi a pranzo da noi. A Bjorn piacciono moltissimo i bambini dell'età di Andy, quindi è probabile che riescano ad andare d'accordo. In questo caso, potresti lasciarlo a me quando andrai all'ospedale, e tornare a prenderlo dopo cena, oppure venire addirittura a raggiungerci. » Era un autentico invito, e Page si commosse.

« A me sembra che diventerebbe un impegno per te. Sei proprio sicuro di volerci a casa tua? E come pensi di fare per Chloe? »

« Ho promesso a Bjorn che saremmo venuti a trovarla domattina; poi dovremmo tornare a casa a giocare. Due delle amiche di Chloe hanno detto che verranno a farle compagnia, e in programma c'è anche la visita di Jamie. Perciò pensavo che a me basterebbe tornare all'ospedale verso sera. »

« Direi che avrai una giornata molto pesante. » Esitava, ma gli occhi di Trygve la supplicavano di accettare. Gli piaceva infinitamente la sua compagnia, il suo bambino gli era simpatico e tutti e due avevano bisogno di una pausa dopo le angosce passate. Era stata una settimana terribile, sia per lei sia per Andy, e Trygve capiva che anche Page aveva bisogno di un momento di relax.

«Ti giuro, Page, che ci farebbe un piacere infinito... e forse anche Andy sarebbe contento.» Non solo, ma gli sarebbe servito come distrazione per non fargli sentire nostalgia del padre.

«Piacerebbe anche a me», mormorò Page. «Va bene, allora... e grazie...» Due ragazze che erano state a trovare Chloe uscirono dalla camera e quello fu il segnale perché Trygve rientrasse; ma, prima, le raccomandò di arrivare per mezzogiorno.

«E ricorda ad Andy di portare il guantone. A Bjorn piace moltissimo giocare a baseball.

«Glielo dirò.» Gli sorrise, gli fece un cenno di saluto con la mano e tornò a casa a parlare con Andy di quei progetti. Poi gli spiegò che Brad sarebbe stato via quel fine settimana, per un viaggio di affari.

«*Sabato* e *domenica?*» domandò lui insospettito, ma non aggiunse altro.

Poi Page cercò di spiegargli chi era, e come si comportava, Bjorn, e il bambino non si mostrò spaventato ma incuriosito. Lo conosceva di vista, ma non avevano mai giocato insieme. E si affrettò a raccontarle che c'era un bambino come Bjorn anche a scuola, ma lo avevano messo in una classe speciale.

Comunque, sia lei sia Andy rimasero meravigliatissimi il giorno dopo, perché tutto andò liscio. Bjorn aveva aiutato a preparare il pranzo, anzi aveva cucinato hamburger squisiti e ottime patatine fritte. Quanto a Trygve, aveva preparato salsicce e insalata di patate, e pomodori a fettine. Bjorn spiegò che comunque era lui quello che preparava le migliori salsicce fritte dell'intera famiglia, migliori di quelle di Nick e di papà. Lo disse con un'aria talmente seria che Andy scoppiò in una risata, mettendo in mostra la bocca sdentata.

«Che cosa è successo ai tuoi denti?» gli domandò Bjorn. La trovava una cosa intrigante.

«Sono caduti», gli spiegò Andy con la massima disinvoltura. Adesso cominciava a capire meglio Bjorn e non trovava più un fatto straordinario che soffrisse della sindrome di Down. Però non riusciva a capire come facesse ad avere già

192

diciott'anni. Era il bambino più vecchio con il quale gli fosse mai capitato di giocare.

« Credi che il dentista ti darà quelli nuovi? » gli domandò Bjorn con rinnovato interesse. « Io mi sono rotto un dente l'anno scorso e il dentista me lo ha aggiustato. » Mostrò ad Andy di quale dente si trattava e il bambino annuì solennemente: sembrava proprio uguale a tutti gli altri.

« No, i miei cresceranno. Verranno fuori a poco a poco. Probabilmente è successo anche a te, quando avevi la mia età. Solo che adesso non te ne ricordi. »

« Già. Forse non ci stavo attento. » Page e Trygve li osservavano affascinati. Pareva che andassero d'amore e d'accordo, anzi sembravano addirittura due vecchi amici, assorti a chiacchierare sotto il sole primaverile, distesi su due sedie a sdraio. « Giochi a baseball? » domandò Bjorn guardando Andy.

« Proprio così », rispose Andy con un altro sorriso sdentato, e poi si servì di un hamburger.

« Anch'io. Però a me piace anche il bowling. E a te piace il bowling? »

« Non ci sono mai stato », confessò Andy. « La mamma dice che non sono ancora abbastanza grande per andarci. Dice che le palle per me sono troppo pesanti. »

Bjorn annuì. Gli sembrava logico. « Sono pesanti anche per me, ma papà mi porta ugualmente... a volte vado con Nick, oppure con Chloe. Chloe è malata. La settimana scorsa si è rotta una gamba. Però tornerà a casa presto. »

« Sì », Andy annuì, diventando serio, « anche mia sorella è malata. Ha battuto la testa quando c'è stato uno scontro fra due automobili. »

« Se l'è rotta? » Bjorn sembrava che provasse dispiacere per lui: gran brutta cosa quando tua sorella si faceva male! Lui aveva pianto dopo che era andato a trovare Chloe.

« Sì, più o meno. Ancora non sono stato a vederla, si sente troppo debole. »

« Oh! » Bjorn era contento che avessero qualcosa in comune. A tutti e due piaceva giocare a baseball e avevano una sorella malata. « Io faccio le gare nelle Special Olympics. Papà viene sempre con me. »

« Che bello! E che cosa ci vai a fare? » Bjorn gli spiegò che gli piaceva moltissimo la pallacanestro e il salto in lungo. Intanto Trygve e Page si allontanarono per andare a sedersi dall'altra parte del giardino.

« Direi che è un grande successo. » Trygve sorrise. « Andy ha proprio l'età giusta. In effetti Bjorn ha il cervello di un dodicenne, ma ha un debole per i ragazzini più piccoli. Andy è molto simpatico. » Trygve era rimasto commosso dall'atteggiamento rispettoso, ma anche pieno di affetto, che Andy aveva con Bjorn; era chiaro che gli piaceva. « Sei fortunata. »

« Siamo fortunati tutti e due. Siamo bravi ragazzi. Vorrei soltanto che quelle due signorine che conosciamo tanto bene non ci avessero raccontato una frottola sabato sera cacciandosi in un mare di guai », osservò Page, mentre guardava i loro fratelli. Era difficile credere che fosse passata solo una settimana dal giorno in cui il destino aveva cambiato radicalmente le loro esistenze, contribuendo ad avvicinarli. Per tutta la settimana non aveva fatto che mettere a nudo la propria anima con lui, senza prestare la minima attenzione al suo aspetto esteriore. Adesso si rendeva conto che Trygve era proprio un bell'uomo.

« A volte vorrei che le lancette dell'orologio potessero tornare indietro », mormorò lui, e poi si voltò a guardarla. Page si era sdraiata su una poltrona, i capelli sciolti sulle spalle, il viso rivolto verso il sole. Che incanto, trovarsi lì!

« Non sono del tutto convinta che far tornare indietro le lancette dell'orologio sia la risposta... forse sarebbe meglio se andassero avanti, ma molto in frctta, in modo da poter superare d'un balzo tutto quanto c'è di brutto », replicò Page sorridendo.

« È vero, perché quello che c'è di brutto sembra che si prolunghi all'infinito, giusto? » Risero insieme pensando che, purtroppo, era la verità.

« Adesso non mi dispiacerebbe che il tempo corresse e arrivasse il più rapidamente possibile il momento in cui Allie comincerà a stare meglio. » Sospirò, pensandoci.

« Succederà », disse Trygve in tono incoraggiante. Era ancora in vita, una settimana dopo l'incidente, e questo era un buon segno. «Può darsi che la strada per arrivarci sia molto lunga. Ci hai pensato?»

«Penso solo a quello. Il dottore dice che potrebbero passare anni prima che torni a essere normale... per quel che può valere una definizione del genere.»

«Non si può escludere. Non me ne intendo di queste cose, ma è andata più o meno così anche con Bjorn. Ha portato i pannolini fino ai sei anni e ha continuato ad avere un sacco di problemi fino a quando ne ha compiuti undici. Ero preoccupato, se usciva, per il traffico, e una volta — aveva dodici anni — si è scottato perché stava cercando di mettere a cucinare qualcosa sul fornello. C'è voluto molto, molto tempo perché arrivasse dove è adesso, e naturalmente una pazienza infinita e un duro lavoro da parte sua e da parte mia. Ma ci sono state anche alcune persone veramente fantastiche che mi hanno aiutato. Può darsi che anche tu ne abbia bisogno, può darsi che tu debba ripartire da zero con Allie.» Trygve preferì non dirlo, ma sapevano entrambi che non si poteva neppure escludere la possibilità che Allie non ritornasse più normale. Se ci fosse stato un recupero solo parziale, come non pensare che potesse ritrovarsi con maggiori handicap di Bjorn?

«Ammetto che la sola idea mi spaventa... però preferirei averla così piuttosto che non averla del tutto.»

«Lo so. E lo capisco.» Era un grandissimo conforto parlare con qualcuno in grado di capire, e solo a malincuore Page se ne andò, nel pomeriggio, per tornare all'ospedale. Non voleva lasciare Allie sola e, fra l'altro, aveva promesso di portare alcune cose a Chloe. Voleva giornali illustrati, dolcetti e tutto il necessario per truccarsi. Sì, senza dubbio stava meglio; e inoltre, aveva già dichiarato che trovava il cibo dell'ospedale letteralmente immangiabile.

I ragazzi stavano giocando a baseball sul prato davanti a casa Thorensen quando Page li lasciò per raggiungere l'ospedale. Trygve la salutò con grandi cenni della mano mentre partiva al volante della sua macchina. Per la prima volta da moltissimo tempo si sentiva felice. Qualunque cosa fosse successa, non avrebbe avuto più importanza; perché c'era Trygve vicino a lei. Era diventato un buon amico e il tempo trascorso in sua compagnia le era sembrato quasi una specie di isola di pace in un mare di paura.

Quel giorno, all'ospedale, trovò un profondo silenzio e una grande tranquillità. Allie era sempre addormentata e respirava aiutata da una macchina, ma le sue condizioni, per quanto critiche, erano stazionarie. Page andò a sedersi vicino a lei, come faceva sempre, parlandole piano piano, descrivendole tutto quello che succedeva e ricordandole di tanto in tanto che tutti le volevano molto bene. Dopo un un po' decise di prendersi una pausa di riposo e, lasciata Allie, andò in camera di Chloe. Jamie Applegate era venuto a trovarla e le aveva portato una fila di compact disc e il suo registratore perché potesse ascoltarli, e un altro mazzo di fiori. Con Page si comportò con estrema educazione e le chiese se presto avrebbe potuto far visita ad Allie.

«Per un po' non sarà ancora possibile», gli spiegò lei. Era troppo presto perché potesse ricevere visite e per Jamie sarebbe stato uno choc troppo forte. A ogni modo gli promise che glielo avrebbe fatto sapere non appena i medici lo avessero consentito, e se ne andò lasciando i due ragazzi ad ascoltare un po' di musica.

Verso la fine del pomeriggio andò a prendere Andy; lo trovò che giocava a carte con Bjorn. Stavano facendo una partita all'uomo nero, ma si imbrogliavano a vicenda mentre Trygve era occupatissimo con la cena.

«Sto preparando il mio famoso stufato norvegese, pasta e polpettine svedesi.»

«Le polpettine svedesi sono abbastanza buone», si affrettò a informarla Bjorn mentre passava come un fulmine attraverso la cucina, con Andy alle calcagna. Stavano correndo di sopra a guardare un film.

«Non credo che Andy voglia andarsene. Dovrai fermarti per cena», concluse Trygve e Page, con una risata, si offrì di aiutarlo. Apparecchiò la tavola, cucinò la pasta e un po' di funghi. Effettivamente lo stufato aveva un profumino delizioso e Trygve le lasciò assaggiare una polpetta. Bjorn aveva ragione. Erano squisite. Trygve era un ottimo cuoco, un buon amico, un uomo con il quale era divertente stare in compagnia.

« Come hai trovato Chloe? » provò a domandarle, mentre controllava la cottura dello stufato, e Page sorrise.

« Bene. C'era Jamie. È un ragazzo simpatico. Sembra molto nervoso e avvilito. Non sa come scusarsi. Le ha portato un mucchio di compact disc e quando sono venuta via stavano ascoltando un po' di musica. » Poi Page si fece seria, ripensandoci. « Mi ha fatto provare un gran senso di solitudine, una gran voglia di stare con Allie. Solo una settimana fa stava cercando di convincermi a prestarle il mio golfino preferito. » Quello rosa, che era andato distrutto, naturalmente. Gliel'avevano tolto tagliandolo a pezzi all'ospedale. Era la prima volta che a Page tornava alla mente. Ma che importanza aveva? Non era il golfino che voleva indietro, soltanto sua figlia!

« Vorrei poter fare qualcosa per renderti tutto più semplice », disse Trygve mentre sedevano al tavolo di cucina sorseggiando un bicchiere di vino in attesa che lo stufato fosse pronto.

« L'hai già fatto. Non credo che la mia vita sarà molto semplice, e per un periodo molto lungo. Probabilmente Brad deciderà di sistemarsi altrove, presto o tardi, e sarà duro… soprattutto per Andy… e anche per me… e qualsiasi cosa il futuro riservi ad Allie, non sarà facile nemmeno quello. » Sarebbe potuto diventare un incubo o, nel migliore dei casi, richiedere tempi lunghissimi. Purtroppo queste erano le vie della vita, e Page pareva disposta ad accettarle. La settimana appena trascorsa le aveva insegnato molte cose, e fra queste la rassegnazione e la pazienza.

« Se Brad dovesse andarsene, come pensi che Andy prenderà la notizia? »

« Credo che non sarà facile. Io ormai non penso più a un 'se', ma piuttosto a un 'quando'. Che questa sia la sua intenzione, sta diventando sempre più chiaro. »

« A volte i ragazzi riservano grandi sorprese, sai? Spesso

197

penso che sappiano le cose prima di sentirsele raccontare da noi. »

« Può darsi. » I ragazzi passarono di nuovo dalla cucina, sempre correndo. Sembrava proprio che si trovassero perfettamente a loro agio insieme. Cinque minuti dopo Trygve li invitò a sedersi a tavola.

« È l'ora delle polpette! » gridò, e quando arrivarono li mandò a lavarsi le mani. A tavola recitarono il benedicite, e Page ne rimase stupita, ma lo trovò confortante. Com'era tutto diverso dalla famiglia nella quale lei era cresciuta. Non avevano mai pensato a una preghiera di ringraziamento quando si sedevano a tavola, e in chiesa si andava solo nelle grandi occasioni. Tra l'altro si meravigliò che Trygve fosse credente.

« La domenica vado all'oratorio », spiegò Bjorn al suo nuovo amico. « E mi raccontano le storie di Dio. Un brav'uomo. Ti piacerebbe. » Page dovette reprimere un sorriso mentre lanciava un'occhiata a Trygve, seduto a capotavola di fronte a lei. Anche lui sorrideva.

I due ragazzi continuarono a chiacchierare animatamente; Page e Trygve, finito il pasto, andarono fuori. Toccava a Bjorn sparecchiare dopo cena, e Andy rimase ad aiutarlo.

« È un ragazzo straordinario », fu il commento di Page quando si trovarono seduti in poltrona sul prato. Era una serata stupenda; un tramonto dorato ammantava le colline di Marin. Rimasero a contemplare a lungo, in silenzio.

« Sì, è vero », confermò Trygve. « E, per fortuna, Nick e Chloe pensano la stessa cosa. Un giorno toccherà a loro occuparsene, quando io non ci sarò più. Ho pensato che potrei perfino cercare di sistemarlo in un appartamento, ma non credo che sia ancora maturo per questo. » Ecco qualcosa a cui anche Page avrebbe dovuto pensare, adesso. Se Allie non fosse stata più in grado di badare a se stessa, un giorno Andy avrebbe dovuto accollarsi la responsabilità di provvedere a sua sorella. Era un problema che non si era mai posta prima, ma figli speciali hanno necessità speciali.

« È piacevole avervi qui oggi. » Trygve sorrise. « Per noi è stata veramente una gioia, Page. »

« Anche per noi », mormorò lei. « Ci hai dato addirittura un posto dove rilassarci e trascorrere qualche ora serena in mezzo al caos nel quale è piombata improvvisamente la nostra vita. »

« Non sarà un caos in eterno », rispose lui che ne sapeva qualcosa e desiderava aiutarla a superare un momento difficile.

« Eppure, adesso, è questa la sensazione che provo. E ti giuro che non so neppure da che parte cominciare ad affrontarlo! Ci sono tante cose che stanno cambiando, e talmente in fretta, che mi sento addirittura con il fiato mozzo! Figurati che oggi non fanno nemmeno più parte della mia vita certi punti di riferimento che consideravo inamovibili solamente la settimana scorsa, e importanti. È difficile cercare di spiegarselo », mormorò Page lentamente, e Trygve le prese una mano fra le sue e gliela strinse. Non voleva spaventarla e sapeva che quello era il momento sbagliato, ma qualcosa in lei continuava a fargli desiderare di proteggerla e difenderla.

« Eppure stai facendo tutte le cose giuste! L'importante è procedere passo passo, e muoversi molto lentamente. » Ma Page gli rise in faccia.

« Ti giuro che, in questo momento, l'unica cosa che si muove molto lentamente sono soltanto io. Il resto della mia vita sta andando in pezzi a una tale velocità che non trovo nemmeno il tempo di fermarmi a raccoglierli! » A queste parole Trygve scoppiò in una risata; poi rimasero ancora lì, l'uno accanto all'altra, a contemplare il tramonto.

« La vita sembra tanto semplice, a volte, eppure non è mai semplice come sembra, vero? » le domandò mentre il sole calava lentamente dietro le colline. « Crediamo di aver predisposto tutto, di aver pensato a tutto, ed ecco che l'intera maledetta faccenda si sbriciola fra le nostre mani. L'unica cosa buona è che, quando riusciamo a rimettere insieme tutti i pezzi, di solito è migliore. »

« Vorrei poterci credere », mormorò lei guardandolo e accorgendosi che le piaceva quello che vedeva: Trygve era sincero, affidabile, straordinariamente onesto e corretto.

« Mi sento molto più felice di prima », le confessò lui, con schiettezza. « Credevo che non ci sarei mai più riuscito, e invece è vero il contrario. E non me ne importa niente di risposarmi. Mi piacerebbe, mi piacerebbe perfino avere altri figli, ma tu mi capisci... se la donna giusta non dovesse apparire sul mio orizzonte, continuerei a essere perfettamente felice di vivere come vivo adesso. Sono contento dei miei ragazzi, del mio lavoro... c'è stato un periodo in cui ero quasi sempre sconvolto, con il cervello in subbuglio, e cercavo disperatamente di far funzionare le cose con Dana... Invece non me ne andava bene una! Non so come spiegartelo, ma lei rendeva sempre tutto impossibile e io mi sentivo profondamente infelice e in colpa per averla delusa. Adesso non provo più niente di tutto questo. Mi piace la mia vita. Sono contento di me e dei miei ragazzi. E presto proverai anche tu quello che provo io. Hai due figli meravigliosi, sei incredibilmente ricca di talento, sei una donna straordinaria. Meriti di essere felice, Page, e uno di questi giorni, con o senza un uomo, lo sarai. »

« Saresti disposto a firmare col sangue questa dichiarazione, per favore? Credo che la troverei rassicurante. »

« Prontissimo. E con piacere. Le cose andranno meglio, vedrai. »

« Non vedo l'ora che tutto questo succeda! » mormorò Page, mentre Trygve continuava a fissarla. Poi, a un tratto, si protese verso di lei e Page si domandò se volesse baciarla. Ma in quel preciso momento i due ragazzi arrivarono di corsa. Volevano giocare a baseball.

« Non se ne parla neppure, ragazzi », rispose Trygve in tono fermo. Quell'attimo era passato e Page si domandò se non fosse stato uno scherzo della sua immaginazione. « Bjorn, è troppo tardi per giocare a baseball. Perché non rientrate a guardare la televisione? Presto sarà ora di andare a letto. » Poi si voltò verso Page. « Vuoi lasciare Andy qui, stanotte? Pensavi di tornare all'ospedale? »

« Veramente pensavo di tornare a casa; Brad ha detto che forse sarebbe venuto a occuparsi di Andy, domani. In questo caso, vorrei passare più tempo che posso con Allie. E tu? Torni a fare visita a Chloe stasera? » Ormai la loro vita era scandita da quelle corse all'ospedale, ed era necessario spesso spostare altri impegni e organizzarsi in modo da adattarsi nello stesso tempo alle esigenze di tutti. A volte era estenuante.

« Tornerò per un po' », rispose Trygve a bassa voce.

« Noi dovremmo tornare a casa », disse Page con rammarico, ma rimasero seduti lì ancora un po', sentendosi perfettamente a proprio agio, insieme. Trygve non ripeté più il gesto di prima e, mentre tornava a casa, Page giunse alla conclusione che si era immaginata tutto! Trygve era un uomo molto indipendente, e aveva la propria vita. E come Allyson aveva detto la settimana prima, e lui le aveva confermato più volte, sembrava perfettamente felice senza nessuna donna nella sua vita. L'esperienza con Dana l'aveva terribilmente provato.

Ma adesso anche lei era rimasta delusa da Brad. Ed era strano dover ammettere che Trygve l'attraeva in modo incredibile. Prima non ci aveva mai pensato, ma dopo una settimana trascorsa insieme, aveva finito per considerarlo un uomo non solo bello e affascinante, ma anche pieno di attrattiva. Stava riflettendo su di lui con un sorriso, quando Andy le domandò qualcosa dal sedile posteriore. Fu una domanda che la lasciò senza fiato.

« Chi è Stephanie? »

« Che cosa vuoi dire? » rispose con il cuore in gola.

« L'altro giorno ti ho sentito mentre gridavi con papà e parlavi di lei. E poi ho sentito papà che le telefonava. »

« Credo che sia una persona con la quale lavora », rispose Page con voce assolutamente inespressiva. Così fu costretta a domandarsi fino a che punto Andy avesse sentito quello che si dicevano, la sera in cui aveva avuto quell'incubo.

« È carina? » insistette il bambino.

« Non la conosco. » La voce di Page era sempre più atona, e spenta.

« E allora perché gridavi con papà parlando di lei? » La stava mettendo con le spalle al muro e Page si accorse che cominciava ad andare in collera.

« Non stavo gridando contro papà, e non voglio parlare di questo. »

201

« Perché no? Al telefono sembrava gentile. »

« Quando? » Page ebbe l'impressione di aver ricevuto un pugno allo stomaco. Anche se ormai sapeva tutto sul suo conto, non sopportava di sentir parlare di lei proprio da Andy.

« Ieri ha telefonato, mentre eri all'ospedale. Mi ha detto di dire a papà che lei aveva telefonato. »

« E tu gliel'hai detto? »

« Mi sono dimenticato. Spero che non se la prenderà con me. »

« Sono sicura che non farà niente del genere », disse Page, anche se la sua espressione rivelava ben altro mentre parcheggiava la macchina sul vialetto ed entrava con il bambino nella casa vuota.

« E tu? Ce l'hai con me *anche tu*? » le domandò Andy, preoccupato, mentre Page lo aiutava a spogliarsi. E lei fu costretta a respirare a fondo prima di guardarlo di nuovo. Non aveva senso andare in collera con Andy per quello che suo padre stava facendo.

« No, tesoro, non ce l'ho con te. Sono soltanto stanca. »

« Sei sempre stanca, mammina... sempre, da quando Allie ha avuto l'incidente. »

« Ecco, è stato un grande dolore per tutti. Anche per te. Io lo so. »

« Sei arrabbiata con papà? »

« Qualche volta, sì. Siamo sempre così stanchi e preoccupati per Allie. Ma non siamo arrabbiati con te. Tu non c'entri con tutto questo. »

« Sei arrabbiata con Stephanie? » Stava cercando di capire la situazione ed era molto sveglio per la sua età, più sveglio di quanto lei si fosse mai resa conto. Così sospirò a quella domanda.

« Ma se non la conosco neppure! » Era la verità. Era Brad la persona con cui doveva essere in collera, Brad che l'aveva ingannata, che aveva mentito, che le aveva spezzato il cuore. Era tutta colpa di Brad, non della ragazza con la quale lui andava a letto. « Veramente, io non sono arrabbiata con nessuno, tesoro. Nemmeno con papà. »

«Bene.» Andy le sorrise, sollevato, ma Page si rese conto che presto avrebbero dovuto dirgli qualcosa, soprattutto se Brad aveva intenzione di andarsene di casa in un futuro molto prossimo. «Bjorn mi piace.»

«Piace anche a me. È un bravo ragazzo.»

«È l'amico più grande che ho. Ha diciotto anni ed è un ragazzo speciale.»

«Certo che è speciale», Page sorrise, «e anche tu sei speciale. Ti voglio bene, piccolo amore.» Gli diede un bacio e lo mise a dormire; poi andò a letto anche lei, nella propria camera, pensando a com'era tutto tanto semplice una settimana prima, quando Allie doveva uscire a cena con i Thorensen, e Brad era a Cleveland. Sembrava tutto così semplice. Adesso, invece, non lo era più. Le bugie di due adolescenti avevano quasi distrutto ogni cosa.

10

PAGE trascorse la giornata di domenica all'ospedale, dopo aver lasciato Andy a casa di un compagno di scuola. Brad aveva telefonato il mattino spiegando che non aveva tempo di occuparsene. E il bambino, dopo la delusione dei primi momenti, era stato felicissimo di essere invitato dall'amichetto.

Trygve venne a cercare Page nella sala d'aspetto del reparto di terapia intensiva e rimase con lei pochi minuti. Le aveva portato qualche panino e un po' di dolci. Poi tornò da Chloe, che aveva visite. Si animava, trovandosi circondata di nuovo dai ragazzi della sua età, e sembrava che questo la facesse sentire meglio.

« A proposito, Bjorn era letteralmente entusiasta per l'altro giorno », le disse Trygve mentre divideva un panino con lei nel corridoio.

Sembrava felice di rivederla. Invece Page ormai si era convinta di essersi illusa. Trygve nutriva solo una grande amicizia nei suoi confronti, e niente di più.

« Anche Andy, sai? Si è divertito moltissimo. E avrebbe voluto invitare Bjorn a casa nostra oggi, ma è stato costretto ad andare da un suo amico. Brad ha telefonato per dirgli che non poteva venire. »

« A ogni modo doveva fare i compiti. Come ha reagito Andy alla notizia che Brad non poteva occuparsi di lui? »

« Non è stato entusiasta, ma si è rassegnato. »

Chiacchierarono ancora per un po'; poi Trygve tornò da Chloe e Page, sulla strada di casa, nel pomeriggio, passò a prendere Andy e si fermò a comprargli un gelato. In un modo nel quale tutto era cambiato dalla sera alla mattina, anche i gesti più banali davano un po' di conforto a tutti e due.

Rimasero meravigliati quando anche Brad rientrò, quasi subito dopo che loro erano tornati a casa, dichiarando che si sarebbe fermato a cena. Domandò come stava Allie e Page gli disse la verità. Era ancora in vita, ma non si era verificato alcun miglioramento.

Cenarono tranquillamente in cucina, loro tre soli, e poi Page rimase di stucco quando vide che Brad cominciava a preparare una valigia.

« Te ne vai di casa? » gli domandò, come se fosse qualcosa che aveva già previsto in cuor suo. E bastò il suo tono di voce per rattristare entrambi. Ecco a che punto erano arrivati nel giro di soli otto giorni!

« Vado a Chicago per affari. » Ma non le disse che Stephanie partiva con lui. Aveva infatti insistito per accompagnarlo.

« Quando parti? » gli domandò Page con voce calma, senza livore. Ormai era pronta a tutto.

« Stasera. Prendo l'aereo della notte. »

« E per Allie, come facciamo? » E se fosse peggiorata di nuovo? Brad aveva il coraggio di affrontare un'eventualità del genere? Ma sapeva già quale sarebbe stata la risposta.

« Sono costretto a partire. C'è una trattativa importante che devo concludere. » Lo disse con la massima tranquillità, e Page, a quel punto, non riuscì più a dominarsi.

« Dici sul serio, o anche questa è una storia come quella di Cleveland? »

« Cerchiamo di non ricominciare, Page », esclamò Brad, brusco. « Non ti racconto frottole. Parlo sul serio. »

« Anch'io. » Ormai non aveva più la minima fiducia in lui, e in fondo non era nemmeno più importante.

« Forse lo hai dimenticato, ma ho una professione. Incidente o no, devo continuare a lavorare. E il mio lavoro mi porta anche in altre città. »

« Questo lo so », disse lei, e girò sui tacchi andandosene. Prima di partire Brad augurò ad Andy la buona notte e sul blocco per appunti che era in cucina lasciò il nome e il numero di telefono dell'albergo. Sarebbe rimasto assente tre giorni, ma a Page ormai non importava più niente neppure di quello. Anzi, in un certo senso, la sua lontananza avrebbe contribuito ad allentare la tensione che si era creata fra loro.

« Dovrei rientrare mercoledì », si limitò a dirle Brad prima di andarsene. E non aggiunse altro. Non: « Ti amo », e nemmeno « Arrivederci ». Chiuse la porta dietro di sé, salì in macchina e si allontanò sul viale. Aveva appena il tempo per passare a prendere Stephanie sulla strada per l'aeroporto.

« Sei arrabbiata con lui? » le domandò Andy, innervosito. Aveva sentito il loro tono di voce, mentre parlavano, e non gli era affatto piaciuto. Anzi, aveva infilato la testa sotto il guanciale perché non voleva sentirli, se si fossero messi a gridare.

« No, non sono arrabbiata con lui », rispose Page, anche se la sua espressione rivelava tutt'altro.

Provò a leggere per un po' dopo che Brad se ne fu andato, cercando di non pensare a tutte le cose che erano cambiate. Troppe. Poi spense la luce e cercò di dormire dopo aver chiamato l'ospedale per avere notizie di Allie.

La mattina dopo, lasciato Andy a scuola, andò a trovarla e si sistemò nel reparto di terapia intensiva, dove aveva intenzione di trascorrere l'intera giornata. Frances, la capoinfermiera, la conosceva talmente bene che ormai le lasciava passare ore e ore al capezzale di Allie. Stava diventando un'abitudine. Del resto, Page non aveva altri impegni, tranne correre di qua e di là per occuparsi di Andy e vegliare Allyson, a parte i litigi con Brad ogni volta che lo vedeva.

Si sentiva quasi inebetita allorché prese posto vicino ad Allie, con gli occhi fissi sulla macchina che l'aiutava a respirare. Ormai le avevano tolto i bendaggi dagli occhi e per un attimo ebbe l'impressione di vedere una palpebra che si muoveva, ma dopo averla osservata attentamente e a lungo si rese conto che era solo frutto della sua immaginazione. A volte si vedono certe cose perché si desidera vederle: sono semplicemente illusioni.

Si abbandonò contro lo schienale della scomoda seggiola e per un attimo chiuse gli occhi. Fu in quel momento che Frances venne a chiamarla. Stava aspettando la fisioterapista che doveva venire ad aiutare Allie a muovere le braccia e le gambe. Era importante tenere i muscoli in esercizio in modo che non si atrofizzassero e che le sue giunture diventassero troppo rigide. Perfino con una paziente in coma, c'era molto da fare.

«Signora Clarke?» Page sussultò al suono di quella voce, riscuotendosi.

«Sì?»

«C'è una telefonata per lei. Può prenderla al banco.»

«Grazie.» Probabilmente si trattava di Brad che voleva notizie di Allyson da Chicago. Era l'unica persona che sapesse che lei era lì a parte Jane, ma non c'era ragione che la chiamasse, visto che Andy era a scuola. E invece scoprì che si trattava proprio della scuola elementare di Ross. Le dissero che erano dispiaciuti di doverla disturbare proprio lì, all'ospedale, ma si trattava di un'emergenza: suo figlio si era fatto male.

«Mio figlio?» domandò lei con voce atona, come se non ricordasse di averne uno. Ma all'improvviso si irrigidì. «Che cosa significa? Si spieghi meglio», disse, mentre a poco a poco si sentiva travolgere dal panico.

«Sapesse quanto mi dispiace, signora Clarke.» Si trattava della segretaria della scuola, che Page quasi non conosceva. «C'è stato un incidente... è caduto dal quadrato, sa... quella struttura in legno che abbiamo il palestra, dove i bambini possono arrampicarsi per fare gli esercizi...» Oh Dio, era morto... aveva battuto la schiena... o la testa... Page scoppiò in lacrime. No, non se la sentiva di affrontare un'altra situazione del genere. Come facevano a non capirlo?

«Che cosa è successo?» La sua voce si sentì a malapena, e una delle infermiere che la stava osservando si accorse che era diventata pallidissima.

«Secondo noi potrebbe essersi fratturato una spalla. Lo stanno già trasportando al Marin General. Se vuole scendere al Pronto Soccorso, potrà aspettarlo quando arriva.»

«Va bene.» Riattaccò senza nemmeno salutare e si guardò intorno, in preda al panico. «Il mio bambino... mio figlio... ha avuto un incidente...»

«Stia calma.... probabilmente non si tratta di una cosa grave.» Frances prese subito in mano la situazione, accompagnò Page fino a una sedia e andò a prenderle un bicchier d'acqua. «Cerchi di non agitarsi, Page. Vedrà che non si tratta di niente di grave. Dov'è adesso?»

«Stanno portandolo qui, al Pronto Soccorso.»

«Penso io ad accompagnarla giù», disse la capoinfermiera con voce calma. Fece in modo di potersi assentare dal piano e scortò Page fino all'ingresso. Adesso aveva un aspetto terrificante, al punto che quando entrarono tremava da capo a piedi. Andy, però, non era ancora arrivato.

Frances la affidò alle cure dello staff del Pronto Soccorso, ma dopo pochi istanti Page scappò via per andare in cerca di una cabina telefonica. Sapeva di commettere una sciocchezza, ma per la prima volta nella sua vita si rendeva conto di non essere in grado di affrontare da sola quello che l'aspettava. Doveva telefonargli.

Lui rispose al secondo squillo con un tono di voce distratto, assente. Probabilmente stava scrivendo. Page sapeva che stava preparando un articolo per il *New Republic* e la scadenza era prossima. «Pronto?» Sì, era proprio Trygve.

«Scusami... ma dovevo chiamarti... c'è stato un incidente a scuola...» per un attimo lui non la riconobbe nemmeno e pensò che qualcuno volesse avvertirlo che era successo qualcosa a Bjorn. Poi si rese conto che si trattava di Page.

«Page? Come stai? Che cosa è successo?» Dal tono della sua voce capì che doveva essere successo qualcosa di grave.

«Non so», rispose lei piangendo. E per quanto lui l'ascoltasse con estrema attenzione, gli parve che quello che gli diceva avesse ben poco senso. «Si tratta di Andy... mi ha telefonato adesso la scuola... si è fatto male... è caduto dal quadrato...» Ricominciò a singhiozzare, immaginando di doversi aspettare il peggio, di nuovo, e Trygve si alzò in piedi di scatto.

« Vengo immediatamente. Dove ti trovi? »

« Al Pronto Soccorso del Marin General. » Ormai era un posto familiare per entrambi e Trygve lo raggiunse in breve tempo, viaggiando a velocità sostenuta con la macchina. Entrò nel parcheggio proprio mentre Andy veniva aiutato a scendere da un'automobile da uno dei suoi insegnanti. Si affrettò a raggiungerlo. Il bambino sembrava spaventato, era pallido e dava l'impressione di essere sofferente, ma non aveva perduto conoscenza. Era lucido, consapevole di quello che era successo e, di conseguenza, non doveva essere in grave pericolo.

« Si può sapere che cosa sei venuto a fare qui, giovanotto? Questo posto è per le persone malate. A me sembra che tu stia benissimo. » Trygve, mentre cercava di farlo chiacchierare, lo osservò con estrema attenzione.

« Mi sono fatto male al braccio... e alla schiena... sono caduto dal quadrato », rispose Andy con voce esitante mentre Trygve teneva la porta spalancata per far entrare il bambino e l'insegnante di educazione fisica.

« La mamma è dentro e ti aspetta. » Gli sorrise dolcemente e li seguì nell'interno dell'ospedale. Vide subito Page, che aveva l'aria distrutta e non riusciva a dominare il tremito che la scuoteva da capo a piedi. Quando si trovò davanti suo figlio, scoppiò in lacrime. Era come se, improvvisamente, tutta la forza che aveva avuto per Allie l'avesse abbandonata. Trygve le circondò le spalle con un braccio e la strinse a sé perché smettesse di tremare mentre l'insegnante portava il bambino in una saletta dove lo avrebbero visitato e dove un'infermiera lo stava già aspettando per verificare la gravità della eventuale frattura. Era allegra e simpatica. In un primo momento si limitò a tastarlo cautamente con la punta delle dita. Si accorse subito che si era fratturato un braccio e lussato la spalla. Poi gli guardò anche le pupille con una torcia elettrica dal cono di luce sottilissimo per verificare se non avesse anche riportato qualche lesione alla testa.

« Ehi, senti un po' », esclamò Trygve cercando di buttare

la cosa sullo scherzo, «hai combinato un pasticcio grosso come quello di Chloe. Lei non può camminare e adesso tu hai un braccio rotto. Ragazzi, che coppia siete! Bisognerà che dica a Bjorn che deve fare da infermiere a tutti e due.» Sorrideva e anche Andy si sforzò di imitarlo, per quanto il braccio gli facesse molto male. Soffriva. Lo sistemarono sulla lettiga e lo condussero a fare una radiografia. Trygve non abbandonò mai Page, neppure per un momento.

«Andrà tutto bene. Stai calma. Non corre alcun pericolo», cercò di rassicurarla mentre aspettavano l'esito della radiografia.

«Non riesco a capire che cosa sia successo», disse lei, che continuava a essere pallidissima e non smetteva di tremare. «Ho avuto una tale paura... se tu sapessi come mi dispiace averti telefonato!» D'altra parte, appena ricevuta la notizia non era riuscita a pensare ad altro. Aveva bisogno che Trygve fosse lì con lei, così come le era stato vicino in quei primi giorni da incubo con Allie, e anche dopo, sempre. Era con Trygve che voleva stare, e non con Brad, e quando se ne rese conto rimase stupita. D'altra parte capiva di poter contare su di lui, che del resto era felicissimo di esserle vicino.

«A me invece non dispiace affatto che tu mi abbia telefonato. Mi dispiace per quello che è successo. Ma non c'è nessun pericolo, se la caverà.» L'insegnante era ormai tornato a scuola e Trygve rimase con Andy, tenendogli stretto la mano, quando gli misero di nuovo a posto la spalla e gli ingessarono il braccio, un'operazione piuttosto dolorosa. Poi gli diedero un calmante per il dolore e gli consigliarono anche di tornarsene a casa e rimanere a letto per un'intera giornata. Quanto all'ingessatura, doveva tenerla per sei settimane. La frattura era risultata piuttosto brutta, ma alla sua età non gli avrebbe creato dei problemi a lungo termine.

«Adesso riaccompagno a casa tutti e due», disse Trygve pacatamente. Ridotta com'era, Page non era in grado nemmeno di guidare un triciclo, figurarsi un'automobile! Lei annuì ma prima tornò nel reparto di terapia intensiva a prendere la borsetta e ad avvertire le infermiere che se ne andava. Quanto a Trygve, si recò nella camera di Chloe per darle un bacio e le disse che sarebbe tornato a farle visita più tardi. Poi le spiegò quello che era successo ad Andy e Chloe gli mandò i suoi saluti e auguri più affettuosi, addolorata di quell'ennesima sfortuna. I suoi amici sembravano davvero perseguitati dalla cattiva sorte!

«Devi dirgli che sono pronta a firmare l'ingessatura la prima volta che lo vedrò.»

«Senz'altro... ciao, torno presto...» e Trygve si precipitò di nuovo al Pronto Soccorso per prendere in braccio Andy e portarlo fuori, fino alla macchina. Ma il bambino era quasi addormentato per effetto dell'iniezione che gli avevano fatto, e a Page avevano consegnato le pastiglie che avrebbe dovuto prendere una volta a casa. Era bene che dormisse praticamente per tutta la giornata, non c'era cura migliore di un buon sonno.

Trygve trasportò Andy in casa, mentre Page gli apriva la porta, e l'aiutò a spogliare il bambino e a metterlo a letto. Andy non aprì quasi gli occhi, nel frattempo, ed era già profondamente addormentato quando posò la testa sul guanciale. Ma non era certo per Andy che Trygve si preoccupava, bensì per Page. Aveva un aspetto da far paura.

«Adesso voglio che anche tu vada a distenderti un po'. Hai un aspetto terribile.»

«È stato lo choc, nient'altro... era l'ultima cosa al mondo che potevo aspettarmi... e poi non sapevo fino a che punto l'incidente fosse grave... pensavo...»

«Capisco benissimo quello che pensavi... Dov'è la tua camera da letto?»

Lei gli fece strada e Trygve aspettò che si sdraiasse sul letto, ancora completamente vestita, prima di andarsene. «Mi sento come... intontita... ma sto benissimo.»

«A guardarti, non si direbbe. Vuoi un goccio di brandy? Ti farà bene, sai?» Lei sorrise e scrollò la testa, e poi si mise a sedere di scatto sul letto per guardare l'uomo che aveva abbandonato tutto per accorrere in suo aiuto.

«Grazie di essere qui. Ti ho telefonato così, d'impulso... senza pensarci nemmeno per un attimo... Sapevo soltanto di avere bisogno che tu mi fossi vicino.»

Lui sedette in un'ampia poltrona vicino al letto e ricambiò il suo sguardo con dolcezza. « Sono contento che tu mi abbia telefonato. Ne hai già passate anche troppe! »

Poi gli balenò un pensiero... e trovò curioso che Page non avesse pensato ad avvertire Brad fin dal primo momento. « Vuoi telefonare a tuo marito? »

Lei fece cenno di no, senza un attimo di esitazione. « Lo chiamerò più tardi. È a Chicago. » Stupita, aggiunse: « Figurati che non mi è neppure passato per la testa di telefonargli quando mi hanno chiamato dalla scuola ». Voleva che Trygve lo sapesse. « L'unico a cui ho pensato di telefonare sei stato tu... quasi una specie di riflesso condizionato, insomma. »

« Un ottimo riflesso », le rispose lui con gentilezza, chinandosi verso di lei. Si accorse di provare qualcosa che non provava più da anni; quanto a Page, aveva la testa confusa e avvertì un tumulto di sentimenti mentre ricambiava il suo sguardo. « Page... non voglio fare niente che tu non voglia... » le bisbigliò, ma a un tratto non riuscì a dominarsi come avrebbe voluto. Guardandola gli parve di essere attratto da lei come da una calamita, mentre Page si rendeva conto di non essersi sbagliata, la sera prima, in giardino. Era proprio vero, Trygve era stato sul punto di baciarla. Come adesso. Ed era quello che lui desiderava da tanto tempo, da quando si erano ritrovati seduti vicini, notte dopo notte, giorno dopo giorno, in quella attesa disperata.

« Non so che cosa voglio, Trygve. » Page alzò a guardarlo i grandi occhi azzurri. « Solo dieci giorni fa ero convinta di essere una donna felicemente sposata... poi ho scoperto che era tutta una bugia, e il mio matrimonio probabilmente è ormai finito... ma nel mezzo di tutto questo, ecco che ci sei tu, l'unica persona sulla quale so di poter contare, l'unico amico che ho, l'unico che sa quello che penso... l'unico uomo con il quale desidero stare... » continuò a bisbigliare guardandolo, mentre lui le si accostava. « Non so dove sono, non so quello che faccio o quello che succederà... non so niente... salvo che... ecco, a dire la verità non capisco... » la sua voce si spense e lei, continuando a guardarlo, si sentì confusa. Ma non gli impedì di venirle vicino.

«Zitta... non devi dire niente... non farlo...» le sussurrò Trygve, sedendo sul bordo del letto e prendendola fra le braccia. Quello che voleva era abbracciarla e stringerla a sé, come non faceva più da anni con nessuna, e baciarla. Posò le labbra su quelle di lei, gliele socchiuse dolcemente con la lingua, facendola penetrare più a fondo, mentre Page si ritrovava senza fiato. Si sentiva sopraffatta da quello che provava e allo stesso tempo impaurita; però capiva di desiderarlo. E non si trattava di un gioco né di una vendetta nei confronti di Brad... quello era l'uomo che aveva avuto vicino nel momento peggiore della sua vita, che non l'aveva delusa né abbandonata neppure per un momento, l'uomo dal quale si sentiva attratta con una forza travolgente.

«Che cosa vogliamo fare?» gli domandò quando Trygve si staccò di nuovo da lei per contemplarla in tutta la sua bionda bellezza. Page aveva il viso in fiamme.

«Non mi pare sia il caso di preoccuparsene proprio adesso. Se non altro, ho finalmente capito che cosa fare perché ti torni un po' di colore sulle guance. Adesso stai molto meglio di prima.» Sorrise, sentendosi infinitamente felice.

«Smettila!» esclamò Page ridendo. Ma Trygve l'attirò di nuovo fra le braccia e questa volta il suo bacio fu più appassionato, più lungo e intenso. Non gli era più capitato di provare niente di simile fin da molto tempo prima di Dana, o forse mai.

«No, non la smetto. Non la smetterò mai», si affrettò a farle capire. «Avevo dimenticato che poteva essere tanto bello.»

«Anch'io», confermò Page, onestamente. Brad era sempre stato così preso dal proprio lavoro, chiuso in se stesso, che soltanto adesso lei si rendeva conto di quanto poco le avesse mai dato, sia dal punto di vista emotivo sia dal punto di vista fisico. Trygve la lasciò letteralmente senza fiato e dopo che si furono baciati lei scoppiò in una risatina irrefrenabile. Per fortuna Andy dormiva sotto l'effetto del sedativo; ma Page sapeva che nessuno dei due voleva commettere qualche sciocchezza. Ormai lei aveva già deciso quale sarebbe stata la sua vita, e voleva chiarire ogni cosa con Brad prima di cominciare una relazione seria con Trygve. E lui lo sapeva.

«Che cosa posso fare?» gli domandò con molta franchezza, voltandosi in modo da mettersi seduta sul bordo del letto e posare i piedi sul pavimento, mentre lo guardava con un'espressione infantile... Trygve le sorrise. Non riusciva a ricordare di essere mai stato tanto felice.

«Alla fine riuscirai a capirlo. A me sembra che le cose a poco a poco si risolveranno da sole. E io non voglio metterti fretta... desidero che tu lo sappia.» Cercò di assumere un'espressione seria, ma scoprì di non riuscirci. «Continuerò a essere la tua ombra, a toglierti il fiato, ad assillarti e diventerò insopportabile, ma non la smetterò fino a quando deciderai che non puoi vivere senza di me.» Ormai avevano capito entrambi che si trattava di qualcosa di ben più serio di un puro e semplice bacio.

Page sorrise, maliziosa, e questa volta fu lei a baciarlo. Tutto le sembrava meraviglioso e incredibile. «Ma come è possibile?» gli domandò quando finalmente si staccarono l'uno dall'altra.

«Non saprei. Forse è qualcosa che c'è nell'aria del reparto di terapia intensiva.» O lo choc, la paura o il dolore, o il semplice fatto di essere stati lì, dandosi reciprocamente conforto. In quei momenti la presenza di Trygve era stata molto importante per Page, che a sua volta gli aveva dato coraggio. Avevano affrontato insieme il peggio che la vita aveva da offrire, e ne erano venuti fuori, insieme, con pochissimo aiuto da parte di chiunque altro, soprattutto di Brad, che aveva invece fatto tutto il possibile per mostrare indifferenza e distacco nei suoi confronti.

«La vita è straordinaria, non ti pare?» gli domandò Page, ancora stupita per quello che era accaduto. «Credo che sarà meglio affrontare questa situazione un passo alla volta. Brad non ha ancora deciso quello che vuole fare.»

«Probabilmente è vero il contrario, ma non te lo ha ancora detto. E tu, piuttosto? Tu sai quello che *vuoi* fare?» Voleva che Brad se ne andasse di casa? Un divorzio? Più tempo per riflettere? In fondo Trygve non era completamente sicuro di ciò che Page desiderava, e capiva che lei stessa ancora non lo sapeva. Ma era più che logico. La fine del matrimonio era qualcosa di nuovo, quindi non sapeva ancora che decisione prendere e come comportarsi.

« Ogni volta che vedo Brad mi rendo conto di quanto la situazione sia insostenibile. Ormai vive praticamente con quella donna. Ma io sono ancora sposata con lui. È difficile cambiare tutto questo in un solo momento. »

« Nessuno si aspetta che tu lo faccia », le disse Trygve dolcemente. Capiva perfettamente la sua situazione. L'aveva vissuta prima di lei. In ogni caso era disposto ad aspettare con pazienza che lei mettesse ordine nella propria vita. Com'era diversa da tutte le altre donne che aveva conosciuto!

Stavano ancora parlando quando squillò il telefono, e Page trasalì. Non riusciva a immaginare chi potesse essere, a meno che non si trattasse dell'ospedale. Si rese conto di non aver più la forza di ricevere cattive notizie e, alzando la cornetta per rispondere, chiuse gli occhi. Sentì la mano di Trygve sulla propria, per darle forza nel caso fosse stato necessario.

« Pronto? » disse cautamente, come se avesse paura di ciò che avrebbe detto la persona all'altro capo del filo. Poi aprì gli occhi e scrollò la testa. Non era l'ospedale, ma sua madre. E le notizie che le dava non erano affatto buone. Dopo averci riflettuto per tutto il fine settimana aveva deciso, con Alexis, di venire da lei. Era chiaro che Page aveva bisogno di aiuto, secondo loro, anche se lei si affrettò ad assicurarle che era in grado di cavarsela da sola.

« Va tutto bene. Te lo giuro », provò a insistere. « È tutto sotto controllo e per il momento le condizioni di Allyson sono stazionarie. »

« Ma potrebbe cambiare da un momento all'altro. E poi Alexis vuole parlare con te. David le ha dato il nome di un medico favoloso, specialista in chirurgia plastica, nel caso tu ne avessi bisogno. » Certo in futuro ne avrebbero avuto bisogno ma per il momento quella era l'ultima delle loro preoccupazioni. Prima di tutto Allie doveva sopravvivere e il suo cervello recuperare qualcosa di vagamente simile alle sue normali funzioni. Alexis, invece, aveva in mente soltanto quello: l'aspetto esteriore, la bellezza della nipote, e voleva assicurarsi che tornasse perfetta in tutto e per tutto.

« Non credo proprio che sia il caso di venire qui », rispose Page cercando di non perdere la calma, ma senza riuscirci. L'ultima cosa al mondo che desiderava in quel momento era la presenza di sua madre. E ancor meno quella di Alexis!

« Non discutere con me », replicò sua madre in tono fermo. « Arriveremo domenica. »

« Mamma... non puoi... non ho tempo di occuparmi di te... o di Alexis. Ho bisogno di rimanere con Allie, e Andy ha appena avuto un incidente. » Voleva fare il possibile per cercare di dissuaderla.

« Cosa? » Perfino sua madre a questo punto parve agitata.

« Niente di serio, si è solo rotto un braccio. E io, a dire la verità, ho solo bisogno di passare tutto il tempo con i miei figli. »

« È proprio per questo che verremo, cara. Vogliamo aiutarti. »

Page sospirò, non sapendo che altro dire. « Secondo me, dovresti ripensarci. »

« Arriveremo domenica alle due. Alexis penserà a far mandare un fax da David a Brad con tutti i particolari. Ci vediamo a quell'ora. » E prima che la figlia potesse aggiungere un'altra parola, aveva già riattaccato. Page si lasciò cadere su una seggiola e guardò Trygve con aria affranta.

« Scommetto che, se te lo dico, non ci credi », mormorò afflitta.

« Lasciami indovinare. Arriva tua madre. Ti può creare qualche difficoltà? »

« Difficoltà? Stai scherzando? Che cosa è stato Sansone per Dalila?... O Davide per Golia?... Oppure l'aspide per Cleopatra? Figurati che è una settimana che cerco di tenerla a bada. E non solo arriva lei, ma si fa accompagnare da mia sorella. »

« E tu, invece, la detesti? » le domandò Trygve, cercando di scoprire tutta la storia della sua famiglia in un colpo solo.

« È lei che detesta me... anche se dedica la maggior parte

delle sue energie ad amare se stessa. Più narcisista di lei non c'è nessuno! Non ha mai avuto figli ed è sposata con uno specialista di chirurgia plastica di New York. A quarantadue anni si è già fatta rifare tre volte il naso, ha un seno nuovo e si è sottoposta al lifting completo del viso. Tutto in lei deve essere perfetto. Le unghie, le guance, i capelli, gli abiti, il corpo. Dedica ogni minuto di ogni giornata alla cura di se stessa. Non ha mai avuto nessuna preoccupazione di doversi mantenere, non ha mai dedicato, in tutta la sua vita, un solo pensiero a qualcosa che non sia materiale, e mia madre è esattamente come lei. Forse è opportuno spiegartelo, così avrai un quadro ben chiaro della situazione. Vengono qui in modo che io possa occuparmi di loro e rassicurarle che non c'è niente che non vada in Allie, e nel caso ci fosse, non dovrà né addolorare né imbarazzare o creare inconvenienti, e soprattutto non coinvolgerle personalmente in alcun modo. »

« Si direbbe che non potranno esserti di molto aiuto », osservò Trygve, baciandola sulla punta del naso, molto divertito da quella descrizione. Suo padre e sua madre erano persone straordinarie, invece, e per tutta la settimana non avevano fatto altro che telefonargli insistendo per venire ad aiutarlo. Ma Trygve aveva rifiutato, anche perché ormai vivevano in Norvegia da quando suo padre era andato in pensione. Guardando Page si rese conto immediatamente che lei non stava scherzando: la situazione era seria. Quando si alzò dal letto sembrava terribilmente preoccupata. Parlare della madre e della sorella l'aveva profondamente depressa.

« In questo caso aiutare non è la parola chiave. »

« Dove stai andando? » Trygve l'attirò a sé prendendola di nuovo tra le braccia.

« A dar fuoco alla mia camera degli ospiti », rispose Page di malumore; ma dopo un attimo si stavano baciando di nuovo. E Page aveva dimenticato completamente sua madre.

« Io ho un'idea migliore », mormorò Trygve con voce roca, baciandola sul collo. E Page, chiusi gli occhi, si abbandonò al piacere di ognuno di quei momenti. Com'era possibile? In dieci giorni aveva perduto l'unico uomo che avesse mai amato e adesso, a un tratto, eccola tra le braccia di un

217

altro, che era stato buono, affettuoso e comprensivo con lei, che la desiderava come lei lo desiderava... Tutto questo non aveva alcun senso... ma era incredibilmente bello...

« Non ancora », gli bisbigliò Page mentre lui la baciava di nuovo.

« Lo so, sciocchina... non sono stupido. Abbiamo tutto il tempo che vogliamo. Non ho intenzione di metterti fretta. »

« E perché no? » provò a stuzzicarlo lei, fingendosi offesa. Ma Trygve, fissandola con aria molto grave le lasciò capire che parlava sul serio.

« Perché ti voglio per un tempo lunghissimo, se sarai mia, Page. E non voglio perderti. » Poi la baciò di nuovo e passarono attimi interminabili... prima che riuscissero a staccarsi l'uno dall'altro. A quel punto Page recuperò il controllo e si rese conto che Trygve avrebbe fatto meglio ad andarsene prima che Andy si svegliasse. Non voleva che il bambino li vedesse baciarsi proprio lì, nella sua camera da letto.

Trygve le promise di venire di nuovo a trovarla nel pomeriggio, per vedere come stavano. Chissà, forse avrebbe portato con sé Bjorn. E le assicurò che sarebbe passato al reparto di terapia intensiva a vedere come stava Allie. Page non voleva lasciare Andy per il resto della giornata e Trygve la rassicurò promettendole che avrebbe pensato lui a tutto, magari addirittura a prepararle la cena.

« C'è qualcos'altro che posso fare per te? » le gridò quando era già al volante, prima di andarsene, mentre lei, ferma sulla porta di casa, lo salutava con la mano.

« Certo! » gli gridò di rimando.

« Che cosa? » Trygve fermò l'auto un attimo per sentire la sua risposta.

« Ammazza mia madre! » Lui scoppiò in una risata e ripartì, sorridendo come uno studentello.

11

BRAD rimase profondamente sconvolto quando seppe che Andy si era rotto un braccio; in un primo momento sembrò quasi che volesse incolpare di questo Page, ma non glielo disse apertamente.

«Sei proprio sicura che vada tutto bene? È il destro, vero?»

«Sì, il destro, ed è anche una brutta frattura. Però mi hanno assicurato che dovrebbe guarire perfettamente. In compenso dovrà stare un poco più attento con la spalla. Niente *pitching* per quest'anno, e può darsi che non possa dedicarsi al baseball fino all'anno prossimo.»

«Cazzo!» esclamò Brad. Sembrava agitato e dispiaciuto quasi come per Allie. D'altra parte le loro reazioni, ormai, non erano più comprensibili. Sia l'uno sia l'altra erano terrorizzati, ancora sotto choc dopo la sciagura. E Page si rendeva conto che era logico aspettarsi che Brad reagisse a quel modo di fronte a una notizia del genere.

«Mi dispiace, Brad.»

«Certo…» rispose lui con aria assente, poi ricordò che doveva chiederle qualcos'altro. Che sollievo era stato trovarsi a Chicago! «Come sta Allie?»

«Sempre uguale. Non la vedo da stamattina. Sono rimasta a casa con Andy.» Ritenne inutile raccontargli che Trygve e Bjorn avevano portato qualcosa da mangiare per cena e, stranamente, nemmeno Andy vi fece cenno, anche se lei non gli aveva fatto alcuna raccomandazione in proposito! Ma era come se lui avesse intuito che la situazione fra i genitori era già abbastanza grave senza complicare ulteriormente le cose.

Mentre cenavano tutti insieme, lei e Trygve cercarono di comportarsi con una certa cautela, ma era innegabile che ormai il loro atteggiamento fosse più affettuoso e pieno di tenerezza. Soltanto da quella mattina le cose erano cambiate radicalmente e adesso, d'un tratto, sembrava molto difficile nascondere certi sentimenti.

Erano rimasti seduti a conversare a lungo nel soggiorno, mentre i due ragazzi giocavano tranquillamente con il cane nella camera di Andy. Bjorn si era entusiasmato per le figurine delle squadre di baseball e per la collezione di pietre che Andy aveva messo insieme durante l'estate precedente. Avrebbe anche voluto giocare a carte, ma Andy era troppo stanco.

Quando Trygve e suo figlio andarono via, Page si sentì triste, come del resto Andy, e lasciò che il bambino dormisse nel suo letto, quella notte. E, una volta tanto, lui non lo bagnò. Da quando Allie era rimasta ferita, era capitato abbastanza spesso. Adesso, però, sembrava più tranquillo di quanto non fosse stato in quell'ultimo periodo e le pastiglie di sedativo lo fecero dormire tranquillamente fino al mattino. Mentre lui dormiva Page, sdraiata sul letto al suo fianco, lo tenne stretto a sé, accarezzandogli a lungo i capelli e pensando a lui... e a Brad... e a Trygve. Non sapeva che cosa avrebbe fatto. Trygve gli era diventato molto caro e si sentiva molto attratta da lui. Ma Brad era stato suo marito per sedici anni. Non riusciva a convincersi che avrebbe potuto perderlo! Eppure, in un certo senso lo aveva già perduto... e lo sapeva. D'altra parte non lo aveva mai ingannato o tradito, e anche se Trygve era un uomo pieno di fascino e la situazione decisamente difficile, non voleva fare niente di cui pentirsi in seguito o iniziare nel modo sbagliato una nuova relazione.

Ma Brad, rientrando da Chicago il mercoledì sera, si comportò con freddezza e distacco, come se lei fosse quasi diventata un'estranea. Non tornò a casa il giovedì notte e neppure le telefonò; e quando fece una brevissima visita il venerdì sera, fu decisamente gelido. Era impossibile illudersi che il loro matrimonio non fosse finito. Stephanie l'aveva cambiato. Adesso portava cravatte diverse, abiti nuovi, perfino il taglio dei capelli era differente. Ma anche se Brad aveva valicato i limiti, Page non se la sentiva di buttarsi fra le braccia di Trygve unicamente per ripicca. Più di qualsiasi altra cosa al mondo desiderava definire la situazione con suo marito e parlare del futuro, ma lui le lasciò capire che non intendeva discuterne. L'unico argomento del quale parve essere disposto a parlare fu la visita di sua madre: la notizia lo aveva mandato su tutte le furie.

«Come puoi permetterle di venire qui proprio in questo momento? E in compagnia di tua sorella, per giunta! Hai già provveduto ad assumere un parrucchiere perché sia sempre a loro disposizione, oppure pensi di chiamare il 911 ogni volta che lei ne avrà bisogno?»

«E va bene! Anch'io non sono affatto contenta, lo sai.» Avevano cominciato a parlarne il venerdì sera, prima che lui uscisse a cena con dei clienti, così almeno le aveva detto. «Come faccio a dirle di non venire? Le condizioni di Allie sono critiche, e vogliono vederla.» Sembrava una spiegazione ragionevole, ma Page sapeva che sua madre e sua sorella non erano affatto persone ragionevoli. Brad le aveva sempre detestate e nemmeno loro lo avevano particolarmente in simpatia, anche se sua suocera fingeva sempre di adorarlo. In realtà era vero il contrario. Brad conosceva troppo bene tante cose che riguardavano il passato, e la madre di Page l'aveva sempre criticata aspramente per essersi confidata con lui. «Ho fatto tutto quanto potevo per scoraggiarle, ma si è limitata a ripetermi che stavano per partire.»

«E allora comportati come loro: prova a dire semplicemente che non possono stare qui da noi.» A Page bastò guardarlo in faccia per capire, dalla sua espressione, che parlava sul serio.

«Non pensarci neppure, Brad. Sono la mia famiglia», replicò imbarazzata. Finalmente era riuscita a scappare, a fuggire il più lontano possibile da loro, ma continuava a non avere il coraggio di rifiutarsi di rivederle né a costringerle a dare definitivamente un taglio ai loro rapporti.

« Queste sono balle, puoi fare tutto quello che vuoi. E lo sai. »

Fu a quel punto che Page cominciò ad arrabbiarsi sul serio. In fondo Brad non faceva assolutamente niente per aiutarla, sapeva soltanto dare ultimatum e ricorrere a soluzioni drastiche. « Più o meno come te, Brad? Hai forse paura che possano interferire con la tua vita sociale adesso che hai finalmente deciso di sbandierarmela sotto il naso? » Avevano di nuovo aperto le ostilità. Che serenità, invece, nei giorni in cui era rimasto a Chicago!

« Ho avuto molti impegni in ufficio. »

« Impegni un corno! Chissà come ti sei dato da fare anche a Chicago, vero? Immagino benissimo quali devono essere stati i tuoi impegni! » Allora Brad si voltò di scatto e le lanciò un'occhiata inferocita, quasi per metterla in guardia e farle capire di non esasperarlo. Aveva torto, e stava sbagliando, ma si rifiutava di accettare che Page glielo facesse notare. Non era giusto, e lo capiva, ma non era ancora preparato ad affrontare determinati cambiamenti.

« Non sono affari tuoi », disse con voce vibrante di collera.

« E perché non dovrebbero esserlo? »

« Le cose si stanno muovendo troppo in fretta per me. » Si stavano muovendo troppo in fretta anche per Page. Anzi, nelle ultime due settimane si erano mosse con la velocità del lampo, ma non era colpa sua. « Voglio che si calmino le acque prima di prendere qualsiasi decisione definitiva. » Poi, voltandosi verso di lei, aggiunse, lasciandola sbalordita: « Sono arrivato alla conclusione di non essere ancora pronto ad andarmene di casa. » Page tacque, guardandolo, ma non poté fare a meno di domandarsi se avesse avuto un ripensamento o avesse litigato anche con Stephanie, oppure se fosse semplicemente impaurito di fronte alla gravità del passo che stava per fare.

«Stai alludendo a qualche spostamento di carattere geografico oppure è del nostro matrimonio che parli?» gli domandò mentre si sentiva confusa, con il cuore in gola. Nonostante tutto, Brad continuava a essere suo marito, e forse lei continuava ad amarlo.

«Non lo so», rispose Brad, ma senza fare un gesto per accostarsi a lei. «Andarmene mi sembra una decisione talmente grave... mi spaventa da morire. Forse sono stato uno stupido... non lo so. Ad ogni modo non credo che riuscirei a riprendere la vita di una volta.» Sapevano entrambi che niente sarebbe mai più stato come prima. Page non avrebbe mai più potuto fidarsi di lui e avrebbe sempre avuto il sospetto che lui non riuscisse a rinunciare definitivamente a Stephanie. Era proprio questo il punto sul quale Brad continuava a interrogarsi... d'altra parte, lasciare Page voleva dire lasciare Andy. Nella settimana appena trascorsa aveva riflettuto moltissimo e il dolore nato da quelle riflessioni era stato atroce. Quanto a Stephanie, sembrava che non lo capisse. Diceva che Andy avrebbe potuto andare a trovarli, ma non era la stessa cosa, e Brad lo sapeva. «La verità è che non ho nessuna delle risposte necessarie.» Scrutò Page, malcontento. «Non so da che parte voltarmi.» Si lasciò cadere sul letto e si passò una mano fra i capelli. Page lo guardava. Dopo che Brad l'aveva fatta tanto soffrire, l'aveva tanto offesa, e continuava a farlo ogni giorno, era diventata guardinga e sospettosa.

«Forse dovremmo aspettare un po'. E vedere come vanno le cose.» In parte questo comportamento si poteva spiegare come una reazione all'incidente di Allie, ma per tutto il resto era inaccettabile. «Vuoi che cerchiamo di parlare con un consulente matrimoniale?» gli chiese Page esitante, non essendo convinta di volerlo anche lei, ma la risposta di Brad fu pronta e priva di incertezze.

«No.» E scrollò il capo. No, se significava rinunciare a Stephanie. E contemporaneamente non voleva lasciare Page. Ma nemmeno perdere Stephanie. Perché, per lui, era più importante. Gli pareva che incarnasse la giovinezza, la speranza e il futuro, quasi come Allie. Eppure anche lui doveva ammettere che in quel momento la sua vita era nel caos più completo: da qualsiasi parte si voltasse, non vedeva che confusione e problemi.

« Non saprei che altro suggerire. All'infuori di un avvocato. »

« Neanch'io. » La guardò con sincerità. « Te la senti di continuare a vivere a questo modo per un po', o ti pesa troppo? »

« Non lo so con sicurezza. Non me la sentirei di continuare così in eterno. E forse neppure molto a lungo. In ogni caso non molto più a lungo di così. »

« Neppure io », disse Brad, e sembrava stanco. Stephanie cercava di spingerlo a lasciare Page per sposare lei, ed era indispensabile, a questo punto, prendere una decisione.

Non solo, ma in un certo senso tutto quanto aveva diviso con Page sembrava che a poco a poco venisse distrutto. Il loro matrimonio, la loro figlia, il loro rapporto, la fiducia reciproca. Stranamente, Page gli sembrava il passato e Stephanie il futuro. Ma quando andarono a letto, quella notte, il passato cominciò a eccitarlo, a farlo fremere di desiderio.

Andy dormiva e la porta della loro camera era chiusa. Page stava leggendo tranquillamente a letto, senza badargli, quando a un tratto lui cominciò a baciarla come non la baciava da mesi, con una passione e un ardore che lei quasi non ricordava più. Al primo momento provò a resistergli, ma era così impetuoso e così eccitato che prima di rendersi conto di quello che le stava succedendo Brad le aveva sollevato la camicia da notte ed era sopra di lei. Per quanto non avesse nessuna voglia di fare l'amore, Page si accorse che cedeva, che la sua resistenza cominciava a indebolirsi. In fondo Brad era sempre suo marito, e solo poche settimane prima aveva creduto di amarlo ancora.

Poi, lentamente, con delicatezza, abilità e ardore, Brad la penetrò ma in quel preciso momento il suo desiderio si spense e con esso l'erezione che aveva avuto. Per qualche minuto cercò di nascondere quello che era successo e di riaccendere le fiamme del piacere, ma presto fu chiaro che i dubbi che lo dilaniavano facevano sentire il loro influsso anche su qualcos'altro... e non soltanto sul loro matrimonio.

« Scusami », disse con voce rauca mentre si lasciava ricadere sulle coperte, vicino a lei, furibondo. Page era ancora ansante, amareggiata e furiosa con se stessa per avergli ceduto. In quella situazione, e con quello che stava succedendo nella loro vita, non le pareva giusto dormire con Brad, anche se era sempre suo marito. E non aveva nessuna voglia di entrare a far parte del gruppo delle donne con le quali Brad andava a letto, o di commuoversi e cedergli per essere di nuovo offesa, maltrattata e respinta come era già capitato.

« Non puoi mentire al tuo corpo, Brad », disse tristemente. « Forse questa è la risposta che volevi. »

« Mi sento un autentico imbecille », esclamò lui, esasperato, mentre si alzava e attraversava la stanza a lunghi passi. Il suo corpo, slanciato, dalle forme armoniose, era più bello che mai. Ma Page adesso doveva affrontare la realtà e per quanto una volta lo avesse amato, ormai capiva che quella era la fine.

« Sarebbe meglio se tu prendessi una decisione prima di rendere le cose ancor più difficili di quanto già non sono », gli fece notare Page con buon senso, e lui annuì. Una situazione del genere stava diventando ridicola, e non faceva bene a nessuno. Eppure non riusciva ad accettare quello che era successo, soprattutto pensando che in quell'ultimo anno gli era capitato di frequente di passare direttamente dal letto di Stephanie a quello di Page, con un intervallo di poche ore soltanto, e di non aver mai avuto problemi del genere. Ma adesso che Page sapeva, tutto era cambiato. Cominciava quasi a pentirsi di averle confessato tutto, — ma d'altra parte capiva di aver bisogno di riacquistare la propria libertà. Doveva qualcosa anche a Stephanie, e anche con lei non si stava comportando nel modo più corretto. Era sempre più stupito di quanto gli piacesse vivere con lei, di quanto fosse facile e semplice stare in sua compagnia. Ormai Stephanie voleva che lui si trasferisse a casa sua, e negli ultimi tempi lo aveva addirittura minacciato di troncare la loro relazione se non lo avesse fatto. A dire la verità, Brad desiderava tutt'altro: gli sarebbe piaciuto mettere da parte Page per un po'... gli sarebbe piaciuto chiuderla in un armadio o nel congelatore e lasciarcela per un annetto... da passare con Stephanie. E poi tornare da lei e scoprire che niente era cambiato, che ogni cosa era come prima. Come sarebbe stato bello!

«Forse dovrei andarmene», disse affranto, tornando a sedersi sul letto accanto a lei. A un tratto non desiderava altro che vedere Stephanie e dimostrare a se stesso di non essere impotente. Quel piccolo episodio con Page lo aveva messo in allarme.

«Decidi tu», replicò lei con calma, mentre il suo corpo snello e slanciato veniva rivelato completamente, in tutta la sua nudità, dalla camicia da notte trasparente, ma Brad non la guardava nemmeno. Sentiva di essere stata sciocca a non respingere quel tentativo di fare l'amore, e all'improvviso si accorse di provare desiderio e nostalgia di Trygve.

«Credo che qualsiasi decisione prendiamo sia inutile tirarla per le lunghe. Non potrò sopportare ancora per molto una situazione di questo genere... e nemmeno Andy. È un po' stressante questo tuo andare e venire... e poi sparire», disse con tristezza.

«Lo so.» Ma in quelle ultime due settimane niente nella loro vita era stato normale. A modo suo, anche Brad era rimasto traumatizzato come Page e Andy, e non riusciva a prendere decisioni importanti. «Stiamo un po' a vedere quello che succede.»

Page si dichiarò d'accordo e poi andò a fare un lungo bagno cercando di non pensare a Trygve. Non voleva che la loro relazione diventasse una conseguenza del tradimento di Brad, o del trauma per l'incidente. Se doveva nascere qualcosa di importante fra loro, voleva che ciò accadesse perché erano sinceramente convinti di avere qualcosa di bello da condividere. Forse un periodo piacevole e divertente, o forse addirittura la vita intera. Voleva che fosse la cosa giusta... niente di simile a quello che le era capitato con Brad. E sapeva che, d'ora in avanti, le sarebbe stato difficile concedere la propria fiducia a chiunque, perfino a Trygve.

Brad dormiva quando si infilò di nuovo a letto, e la mattina dopo se n'era già andato quando lei si alzò. Le aveva lasciato un biglietto nel quale la informava di essere al golf e che non sarebbe rientrato a casa per cena. Ma non spiegava né con chi avrebbe giocato né in quale circolo, e lei intuì subito che era una bugia. Brad si trovava certamente da Stephanie. La sera prima si era spaventato ed era corso da lei per essere rassicurato. Buttò via il biglietto e sospirò mentre il telefono cominciava a suonare.

«Ciao, Page, come va la vita?» Era Trygve che la chiamava per avere notizie di Andy. Sapeva che non sarebbe potuto andare alla partita di baseball con il braccio rotto e voleva chiederle se le avrebbe fatto piacere affidarglielo perché giocasse con Bjorn, mentre lei andava da Allie. A meno che Brad non volesse tenerlo con sé, naturalmente, ma sospettava, senza sbagliarsi, che non fosse quello il programma della giornata.

«Oggi c'è la donna delle pulizie che potrebbe tenere d'occhio i due ragazzi. Anch'io vorrei passare un po' di tempo con Chloe», le spiegò.

«Ne sarebbe felicissimo», rispose Page, piena di gratitudine per quell'offerta di aiuto. A parte ogni altra cosa che poteva succedere fra loro, era stato un amico fantastico e non se ne sarebbe mai dimenticata. «Vado a dirlo ad Andy. A che ora potrei portarlo da te?» Ormai erano le dieci e lei voleva essere all'ospedale per le undici.

«Potresti lasciarlo qui mentre vai da Allyson. Lo dirò a Bjorn e sarà emozionatissimo. Cominciava già ad agitarsi perché gli avevo detto che pensavo di andare da Chloe senza di lui. D'altra parte, quando mi faccio accompagnare a farle visita all'ospedale diventa così irrequieto dopo un po'... comincia a giocherellare con ogni cosa e fa letteralmente impazzire le infermiere.» Page scoppiò a ridere per quella descrizione.

Andy fu felicissimo di quell'invito e la donna che andava a fare le pulizie a casa di Trygve promise di tenerli d'occhio. Sembrava molto simpatica e Page si sentì tranquilla: poteva affidarle il figlio senza problemi. Appena arrivato, Andy si sentì proporre da Bjorn di correre di sopra a guardare una videocassetta, e Page offrì un passaggio a Trygve fino al Marin General.

« Come vanno le cose con Brad? » le domandò lungo la strada, « oppure dovrei pensare ai fatti miei? » A dire la verità adesso erano diventati anche fatti suoi e provava improvvisamente un grande interesse per tutto questo, anche se non voleva assillarla, né metterla sotto pressione. Fra l'altro, Page non aveva l'aria felice. Si sentiva ancora imbarazzata, a disagio, per quello che era successo la sera prima, e ne provava dispiacere. In un certo senso, anche se poteva essere strano, si sentiva un po' colpevole nei confronti di Trygve.

« È una situazione difficile. Secondo me siamo alla svolta finale, ma lui ha paura di ammetterlo. »

« E tu, invece? Ti senti pronta a un cambiamento? » Voleva sentire la sua opinione.

Page gli lanciò uno sguardo di sottecchi, continuando a guidare, ma si accorse che voleva essere onesta con lui perché le piaceva troppo per ingannarlo.

« Non voglio cambiamenti troppo repentini... né commettere qualche stupidaggine... non voglio... » si accorse di non saper trovare le parole più adatte, ma Trygve aveva già capito. Del resto, non si sarebbe aspettato niente di diverso. « Non voglio fare niente per ripicca. O qualcosa di cui ci pentiremmo, in futuro, qualcosa che potrebbe ferirci o danneggiarci. »

« Nemmeno io », rispose lui tranquillamente, allungandosi a baciarla su una guancia. « Non ho nessuna intenzione di spingerti a fare qualcosa, né tantomeno a commettere un'azione della quale potremmo pentirci tutti e due. Tu devi sapere che hai a disposizione tutto il tempo che ti può occorrere. E se le cose dovessero riaggiustarsi con Brad, sarà un dispiacere per me, ma sarò felice per voi due. Il tuo matrimonio viene prima di tutto... e non dimenticare che io sono sempre qui, nel caso avessi bisogno di me. »

Page stava parcheggiando la macchina davanti all'ospedale e si voltò a guardarlo, infinitamente grata per quelle parole. Poteva essere buffo eppure, malgrado tutto quanto aveva provato in passato per Brad, adesso Trygve era proprio l'uomo dei suoi sogni, quello che voleva. «Che cosa ho fatto per meritarmi tutte queste fortune? »

«Veramente non so se sia giusto dire così», e Trygve scoppiò in una risatina triste. «È stato altissimo il prezzo da pagare per tutto questo, sia per te sia per me. Due matrimoni sbagliati, forse il mio più ancora del tuo... e l'incidente... e le nostre figlie che hanno corso il rischio di morire... forse ce lo siamo meritato, questo. » Page fece cenno di sì. Era vero. L'incidente aveva cambiato ogni cosa, ma chissà che, alla fine, non portasse anche con sé un po' di felicità. Ancora era impossibile saperlo. «Ti amo, Page», mormorò Trygve a quel punto e chinandosi verso di lei la baciò. La prese fra le braccia e se la strinse al cuore. Rimasero seduti così, in silenzio, a lungo, sentendosi in pace sotto il sole di maggio. Erano trascorse due settimane esatte dall'incidente. E pareva quasi impossibile.

Poi andarono a far visita alle loro figlie. Page di tanto in tanto scambiò qualche parola con le infermiere. Trygve, qualche ora più tardi, venne a portarle il pranzo. Entrò lentamente nella piccola sala d'aspetto e le consegnò un panino imbottito di fette di tacchino e una tazza di caffè. Poi cominciò a parlarle dell'ultimo articolo che aveva scritto — lo aveva finito proprio la sera prima — e lei pensò che sembrava molto interessante. Ma quello che soprattutto continuava a stupirla era il modo in cui Trygve si mostrava pieno di premure nei suoi confronti. Si occupava di ogni cosa, era sempre a disposizione sua e di Andy, e della propria famiglia.

«Come va Allie quest'oggi? »

Page si strinse nelle spalle, scoraggiata. Aveva lavorato con la fisioterapista per più di un'ora, massaggiandole gambe e braccia e facendo tutto quanto era possibile. Purtroppo era evidente che Allie continuava a perdere peso e non c'era nessun miglioramento. «Non so... ormai sono passate già due settimane e sembra che si debba andare avanti così per sempre. Forse a questo punto mi aspettavo una specie di miracolo, anche piccolo... » Erano passati dieci giorni dall'ultimo intervento, le sue condizioni si erano stabilizzate e la pressione era diminuita, ma era sempre in coma profondo.

«Ti hanno spiegato che potrebbe andare avanti così ancora a lungo. Magari per mesi. Ma non puoi arrenderti», le fece notare Trygve con dolcezza. Ma per lui tutto era più semplice, con Chloe così piena di vita, ferita gravemente ma ormai fuori pericolo. Certo, avrebbe dovuto affrontare futuri interventi chirurgici e avrebbero dovuto insegnarle a camminare di nuovo, ma il vero pericolo non esisteva più. Adesso doveva affrontare il lungo e penoso periodo della riabilitazione e accettare la dura realtà, cioè il fatto di dover rinunciare per sempre alla danza classica. Non era cosa da poco, ma era in condizioni molto migliori di Allyson, la quale rischiava di morire da un momento all'altro. A Trygve sembrava crudele che potesse vivere per settimane, magari per mesi, e poi spegnersi, sempre in coma. Era più di quanto qualsiasi padre o madre avrebbe potuto sopportare e si sentiva morire al pensiero che Page fosse costretta ad affrontare una simile tragedia.

«Io non mi arrendo», disse Page, accettando il panino imbottito che lui le aveva portato. Trygve sapeva che se l'avesse lasciata in quel momento non lo avrebbe nemmeno toccato, e perciò voleva rimanere con lei. E inoltre aveva voglia di starle vicino e cercava un pretesto per fermarsi a farle compagnia. Finì per mormorare che aveva bisogno di una pausa dopo essere stato tanto tempo in compagnia di Chloe e dei suoi amici. «Il fatto è che mi sento così impotente», esclamò Page, avvilita.

«È vero. Però stai facendo tutto il possibile, e anche i medici. Cerca di dare tempo al tempo. Pensa che le cose potrebbero andare avanti così per settimane, senza nemmeno un segno favorevole, e poi un bel giorno lei potrebbe risvegliarsi e trovarsi in condizioni relativamente buone. »

«Mi hanno spiegato che se non ci sarà segno di miglioramento dopo sei settimane, non è escluso che possa rimanere in coma. »

«D'altra parte potrebbe uscire dal coma anche molto tempo dopo. È già successo a ragazzi della sua età... dopo tre mesi, non è quello che mi dicevi? » Trygve provò a incoraggiarla, ma Page fece cenno di no mentre i suoi occhi si riempivano di lacrime. Quante cose continuavano ad accadere, quante cose doveva sopportare, e quante andavano affrontate. A volte aveva proprio l'impressione di non riuscire più a farcela.

« Trygve, come faccio? Riuscirò a superarlo? » Gli appoggiò la testa contro il petto. Era facile cercare un po' di evasione pensando a lui, infuriandosi con Brad o preoccupandosi per il braccio di Andy. Ma la cosa più importante, quella che tutti loro osavano appena affrontare, era ben diversa: il rischio che Allyson potesse morire

« Ti stai comportando bene », disse Trygve con dolcezza, continuando a tenerla fra le braccia. « Stai facendo tutto quello che puoi. Il resto è nelle mani di Dio. »

Poi Page si staccò leggermente da lui per guardarlo e si trovò in mano un fazzolettino di carta perché si soffiasse il naso. « Come vorrei che Lui facesse in fretta a sistemare le cose. »

Trygve sorrise. « Le sistemerà. Devi dargli tempo. »

« Ha avuto due settimane, e la mia vita sta andando a rotoli. »

« Stringi i denti e cerca di tirare avanti come puoi. Te la cavi molto bene. » C'era, comunque, una cosa che Page sapeva con sicurezza: non ce l'avrebbe mai fatta, senza Trygve. Brad era chissà dove, e stava facendo chissà cosa. Sapeva che veniva da Allie quasi ogni giorno, ma non riusciva a sopportare l'angoscia che lo attanagliava entrando nel reparto di terapia intensiva e si fermava solo per pochi minuti. Non riusciva ad accettare che tutto fosse sempre uguale, la mancanza di un cambiamento, gli apparecchi, i monitor, il fatto che avrebbero potuto perderla. Lasciava che fosse Page ad affrontare tutto questo, da sola. Si era comportato molto meglio quando era nato Andy. Ma erano più giovani, allora, e Andy così piccolo e tenero! L'incubatrice irradiava speranza; dal reparto di terapia intensiva irradiava un senso di morte.

Page e Trygve rimasero a lungo seduti l'uno accanto all'altro a chiacchierare, e lui la prese un po' in giro perché era agitata per l'arrivo di sua madre il giorno dopo. E Page dovette ammetterlo.

231

«Perché la odi tanto?» le domandò Trygve, stupito. Non era da lei.

«Storie vecchie. Ho avuto un'infanzia abbastanza brutta. »

«Come quasi tutti. Mio padre, il classico, bravo norvegese, era convinto che qualche buona nerbata di tanto in tanto facesse bene. Ho ancora una cicatrice sul didietro che mi ricorda una volta in cui è stato particolarmente vigoroso nel castigarmi. »

«Che orrore!» esclamò Page.

«A quell'epoca, usava così. Probabilmente, se avesse altri figli, lo rifarebbe anche adesso. Non è mai riuscito a capire perché io sia così generoso con i miei. Anzi, credo che lui e la mamma siano molto più felici adesso che sono tornati in Norvegia. »

«Potresti tornare a vivere là?» gli domandò Page, incuriosita, cercando di dimenticare l'angoscia che provava per Allie. In fondo Trygve aveva ragione. Non le restava nient'altro da fare, tranne aspettare, sperare e pregare.

«No, non potrei», le rispose lui. «Non più, dopo aver vissuto qui. Gli inverni, lassù, non finiscono mai, ed è buio tutto il giorno. Sembra di essere in un'epoca primitiva. Non credo che riuscirei più a sopravvivere in nessun altro posto se dovessi andarmene dalla California. »

«Già, anche per me è la stessa cosa.» L'idea di spostarsi di nuovo a New York le dava i brividi, benché pensasse che in quella città avrebbe avuto maggiori occasioni di riprendere la sua professione artistica. D'altra parte nessuno le vietava di farlo anche in California. In realtà Brad le aveva sempre lasciato capire che si trattava di qualcosa che era meglio fare per hobby, per gli amici o a casa propria. Non un impegno serio di lavoro. Forse aveva sempre giudicato priva di interesse la professione di sua moglie. Page aveva promesso di eseguire un altro affresco per la scuola locale, ma adesso che passava ogni momento libero all'ospedale non aveva avuto nemmeno il tempo di occuparsene.

«Dovresti fare qualcosa qui», le disse Trygve dopo un po', guardandosi intorno. La sala d'aspetto era lugubre, e il corridoio ancora peggio. «È così deprimente! Una delle tue decorazioni murali offrirebbe alla gente un motivo per riflettere, qualcosa a cui pensare, mentre aspetta. Basta guardarli per sentirsi rasserenati», fu il suo commento pieno di ammirazione.

«Grazie. A me piace immensamente dipingerle.» E cominciò a guardarsi intorno nella stanza, riflettendo su ciò che avrebbe potuto riprodurre su quelle pareti, anche se continuava a sperare che non ci sarebbe rimasta abbastanza a lungo per completare la sua opera.

«Credi che farò la conoscenza di tua madre quando sarà qui da te?» le domandò Trygve tranquillamente, e Page alzò gli occhi al cielo. Lui scoppiò in una risata. «Non può essere insopportabile e odiosa come la descrivi!»

«A dire la verità è ancora peggio, ma riesce a essere molto abile, nel nasconderlo, quando le fa comodo. Si rifiuta di vedere tutto quanto è sgradevole. O addirittura discuterlo. Quello che è successo qui diventerà un'autentica sfida per lei.»

«Se non altro si direbbe un'ottimista. E tua sorella, invece?»

Page riuscì soltanto a ridere. «È un tipo tutto speciale. Anzi, sono due donne tutte speciali. Dopo essermi trasferita qui, almeno per i primi anni non le ho più viste; ma poi mio padre è morto e io, che provavo un gran dispiacere per la mamma, l'ho invitata da noi. È stato un errore. Lei e Brad, non si sopportavano, senza lasciarlo capire naturalmente, perché avevano entrambi la classica aggressività passiva — e a me veniva il mal di stomaco solo a stare con loro. Ovviamente lei ha subito pensato che io non avrei saputo nemmeno da dove cominciare per far crescere Allie.»

«Se non altro, adesso, di quello non potrà più lamentarsi», osservò lui, per farle coraggio.

«No, ma troverà da criticare il dottore. David, mio cognato, probabilmente avrà sentito dire che è un ciarlatano e che sta per essere citato in giudizio per qualche forma di terapia illegale. L'ospedale sarà pessimo. E non parliamo poi delle cose veramente importanti, per esempio il parrucchiere di I. Magnin, che troveranno ultrascadente.»

« Non è possibile che siano così insopportabili. »

« Sono anche peggio! » Ma dietro quelle battute Trygve intuì che c'era dell'altro. Page era troppo matura e troppo sicura di sé per trovarle antipatiche fino a quel punto se non ci fosse stato sotto qualcos'altro. Evidentemente non aveva nessuna intenzione di confidarglielo, e lui preferì non insistere. Aveva pieno diritto a conservare i suoi segreti.

Poco dopo lui tornò da Chloe e Page da Allyson; poi Page andò a fare una visita in camera di Chloe, verso le cinque, e si sedette a chiacchierare con lei. Chloe soffriva ancora parecchio e i chiodi e le armature di ferro che la imprigionavano le rendevano tutto molto difficile. Però cominciava a reagire abbastanza bene, cercava di cavarsela come meglio poteva ed era felice di essere viva. Ma anche molto preoccupata per Allie. Trygve non aveva voluto nasconderle nulla e l'aveva informata che l'amica del cuore era ancora in pericolo di vita. Insomma, la prognosi era sempre riservata. Quel pomeriggio c'era anche Jamie e non appena vide la madre di Allyson, chiese subito sue notizie.

« Come sta? » Fu la domanda di Chloe nel preciso momento in cui Page entrò nella sua camera.

« Sempre lo stesso. E tu, piuttosto? Fai esasperare le infermiere, ti sei messa a civettare con i medici interni e ordini pizze tutta la notte? Le solite cose, insomma? » Page sorrise e Chloe si divertì molto sentendo quella descrizione.

« Non fa solo questo, ma di peggio », commentò Trygve, prendendosi gioco di sua figlia, che continuò a ridere. Era la classica adolescente che si diverte per qualsiasi cosa, e vederla così allegra li consolò.

« Bene », commentò Page, desiderando che Allyson potesse fare altrettanto. Ma non poté fare a meno di pensare al dolore dei Chapman per Phillip. Riusciva solo a immaginare come dovessero sentirsi a due settimane dall'incidente; ogni volta che pensava a loro provava una stretta al cuore. Perché anche se la situazione di Allyson era gravissima, rimaneva sempre la speranza. Mentre i Chapman non avevano più neppure quella.

Jamie era andato a trovarli qualche giorno prima; la signora Chapman era ancora molto sconvolta e addolorata. Quanto al signor Chapman, gli aveva detto di avere intenzione di far causa al giornale per un articolo nel quale si lasciava capire che tutta la colpa dell'incidente era di Phillip. Un giornalista aveva anche tentato di ottenere un'intervista da Jamie: voleva sapere quali fossero le impressioni dell'unico che fosse uscito praticamente illeso da quella tragica esperienza. Comunque, a parte questo, sembrava che l'interesse della stampa cominciasse a orientarsi su altri argomenti.

Lasciarono Chloe alle sei, quando arrivò la pizza che Trygve le aveva ordinato. Jamie rimase a dividerla con lei e Trygve riaccompagnò Page in macchina a casa.

« Vuoi fermarti a cena? » le domandò pieno di speranza.

« Mi piacerebbe moltissimo, ma è meglio che torni a casa. Non è escluso che Brad si faccia vivo. Probabilmente non lo farà ma, se accadesse, Andy ci rimarrebbe troppo male! » Trygve non insistette e, malgrado le proteste di Andy e Bjorn, Page tornò a casa con il figlio. Brad, comunque, non si fece vedere fino alla mattina successiva. E anche in quell'occasione, benché Page si fosse ripromessa di non ricadere nei soliti errori, scoppiò una scenata.

« Mi vuoi spiegare che cosa sono state tutte quelle bugie dell'altra notte, quando dicevi di voler rimanere qui, ma di non essere sicuro di quello che volevi? Chi credi di imbrogliare con tutte queste stupidaggini? » Era letteralmente livida di rabbia. Era stanca di quella situazione, mentre Brad viveva tranquillamente la sua relazione con un'altra donna.

« Scusami. Avrei dovuto telefonare. Non so come... ma non ti ho chiamato. » Naturalmente sapeva benissimo qual era il motivo ma non poteva dirlo. Era andato fuori città, con Stephanie, e dalla loro camera d'albergo non aveva potuto telefonarle. Lei non l'aveva lasciato solo neppure un momento, e la mattina della domenica era andata su tutte le furie quando lui aveva insistito nel ripeterle che doveva tornare a casa a ogni costo. Ma le sue scenate non erano certo paragonabili a quelle di Page quando era arrivato a casa a mezzogiorno, senza averla mai chiamata neppure una volta.

235

Lei stava per uscire con Andy, per andare all'aeroporto. «Ti ho detto che mi dispiace», mormorò Brad senza sapere come comportarsi. Si sentiva un perfetto imbecille. Stava rendendosi conto che ormai non faceva che rimbalzare come una palla fra due mondi e due donne — e che non riusciva a tenere a bada nessuna delle due.

«E si può sapere perché non pensi nemmeno a domandarmi se Allie è ancora viva?» gli domandò Page crudelmente. Di solito non era così scortese, ma in quel momento sentiva di odiare suo marito.

«Oh mio Dio... davvero è?... Oh, Page...» Di colpo i suoi occhi si riempirono di lacrime, mentre lei lo fissò con aria gelida.

«No, non è morta. Ma se fosse accaduto... dove ti avrei chiamato, dove ti avrei cercato, allora? Come al solito, Brad, ti sei ben guardato dal telefonarci.»

«Piccola carogna che non sei altro!» E Brad le chiuse in faccia la porta della camera da letto. Andy cominciò a piangere.

«Mi dispiace, tesoro», Page si chinò ad abbracciarlo, ma Brad non si fece più vedere. E lei si guardò bene dall'andare a chiamarlo. Dopo che uscirono per raggiungere l'aeroporto, Andy rimase silenzioso per quasi tutto il tragitto. Anche Page parlò poco; stava pensando all'aspetto di Brad. Giovanile, riposato, sereno e felice, fino a quando non l'aveva vista. Ma mentre guidava cominciò a sentirsi preoccupata per Andy, che guardava fuori del finestrino con aria triste. Come se avesse il cuore spezzato.

Sua madre e Alexis furono fra i primi passeggeri a scendere dall'aereo. La mamma aveva il solito aspetto raffinato ed elegante, i capelli candidi acconciati con cura e un tailleur blu scuro che metteva in risalto la sua figura snella e slanciata. Quanto ad Alexis era semplicemente splendida con il tailleur di Chanel rosa chiaro, i capelli biondi pettinati in modo impeccabile, il volto perfetto e truccato. Sembrava una delle indossatrici che appaiono sulla copertina di *Vogue*. Sfoggiava una borsetta di Hermès in coccodrillo nero, e con una mano reggeva una sacca da viaggio abbinata. Non baciò Page sulle guance, ma si limitò a sfiorarle il viso e salutò Andy con un «ciao» guardingo.

«Hai un aspetto splendido, cara», esclamò sua madre. «E Brad? Dov'è?»

«A casa. Non aveva tempo per venire, ma mi ha detto di riferirvi che gli dispiaceva moltissimo.» Intanto stava pensando che non aveva la minima idea se lo avrebbero trovato a casa. In quei giorni le sue apparizioni erano imprevedibili e già cominciava a temere che non sarebbe stato facile fornirgli giustificazioni durante il soggiorno di sua madre. D'altra parte non aveva nessuna intenzione di discutere il fallimento del proprio matrimonio con lei che, comunque, non avrebbe affatto gradito discorsi del genere.

Aspettarono che venissero scaricati i bagagli; fortunatamente non ne mancava nessuno. La catasta di valigie che avevano al seguito mise in difficoltà il facchino. Quelle di Alexis erano tutte firmate Gucci.

«Come sta Allyson?» domandò Alexis cauta durante il viaggio di ritorno a casa e Page cercò di spiegarle quali erano le sue condizioni al momento. Era ancora in coma profondo. Ma quasi subito sua madre la interruppe per parlarle del tempo stupendo che avevano avuto a New York, e dell'appartamento di Alexis, davvero magnifico da quando aveva cambiato completamente l'arredamento.

«Mi fa piacere», rispose Page a bassa voce. Tutto come prima. Come aveva potuto illudersi che fossero cambiate? Per tutta la sua esistenza non aveva fatto altro che aspettarsi che sua madre fosse diversa, semplice, affettuosa, piena di calore umano, disponibile e pronta ad ascoltarla. Quanto ad Alexis, aveva sempre sperato che tornasse quella di un tempo, con le treccine, le lentiggini e un cuore. Invece non erano mai cambiate. Sua madre parlava solo di argomenti piacevoli e Alexis non apriva quasi bocca tanto era impegnata ad apparire perfetta e a non guastare la propria bellezza. Page si era sempre chiesta di che cosa parlassero, ammesso che si parlassero veramente, lei e suo marito David. Ma David era molto più anziano di sua sorella ed era un chirurgo molto impegnato... non solo, ma doveva anche aver dedica-

237

to molto tempo a rifare completamente i lineamenti di sua moglie. Sembrava che quella fosse un'occupazione a tempo pieno anche per lui!

«E qui... come è stato il tempo?» domandò la mamma mentre attraversavano il ponte sul quale era avvenuto l'incidente che aveva distrutto la vita di Allyson. Page non riusciva più a percorrerlo senza provare uno strano senso di nausea.

«Il tempo?» chiese con voce spenta. E chi lo sapeva? Lei era rimasta sempre chiusa nel reparto di terapia intensiva, oppure stava litigando con Brad. Come aveva potuto pensare al tempo? «Credo che sia stato bello. Ti confesso che non ci ho proprio badato.»

«E tu, Andy, dimmi un po', come va il braccio? Hai fatto proprio una grossa stupidaggine!» commentò la nonna, mentre Andy mostrava ad Alexis tutte le firme che i suoi amici avevano messo sull'ingessatura. Bjorn ci aveva perfino disegnato un cagnolino e Andy rideva sempre guardandolo perché diceva che assomigliava al criceto di Richie Green. Ma voleva bene a Bjorn, ed era orgoglioso della loro amicizia di fresca data. Gli piaceva quando poteva raccontare ai compagni di scuola di avere un amico di diciotto anni. Anche se, naturalmente, nessuno ci credeva.

Page rimase meravigliata di trovare Brad a casa ad aspettarli. E di vederlo così cordiale nei confronti di Alexis e della suocera. Si affrettò a portare dentro quella montagna di valigie e accompagnò la madre di Page nella camera degli ospiti, dove avrebbe dormito nel grande letto matrimoniale. Normalmente Alexis avrebbe dormito con lei. Ma questa volta le aveva chiesto se poteva occupare la camera da letto di Allyson. Page non aveva gradito questa richiesta perché in quel periodo la camera di sua figlia era diventata una specie di sacrario. Niente era stato più toccato dalla sera in cui Allyson era uscita per andare a cena con Chloe.

Ma Brad disse che non c'erano problemi. E Page fu costretta a cedere. In fondo era assurdo obbligare sua madre e sua sorella a dormire nello stesso letto quando c'era una camera vuota. Ma fu sufficiente a sottolineare ancora più crudamente il fatto che Allyson non fosse lì con loro, e Page continuò a essere turbata al pensiero che ci fosse un'altra persona al suo posto...

Poi Alex le chiese da bere. Un bicchiere di acqua Evian, fredda ma senza ghiaccio, e sua madre si affrettò a informarla che avrebbe gradito una tazza di caffè e una tartina mentre si occupava delle valigie e metteva a posto la sua roba. Page ormai le conosceva e quindi non si meravigliò. Andò in cucina senza dire una parola a preparare quello che desideravano.

Ormai erano le quattro e mezzo e lei cominciava a fremere al pensiero che doveva andare all'ospedale. Non ci aveva messo piede per tutto il giorno ed era sicura che sua madre e Alexis volessero vedere Allie. Ne accennò quando la raggiunsero in soggiorno, dove sua madre si affrettò a farle i complimenti per il divano nuovo, le tende e i suoi quadri più recenti.

«Sai lavorare così bene, cara.» Come Brad, anche lei considerava i suoi interessi artistici una specie di divertente hobby e niente di più. La breve esperienza di attrice che Page aveva tentato l'aveva sconvolta e non aveva nascosto il proprio sollievo quando aveva saputo che in California aveva messo da parte le sue ambizioni.

Page diede un'occhiata al suo orologio da polso, sentendosi a disagio. «Pensavo che potremmo andare all'ospedale. Sono sicura che vorrete vedere Allie.» Ma le due donne si scambiarono un'occhiata e lei si rese conto di avere commesso l'ennesima stupidaggine. No, l'ospedale non era una questione all'ordine del giorno.

«La nostra giornata è stata così lunga!» esclamò Maribelle Addison tranquillamente, lasciandosi andare contro la spalliera del divano. «Alexis, poi, è letteralmente esausta. È convalescente da un terribile raffreddore», si affrettò a spiegare mentre la figlia maggiore annuiva. «Non credi che sarebbe meglio se andassimo domattina?» le domandò guardando Page con gli occhi sgranati. E Page per un attimo rimase senza parole.

«Io... naturalmente, se preferite... pensavo soltanto...»

che stupida era stata a illudersi che volessero vedere Allie. Probabilmente erano terrorizzate al solo pensiero di dover fare quella visita. Ma allora perché erano venute, si chiese. Forse rappresentava un diversivo, forse pensavano fosse un gesto carino nei suoi confronti? A dire la verità, era esattamente il contrario.

« Credo che domani sarebbe molto meglio, cara. Non trovi anche tu, Brad? » gli domandò mentre lui entrava in soggiorno con aria stralunata. Stephanie lo aveva appena cercato al telefono, lì a casa, per porgli un ultimatum. E adesso insisteva perché voleva uscire a cena con lui, quella sera, per discuterne.

« Io... uhm... sì, penso che tu abbia ragione, Maribelle. Probabilmente siete stanche entrambe e una visita ad Allie richiede un certo coraggio. » Page rimase irritata ascoltandolo. Senza aggiungere una sola parola andò a prendere la borsetta e poi le avvertì che sarebbe rientrata verso le sei, per preparare la cena.

« Ci sarai anche tu per dare un'occhiata ad Andy? » domandò a Brad prima di uscire, e lui fece cenno di sì.

« Ma non appena rientri, devo recarmi in un posto. Va bene? »

« Mi resta una scelta? » rispose lei sottovoce.

« Ho proprio bisogno di tornare in città a ritirare alcuni documenti. »

Page annuì e non aggiunse altro; poi salutò sua madre. Alexis era andata a sdraiarsi sul letto di Allyson, a riposare.

Per tutto il tragitto fino all'ospedale Page, furiosa, continuò a darsi della stupida per avere acconsentito che la madre e la sorella venissero a trovarla, e poi scoppiò a ridere per l'assurdità di quella situazione. Tutto era così confuso. Allyson in coma, Brad con la sua relazione extraconiugale, Andy che si era rotto un braccio, e adesso eccola alle prese con sua madre e sua sorella. Un incubo, a dir poco.

Mentre arrivava all'ospedale incontrò Trygve che usciva e si fermò a scambiare qualche parola. Aveva fatto una capatina nel reparto di terapia intensiva per salutarla, e non trovandola aveva pensato che avesse cambiato orario.

« Come sta la tua mammina? » le bastò guardarlo negli occhi per capire che era felice di vederla.

Page si mise a ridere, perché all'improvviso si sentiva divertita da una situazione tanto assurda. « È talmente prevedibile da farmi venir da ridere! »

« Dove sono? » chiese, meravigliato di non vederla lì.

« Mia madre sta ammirando il mio divano nuovo e mia sorella riposa. A dire la verità, a guardarla si direbbe che sia diventata ancora più anoressica di prima. È arrivata avvolta in una nuvola di Chanel e con un bagaglio a mano tutto in coccodrillo. »

« Sono senza parole. E non ce l'hanno fatta a venire all'ospedale? »

« Troppo stanche », spiegò Page. « Alexis è convalescente da un brutto raffreddore. E Brad ha detto che facevano bene a rimandare la visita, perché le avrebbe troppo sconvolte. »

« Oh, mio Dio. »

« Hai capito al volo. Suppongo che domani sarà la gran giornata, a meno che Alexis non scopra che deve farsi la manicure. »

« E a te che cosa è successo? Come hai fatto a squagliartela? Perché non sei rimasta dal parrucchiere tutto il giorno invece di dipingere affreschi e di scarrozzare qua e là marmocchi? »

« Credo di essere semplicemente una stupida. Non ho mai capito niente. »

« Forse tuo padre era un tipo in gamba », osservò Trygve. Perché questo avrebbe spiegato ogni cosa. Invece Page fece cenno di no con la testa e sfuggì il suo sguardo.

« Veramente, no. » Voltò di nuovo la testa e fissò Trygve negli occhi. « Comincio a pensare di essere io l'anormale. Avrei voluto che mi avessero adottato, e mia sorella lo ripeteva spesso, ma sfortunatamente non era vero. » Trygve rise per il tono con il quale Page gli stava descrivendo la sua famiglia.

« Pensa che anche Nick aveva l'abitudine di dire a Chloe che era stata adottata. I bambini adorano torturarsi l'un l'altro con invenzioni del genere. »

241

«Nel mio caso sarebbe stata una fortuna.» Poi diede un'occhiata all'orologio, si accorse che era già tardi e che sarebbe dovuta tornare a casa rapidamente per cucinare la cena. «Sarà meglio che vada a dare un'occhiata ad Allie.»

«C'era la fisioterapista quando sono andato a fare una capatina da lei. Tutto sembrava più o meno normale, come al solito.»

«Grazie di averla controllata per me.» Poi ebbe un attimo di incertezza e quando Trygve si chinò su di lei non si ritrasse. Le loro labbra si sfiorarono e i loro occhi continuarono a fissarsi. «Sono contenta di averti visto», sussurrò Page mentre lo lasciava.

«Anch'io», le gridò Trygve, e la salutò con la mano.

Trovò Allyson come al solito. Rimase seduta con lei per un'ora e le raccontò che la nonna era venuta a trovarli con la zia Alexis. Poi le riferì le ultime cose che Andy aveva detto e continuò a ripeterle, senza mai stancarsi, quanto bene tutti le volevano. Le raccontò tutto quello che le venne in mente, tranne che il suo matrimonio stava andando a rotoli e che Brad aveva un'amichetta.

Prima di andarsene la baciò dolcemente sulla fronte e si ritrovò a osservare quelle fasciature che la nascondevano. Brad aveva ragione; lei ormai non se ne accorgeva più, ma era uno spettacolo che poteva sconvolgere chiunque.

Si sentì avvilita e depressa per tutto il tragitto verso casa e letteralmente esausta quando aprì la porta. Poteva sentire fin dall'ingresso la voce di sua madre, e Alexis che parlava al telefono con David a New York lagnandosi del servizio sull'aereo. Non una parola su Allyson, e solo Andy venne a domandarle come stava mentre lei cominciava a preparare la cena.

«Sei sicura che starà bene presto?» si informò con aria preoccupata, insistendo per sapere la verità. Sembrava molto turbato.

Page smise di occuparsi di quello che stava facendo e lo guardò con attenzione, poi lo strinse a sé per abbracciarlo. «No... non ne sono sicura... me lo auguro. Ma ancora non lo sappiamo. Potrebbe...» si accorse di non avere la forza di pronunciare quelle parole, anche se doveva farlo. «Potrebbe morire... ma anche no. Può darsi che guarisca oppure, quando si sveglierà, può darsi che rimanga come Bjorn. Ancora non lo sappiamo. »

«Come Bjorn? » Sembrava stupito perché, in fondo, non aveva mai capito fino in fondo che cosa fosse successo al suo amico.

«Più o meno. » Oppure non sarebbe più stata in grado di camminare... o sarebbe rimasta cieca... o forse nemmeno come Bjorn. Ma totalmente ritardata.

«Si può sapere di che cosa state parlando, voi due? » le domandò la madre, interrompendoli. Era entrata in quel momento in cucina.

«Stavamo parlando di Allyson. »

«Poco fa dicevo ad Andrew che si rimetterà presto. » Fece un gran sorriso a tutti e due mentre Page provava una gran voglia di ammazzarla. Non era onesto comportarsi così con il bambino, e non glielo avrebbe permesso.

«È quello che ci auguriamo, mamma», ribatté con fermezza, «ma ancora non lo sappiamo di sicuro. Tutto dipende da quando, e se, uscirà dal coma. »

«È come quando si dorme, solo che non ti svegli, e resti addormentato», stava spiegando il bambino alla nonna quando Brad li raggiunse. Page si accorse che si era cambiato e adesso indossava un abito elegante. Si costrinse a fatica a non fare commenti.

«Ci vediamo più tardi», disse sottovoce a Page. E lei inarcò un sopracciglio con aria interrogativa.

«Davvero? Non rimarrò ad aspettare con il fiato in gola, sai! »

«Grazie», fece lui, e andandosene arruffò i capelli di Andy. «Buona sera, Maribelle», gridò voltando appena la testa verso la suocera.

«Buona sera, caro. » Poi, quando si fu allontanato: «È un gran bell'uomo», fu il suo commento a Page. «Sei una donna fortunata. » Lei avrebbe voluto rispondere che fino a pochi giorni prima lo aveva sempre pensato, ma preferì tornare a occuparsi della cena e tacque.

Com'era prevedibile, fu un pasto penoso. Alexis si limitò a giocherellare con un minuscolo boccone di carne e un po' di insalata. Li faceva girare da un lato all'altro del piatto e, in realtà, non mangiò nulla. Parlò anche pochissimo e quindi fu sua madre a tenere viva la conversazione parlando dei suoi amici, del suo appartamento di New York, del giardino favoloso di Alexis. Non se ne occupava personalmente, ma aveva tre giardinieri giapponesi e a sentirla si sarebbe detto che non ne fosse affatto entusiasta quanto sua madre. Ormai niente più le dava piacere, niente più la eccitava all'infuori di tutto quanto portava il marchio di Chanel. E quando la serata si concluse, né l'una né l'altra aveva menzionato Allie una sola volta.

Andarono a dormire tutte e due quando Andy venne messo a letto, spiegando che risentivano ancora del cambiamento di fuso orario; e Page scoprì di essere terribilmente infastidita dai suoni che sentiva provenire dalla camera di Allyson. Provò a chiudere la porta della propria camera in modo da soffocarli. Continuava a sembrarle un vero sacrilegio.

Rimase sdraiata a lungo, pensando a sua madre e a sua sorella e a quanto fosse stata infelice la sua vita con loro. Fino al giorno in cui se n'era andata, le avevano fatto vivere un autentico inferno. E le bastava rivederle perché quei ricordi affiorassero di nuovo. A quel pensiero, qualche lacrima le rigò le guance. Allora, con uno sforzo, si impose di tornare al presente.

Era mezzanotte passata quando Brad rientrò. Page non aveva ancora chiuso occhio, ma le luci erano spente e lei era a letto. Si voltò nel buio per guardarlo e le parve affaticato e infelice. Si stupì di rivederlo.

«Hai avuto una buona serata?» Sapevano entrambi dove fosse stato. Era molto pesante la situazione che Page doveva affrontare, e accettare, e lottava per riuscirci. Ma dall'espressione del suo viso si sarebbe detto che anche Brad non avesse vita facile. Rimase a guardarla a lungo prima di rispondere. Era prigioniero fra due mondi, ed entrambi, in quel momento, gli provocavano una grande sofferenza.

«Non proprio. Questa non è la soluzione ottimale, come credi.»

«Immagino di no... per nessuno di noi due.»

«Capisco che dev'essere difficile per te», mormorò Brad. Per un attimo le sembrò tornato quello di un tempo, però non fece un passo per venirle più vicino. «Forse avrei dovuto continuare a mentire con te... non so... oppure forse era venuto il momento che tu sapessi. Non si poteva andare avanti così in eterno.» Il guaio, invece, era che lei poteva farlo. E continuava a non avere la minima idea di quali fossero le intenzioni di Brad.

«Al momento sto cercando di fare la cosa più giusta per tutti. Ma non sono affatto sicuro di quale sia.» Lei annuì. Non aveva niente da dirgli. Le loro vite sembravano appese a un filo.

«Forse dovresti semplicemente concentrarti su Allyson e dimenticare tutto il resto, almeno per un po'. Forse questo non è il momento più adatto per prendere decisioni.»

«Figurati se non lo so!» Ma Stephanie si sentiva triste e depressa, e voleva che lui le provasse che l'amava. Non era giusto, ma lei aveva scelto quella posizione, aveva scelto di gestire il loro rapporto a quel modo, e Brad non voleva perderla. Stephanie non aveva mai conosciuto Allyson né Page: per lei non significavano niente. Tutto quello che voleva era Brad, ma non aveva più nessuna intenzione di continuare a vivere in quell'incertezza ancora per molto. Per quasi un anno era stata perfettamente felice di dormire con lui ogni volta che era possibile, di divertirsi durante qualche occasionale viaggio d'affari, qualche raro fine settimana rubato al solito ritmo di vita. Ma ormai aveva ventisei anni e aveva deciso che fosse il momento giusto per sposarsi e avere dei figli. E Brad Clarke era l'uomo che voleva.

Page rimase immobile sotto le coperte, in silenzio, a lungo; alla fine anche Brad venne a letto, ma non la sfiorò neppure. Tutto stava funzionando di nuovo a perfezione... perlomeno con Stephanie, e d'altra parte sapeva che con Page non poteva permettersi un altro fiasco. Non solo, ma non aveva nemmeno il desiderio di riprovare.

Ormai erano le tre del mattino quando Page finalmente si addormentò; la mattina dopo si sentiva terribilmente stanca quando dovette alzarsi alle sette per svegliare Andy e preparare la colazione. Brad era già alzato e vestito, a quell'ora, e aveva rinunciato alla colazione per partire il più presto possibile per la città. Le spiegò che aveva una colazione di lavoro e Page preferì non fargli domande. Se non altro era rimasto a casa tutta la notte e lei non aveva dovuto dare spiegazioni a sua madre. Probabilmente loro non si erano accorte di nulla.

Lasciò Andy a scuola e poi tornò a casa. Sbrigò un po' di corrispondenza, provvide al pagamento di qualche fattura, ma alle undici sua madre e Alexis non erano ancora pronte. Alexis doveva fare i suoi soliti esercizi di ginnastica e aveva i capelli ancora avvolti nei bigodini elettrici. Aveva già fatto il bagno e si era truccata, ma ci sarebbe voluta almeno un'altra ora prima che fossero pronte tutte e due per uscire. Così spiegò a Page quando glielo domandò.

«Mamma, io voglio stare con Allie», replicò Page con voce piena d'ansia.

«Naturalmente. Ma tutti noi dobbiamo mangiare. Forse dovresti prepararci qualcosa.» Purtroppo, a quel punto si accorse che era in trappola ed era perfino troppo tardi per andare all'ospedale. Eppure erano venute per vedere Allyson, non per andare al ristorante o per farla esasperare! Aveva sempre saputo che le cose sarebbero finite così, ma adesso non se la sentiva più di sopportarle.

«Se ti venisse fame, potremo mangiare qualcosa al bar.»

«Sarebbe la cosa più atroce per lo stomaco di Alexis, cara. Lo sai anche tu com'è cattivo il cibo degli ospedali.»

«Non so che farci.» Lanciò un'occhiata all'orologio, sentendosi sulle spine. Ormai mancavano cinque minuti a mezzogiorno, aveva sprecato una mezza giornata e Andy sarebbe rientrato dalla scuola alle tre e mezzo. «Non preferireste andarci con un taxi, dopo il pranzo, oppure farvi accompagnare da Brad stasera, se andrà anche lui da Allie?»

«No, assolutamente; verremo con te.» E le due donne si consultarono a lungo nella camera di Allyson, dalla quale uscirono finalmente quando erano già le dodici e mezzo.

Alexis era splendida nel raffinato abito di seta bianca di Chanel, completato da scarpe e borsa di vernice nera e da un magnifico cappello di paglia che sembrava assolutamente fuori luogo ma era graziosissimo. Maribel Addison aveva scelto un tailleur di seta rossa. Si sarebbe detto che fossero pronte per andare a pranzo a *Le Cirque*, a New York, e non per una visita al reparto di terapia intensiva del Marin General.

«Avete un aspetto meraviglioso tutte e due», disse Page cortesemente mentre salivano in macchina. Lei indossava gli stessi jeans e i mocassini che costituivano praticamente il suo abbigliamento da quindici giorni. Se li toglieva il tempo necessario per lavarli, e a poco a poco aveva consumato tutti i suoi maglioni più vecchi e sbiaditi. D'altra parte erano indumenti comodi e caldi nei corridoi pieni di correnti dell'ospedale. E non aveva certo avuto tempo per occuparsi del proprio aspetto esteriore. Vedere entrambe in ghingheri finì quasi per divertirla. Sua madre continuò a fare commenti sul tempo, così bello e caldo, per tutto il tragitto; poi le domandò dove avevano intenzione di andare in vacanza quell'anno. Si augurava che venissero nell'Est. Sarebbe stato splendido se si fossero addirittura decisi ad affittare una casetta a Long Island!

Parcheggiarono, scesero dalla macchina e Page fece loro strada nell'ospedale, rimpiangendo una volta di più di averle fatte venire. Chissà perché, la loro presenza lì sembrava una vera e propria intrusione. Allyson era la loro nipote, ma Page si sentiva talmente possessiva nei suoi confronti come se, nelle condizioni in cui si trovava, appartenesse solo a lei e a Brad e a nessun altro. Non era giusto, ma quelle due donne non se la meritavano.

Le infermiere del reparto di terapia intensiva furono cortesi e vennero a salutarle, poi Page le accompagnò in silenzio al letto di Allie. Si accorse subito che sua madre era diventata terribilmente pallida, e udì la sua esclamazione soffocata. Si affrettò a offrirle una seggiola, ma lei le rispose scrollando la testa e per un attimo Page provò quasi compassione e le circondò le spalle con un braccio. Alexis non aveva nemmeno osato avvicinarsi al letto. Si era fermata a metà strada e adesso le guardava dalla soglia.

Rimasero lì per una decina di minuti, senza dire una parola; poi la mamma rivolse un'occhiata piena di preoccupazione ad Alexis. Era letteralmente livida sotto il trucco.

« Non credo che tua sorella dovrebbe rimanere qui », sussurrò. Nemmeno Allie, avrebbe voluto replicare Page di rimando invece annuì. Perché si preoccupavano, sempre e soltanto, di se stesse? Perché sembrava non fossero capaci di provare nessun sentimento vero e autentico, e tantomeno di esprimerlo? Per un attimo sua madre aveva provato il suo stesso dolore, aveva visto Allie come realmente era, ma si era subito affrettata a voltare le spalle e a cercare conforto da Alexis. Del resto, era sempre stato così. Mai una volta si era mostrata disposta a condividere i problemi e i dolori di Page; il suo unico interesse era difendere Alexis. Ma Alexis era ormai perduta. Perché non era nessuno. Era solo una bambola, una Barbie dagli abiti costosi e dal trucco perfetto.

Tornarono di nuovo in corridoio mentre Maribelle circondava con un braccio le spalle della figlia maggiore.

« A volte dimentico l'aspetto che ha », disse Page in tono di scusa. « Io la vedo tanto spesso... non che mi ci sia abituata, ma so che cosa aspettarmi. Una delle sue insegnanti, quando è venuta a trovarla l'altro giorno, è rimasta letteralmente sconvolta. Mi dispiace. » Le guardò, prima l'una e poi l'altra, e anche se per l'ennesima volta l'avevano delusa, le sue parole erano sincere.

« A dire la verità, ha un buon aspetto », insistette la madre, sempre pallidissima. « Sembra che debba svegliarsi da un momento all'altro. » Veramente sembrava che fosse morta, e il respiratore rendeva ancora più macabra quella sensazione, ecco il motivo per il quale Page non aveva ancora permesso ad Andy di venire a trovarla, malgrado le sue proteste.

« Non ha un buon aspetto », le rispose in tono fermo. « Ha un aspetto da far paura. Ed è giustissimo dirlo. » No, ormai non voleva più stare al loro gioco. Ma la madre, dopo averle allungato un colpetto affettuoso al braccio, continuò: «Si riprenderà. Questo devi capirlo. E adesso», si rivolse con un sorriso alle sue due figliole come per dimenticare quello che avevano appena visto, «dove andiamo a pranzo?»

«Io rimango qui.» Page le guardò infastidita. Lei non era lì di passaggio, e non aveva nessuna intenzione di trascorrere la settimana successiva prendendo il tè e giocando a bridge con loro. Se erano venute a trovare Allyson, dovevano accettare la realtà. «Se volete, vi chiamo un taxi e potete andare a pranzo. Ma io non vengo.»

«Ti farebbe bene stare un po' lontano di qui. Brad non rimane seduto in questo ospedale tutto il giorno, vero?»

«Lui no. Ma io, sì», replicò Page, in tono duro, ma nessuna delle due se ne accorse.

«Non ti piacerebbe venire a pranzare in città?» Cercò di tentarla con questa proposta, ma Page si limitò a scrollare il capo. No, non si sarebbe mossa di lì.

«Vi faccio chiamare un taxi», ripeté con fermezza.

«A che ora sarai a casa?»

«Devo andare a prendere Andy per accompagnarlo al baseball. Dovrei rientrare verso le cinque.»

«Ti vediamo per quell'ora.» Page spiegò a tutte e due dove era nascosta una chiave di casa, nel caso fossero rientrate prima di lei, ma sapeva che non sarebbe successo. Dopo aver pranzato sarebbero andate da I. Magnin.

Tornò subito da Allyson e verso la metà del pomeriggio Trygve passò a salutarla. Si guardò intorno, meravigliato di trovarla sola. Si era aspettato di vedere anche sua madre e sua sorella.

«Dove sono?» Sembrava sconcertato e Page scrollò la testa con aria triste.

«La Sposa di Frankenstein e sua madre sono andate in città a pranzare e a fare qualche spesuccia.»

«Ma sono venute a vedere Allyson?» Sembrava davvero stupito.

«Sono rimaste una decina di minuti. Mia madre è diventata pallida, mia sorella si è fermata sulla porta con la faccia letteralmente verde... poi hanno deciso di andare a pranzo in città per dimenticare tutto questo. » Era ancora irritata, che se non avrebbe dovuto meravigliarsi dal momento che era il loro tipico modo di comportarsi, ma Trygve non poteva saperlo.

« Non essere così dura con loro. Cose di questo gene' non sono facili da accettare. »

« Non sono facili neppure per me, eppure io sono qui. Credevano che sarei andata a pranzo con loro. »

« Forse ti avrebbe fatto bene », obiettò lui con gentilezz' Ma Page alzò le spalle. Trygve non le conosceva.

Lui rimase a tenerle compagnia per un po'; poi Page andò a prendere Andy a scuola, lo accompagnò all'allenamento di baseball e rientrò a casa. E, proprio come aveva immaginato, sua madre e Alexis arrivarono verso le sei, cariche di pacchi e pacchetti. C'era anche una bottiglia di profumo per lei, un golfino francese per Andy e una vestaglia rosa di pizzo per la nipote.

« È stupenda, mamma, grazie. » Rinunciò a spiegarle che Allyson non avrebbe assolutamente potuto usarla. Da I. Magnin avevano trovato i saldi di uno stilista favoloso.

« È incredibile quello che si può trovare qui », continuò la signora Addison, senza accorgersi dell'espressione di Page.

« Già, non lo immaginavi? » rispose lei, gelida. Era come se avessero completamente dimenticato la ragione del loro viaggio.

Quella sera Page preparò di nuovo la cena per tutti, ma Brad non si fece vedere e nemmeno telefonò. Lei inventò una scusa per giustificare la sua assenza, ma poco più tardi notò che Andy aveva l'aria smarrita e infelice e sedette sul suo lettino per parlare un po' con lui. Il solo fatto di avere ospite sua madre la faceva innervosire, si sentiva sulle spine.

« Tu e papà avete litigato di nuovo, vero? »

« Non proprio », mentì lei, e si accorse che il solo fatto di dovergli dare spiegazioni in proposito era insopportabile. « È semplicemente molto impegnato. »

« No, non è vero. Ti ho sentito quando gridavi con lui... e anche lui gridava quando ti ha risposto... »

«Sono cose che i papà e le mamme fanno qualche volta, tesorino.» Lo baciò sulla testa ricacciando indietro le lacrime con uno sforzo, mentre se lo stringeva al petto.

«Voi, però, non lo facevate, prima!» E poi: «Bjorn ha detto che il suo papà e la sua mamma litigavano moltissimo, e poi la sua mamma se ne è andata. È partita per l'Inghilterra, e adesso lui non la vede quasi mai.»

«È diverso», anche se non ne era più completamente convinta. A dir la verità, non era affatto diverso. «Sente molto la sua mancanza?» Provava una gran pena per lui. Una situazione del genere doveva essere particolarmente difficile per un ragazzo come Bjorn, con una capacità di comprensione molto limitata.

«No», rispose Andy con fermezza, «dice che era cattiva con lui. Vuole molto più bene al suo papà. Anche a me piace», aggiunse spontaneamente, «è simpatico.» Page fece cenno di sì, ma quando Andy sollevò la testa e la guardò con gli occhi colmi di lacrime, si sentì quasi cogliere dal panico. «Anche papà vuole lasciarci e partire per l'Inghilterra?» le chiese.

«No, assolutamente», gli rispose, sollevata perché non le aveva chiesto che cosa provasse lei per Trygve. «Perché dovrebbe andare in Inghilterra?»

«Non so. Bjorn dice che la sua mamma ha fatto così. Ma tu credi che lui voglia andarsene? E lasciarci?» Page avrebbe voluto dire qualcosa di più, ma capiva di non poterlo fare. Era già troppo per Andy quello che era successo; era già troppo per tutti loro, al momento.

«Non penso proprio.» Era la prima volta che gli raccontava una bugia, ma doveva farlo.

Poi, quando lo ebbe messo a letto, sua madre le domandò se le dispiaceva prepararle una tazza di tè alla menta e portare un po' di camomilla e una bottiglia di Evian a sua sorella.

«Per niente», rispose Page, sorridendo tra sé. Com'erano prevedibili... la cattiva matrigna e la cattiva sorella... e lei, come sempre, recitava la parte di Cenerentola.

12

IL resto della settimana non fu molto diverso. Page continuò a trascorrere le sue giornate all'ospedale mentre Andy era a scuola; sua madre e sua sorella si dedicarono al giro delle boutique e dei grandi magazzini di San Francisco, senza trascurare i negozi di Hermès, Chanel, Tiffany, Cartier e Saks. Andarono a farsi pettinare da Mr. Lee, a pranzo al *Trader Vic's* e da *Postrio*, e nel ristorante in cima al palazzo dei grandi magazzini Neiman-Marcus. E quasi sempre iniziavano la loro giornata con una visitina di cinque minuti ad Allie.

Dopo la prima volta Alexis dichiarò che il suo raffreddore non era guarito del tutto e le aveva lasciato qualche strascico, e poiché non voleva che Allyson venisse contagiata, preferiva aspettarle nell'atrio. Invece la madre di Page saliva coraggiosamente di sopra e si fermava a conversare con lei al capezzale della nipotina per quattro o cinque minuti, non di più. Generalmente parlava di quello che avevano intenzione di fare durante la giornata e cercava di coinvolgere Page ad accompagnarle. Poi, alla fine della settimana, insistette per invitare fuori a cena Page e Brad.

Page cercò di affrontare questo problema con suo marito una delle rare volte in cui lo vide durante la settimana. Ormai era venerdì pomeriggio e lei stava cominciando a chiedersi quando Alexis e sua madre avessero intenzione di ripartire. La loro presenza l'aveva ormai esaurita. Invece Brad ne aveva approfittato per scomparire, praticamente ogni giorno. Per tutta la settimana non era rientrato a cena una sola volta. Arrivava a mezzanotte passata e usciva prestissimo il mattino, prima che loro si alzassero. Una volta, poi, aveva addirittura trascorso fuori la notte, senza farsi vivo né avvertirla. « Vuole invitarci a cena in qualche posto », gli spiegò Page, cercando di non perdere la calma, anche se avrebbe voluto dirgli chiaro e tondo quello che pensava di lui dopo tutte quelle sere e quelle notti in cui non si era fatto vedere e non le aveva nemmeno telefonato. « A dirti la verità, non sono del tutto sicura che riuscirei a sopportarlo. »

« A me sembra che si comporti benissimo », rispose Brad con la massima calma.

« Davvero? » ribatté Page in tono ironico. « E quando mai sei riuscito a rendertene conto? In quei quattro secondi che ti sono stati necessari a portare di sopra le loro valigie, oppure nei dieci minuti che non hai passato con loro, da quel momento in poi? Come accidenti fai a capire se lei si comporta bene o no? È da domenica che non ti vedo. »

« O per amor di Dio... smettila. Che cosa ti aspetti che faccia? Il babysitter a tua madre? In fondo è venuta a vedere Allie! » Il che era qualcosa che lui aveva cominciato a fare sempre meno, con il pretesto di essere indaffaratissimo.

« Non è affatto venuta qui a vedere Allie », disse Page in tono aspro. « È venuta a vedere Chanel, Hermès e Cartier. Ha fatto visite lunghissime in tutti quei negozi. »

« Forse avresti dovuto andare con loro », ribatté Brad, in tono non meno aspro, « così adesso saresti di umore migliore. E chissà... magari potresti diventare un poco più simile a tua sorella. » Ma nel momento stesso in cui pronunciava queste parole si era già pentito, ma ormai era troppo tardi.

Page gli rise in faccia. Fu una risata amara, la sua. « Non esiste un solo pezzo, una sola parte della faccia e del corpo di mia sorella che sia vero e autentico, ma se tutto quello che volevi era soltanto una bambola di plastica... accomodati! » Era furiosa con lui, e indignata, ma quel commento l'aveva profondamente ferita. Dopo tre settimane passate vicino al letto di Allie, sapeva di non essere al meglio, ma non aveva né il tempo né l'energia e neppure il coraggio di dedicarsi a se stessa. Non le importava assolutamente nulla di essere più bella. Il suo unico desiderio era che Allie uscisse dal coma.

Alla fine Brad acconsentì a uscire a cena con loro sabato, e andarono tutti in città, al *Fairmont*. Page aveva raccolto i lisci e folti capelli biondi in una coda di cavallo, aveva indossato un abito nero semplicissimo, ed era senza un filo di trucco. Bastava guardarla per capire come doveva sentirsi: svuotata, triste, e infelice. Alexis, invece, aveva scelto una toilette in seta bianca di Givenchy che metteva in risalto la sua figura, mentre la profonda scollatura esaltava il suo seno, appena rifatto.

«Hai un aspetto favoloso», esclamò Brad cortesemente, e Alexis gli rivolse un sorriso. Ma non c'era nessun interesse da parte sua, nessun tentativo di seduzione. L'unico interesse che Alexis provava era per se stessa, per il proprio aspetto, per ciò che indossava, e per pochissime altre cose. E suo marito lo sapeva. In lei non c'era niente di femminile, non sembrava nemmeno una donna viva e vera — solamente un manichino dal viso stupendo e dal trucco non meno perfetto.

Quando Alexis e sua madre cominciarono ad accennare alla loro intenzione di fermarsi per un'altra settimana, Page si sentì cogliere dal panico. Le aveva già servite, quasi fosse una specie di cameriera, per sette giorni; aveva portato ora all'una ora all'altra camomilla, tè alla menta, acqua di Evian, impacchi freddi, impacchi caldi, la colazione, il pranzo, la cena, ed era stata perfino costretta a uscire per andare a comprare una coperta elettrica per sua madre. Nessuna delle due rispondeva al telefono né tantomeno faceva la fatica di versarsi anche solo un bicchier d'acqua, non sapevano come far funzionare la televisione nelle loro camere e nessuna delle due riusciva a sentirsi a proprio agio in compagnia di Andy. Come al solito, erano totalmente inutili.

In una settimana erano andate a trovare Allyson per un totale di tre volte e, complessivamente, le loro visite non erano durate più di un quarto d'ora. Proprio come Page aveva previsto, parlandone con Trygve.

« Secondo me, dovreste tornare a casa dopo il fine settimana », disse Page con fermezza, mentre sua madre appariva stupita per quella proposta.

« Non se ne parla neppure! Come possiamo lasciarti sola con Allyson! » insistette e, una volta tanto, Page rimase senza parole.

Brad si comportò con molta cortesia, soprattutto con Alexis, la quale invece parlò pochissimo. Rientrati a casa, dopo che la babysitter se ne fu andata Brad avvertì Page a bassa voce che usciva per il resto della serata.

« Alle undici? » esclamò stupita, anche se non era il caso di meravigliarsi, ormai! Brad non si era fatto vedere per tutta la settimana, e sembrava che fosse ormai la norma. Quindi si limitò a guardarlo facendo cenno di sì.

« Mi dispiace, Page », cercò di spiegarle. « Mi trovo fra l'incudine e il martello. »

« Già », e Page annuì di nuovo mentre si apriva la lampo del vestito. « Lo capisco, ma c'è anche Allie. »

« Non ha niente a che vedere con tutto questo. » Invece sapevano entrambi che era vero il contrario. L'incidente era stato come un'esplosione e aveva creato fra loro una frattura impossibile da sanare. Ormai se ne rendevano sempre più conto.

Poi Page passò nella stanza da bagno e quando ne uscì Brad se n'era già andato. Rimase a letto, sveglia, a lungo. In quegli ultimi tempi riusciva con difficoltà a prendere sonno. Pensò di telefonare a Trygve, ma non le parve onesto. Avrebbe avuto l'aria di una ripicca.

La mattina, mentre facevano colazione, sua madre osservò che poteva considerarsi fortunata ad avere Brad. Page preferì tacere e continuò a bere il suo caffè.

Maribelle Addison insistette nel farle notare che era un uomo molto bello e simpatico, e un ottimo marito.

Poi Page andò da Allie e lasciò Andy con la nonna, anche se lei aveva protestato che non avrebbe saputo che cosa fare se fosse sorto qualche problema.

« E se deve andare in bagno? » chiese sua madre, preoccupata. Sembrava impossibile credere che avesse avuto due figlie e fosse stata la moglie di un medico tanto si dimostrava inetta e priva di iniziativa.

«Andy ha sette anni, mamma. Può cavarsela da solo. Può addirittura prepararti il pranzo, se vuoi.» Per un attimo la divertì il pensiero che un bambino di sette anni fosse molto più in gamba di loro.

Nel pomeriggio parlò a lungo con Trygve e ammise di essere molto stanca e incredibilmente scoraggiata. Era pesante sopportare sua madre.

«Si può sapere che cosa in lei ti esaspera tanto?» le domandò. A volte Page riusciva a essere buffa e spiritosa quando parlava di loro, altre volte era profondamente depressa.

«Tutto. Quello che sono, quello che non sono, quello che fanno e quello che non fanno. Sono persone indegne, disgustose, sia l'una sia l'altra, e io non sopporto di averle intorno a me e ai miei figli.»

«Non possono essere insopportabili fino a questo punto.» Trygve era sorpreso per l'enfasi di quelle parole, ma era evidente che qualcosa, nella sua famiglia, l'aveva profondamente sconvolta.

«Sono loro il motivo per il quale mi trovo qui. A dire la verità, sono venuta per Brad. Ma avrei lasciato New York in ogni caso. Non volevo più averle vicino. E tutto questo è stato perfetto per me.» Non c'era dubbio che fosse, in parte, il motivo per il quale aveva sposato Brad, e a suo tempo le era sembrata la soluzione più logica, anche se adesso le cose erano così radicalmente cambiate. «Tra l'altro, in questo periodo anche lui si sta comportando in un modo alquanto offensivo, e io comincio a stancarmi. È difficile per me, e per Andy è sconvolgente.»

«Lo so», rispose lui con semplicità. «L'ultima volta che è stato da noi, Andy ne ha parlato vagamente con Bjorn. Ha detto che voi due non fate che litigare dal giorno dell'incidente e che, secondo lui, sua sorella è più malata di quello che tu gli vuoi lasciar credere.»

«Mia madre continua a ripetergli che Allie guarirà. E anche questo mi fa impazzire dalla rabbia.» Poi lo guardò e Trygve si rese conto di quanto fosse stanca. Più che stanca, estenuata. Venti giorni di tormenti e di angoscia come quelli che aveva vissuto sarebbero stati pesanti per chiunque, e presto o tardi il suo fisico ne avrebbe risentito.

«Forse è venuto il momento che se ne vadano.» Soprattutto se la loro presenza riduceva Page in quelle condizioni. Purtroppo lui non era in grado di aiutarla a liberarsi di madre e sorella. Era un amico invisibile, e nessuna delle due era al corrente della sua esistenza.

«È quello che ho detto ieri sera; ma mia madre dichiara che non se la sente assolutamente di lasciarmi sola con Allie.» Rise, tanto le sembrava assurdo, e Trygve le passò un braccio intorno alle spalle e la baciò.

«Mi dispiace che tu debba sopportarle. Quello che stai passando con Allie è già più che sufficiente!»

«Non so... forse avevo bisogno di affrontare prove del genere, o qualcosa di simile. Devo ammettere il mio fallimento, come quando si è respinti a un esame», disse con le lacrime agli occhi e lui la strinse ancora più forte a sé e la baciò di nuovo, lì, nella sala d'aspetto del reparto di terapia intensiva, dove nessuno li avrebbe visti.

«Secondo me ti stai comportando in un modo fantastico e hai superato l'esame a pieni voti.»

«Questo lo dici tu!» rispose lei, soffiandosi il naso. Poi si appoggiò contro di lui e chiuse gli occhi, augurandosi che le cose potessero andare un po' meglio. «Sono così stanca di tutto questo... Trygve, avrà mai fine?» In quel preciso momento niente di ciò che lei stava per affrontare pareva avesse una soluzione facile... lo sapevano entrambi.

«Tra un anno, ripensandoci ti meraviglierai di come sei riuscita a superare tutto questo.»

«Credi che vivrò tanto a lungo?» gli domandò, felice di averlo accanto a sé, e Trygve rispose in tono gentile ma fermo, stringendola con affetto.

«Io ci conto, Page... e siamo in molti a farlo.» Lei annuì e rimase con lui ancora a lungo, in silenzio, prima di tornare da Allie.

* * *

Il telefono stava squillando quando tornò a casa quel pomeriggio. Era un'amica che la chiamava dalla città. Non si vedevano da mesi. Allyson e sua figlia erano andate a lezione di danza insieme, due anni prima. Aveva avuto notizie dell'incidente e voleva sapere se poteva fare qualcosa per aiutarla. Ma Page la ringraziò dicendo che non c'era niente che potesse fare.

«A ogni modo fammi sapere se avessi bisogno di aiuto», insistette l'amica. Poi, dopo un attimo di incertezza, aggiunse: «Si può sapere che cosa sta succedendo fra te e Brad, a proposito? State... per divorziare?» Page rimase sconvolta da quella domanda.

«No. Perché?» Ma mentre pronunciava queste parole si sentì gelare. Quella donna sapeva qualcosa. Era evidente dal modo in cui le aveva posto la domanda.

«Forse non dovrei dire niente... ma lo vedo qui sempre più spesso, con una ragazza giovane... non so, deve essere sui vent'anni o poco più. In un primo momento, quando li ho visti insieme, ho pensato che fosse un'amica di Allie; ma poi mi sono accorta che aveva un po' di anni di più. Vive nell'isolato qui accanto e si direbbe che tuo marito abiti con lei. Anzi, li ho visti addirittura mentre facevano jogging insieme proprio stamattina, prima di colazione.» Che bello, per Brad. E molto carino da parte sua metterla in imbarazzo a questo modo con tutti. La loro era una comunità molto piccola e adesso la gente cominciava a vederlo con quella ragazza... dell'età di Allie?... Oh, Dio. Si accorse di sentirsi una centenaria quando provò a spiegarle che era una buona amica e che lavoravano insieme a certi progetti, senza un orario fisso, in qualsiasi momento della giornata, e che non si trattava di niente del genere.

Ma si rese conto di non averla convinta; d'altra parte non aveva nessuna intenzione, per il momento, di ammettere con chiunque che Brad aveva una relazione extraconiugale. Anzi, alla fine andò su tutte le furie perché quella donna le aveva telefonato. Era stata una cattiveria gratuita. Quando Page le aveva detto che non avevano intenzione di divorziare, doveva essere già al corrente del fatto che la loro situazione era tutt'altro che rosea.

«Come sta Allyson?» le domandò sua madre quando la raggiunse in cucina.

«Sempre uguale», rispose Page, confusa. «Come te la sei cavata con Andy? È riuscito a trovare il bagno?» Sorrise mentre sua madre scoppiava in una risata.

«Certamente. È un bambino straordinario. Ha preparato il pranzo per me e per la zia Alexis e ce l'ha servito in giardino.» Per carità! Era impensabile che potessero occuparsi di qualche cosa!

Trovò Andy che giocava nella sua camera; appena la vide si voltò a guardarla. Aveva l'aria triste e preoccupata, e quando lo fissò negli occhi si sentì stringere il cuore. La loro vita era stata letteralmente sconvolta in quegli ultimi venti giorni e non riuscivano ad accettarlo. Sedette sul letto e allungò una mano ad accarezzarlo.

«Come è stata la nonna?»

«Buffa», le rispose, sorridendole, mentre lei moriva dalla voglia di prenderlo fra le braccia e stringerlo forte a sé. «Non sa far niente. E neppure la zia Alexis; ha le unghie troppo lunghe! Non riesce nemmeno ad aprire una bottiglia di Evian. E la nonna mi ha pregato di caricarle il suo orologino da polso. Dice che non riusciva a vederlo, e non trovava più gli occhiali!» Come le conosceva bene! Poi guardò di nuovo Page con aria turbata. «Dov'è papà?»

«In città, a lavorare.» Gli mentiva, come sempre.

«Ma è domenica.» Andy non era stupido, ma d'altra parte lei non voleva dirgli la verità. E il bambino la intuiva.

«Lavora sodo.» Il bastardo.

«Torna a casa a mangiare?»

«Non lo so», gli rispose onestamente. Allora Andy venne a sedersi sulle sue ginocchia e lei se lo strinse al cuore. Avrebbe voluto ripetergli che gli voleva sempre bene e gliene avrebbe sempre voluto, indipendentemente da tutto quello che poteva succedere con il suo papà, ma aveva paura di dire troppo e quindi si limitò a mormorargli che lo amava tantissimo.

Poi andò in cucina a preparare la cena, ma Brad fece una sorpresa a tutti ripresentandosi a casa. Anzi, la cena cominciò in un modo veramente piacevole. Brad preparò il barbecue per tutti e si comportò con gentilezza. Era tranquillo e sereno. Evitò di guardare Page negli occhi, ma fece uno sforzo per essere cortese con la suocera e lasciò che Andy lo aiutasse a preparare gli hamburger, le bistecche e il pollo. Alexis spiegò che, quel giorno, lei non avrebbe toccato cibo e pregò Andy di aprirle una bottiglia di Evian.

Fu solo quando si trovò vicino a Brad, a quattr'occhi, che Page si voltò verso di lui per riferirgli la telefonata dell'amica.

«Ho sentito che oggi sei uscito a fare un po' di jogging prima di colazione.» Dapprima lui non disse niente e si limitò a guardarla; non gli era mai passato per la mente che qualcuno potesse andare a raccontarlo proprio a sua moglie!

«Chi te lo ha detto?» Sembrava furioso, e colpevole.

«Che differenza vuoi che faccia?»

«Non sono affari tuoi, questi», esclamò allora, letteralmente inferocito.

«È la nostra vita quella che stai buttando nella spazzatura, Brad... la mia e quella di Allie... e quella di Andy. Ti illudi che lui non sappia quello che sta succedendo. Be', prova a guardarlo in faccia di tanto in tanto. Lo sa. Lo sappiamo tutti.»

«Magnifico! E che cosa hai fatto? Glielo hai raccontato? Carogna!» Poi, scaraventando per terra gli arnesi che teneva fra le mani e che gli servivano per il barbecue, la piantò in asso e si avviò a lunghi passi verso casa. Page fu costretta a sostituirlo davanti alla graticola per occuparsi della carne che stava arrostendo, ma finì per scottarsi. E Andy corse via, in cerca di Brad. A quel punto era in lacrime perché li aveva sentiti litigare e poi aveva visto Page che si scottava. Non voleva che la mamma si facesse male, non voleva che suo padre e sua madre gridassero, e li aveva sentiti dire qualcosa che lo riguardava. Forse era colpa sua se litigavano, forse papà era arrabbiato perché Allie stava male, e non ce l'aveva con lui. Tornò indietro con aria angosciata quan-

260

do Brad riprese a infilzare le bistecche con il forchettone, con movimenti nervosi e concitati, ma se non altro si era deciso a finire di preparare la cena. Tutti e tre i Clarke erano stranamente taciturni quando sedettero a tavola. Ma, come al solito, né Maribelle né Alexis diedero l'impressione di accorgersene.

«Sei un cuoco straordinario», disse Maribelle complimentandosi con lui. Le bistecche erano squisite, ma l'atmosfera avvelenata. «Alexis, secondo me dovresti provarne una; è carne delicatissima, si scioglie in bocca.» Ma Alexis scrollò la testa, felicissima di avere nel piatto solo qualche foglia di lattuga; quanto a Page e Andy mangiucchiavano svogliatamente quello che avevano davanti. Page continuava a tenere un cubetto di ghiaccio sulle dita scottate, dove già cominciava ad apparire una brutta vescica.

«Come va la tua mano, mamma?» le domandò Andy, preoccupato.

«Va bene, tesoro.» Brad continuò a tacere, senza rivolgere nemmeno un'occhiata a sua moglie. Ormai era convinto che lei avesse raccontato ad Andy la storia della sua relazione extraconiugale, ed era talmente infuriato che avrebbe avuto voglia di strangolarla. Ricominciò a discutere con lei in cucina, mentre stavano raccogliendo i piatti e mettendo in ordine, e nessuno dei due si accorse di Andy che si era fermato dall'altra parte del piano di lavoro.

«Tu gliel'hai detto, vero? Non avevi nessun diritto di farlo!»

«Non ho fatto niente del genere!» gli gridò lei di rimando. «Non avrei osato fargli una cosa simile. D'altra parte, tanto vale che glielo dica tu stesso... non ci sei mai! che cosa credi che possa pensare? E se qualcuno glielo dicesse così come lo hanno detto a me?»

«Non sono stramaledettissimi affari suoi, questi!» E Andy uscì di nuovo dalla cucina sbattendo la porta. Page si mise a piangere mentre sistemava i piatti nella lavastoviglie. Brad era tornato in giardino a riporre l'attrezzatura per il barbecue quando sua madre entrò in cucina.

«Che cena squisita, cara. Ci divertiamo moltissimo qui,

da voi! » Page la guardò incredula, non sapendo bene che cosa dirle. Le pareva di vivere in un'atmosfera surreale. D'altra parte, con la sua famiglia era sempre stato così.

« Mi fa piacere che tu abbia gradito la cena. Brad sa fare ottime bistecche. »

« Siete una coppia meravigliosa », riprese la madre di Page, guardandola raggiante. E lei, dopo avere messo via lo strofinaccio dei piatti, si voltò per dirle: « Veramente, mamma, le cose non vanno troppo bene. Sono sicura che lo avrai notato anche tu ».

« Niente affatto. Naturalmente siete entrambi preoccupati per Allyson, ma è comprensibile. Non dubito che nel giro di poche settimane tutto rientrerà nella normalità. » Era quasi incredibile che perfino lei ammettesse che la situazione non era delle più idilliache.

« Quanto a questo, non ne sono affatto sicura. » Poi prese la decisione di dirle tutta la verità. E perché no? Se non le fosse piaciuta, le sarebbe bastato fingere di non aver sentito. « Ha una relazione con un'altra, e in questo momento una cosa del genere crea tensioni terribili in tutti noi. »

Ma sua madre si limitò a scrollare la testa, rifiutandosi di crederle. « Sono sicura che devi esserti sbagliata, cara. Brad non farebbe mai niente del genere. Non ha mai fatto niente che potesse mettere in pericolo il vostro matrimonio. »

« E invece adesso lo fa », insistette Page, caparbiamente, determinata a convincerla ad ogni costo.

« Tutte le donne pensano cose del genere, di tanto in tanto. Tu sei nervosa e agitata per questo problema che hai con Allyson. » *Problema? Alludi forse al fatto che è in coma da tre settimane e potrebbe morire? Oh, questo sarebbe il problema...* « Vedi, anche tuo padre e io abbiamo avuto le nostre piccole divergenze di tanto in tanto, però non è mai stato niente di grave. Niente di serio. Bisogna semplicemente essere un poco più comprensive. » A questo punto Page fissò allibita sua madre. Non riusciva a credere alle proprie orecchie. Non aveva nessuna voglia di discutere quello che era successo nella loro famiglia, ma si rifiutava di fingere che non fosse mai accaduto.

«Non devo aver sentito bene... non riesco a credere che tu abbia detto proprio così», le rispose con voce rauca.

«Eppure è vero... per quanto sia difficile crederlo, tuo padre e io abbiamo avuto i nostri momenti di difficoltà.»

«Mamma, sono io... Page... ti ricordi quello che abbiamo passato?»

«Non ho la minima idea di quello che stai dicendo.» Sua madre le voltò le spalle e fece per andarsene dalla cucina.

«Non rispondermi così!» esclamò Page, piangendo, mentre la guardava. «Non *azzardarti* a farmi una cosa simile dopo tutti questi anni, con le tue bugie pietose, con questo tono mellifluo, da bacchettona!...» *Piccoli problemi*. «Ricordi con chi eri sposata? ...Che cosa lui ha fatto per tutti quegli anni? Come puoi parlarmi a questo modo! E guardami in faccia, accidenti!»

Sua madre si voltò lentamente e la fissò con occhi vacui, come se non riuscisse a capire perché sua figlia si comportasse a quel modo. Brad era appena rientrato dal giardino e le vide, gli bastò un'occhiata a Page per intuire immediatamente quello che era successo.

«Forse dovreste discutere di questo un'altra volta», disse tranquillamente, e Page si voltò come una furia verso di lui.

«Quanto a te, non dirmi quello che devo e non devo fare, figlio di puttana che non sei altro! Te ne stai fuori a scopare quella ragazza giorno e notte, e adesso vuoi anche che sopporti tutte queste idiozie? Non ho nessuna intenzione di permetterle di farmi uno scherzo del genere un'altra volta.» Poi tornò a voltarsi verso sua madre. «Non puoi fare questi giochetti con me... tu gli hai permesso di fare quello che ha fatto! Lo hai *aiutato*! Lo facevi entrare nella mia camera e chiudevi a chiave la porta; e mi dicevi che dovevo far contento papà... avevo tredici anni! *Tredici!* E mi hai *costretto* a dormire con mio padre! Quanto ad Alexis, è stata ben felice di voltarmi le spalle e fingere di non accorgersi di niente! Con lei aveva cominciato a farlo quando aveva solo dodici anni ed era ben contenta che toccasse a me, soltanto a me, e non più a lei! Come *hai il coraggio* di fingere che non sia mai successo! Puoi considerarti fortunata che ti abbia accolto in casa mia e che sia ancora disposta a vederti. »

Maribelle la stava guardando ammutolita, pallida come una morta. Brad si accorse che tremava da capo a piedi. « Le tue accuse sono terribili, Page, e sai benissimo che non sono vere. Tuo padre non ti avrebbe mai fatto una cosa simile. »

« L'ha fatto, e l'hai fatto anche tu; e lo sai. » Poi girò le spalle a tutti e due scoppiando in singhiozzi, ma Brad non osò andarle vicino. Page si voltò soltanto per lanciare a sua madre un'altra occhiata piena di odio. « Ho passato anni cercando di dimenticarlo, cercando di guarirmi da quello che mi avevate fatto... e avrei potuto anche continuare a vivere con te che mi dicevi quanto ti dispiaceva, quanto ti sentivi male per quello... ma come puoi fingere che non sia mai successo? »

Alexis entrò in cucina in quel momento, senza immaginare la ragione di quella scenata. Era rimasta chiusa in camera da letto a telefonare a David.

« Ti dispiacerebbe prepararmi un po' di camomilla? » domandò dolcemente a Page, la quale si lasciò sfuggire un gemito mentre si appoggiava pesantemente al tavolo.

« No, non posso crederci. Avete passato talmente tanti anni a nascondervi di fronte alla verità che adesso non riuscite più ad affrontare niente. Quanto a te, non sai nemmeno aprire una fottutissima bottiglia di acqua minerale con le tue mani. Come fai a vivere a questo modo? Come potete fare una cosa del genere a voi stesse? »

A un tratto Alexis parve terrorizzata e cominciò a guardare ora l'una ora l'altra. « Mi dispiace... io... non importa... »

« Ecco! Prendi. » E Page le buttò una bottiglia di Evian che lei afferrò al volo. « La mamma mi stava dicendo proprio adesso che papà non si è mai scopato nessuna di noi due quando eravamo ragazzine. Te ne ricordi, Alex? Oppure soffri anche tu di vuoti di memoria? Ti ricordi quando lo hai scaricato su di me in modo che ti lasciasse tranquilla? Dimmi un po', te lo ricordi? Ha continuato fino a quando ho avuto sedici anni e ho minacciato di rivolgermi alla polizia e accusarlo, cosa che nessuna di voi due aveva mai avuto il coraggio di fare. Come avete potuto accettare una situazione del genere? Come avete avuto il coraggio di aiutarlo?» A questo punto singhiozzava senza ritegno. «Non sono mai riuscita a capirlo.» Soprattutto da quando aveva avuto dei figli, e Brad avvertì un senso di nausea ascoltandola. Sapeva ogni cosa, ma non aveva mai sentito Page parlarne tanto crudamente, così come non l'aveva mai vista prendere il coraggio a due mani e affrontare direttamente con simili accuse la madre e la sorella.

«Come puoi dire una cosa del genere?» Alexis sembrava terrificata. «Papà era medico.»

«Già», riprese Page fra le lacrime. «Anch'io credevo che questo facesse qualche differenza, invece no. Mi ci sono voluti anni perfino per avere il coraggio di andare da un medico, dopo. Continuavo a pensare che sarei stata molestata sessualmente, o violentata. E anche quando sono rimasta incinta fino a metà della gravidanza non sono voluta andare da un dottore, tanto ero impaurita al pensiero di quello che avrebbe potuto capitarmi. Proprio un grand'uomo nostro padre, una persona splendida, un medico abilissimo!»

«Era un santo», interloquì Maribelle Addison in tono protettivo, «e lo sai.» Alexis si era avvicinata istintivamente a lei e adesso le due donne, strette l'una all'altra, le lasciavano chiaramente capire che non avrebbero mai accettato di confermare la verità di quello che era accaduto.

«Sapete qual è la cosa più triste?» disse Page, guardandole. «Tu, dopo tutto quello, sei sparita, Alex. Hai sposato David a diciott'anni, e ti sei procurata una nuova identità, una faccia nuova, due tette nuove, nuovi occhi, tutto nuovo, in modo da non sentirti più l'Alexis di prima. Così potevi essere un'altra persona e fingere che non fosse mai successo.» Alexis, ascoltandola, era ammutolita.

«Adesso, basta», disse Brad, dispiaciuto. In quegli ultimi tempi Page aveva dovuto affrontare troppe cose. «Non far del male a te stessa a questo modo.»

«No?» Lei si voltò a guardarlo. «E perché no? che cosa credi... che possa fingere che non sia mai successo, come

265

loro? Forse è quello che dovrei fare con te, fingere che tu non sia fuori, ogni notte, a scopare, fingere che tutto sia meraviglioso e perfetto. Che bella vita... eppure sento che avrei quasi il coraggio di uccidermi se osassi fare una cosa del genere. Non ho vissuto fino a questa età, non sono arrivata fino a questo punto, non ho sofferto tanto, unicamente per fingere di credere a un mucchio di balle. »

« Può darsi che altre persone non riescano ad affrontare una cosa tanto grave con la stessa onestà che tu dimostri. Non ci hai mai pensato? » le domandò Brad tristemente.

« Ci ho pensato moltissimo. »

« A loro occorre un posto in cui nascondersi. »

« Non posso vivere a questo modo, Brad. »

« Lo so », rispose lui a bassa voce. « È quello che amavo in te. » Ma aveva parlato usando il verbo al tempo passato e Page se ne accorse.

A quel punto sua madre e sua sorella se n'erano ormai andate dalla cucina. Si fermò per un attimo, cercando di riprendere fiato, mentre suo marito continuava a osservarla. « Come ti senti? Bene? » Era preoccupato per lei, ma capiva anche di non essere in grado di darle quello di cui aveva bisogno. Non più. Purtroppo questa era la realtà. E una volta tanto era meglio chiarirla con onestà.

« Non so », fece lei, con franchezza. « Credo di essere contenta di aver parlato. Mi sono sempre chiesta se lei fosse pronta a negarlo, se crede in tutte quelle fandonie oppure se continua semplicemente a mentire, per proteggerlo, adesso come allora! »

« Può darsi che non abbia importanza. A ogni modo non accetterà mai di ammettere la verità con te, Page. E neppure Alexis. Questo lo sai. Non te lo aspettare. » Lei annuì. Era stata una serata tremenda, ma adesso provava finalmente un senso di liberazione. Uscì in giardino, per un po'; poi decise di andare all'ospedale da Allyson. Era tardi, ma a un tratto provava un bisogno infinito di rivederla. Avvertì Brad prima di uscire e pochi minuti dopo raggiunse il reparto di terapia intensiva e si sedette accanto al letto della figlia, in silenzio. Rimase semplicemente lì, vicino ad Allyson, pensando a co-

266

me era prima dell'incidente sentendo più che mai la sua mancanza. Ormai erano passate tre settimane.

«Signora Clarke, si sente bene?» Una delle infermiere del turno di notte si accorse della sua presenza alle nove. Era pallidissima, aveva l'aria sconvolta e se ne stava seduta immobile a guardare sua figlia con gli occhi sbarrati. Page fece cenno di sì e rimase dov'era, senza cambiare posizione, fino a quando non arrivò Trygve mezz'ora più tardi.

«Chissà perché mi sono chiesto se, per caso, non fossi qui», le disse a bassa voce. «A un tratto ho sentito che eri qui. Stavo pensando a te.» Sorrideva, ma quando la guardò negli occhi si accorse che doveva avere pianto. Aveva un aspetto da far paura. «Stai bene, tutto okay?»

«Più o meno.» Alzò le spalle con un sorriso stanco. «Stasera... diciamo che non sono più riuscita a trattenermi. Ho perduto le staffe.»

«È servito a qualcosa?»

«Non lo so con sicurezza. Probabilmente no. Non cambierà niente, ma almeno mi sono tolta un grosso peso dal cuore.»

«Allora forse ne valeva la pena.»

«Già. Può darsi.» Ma non ne sembrava del tutto convinta quando lo guardò e lui, osservandola, si accorse che era letteralmente distrutta. Le condizioni di Allyson erano sempre stazionarie e quindi intuì subito che, se aveva ricevuto qualche cattiva notizia, non riguardava lei. Si trattava di qualcos'altro.

«Vuoi venire a prendere una tazza di caffè?» Page alzò di nuovo le spalle, ma lo seguì fuori mentre l'infermiera li osservava. Provava una gran compassione per lei. Era un'attesa lunga e angosciosa, e per il momento non c'erano molte speranze che sua figlia migliorasse. Detestava i casi come quello, erano i più dolorosi per tutti, soprattutto quando c'erano di mezzo i ragazzi. A volte pensava che fosse quasi meglio perderli. Però non avrebbe mai avuto il coraggio di farlo capire ai genitori.

Trygve le mise in mano una tazza di caffè, ma Page non aprì bocca. Fino a quel momento era rimasta in silenzio. E lui si sentiva sempre più preoccupato. Sedettero nella sala d'aspetto; gli occhi di Page sembravano ancora più grandi, pareva le divorassero il viso, ed erano più azzurri che mai.

« Si può sapere che cosa sta succedendo? » le domandò con dolcezza mentre lei beveva lentamente un sorso di caffè bollente.

« Non so... comincio a pensare che tutto questo sia troppo per me... non ce la faccio... Allie... Brad... mia madre... »

« È accaduto qualcosa? » Stava cercando di inquadrare la situazione, ma Page non gli forniva alcun elemento per aiutarlo a capire. Eppure lui voleva aiutarla, e con tutto il cuore!

« Niente che non si sia già verificato in precedenza. Mia madre, come al solito, come sempre, non ha fatto che recitare la solita parte di persona che vive fuori della realtà, e io credo di aver perduto la testa. » Gli sorrise. Sembrava un po' impacciata. « Forse non era la cosa giusta da fare, ma non ho avuto scelta. Le ho detto che Brad e io eravamo nei guai, ed è stata una sciocchezza da parte mia, perché lei ha cominciato a parlare di mio padre. » Non sapeva bene come raccontarglielo, e Trygve aveva paura di chiederle qualcosa. « Mio padre e io... » cominciò, poi si interruppe per bere un altro sorso di caffè. « Noi... be'... avevamo rapporti piuttosto strani. » Chiuse gli occhi per un lungo momento, e cominciò a piangere mentre glielo spiegava. A dire la verità, non aveva avuto nessuna intenzione di confidarsi con lui, ma adesso provava il desiderio di farlo. Voleva essere onesta con Trygve, capiva di non correre rischi a rivelargli tutta la verità.

« Va bene così, Page », provò a dirle lui, che aveva capito tutta la sua infelicità in quel momento. « Se non vuoi, puoi fare a meno di raccontarmelo. »

« No », e alzò gli occhi a guardarlo, fra le lacrime. « Voglio farlo. Non ho paura di raccontartelo... » respirò a fondo e continuò: « Noi... lui... ha cominciato a molestarmi sessualmente quando avevo tredici anni... insomma, dormiva addirittura con me... lui... ha avuto un rapporto sessuale con me quando avevo tredici anni... ed è andato avanti così per

268

molto tempo... fino a quando ne ho avuti sedici ...e mia madre lo sapeva. Anzi», adesso sembrava che le parole le uscissero a fatica, come se avesse la gola chiusa, «mi ha costretto a farlo... già prima lui aveva cominciato a dormire con Alexis, lo faceva da quattro anni... mia madre aveva paura di lui. Era un uomo molto malato, e la picchiava, e lei glielo ha lasciato fare. Ripeteva che dovevamo farlo contento perché non ci facesse male... aveva preso l'abitudine di condurlo lei nella mia camera, e poi di chiudere la porta quando lui era entrato.» Ormai Page singhiozzava, e Trygve la prese tra le braccia.

«Mio Dio, Page... che orrore... che cosa terribile, ignobile...» Da parte sua, sapeva che avebbe ucciso chiunque si fosse azzardato a fare una cosa del genere a sua figlia.

«Lo so. Ci ho messo anni a superarlo. Me ne sono andata di casa quando avevo diciassette anni. Lavoravo come cameriera per pagarmi l'alloggio. Mia madre continuava a dire che era orribile, che li avevo traditi... che gli avevo spezzato il cuore... e quando è morto per un po' ho continuato a credere di essere stato io a ucciderlo.

«Poi ho conosciuto Brad, a New York, ci siamo sposati e io sono venuta qui. Ho trovato un buon terapeuta e sono riuscita a far pace con me stessa e con tutta questa storia. Lei, invece, continua a fingere che non sia successo niente, che non sia mai successo. Ecco quello che mi ha mandato su tutte le furie. Non capisco come ne abbia il coraggio. Non ho mai capito come abbia potuto accettare che lui facesse una cosa del genere e continuare a fingere che fosse un brav'uomo... stasera ha detto addirittura che era un santo, e questo mi ha nauseato.»

«Non mi meraviglio affatto che tu abbia perduto le staffe» si limitò a osservare lui, mentre l'ascoltava. Continuava ad accarezzarle i capelli e a tenerla stretta a sé mentre parlava, proprio come lei faceva con Allie. «Mi meraviglio che tu continui a rivederla.»

«Cerco di non farlo, per quanto è possibile, ma con l'incidente di Allie è stato difficile impedirle di venire. Capivo che non avrei dovuto, ma mi illudo sempre di poter stare al gioco, con lei, e di tenerle testa. Il guaio è che non ci riesco. Ogni volta che la vedo mi torna tutto alla mente... e lei non è cambiata, come non è cambiata Alexis. »

« Ma tua sorella... come ha fatto a uscire da una situazione simile? »

« Papà non l'ha più infastidita non appena ha cominciato con me », Page sospirò e si abbandonò contro la spalla di Trygve, sentendosi al sicuro. « E poi, a diciotto anni si è sposata. Io allora ne avevo solamente quindici. È scappata con un uomo di quarant'anni. È ancora sposata con lui. Non credo che lui si aspetti molto. Secondo me è un gay e deve avere un amante da anni. Con lei è gentile, si comporta come un padre. E credo che la risposta giusta, per Alexis, sia stata diventare una persona completamente nuova, con una nuova faccia, un nuovo corpo, un nuovo nome. David continua a farle operazioni di plastica, e a lei piace da morire. Quindi è disposta a stare al gioco della mamma e, come lei, a fingere che quella storia non sia mai successa. »

« Non si è mai sottoposta a qualche cura psicanalitica? » Era incuriosito. Gli pareva incredibile che Page fosse sopravvissuta a una cosa simile.

« Non credo. In ogni caso, con me non ne ha mai parlato. Ma penso che se lo avesse fatto me lo avrebbe detto. Perché a questo modo saremmo state in due a sopravvivere al nostro piccolo olocausto. Invece lei continua a fingere, a stare al gioco. Comunque, non credo che sia rimasto molto della vera Alexis. Adesso è anoressica, oppure soffre di bulimia, e non ha mai avuto figli. E parla pochissimo. È semplicemente una cosa bella della quale suo marito può mostrarsi orgoglioso, e si veste in un modo stupendo. Per Alexis David spende un patrimonio, e questo la rende felice. » Page concluse, sorridendo: « Siamo molto diverse ».

« Mi pare di averlo capito. Però anche tu sei bellissima quando ti metti in ghingheri! »

« Ma non c'è paragone! Alexis vive per se stessa, per essere bella. Continua a prendere purganti, digiuna... letteralmente, ha una vera e propria ossessione per la pulizia, e vuole essere a ogni costo perfetta. »

« Con tutto ciò si direbbe che continui ad avere un bel problema. »

« E come potrebbe non averlo? » commentò tristemente Page. Ma adesso che gli aveva raccontato ogni cosa, si sentiva meglio.

« L'altro giorno ho intuito che doveva esserci qualche motivo per il quale le trovavi tanto insopportabili, se poi era proprio vero. Non sono stato del tutto sicuro che non volessi scherzare. »

« Non scherzavo affatto. Mi sono sempre trovata davanti a un bivio. Le frequento e continuo a conservare la mia sanità mentale rifiutandomi di stare al loro gioco, oppure mi tengo alla larga da loro? È più facile non frequentarle, non vederle, ma a volte ci sono costretta. »

Lui annuì; gli era bastato ascoltarla per sentirsi sconvolto. E fu in quel momento che una delle infermiere venne ad avvertire Page che c'era una telefonata per lei. Probabilmente si trattava di sua madre, pensò, che voleva qualcosa. Ad ogni modo poteva essere sicura che non le avrebbe telefonato per fare di nuovo allusione al loro scontro in cucina. Su questo non aveva dubbi. Invece era Brad. E sembrava fuori di sé.

« Page... » aveva il fiato corto. « Si tratta di Andy. »

« Si è fatto male? » domandò in preda al terrore. Ogni cosa sembrava tragica in quei giorni. Le pareva di essere costantemente in attesa di altre brutte notizie, o di altre sciagure. « Che cosa è successo? »

« Se ne è andato. »

« Che cosa vuoi dire? Spiegati meglio. Hai guardato nella sua camera? » Che assurdità! Come poteva essersene andato? Probabilmente dormiva nel suo lettino con Lizzie, e Brad non lo aveva visto.

« Naturale che ho guardato nella sua camera! » gridò Brad di rimando. « Se ne è andato. Ha lasciato un biglietto. »

« Che cosa dice? » Page lanciò un'occhiata carica di nervosismo a Trygve e gli tese una mano. Lui l'afferrò e gliela strinse forte.

« Non so... è difficile da leggere... sembra convinto che

271

sia tutta colpa sua se continuiamo a litigare; dice che siamo arrabbiati con lui e invece vuole che noi siamo felici », riferì Brad con voce tremante, come se piangesse. « Ho appena chiamato la polizia. Sarebbe meglio che tu tornassi a casa. Hanno detto che arriveranno fra pochi minuti. Deve averci sentito litigare. Oh Dio, Page, dove può essere andato, secondo te? »

« Non ho idea », gli rispose, sentendosi debole e impotente, in preda al panico. « Hai guardato fuori? Forse si è nascosto in giardino. »

« Ho guardato dappertutto prima di chiamare la polizia. Qui intorno non c'è. »

« Mia madre lo sa? » Non che potesse essere di grande aiuto, e infatti Brad sembrò irritato quando le rispose.

« Sì. Ha detto che probabilmente era andato a casa di un suo amico. Alle dieci di sera, alla sua età, non sembra molto probabile. »

« Sì, pare anche a me. Lasciami indovinare. Sia lei sia Alexis se ne sono andate a letto, e mia madre ti ha detto che probabilmente tutto si aggiusterà domattina. »

Brad si lasciò sfuggire un sorriso. « Perlomeno con lei non ci sono mai sorprese. »

« Ci sono cose che non cambiano mai. »

« Vuoi venire a casa, per favore? »

« Arrivo subito. » Riattaccò e si voltò a guardare Trygve. « Si tratta di Andy. È scappato... ha lasciato un biglietto nel quale dice che non vuole più sentirci litigare; crede che sia tutta colpa sua. » Le salirono le lacrime agli occhi mentre glielo riferiva, e Trygve l'abbracciò. « E se invece fosse successo qualcosa di veramente orribile? Capita di continuo che vengano rapiti bambini della sua età. » Proprio quello che ci voleva, adesso! Sapeva che non avrebbe sopportato un'altra tragedia.

« Sono sicuro che la polizia lo troverà. Vuoi che venga anch'io? » Ma lei fece cenno di no.

« Non credo che dovresti. Non c'è niente che tu possa fare, e servirebbe soltanto a complicare le cose. » Lui annuì, pienamente d'accordo, e si affrettò ad accompagnarla fino all'automobile. La baciò prima che se ne andasse e le strinse affettuosamente un braccio per incoraggiarla.

« Andrà tutto bene, Page. Lo troveranno. »

« Dio, spero di sì! »

« Anch'io. » La salutò con la mano e lei avviò il motore, allontanandosi. Che serata!

C'era già la polizia quando entrò in casa. Gli agenti presero nota di tutte le informazioni possibili, vollero sapere il nome degli amici di Andy, dove andava a scuola, gli abiti che indossava, poi uscirono e frugarono dappertutto con le torce elettriche. Page fornì anche un paio di fotografie del bambino. E non si meravigliò affatto che sua madre e Alexis non uscissero neppure per un momento dalle loro camere. Il loro segreto era quello: rifiutarsi di affrontare, o perfino di ammettere, l'esistenza di qualsiasi cosa fosse sgradevole. In questo erano abilissime. Malgrado la confusione e il rumore, e le luci che lampeggiavano in continuazione fuori, da nessuna delle loro due camere da letto arrivò anche il più lieve segno di vita.

La polizia provò a setacciare la zona circostante; poi gli agenti se ne andarono, ma tornarono più tardi per controllare se il bambino non si fosse fatto vivo. E proprio mentre stavano uscendo squillò il telefono. Era Trygve.

« È qui », disse semplicemente a Page. « Bjorn lo teneva nascosto nella sua camera da letto. Gli ho spiegato che ha fatto una cosa non giusta, e lui ha risposto che Andy aveva detto che non voleva più tornare a casa perché si sentiva troppo triste. » Ascoltandolo, Page si sentì salire le lacrime agli occhi. Chiamò Brad con un cenno.

« È a casa di Trygve. »

« Perché è andato proprio lì? » chiese, meravigliato. Le ragazze erano amiche, ma in quella famiglia non c'erano bambini che avessero l'età di Andy.

« Lui e Bjorn sono amici. È andato da loro perché qui si sentiva troppo triste. » Si scambiarono una lunga occhiata piena di rimorso; poi Page riprese il colloquio con Trygve. Per fortuna lo avevano trovato!

Trygve sospirò all'altro capo del filo; anche lui si sentiva molto sollevato, ma anche vagamente a disagio. Infatti dovette spiegarle che Andy non voleva tornare a casa.

Lei lo ascoltò sbalordita. «E perché?»

«Dice che suo padre vorrebbe che fosse toccato a lui quello che è toccato ad Allie. Dice che vi ha sentito litigare stasera; parlavate di lui e Brad era su tutte le furie.»

«Brad era arrabbiato con me, non con Andy. Credeva che gli avessi raccontato che lui ha un'amichetta, invece io non ho fatto niente del genere.»

«Andy non può capire tutto questo. Ha raccontato a Bjorn che secondo lui Allie è morta e voi non fate che raccontargli bugie. Dice che ne è sicuro. Mi dispiace, Page. Ma penso che tu debba sapere tutto questo.»

«Forse avrei dovuto portarlo all'ospedale.»

«È una decisione difficile. Io mi sarei comportato come te. Anch'io non ho avuto altra scelta con Bjorn, e Chloe era in condizioni meno gravi. Fra l'altro, Bjorn è più grande e il suo caso un po' diverso.»

«Adesso veniamo a prenderlo.»

«Perché non lasci che siamo Bjorn e io ad accompagnartelo a casa? Adesso sta bevendo una cioccolata calda. Quando ha finito lo porterò da voi.»

«Grazie», gli disse Page piena di gratitudine, e andò a riferire a Brad quello che era successo.

«Secondo me dobbiamo dirgli qualcosa», osservò Brad a malincuore.

«Penso che dobbiamo affrontare la situazione anche noi. Non si può continuare a questo modo in eterno.» Poi sospirò profondamente. «E comincio a pensare che dovrò accompagnarlo a far visita ad Allie.» Quando telefonò alla polizia per avvertire che Andy era a casa di un amico, si sentì rispondere che era una buona notizia ed erano molto contenti.

Mezz'ora più tardi il bambino tornò a casa con Bjorn e Trygve. Entrò con aria triste, pallidissimo, e Page scoppiò in lacrime quando lo vide. Lo prese tra le braccia, gli spiegò che si erano preoccupati moltissimo per lui e gli ripeté quanto bene gli volevano.

« Ti prego, non fare *mai più* una cosa del genere. Poteva succederti qualcosa di terribile! »

« Ma non eravate arrabbiati con me? » provò a domandare lui, piangendo, mentre lanciava un'occhiata a Brad, il quale stava a sua volta lottando per ricacciare indietro le lacrime. Trygve e Bjorn erano rimasti con loro, in cucina.

« Io non ero arrabbiata con te », gli spiegò Page. « E neppure papà. Quanto ad Allie, non è morta. È molto, molto malata, proprio come ti ho sempre spiegato. »

« E allora perché non posso vederla? » domandò lui insospettito. Ma questa volta Page lo lasciò a bocca aperta per la sorpresa.

« Domani ti accompagno a trovarla. »

« Davvero? » Adesso finalmente sorrideva, anche se continuava a non sapere che cosa avrebbe visto all'ospedale, che Allie non gli avrebbe parlato e che non somigliava più alla sorella che lui ricordava e alla quale voleva bene. Forse era proprio quello che gli occorreva, forse aveva bisogno anche lui di rimanere aggrappato alla realtà, come era successo per Page.

« Credeva che Allie fosse morta », provò a spiegare Bjorn a nome suo.

« Lo so », rispose Page, ringraziandolo per essere stato così pieno di premura con Andy.

« È il mio amico », le spiegò Bjorn con orgoglio.

Allora Page li accompagnò in camera di Andy e Bjorn l'aiutò a metterlo a letto. Poi Page gli diede un bacio e Bjorn tornò in cucina a raggiungere suo padre.

« Papà andrà via? » le domandò Andy turbato, non appena lei ebbe spento le luci.

« Non lo so. » Non sapeva che cosa dirgli. « Quando saprò qualcosa, te lo dirò. Ma qualsiasi cosa potrà accadere, tu non c'entri. Nessuno è arrabbiato con te. Si tratta semplicemente di una faccenda che riguarda me e papà. »

« È colpa di Allie? » Evidentemente Andy cercava qualcuno da incolpare.

« Non è colpa di nessuno », continuò a spiegargli Page. « Sono cose che succedono. »

275

«Come l'incidente?» le domandò lui, e Page fece cenno di sì.

«Proprio come quello. A volte sono cose che succedono.»

«Tu continuavi a dire che eri stanca, ecco perché tu e papà gridavate tanto.»

«Siamo stanchi, ma non è solo questo. Però non ha niente a che vedere con te. Sono cose che riguardano i grandi. Te lo giuro.» Lui annuì, anche se non erano buone notizie. Però era più facile affrontare la verità che lottare con le proprie paure. Era stato così sicuro che fosse tutta colpa sua! «Io ti voglio molto, molto bene... e anche papà.»

Andy le buttò le braccia al collo e la baciò. «Anch'io ti voglio bene. Ma davvero mi lascerai vedere Allie?»

«Te lo prometto.» Lo baciò di nuovo e mentre stava per uscire dalla stanza Andy la pregò di mandargli Brad. Mentre lui raggiungeva il figlio, Page augurò la buonanotte a Bjorn e Trygve. Li ringraziò di nuovo e Trygve le sorrise, mentre uscivano.

«Buona notte, Page», disse a bassa voce, e lei ebbe l'impressione che il legame che li univa si fosse rafforzato. Ormai non aveva più segreti per lui. Anche Brad parve intuire qualcosa e quando rientrò in cucina le lanciò uno strano sguardo.

«C'è qualcosa fra voi due?» le domandò bruscamente, e Page fece cenno di no con il capo.

«No. Ma non è quello il nocciolo della questione.»

«Lo so. Me lo chiedevo semplicemente. Mi piace quell'uomo. E pensavo che piacesse anche a te. È una gran brava persona.»

«In queste ultime settimane abbiamo passato moltissimo tempo insieme, all'ospedale. È un buon padre, e un buon amico.»

Brad la guardò, in silenzio, dal fondo della cucina. «Mi accorgo di non esserti stato molto vicino...» gli erano salite le lacrime agli occhi, e sfuggì il suo sguardo. «Ma non sopporto di vederla così... così distrutta... così cambiata... non sembra nemmeno Allie.»

«Lo so. Cerco di non pensarci, e di pensare invece a tutto

quello che bisogna fare per lei. » Brad annuì. Ammirava la forza d'animo di sua moglie, ma non aveva il coraggio di affrontare la situazione.

« E per quello che ci riguarda, che cosa vogliamo fare? » provò a domandarle, poi aprì la porta che dava sul giardino. « Perché non andiamo fuori a parlare, così nessuno ci sente. »

Lei lo seguì e presero posto su due poltrone.

« Non si può continuare così. Credevo che avremmo potuto esaminare la situazione con un certo distacco, almeno fintanto che non fossi riuscito a capire bene quello che stava succedendo. Ma io non sono mai qui e tu sei sempre in collera. E ogni volta che torno a casa c'è Andy che mi guarda e vedo il dolore e l'ira nei tuoi occhi, oppure mi rendo conto che non riesco a trovare la forza di andare a vedere Allie... » E poi c'era Stephanie, che insisteva perché andasse a vivere con lei, mentre Brad non era sicuro di essere pronto a prendere una decisione simile. « Forse dovrei andare a vivere in qualche altro posto, per un po'. In un certo senso preferirei stare qui. Ma vedo che le cose non funzionano per nessuno. » Intanto Page stava riflettendo su quanto Brad diceva. All'inizio aveva desiderato che lui rimanesse a casa con loro, ma adesso, vista la situazione, non era più possibile. Stava diventando un vero e proprio incubo, e lo capivano entrambi. Era necessario affrontare la realtà: il loro matrimonio era finito.

Trattenne il fiato prima di pronunciare quelle parole e subito dopo si rese conto che quasi non riusciva a credere di averlo fatto: « Secondo me dovresti andartene di casa », mormorò con una voce che era poco più di un sussurro.

« Davvero? » Brad la stava fissando sbalordito. Eppure, in un certo senso, fu un sollievo sentire quelle parole.

« Sì, è proprio quello che penso. » E Page annuì lentamente. « È venuto il momento di farlo. In queste ultime settimane abbiamo continuato a illuderci. Credo che tutto fosse finito fra noi già molto prima che io venissi a sapere della tua relazione. Non avresti mai dovuto dirmi quello che stavi facendo, a proposito... della tua altra vita... fino a quando non fossi stato pronto ad abbandonare questa per sempre. Ti assicuro che continuo a non capire perché tu abbia voluto confessarmelo. »

« Forse hai ragione », rispose lui, tristemente. « Forse non avrei mai dovuto dire niente. » Ma adesso non poteva rimangiarsi tutto, non poteva tornare indietro e, a dire la verità, non lo desiderava nemmeno. « Vorrei avere le risposte, Page. »

« Anch'io. » Lo guardò, chiedendosi come avessero potuto arrivare fino a quel punto. Era stata tutta colpa dell'incidente, o l'incidente era stato soltanto l'elemento catalizzatore? Era chiaro che la situazione era già critica anche prima, e il loro matrimonio sull'orlo del fallimento, altrimenti niente di simile sarebbe mai successo. « Ho sempre pensato che avessimo una vita perfetta! » riprese Page, mentre rifletteva sul passato. « Perfino adesso non riesco a capire dove abbiamo cominciato a sbagliare... che cosa abbiamo fatto... o che cosa non avremmo dovuto fare... »

« Tu non avresti potuto fare niente », le rispose Brad con sincerità. « Sono stato io a sbagliare. Solo che tu non lo sapevi. »

« Credo proprio di no », gli disse Page, e a un tratto fu quasi contenta di non averlo saputo prima. In fondo poteva ricordare con piacere quei sedici anni vissuti insieme. E ancora non riusciva a credere che fossero veramente finiti. « Che cosa racconteremo ad Andy? » chiese poi preoccupata. Le parve strano e assurdo essere lì, seduta accanto a Brad, a discutere di certe cose, come se si trattasse di una festa che stavano organizzando, o di un bei viaggio, o di un funerale. Si accorse che detestava ogni minuto di quel colloquio, ma d'altra parte era necessario. Ed era meglio affrontarlo. « Dovremo presto dirgli qualcosa. »

« Lo so. Diciamogli la verità, credo che sia meglio... cioè che io sono uno stronzo. »

Page gli sorrise nel buio. A volte lo era, eppure lei continuava ad amarlo. In un certo senso le sarebbe quasi piaciuto poter riportare indietro le lancette dell'orologio; ma capiva che non era più possibile. Già da molto tempo le basi del loro matrimonio erano state minate e l'intera struttura, alla fin fine, era crollata. A dire la verità, c'era voluto molto tempo perché accadesse. Ma il fatto che lei non si fosse accorta di quello che stava succedendo, non rendeva minore la gravità del disastro. Ogni cosa del loro mondo sembrava stesse andando in pezzi.

«Che cosa pensi di fare?» gli domandò a bassa voce. «Trasferirti a vivere a casa di lei?» In fondo sembrava che lo avesse già fatto, anche se non proprio a tempo pieno, almeno a giudicare da quello che la sua amica le aveva raccontato.

«Ancora non lo so. È quello che lei vorrebbe. Ma io ho bisogno di un po' di tempo per riprendere fiato.» Non sarebbe stato facile per nessuno dei due. La loro relazione, in fondo, era nata sulle menzogne, sull'inganno. Era più difficile continuare a costruire qualcosa su basi del genere, e Brad cominciava a comprenderlo. «Quando vuoi che me ne vada?»

Per un attimo Page si scoprì a desiderare che lui continuasse ancora a essere la persona che aveva sempre creduto. Purtroppo non era così. «Prima di distruggere Andy, e di distruggerci reciprocamente», gli rispose, con una calma che in realtà non provava. «Le cose stanno peggiorando un po' troppo in fretta.»

«Hai ragione», confessò Brad. Era la prima volta, dal giorno dell'incidente, che riuscivano a parlare senza litigare e insultarsi. Ed era triste vedere che avevano riacquistato il buon senso solo per mettere fine al loro rapporto. «Cercherò di non aggravare la situazione mentre mi organizzo. Domani devo partire per New York. Sarò di ritorno giovedì. Posso cercare di combinare qualcosa per il prossimo fine settimana. Per quanto tempo ancora credi che tua madre rimarrà qui?» Era un po' difficile mettere fine al loro matrimonio e andarsene per sempre di casa con la suocera che occupava la camera degli ospiti. Ma rimase meravigliato di fronte alla risposta di Page.

«Ho intenzione di chiedere a tutte e due di andarsene domani mattina. Non voglio più averle qui. Non è bene né per me... né per Andy. » Voleva liberarsi di lui, di sua madre e di Alexis. A modo suo, ciascuna di quelle persone la usava, la feriva, la offendeva; e proprio quella sera, parlando con Trygve, se ne era resa conto. Quando Andy era scappato di casa, aveva capito che era venuto il momento di mettere la parola « fine » a tutto questo.

« Se tu sapessi quanto ti rispetto », mormorò Brad nell'aria della notte. « Ti ho sempre rispettato. Non so quando le cose hanno cominciato ad andare storte. Forse non ero pronto per tutto quello che avevi da dare. » Lui aveva ventotto anni quando si erano sposati, ma in effetti, non aveva mai rinunciato all'idea di poter avere tutto quello che desiderava e adesso, per ottenerlo, il prezzo da pagare era altissimo.

« Ti sentirai meglio quando me ne sarò andato », riprese in tono triste. « Così potrai continuare a vivere la tua vita. »

« Mi sentirò sola anch'io. Non sarà facile per nessuno », ribatté Page onestamente. Poi si voltò a guardarlo nel buio della notte. « Che cosa facciamo per Allie? »

« Non c'è niente che possiamo fare. È questo che mi affligge e mi avvilisce. Non so come tu faccia a rimanere là seduta, notte e giorno, con lei. Io diventerei pazzo. »

« Fra un po' diventerò pazza anch'io. Ma se Allie non ci venisse più restituita? » bisbigliò.

« Non so. Cerco di non pensarci. E se tornasse, ma non fosse più quella di prima? Sai... come quel ragazzo... Bjorn... non credo che riuscirei a sopportarlo, sapendo com'era prima. Immagino che si debba accettare ciò che le riserverà la sorte, non credi? In principio pensavo che avessimo maggiori alternative. Ma adesso mi rendo conto che non è così... o forse ne abbiamo avute a suo tempo. Avremmo potuto decidere di non sottoporla a quell'intervento, ma in tal caso l'avremmo condannata a morire. Abbiamo fatto la scelta giusta, ma non succede niente. Voglio comunque dirti una cosa: se dovesse rimanere in coma a tempo indefinito, non puoi rimanere seduta di fianco al suo letto per anni... finiresti per esserne distrutta. Alla fine dovrai trovare una soluzione. » Ma era ancora troppo presto. L'incidente era avenuto poco più di venti giorni prima. Ed esisteva ancora una possibilità che Allyson uscisse dal coma.

«Non lasciare che la tua vita prenda quella strada, Page...» le disse in tono supplichevole «...tu meriti molto di più... molto di più di quello che posso darti.»

Lei fece cenno di sì, ma voltò la testa dall'altra parte cercando di non pensare a quale sarebbe stata la sua vita quando Brad se ne fosse andato. Poi alzò gli occhi verso il cielo e vide le stelle e si chiese come mai la loro vita avesse imboccato quella strada tanto sbagliata... come avessero potuto arrivare addirittura a tutto questo... come fosse successa una cosa del genere a loro... e ad Allie.

13

La mattina dopo Page, senza perdere la calma, aspettò che sua madre si alzasse e quando, finalmente, la vide uscire dalla sua camera preparò la prima colazione per lei e per Alexis e la servì al tavolo di cucina. Poi, sempre con la massima tranquillità, spiegò a entrambe che dovevano andarsene, che una settimana di soggiorno era stata più che sufficiente e che comunque in quel momento non se la sentiva di avere ospiti. Evitò qualsiasi allusione alla sera precedente e si guardò bene dallo scusarsi per quello che era successo, ma loro si resero evidentemente conto che faceva sul serio e nessuna delle due ebbe il coraggio di fare obiezioni o di discutere. La madre si affrettò a dire che David sentiva terribilmente la mancanza di Alexis; quanto a lei, doveva tornarsene a casa perché aspettava gli imbianchini per ridipingere l'appartamento.

Scuse migliori non avrebbero potuto trovare e Page non volle neppure pensare a quello che si sarebbero raccontate per convincersi che era venuto il momento di partire. Voleva che se ne andassero quella sera stessa, e sua madre non riuscì a nascondere il suo stupore quando seppe che Page aveva già fissato i posti sull'aereo in partenza alle quattro del pomeriggio, in prima classe. Non solo, ma aveva anche provveduto a noleggiare una limousine con autista per accompagnarle all'aeroporto. Sarebbe venuto a prenderle alle due, in tempo per il loro volo. Avrebbero potuto pranzare da lei prima di partire, e perfino andare a trovare Allyson un'ultima volta, se lo desideravano.

«A dire la verità...» esclamò sua madre cercando una scusa «...mi ci vuole talmente tanto tempo per preparare le valigie. Naturalmente, se vuoi che andiamo a trovare Allyson, potremmo partire domani.» Page non ci pensava neppure. Non glielo avrebbe mai permesso! Non voleva che rimanessero un minuto di più. Aveva deciso di prendere di nuovo in mano le redini della propria vita. Per quanto penoso, aveva detto a Brad che doveva sloggiare, e adesso faceva tornare a New York sua madre e sua sorella.

«Non credo che Allyson ci baderà», osservò Page in tono ironico, ma le due donne si sentirono toccate sul vivo e si affrettarono a raccomandarle di riferire a sua figlia che le lasciavano tanti saluti affettuosi.

Page rimase con loro fino a quando non se ne andarono; poi cambiò le lenzuola dei loro letti, mise tutta la biancheria sporca nella lavatrice e passò l'aspirapolvere dappertutto. Aveva la sensazione, finalmente, di fare quello che doveva per riportare un po' di ordine nella propria esistenza. La partenza di sua madre e di sua sorella era avvenuta senza commozione da entrambe le parti, soprattutto tenendo conto della scenata della sera prima. Ormai non occorreva aggiungere altro a quanto era già stato detto.

Alexis aveva messo un cappellino nuovo e Maribelle Addison indossava uno dei nuovi tailleur che aveva acquistato. Entrambe sfiorarono distrattamente la guancia di Page e poi salirono a bordo della limousine. Mentre riordinava la casa, Page si sentì decisamente sollevata. Fu soprattutto contenta quando poté ripulire da cima a fondo la camera di Allyson; l'unica cosa che la lasciò sbalordita fu l'incredibile quantità di lassativi che Alexis aveva dimenticato. Capì che sua sorella era una donna molto malata — anche se sembrava che nessuno se ne rendesse conto, o forse se ne rendevano conto ma non volevano preoccuparsene. Era come se Alexis cercasse di scomparire, pressappoco come aveva cancellato tutto quello che le era accaduto nella vita, per annullarlo e dimenticare, ma era una soluzione troppo drastica e terribile. In un certo senso, a modo suo, voleva tornare a essere una bambina, la bambina che era stata prima che suo padre la violentasse.

Alle quattro Page andò a prendere Andy a scuola. Si sentiva più libera e spensierata di quanto fosse da settimane, soprattutto dopo l'incidente; e Andy le domandò se potevano fermarsi a comprare un mazzo di rose. Page gli propose di portarle a Chloe, all'ospedale, dal momento che Allyson non avrebbe potuto tenerle nella sua camera, nel reparto di terapia intensiva. Era emozionatissimo al pensiero di rivederla e continuò a parlare di lei lungo tutto il tragitto. Ma Page fu costretta a ricordargli che l'aspetto di sua sorella ora era molto diverso.

« Lo so, lo so », rispose lui con aria seria. « Come se fosse addormentata. »

« No », gli spiegò di nuovo Page, « è diverso. Ha la testa tutta fasciata, braccia e gambe molto magre, e ha un tubo in gola che l'aiuta a respirare; è collegata a una grossa macchina che respira per lei. A volte tutto questo può fare impressione, soprattutto se non l'hai mai visto prima. Ci siamo capiti? Puoi parlarle, ma lei non ti risponderà. »

« Lo so. Sta dormendo. » Si sentiva molto importante perché andava a trovarla, e a scuola non aveva fatto che parlarne tutto il giorno. Quando arrivarono all'ospedale era eccitatissimo e pieno di entusiasmo. Scese in fretta dall'automobile e afferrò la mano di Page mentre entravano a passo lesto nell'atrio.

Alla fine avevano comperato delle rose rosa per Chloe, ma Andy aveva voluto aggiungervi anche una stupenda gardenia da offrire a sua sorella. « Chissà come le piacerà », disse tutto fiero, stringendola fra le manine. Purtroppo, malgrado lo avesse preparato, Page si accorse che era sconvolto quando si trovò davanti Allyson, che quel giorno aveva un aspetto peggiore del solito. Era pallida e le avevano cambiato la fasciatura alla testa, che adesso sembrava ancora più voluminosa e più bianca. Poi, piano piano, il bambino si fece avanti e posò la gardenia sul guanciale, vicino al viso di sua sorella.

284

« Ciao, Allie », sussurrò con gli occhi sgranati, e poi le toccò la mano. Page non riuscì a trattenersi e scoppiò in lacrime. « Tutto bene... ho capito che stai dormendo... me l'ha detto la mamma. » Rimase a fissarla a lungo, accarezzandole una mano, poi si chinò a darle un bacio. Intorno a lei aleggiava un forte odore di medicinali, ai quali si mescolò il profumo della gardenia che le aveva portato.

« Oggi papà va a New York », le spiegò. « E la mamma dice che io posso tornare presto a trovarti. Mi dispiace di averci messo tanto tempo prima di venire. » Non un suono, non un movimento all'infuori di quello degli apparecchi che la circondavano, e Page continuò a piangere in silenzio sotto gli occhi delle infermiere. « Ti voglio bene, Allie... non è divertente stare a casa senza di te. » Voleva anche dirle che papà e mamma litigavano sempre, ma non voleva darle un dolore. Voleva soprattutto pregarla di tornare a casa. Perché sentiva la sua mancanza. « Oh... a proposito, io ho un nuovo amico... Bjorn... lo conosci, è il fratello di Chloe. Ha diciotto anni, ma veramente non è come se li avesse. » Poi si voltò a sorridere alla madre e rimase molto meravigliato di vederla in lacrime. « Tutto bene, mamma? »

« Sì, sto bene », mormorò lei sorridendogli fra le lacrime. Era così orgogliosa di lui, e come gli voleva bene! Fu contenta di averlo portato con sé. Fino a quel momento non si era resa conto di quanto Andy avesse bisogno di vedere sua sorella. Anche se adesso fosse morta, avrebbe sempre avuto la sensazione di esserle stato vicino, di aver conservato i contatti con lei, di averle detto addio. Non avrebbe pensato che Allie fosse scomparsa nel bel mezzo della notte, in un grande vuoto.

Andy continuò a parlare ad Allie ancora per un po'; poi si voltò verso Page e le disse che era pronto ad andare a far visita a Chloe. Guardò sua sorella ancora per un lungo momento e si alzò sulla punta dei piedi per darle un bacio.

« Ci vediamo presto... d'accordo?... Cerca di svegliarti presto, Al. Ci manchi proprio tanto, sai... ti voglio bene, Allie », mormorò e prendendo sua madre per mano lasciò il reparto di terapia intensiva con il suo mazzo di rose per Chloe.

Page ebbe bisogno di qualche minuto per riacquistare tutto il suo autocontrollo; poi lo baciò e gli disse che era molto fiera di lui. «Sei un ometto straordinario, non te l'ha mai detto nessuno?»

«Secondo te, lei mi ha sentito, mamma?» le domandò Andy, con aria preoccupata.

«Ne sono sicura, tesoro.»

«È quello che spero anch'io», commentò lui con tristezza. Era silenzioso e meno vivace del solito quando entrarono nella camera di Chloe, mentre Page era ancora stupita per come si era comportato. Non aveva pianto e, almeno in apparenza, non si era spaventato. Con Chloe le cose andarono ancora meglio. Anche Bjorn era andato a trovarla, e ben presto i due ragazzi cominciarono a ridere e a correre per i corridoi, e a giocare a nascondino intorno alle infermiere.

«Sarà meglio portarli via al più presto, prima che le infermiere ci buttino fuori», osservò Trygve con una risata. Poi, di nuovo serio, si voltò verso Page. «Come si è comportato? È andato tutto bene?»

«È stato fantastico. Così coraggioso, così dolce. Le ha lasciato una gardenia sul guanciale, vicino al viso.»

«È un tesoro, quel bambino. E oggi sembra più contento. Si è ripreso?»

«Sì, tutto bene. Brad e io abbiamo avuto un lungo colloquio, ieri sera. Se ne andrà di casa. E presto dovremo parlare anche di questo con Andy.»

«Non c'è mai niente che sia semplice, vero?» Le prese una mano e gliela strinse forte; poi chiamarono i loro figli e Trygve li invitò tutti ad andare a mangiare una pizza. «Oppure devi tornare a casa a preparare la cena per tua madre e tua sorella?»

«Niente affatto», rise lei. «Se ne sono andate. Le ho spedite con il volo delle quattro», gli spiegò. Sembrava soddisfatta.

«La zia Alexis è proprio strana», commentò Andy mentre li ascoltava. «Non fa altro che stare in bagno!»

Quella sera trascorsero qualche ora piacevolissima. E il contrasto con la sera precedente risultò ancora più netto. I

286

due ragazzi giocarono, chiacchierarono, si divertirono e divorarono una pizza enorme mentre Page e Trygve avevano finalmente una possibilità di rilassarsi per qualche ora, conversando normalmente, lontano dall'ospedale. Page riuscì persino a parlare del suo lavoro. Stava pensando di cercarsi uno studio, non appena Allie si fosse ripresa o avessero almeno potuto tornare a un ritmo di vita più regolare. Era decisa a dedicarsi seriamente alla pittura, e magari a chiedere un compenso per i lavori che eseguiva.

«Un'ottima idea», esclamò Trygve, congratulandosi con lei. «Avresti dovuto farlo molti anni fa. Sono fantastici.» Anche Page lo era. Ogni volta che la vedeva, gli piaceva sempre di più. Alla fine li accompagnò a casa e a malincuore se ne andò, ma c'era anche Bjorn a cui pensare. Nel giro di un paio di settimane Chloe sarebbe tornata a casa e allora anche lui si sarebbe ritrovato con molti impegni in più. D'altra parte aveva intenzione di trovare un po' di tempo anche per Page e di accompagnarla all'ospedale, se ne avesse avuto bisogno. E voleva anche occuparsi di Andy e tenergli compagnia. Tutto sarebbe diventato più difficile per lei, adesso, se Brad se ne andava di casa, e anche per il bambino. E Trygve voleva essere vicino a loro, per aiutarli a riprendere una vita normale. L'unica sua speranza, adesso, era che le condizioni di Allyson non peggiorassero. Avevano già dovuto affrontare choc e tragedie, e dopo tutto quello che era successo temeva che Page non ce l'avrebbe fatta a superare un simile dolore.

14

BRAD rientrò da New York il giovedì pomeriggio, ma Page non lo vide. Quella sera non tornò nemmeno a Ross e l'indomani non lo incontrò quando lui passò a trovare Allyson durante l'intervallo del pranzo. Furono le infermiere a riferirle che era arrivato verso mezzogiorno e quando Page tornò a casa dopo essere andata a prendere Andy, che aveva dormito da Jane quella notte, lo trovò che stava preparando le valigie. La porta della loro camera da letto era chiusa, ma lei aveva già visto la sua automobile in garage. Andy, invece, si precipitò dentro per salutarlo ma si fermò di botto, stupefatto, guardandosi attorno. C'erano due valigie sul pavimento, un'altra sul letto e abiti dappertutto. Quanto a Page, di fronte a quello spettacolo avvertì una stretta al cuore.

«Che cosa stai facendo, papà?» chiese Andy, confuso e sconcertato, e Page pensò che quello non era il modo più adatto per metterlo di fronte alla verità. Brad si guardò attorno, poi fissò Page; sapevano entrambi di non avere più alternative. «Torni via di nuovo?» Andy sembrava addirittura angosciato.

«Più o meno, campioncino!»

Sedette sul letto e prese Andy sulle ginocchia mentre Page li guardava con un nodo alla gola. In quei giorni sembrava che nella sua vita non ci fossero che addii e momenti penosi. «Mi trasferisco in città.»

288

« Anch'io? » esclamò Andy stupito. Nessuno gli aveva detto che andavano via di lì.

« No, tu resti qui con la mamma. » Avrebbe voluto aggiungere: « ...e con Allie... » ma si fermò in tempo. Chi poteva sapere se sarebbe mai tornata a casa?

« State per divorziare? » domandò Andy con le lacrime agli occhi, e suo padre lo strinse forte al cuore.

« Forse. Ancora non lo sappiamo. Però ci è sembrato meglio che io andassi a stare in qualche altro posto. Con la mamma abbiamo litigato troppo spesso! »

« Per colpa mia? Perché sono scappato quella notte, papà? È per questo che te ne vai? »

« No, è una cosa che volevo fare già da un po'. E in questi ultimi tempi tutto è diventato un po' troppo difficile. A volte, le cose vanno a questo modo. »

« È per colpa dell'incidente? » Andy aveva bisogno di una giustificazione. Ma forse non ce n'era nessuna.

« Può darsi. Non so. A volte le cose diventano complicate... ma questo non significa che io non ti voglia bene. Ti voglio un sacco di bene, e anche la mamma. E saremo sempre qui con te, e tu verrai a trovarmi qualche volta, anche durante il fine settimana. » In quel momento Page all'improvviso si rese conto che avrebbero dovuto consultare avvocati e decidere gli orari per le visite di rito ai figli. Com'era tutto complicato, e com'era burocratico! Non sopportava di vedere trasformare così la loro vita, ma era esattamente ciò che sarebbe accaduto. Avrebbero dovuto dividere tutto ciò che avevano, i mobili, i regali di nozze... la biancheria... l'argenteria... gli asciugamani... che cosa miserabile era diventata la loro vita... e tutto nel giro di pochi istanti.

« Dove andrai, papà? Hai una casa? »

« Andrò ad abitare in un appartamento. Presto avrò anche il mio numero di telefono privato, così potrai chiamarmi. E naturalmente potrai chiamarmi in ufficio. » Andy lo ascoltò; poi, sempre stretto fra le braccia di Brad, cominciò a piangere.

« Io non voglio che tu vada via », disse al colmo dell'infelicità mentre Page piangeva. Che cosa tremenda.

289

«Neppure io, figliolo, ma ci sono costretto.»

«Perché?» Non riusciva a comprendere e, guardandoli Page si chiese come avessero potuto arrivare a tutto questo. Come avevano potuto essere tanto stupidi?

«È difficile da spiegare. È andata così.»

«Perché non cercate di rimediare?» Era un suggerimento ragionevole e Brad sorrise a Page con gli occhi lucidi.

«Vorrei che fosse possibile.» La verità era un'altra: non voleva poterlo fare. Era contento di andarsene. Voleva vivere la propria vita, avere il proprio appartamento... e Stephanie. Si sentiva eccitato al solo pensiero di traslocare altrove. Quanto a Stephanie, era emozionatissima e felice. Lei avrebbe voluto che andasse subito a vivere con lei, ma Brad riteneva fosse opportuno aspettare un mese o due.

Era stato solo rientrando a casa, quando si era accorto di quanto fosse penoso per tutti, che aveva scoperto di non avere più voglia di lasciarli. Ma era abbastanza intelligente da capire che se non lo avesse fatto subito, avrebbe continuato a cercare di sparire sempre più spesso. Ormai era pronto ad andarsene, anche se gli dispiaceva, soprattutto per Andy.

«Non farlo, papà», lo pregò Andy. E Page si sentì quasi male.

«Figliolo, non insistere. È la cosa giusta per tutti noi. Lo so.»

«Che cosa dirà Allie quando tornerà?» Cercava ormai ogni pretesto per trattenere Brad.

«Dovremo spiegarglielo.» Allora Andy corse dalla madre e scoppiò in singhiozzi mentre lei lo abbracciava.

Fu una serata terribile per tutti. Brad decise di passare la notte a casa per esaminare tutte le sue carte e i documenti. La mattina, pareva che fossero tutti in lutto.

Page preparò frittelle e salsicce per l'intera famiglia, i loro piatti preferiti, ma nessuno ne assaggiò un solo boccone. Fra l'altro Andy, proprio quel giorno, avrebbe dovuto giocare una partita di baseball, ma con il braccio rotto non era possibile. Volle ugualmente che suo padre rimanesse a giocare con lui, ma nella tarda mattinata Brad annunciò che doveva andare in città. Sapeva che Stephanie lo stava aspettando.

«Quando ti vedrò di nuovo, papà?» gli domandò Andy, in preda al panico, mentre Brad caricava scatoloni e valigie sull'auto e si preparava a lasciarli.

«Sabato prossimo, te lo prometto. Prova a pensare che sono partito per un viaggio. Potrai chiamarmi ogni giorno in ufficio.» Ma per Andy, né parole né promesse avevano ormai importanza e scoppiò a piangere, come Page, mentre Brad usciva dal viale d'accesso della casa a marcia indietro e si allontanava. Quanto a Page, fu la giornata peggiore della sua vita — a parte quella dell'incidente di Allie, quattro settimane prima. Tutte le speranze, tutti gli anni vissuti insieme ormai non esistevano più.

Andy rimase a lungo fuori, davanti a casa, a piangere tra le braccia di sua madre; poi rientrarono e si sedettero vicini. Era come se qualcuno fosse morto. Avevano perduto due persone alle quali volevano bene. Page rimase allibita, e quasi non riuscì a credere alle proprie orecchie, quando sua madre la chiamò, all'ora di pranzo, per ringraziarla della sua squisita ospitalità.

«Alexis e io ci siamo davvero divertite! È stato tutto magnifico. E che piacere andare a trovare Allyson. Sono sicura che adesso deve già essere molto migliorata.» Quelle parole così formali e vuote la lasciarono ammutolita... in ogni caso non era certo dell'umore più adatto per chiacchierare con lei. Quindi si affrettò a risponderle che le avrebbe ritelefonato in seguito, riattaccò e tornò da Andy che si era buttato sul letto e piangeva con la testa affondata nel cuscino. Appariva letteralmente sconvolto e Page fu costretta ad ammettere che anche lei non si sentiva certo meglio. Chissà perché, vedere Brad andarsene aveva reso tutto così vero, reale... e tanto penoso.

«So che ti senti malissimo, tesoro. Ma bisogna rassegnarsi», provò a sussurrargli mentre le lacrime le riempivano gli occhi. Poi Andy rotolò su un fianco per guardarla in faccia.

«Sei tu che volevi che se ne andasse?» Era stata colpa sua? O di Brad? O di Allie?... O di chi?... Andy non riusciva a capirlo.

«No. Non volevo che andasse via, tesoro. Ma capisco che

doveva farlo. Le cose erano diventate un po' troppo difficili. »

« Perché? Perché discutevate? »

« Non so. Discutevamo, litigavamo — e basta. » Era difficile spiegarglielo. Quasi non riusciva a capirlo nemmeno lei… come poteva spiegarlo a un bambino di sette anni?

Trygve telefonò nel pomeriggio e lei gli raccontò quello che era successo. Allora lui li invitò a cena per assaggiare uno dei suoi famosi stufati. In un primo momento Andy non mostrò alcun desiderio di vedere Bjorn, ma alla fine accettò. Salì in auto quasi a malincuore, portandosi dietro l'orsacchiotto con cui dormiva sempre.

« Anche Bjorn ne ha uno », spiegò a Page. « Lo chiama Charlie. »

Quando arrivarono, Bjorn capì subito che l'amico non era del solito umore. Andarono fuori a chiacchierare e ci rimasero per un bel po'; Andy gli raccontò tutto quello che era successo.

« Come sta? » domandò Trygve, preoccupato per tutti e due.

« È sconvolto. Quando è arrivato il momento decisivo, è stato peggio di quanto avessi immaginato. Terribile, davvero! »

« Lo so fin troppo bene. » Soffriva ancora al pensiero del giorno in cui Dana lo aveva lasciato. Avevano pianto tutti per ore, perfino lei. « Dio, è come se ti fosse passato sopra uno schiacciasassi! »

« Come potrebbe essere diversamente? » Lo guardò, sentendosi di nuovo esausta. Le pareva che fosse la sua condizione normale, in quei giorni. « E Chloe? Tutto bene? »

« Sta facendo il diavolo a quattro in ospedale. Dovrebbe tornare a casa la settimana prossima, se faremo in tempo a sistemare le rampe necessarie per la poltrona a rotelle, ma sarà costretta a dormire al pianterreno, nella camera da letto di Nick. » Page riuscì solo a pensare che era molto fortunato a veder tornare a casa sua figlia. In quattro settimane le condizioni di Allie non erano cambiate. E a poco a poco le speranze stavano svanendo.

Cenarono insieme e fu una serata piacevole. Parlarono soprattutto del menu che Trygve doveva decidere per il barbecue del Memorial Day. Poi le diede il suo ultimo articolo da leggere; faceva parte di una serie per il *New York Times* e ci stava lavorando già da parecchio tempo. Passarono ore serene, ma Trygve si guardò bene dall'esercitare pressioni di qualsiasi genere su Page. Capiva quanto soffrisse ancora per Brad, e darle un dispiacere era l'ultima cosa che voleva.

«Non mi aspettavo di soffrire tanto quando se ne è andato», gli spiegò lei dopo la cena, quando si ritrovarono fuori, sulle sdraio, a scacciare le zanzare.

«E perché no? Dopo sedici anni sarebbe stato anormale che tu non soffrissi. Ti assicuro che quando Dana se ne è andata ormai ero stanco ed esausto, ma è stato comunque un colpo durissimo. Credimi. Sono rimasto scioccato e triste per moltissimo tempo. È logico che capiti anche a te.»

«Non riesco più a capire quello che mi sta succedendo. La mia vita è un tale caos!»

«No, non è vero. Adesso hai questa sensazione. Hai troppe cose da affrontare contemporaneamente. Piuttosto, che cosa dice Hammerman delle condizioni di Allie?»

«Che sono ancora possibili moltissime cose, ma se non dovesse uscire dal coma nel giro di un mese o due, si può supporre che non ne uscirà mai più. E io comincio a tormentarmi al pensiero che possa rimanere in questo stato, Trygve.» Lui tacque per qualche istante e Page rifletté su quanto aveva appena detto, fissando le stelle in silenzio.

«Spero di no.» Poi si rammentò di una cosa che aveva dimenticato di riferirle. «La settimana scorsa ho sentito una notizia interessante, ma sapevo che avevi troppe cose a cui pensare e ho preferito non parlartene per non angustiarti.»

«Di che cosa si tratta?»

«Qualcuno ha visto Laura Hutchinson sbronza a una festa. E quando dico sbronza sono gentile, perché in realtà era ubriaca fradicia. Sono stati costretti a portarla via, sia pure con molta discrezione. Di nascosto, zitti zitti, senza farsi notare. Cose come queste mi fanno pensare che potrebbe essere successo molto spesso anche prima, e che possa essere la spiegazione dell'incidente di quella sera. Se chiunque altro di noi si sbronza, facciamo una figuraccia, ma che importanza ha... basta che non succeda troppo spesso, non è vero? Mentre qualcuno che ha un problema... che si trova in una situazione delicata... be', in questo caso la faccenda andrebbe gestita in un modo molto diverso, non ti pare? Meglio che tutto sia messo a tacere in modo che nessuno sappia niente.

« Mi sono sempre chiesto se non fosse ubriaca quella notte. Si è mostrata così ansiosa di scusarsi con tutti, così sconvolta, così piena di premure nei confronti dei Chapman... a quanto ho sentito. » Aveva fatto una generosa donazione alla scuola di Redwood, in memoria di Phillip, e tutti lo sapevano. « Ho sempre pensato che si comportava come se si sentisse in colpa. »

« Può darsi. O può anche darsi che si sentisse sconvolta per la morte di Phillip, sia che ne fosse responsabile o no. Ha scritto anche a me, per dirmi quanto le dispiaceva per quello che era successo ad Allie », obiettò Page, senza il minimo sospetto. All'inizio aveva avuto una gran voglia di accollare ogni responsabilità a Laura Hutchinson, ma adesso non più.

« Anche a noi ha scritto, ma io non le ho mai risposto. Che cosa potevo dirle? Oh, nessun problema... tutto bene, lei ha quasi ammazzato mia figlia e per poco non è finita su una sedia a rotelle per il resto dei suoi giorni, però le assicuro che abbiamo sinceramente apprezzato la sua lettera. » Sembrava in collera, mentre riferiva tutto questo, poi lanciò un'occhiata a Page.

« Senti... mi è venuta un'idea che può sembrare pazzesca. Non so neppure quello che sto cercando, ma ho un vecchio amico che lavora come giornalista investigativo. Scrive per uno di quei giornaletti scandalistici da quattro soldi, ma non è escluso che possa avere qualche fonte interessante per certe informazioni. »

« Si può sapere che cosa stai cercando? » gli domandò lei con rinnovata curiosità.

« Non ne sono sicuro. Qualcosa, forse sto cercando il classico ago nel pagliaio! Ma ripensandoci a mente fredda, credo che ci sia, in tutta questa storia, più di quanto abbiamo saputo quella notte. Non è escluso che lui possa scoprire qualcosa. Magari Laura Hutchinson ha ancora un problema di alcolismo e, se così fosse, noi abbiamo il diritto di saperlo. »

« Allora prova a domandarlo a quel tuo amico », gli rispose piano, mentre Trygve annuiva. Poi la guardò sorridendo. « Anche i Chapman saranno interessati a questa informazione. » Avevano appena intentato causa a tutti e due i quotidiani locali.

« Che bella coppia di agitatori siamo, tu e io », le disse Trygve pacatamente.

« Magari quella donna se lo merita », bisbigliò Page con voce triste.

E lui annuì, senza aggiungere altro.

295

15

Le due settimane successive passarono velocemente, con momenti penosi e altri piacevoli. I primi giorni dopo la partenza di Brad furono addirittura strazianti. Andy piangeva ogni sera e Page fu costretta ad andare a prenderlo a scuola un paio di volte perché era troppo agitato e sconvolto per seguire le lezioni. Ci fu perfino un'occasione in cui Page temette che fosse scappato di nuovo, ma poi lo trovò seduto solo soletto in giardino con il suo orsacchiotto. Anche per lei erano momenti molto difficili. Andy voleva qualcosa che lei non poteva più dargli: un papà.

Brad, comunque, mantenne le promesse e lo portò fuori a Marine World il sabato successivo, ma il momento in cui dovette riaccompagnarlo di nuovo a casa fu straziante. Andy, a quel punto, gli lasciò capire che non voleva che se ne andasse e Brad fu costretto a ripetergli che doveva farlo. Lo avrebbe portato volentieri a casa con sé, ma sapeva che era prematuro fargli conoscere Stephanie. Ormai lei era quasi sempre da lui e Brad non voleva che Andy associasse la sua presenza al dolore della separazione.

La seconda settimana le cose andarono un po' meglio. Andy tornò a far visita ad Allie e furono invitati a cena dai Thorensen un paio di volte. Il sabato Andy rivide Brad. E la domenica Chloe tornò a casa dall'ospedale; erano passate sei settimane dall'incidente nel quale aveva corso il rischio di morire.

Fu Trygve ad accompagnarla in automobile e trovarono Bjorn ad aspettarli. Aveva messo grandi cartelli di benvenuto dappertutto e mazzolini di fiori che aveva raccolto in giardino. Insieme a Trygve, la sera prima, aveva preparato e messo in forno una torta e fu sempre lui a occuparsi del pranzo, quel giorno: tartine al burro di arachidi e gelatina, le sue preferite. Per Chloe fu uno splendido ritorno! Perfino Nick era rientrato dal college per un fine settimana prolungato. E aveva ceduto la sua camera alla sorella.

Dopo che si fu sistemata, anche Page e Andy arrivarono, per salutarla. La trovarono distesa sul divano del soggiorno, e anche se non aveva l'aria di stare proprio comoda, era evidente che era molto felice. Nonostante fosse ancora tormentata dai dolori, cercava di non esagerare con i sedativi. Non voleva diventarne dipendente e aveva deciso di sopportare la sofferenza distraendosi.

Quel pomeriggio era venuto a farle visita anche Jamie Applegate, ma fin dal primo momento cominciò subito ad avere l'aria impacciata e a sembrare a disagio. Era stato a trovarla in ospedale moltissime volte, ma adesso, vedendola a casa per la prima volta, non poté fare a meno di pensare a quanto fossero stati disonesti e sciocchi a combinare quell'appuntamento a quattro di nascosto. Sembrò che tutto quanto era successo tornasse vividamente alla memoria di entrambi, e rimasero a lungo a parlarne a bassa voce, da soli, nel soggiorno, mentre Bjorn, Trygve, Page e Andy si ritiravano in cucina.

Comunque fu una giornata serena e distensiva. Per il momento il peggio era passato. Non era escluso che Chloe dovesse sottoporsi a un altro intervento; anzi il medico lo riteneva estremamente probabile. Ma in ogni caso non correva più pericolo né avrebbe troppo sofferto come adesso. Aveva un aspetto molto grazioso, e molto giovane, distesa sul divano del soggiorno, sotto la bella coperta rosa che Page le aveva regalato. Era di cashmere, molto morbida, e Chloe continuava a giocherellarvi senza accorgersene mentre parlava di Allie e Phillip con Jamie.

«Sembra strano, non trovi anche tu?» gli disse a un certo punto con voce triste, guardandolo. «Io non posso parlarle, non posso telefonarle... e tu non puoi parlare con lui... a volte tutto questo mi fa sentire tanto sola», mormorò desolata, fissandolo con gli occhi grandissimi, mentre lui annuiva. In realtà lei lo aveva aiutato moltissimo parlandogli di tutte quelle cose che lui non avrebbe mai avuto il coraggio di domandare, che riguardavano l'incidente e quello che aveva sofferto. Forse perché era una ragazza, le pareva logico comportarsi così e, in un certo senso, a Jamie consentiva di manifestare tutta l'angoscia e il senso di colpa che provava per il fatto di essere uscito praticamente illeso dall'incidente. Continuava ad avere dei problemi proprio per questo motivo, e aveva cominciato ad andare di tanto in tanto da uno psicoterapista che lo aiutasse a superare l'inevitabile senso di colpa che lo tormentava. Aveva perfino partecipato a una serie di sedute con un gruppo di persone sopravvissute a incidenti stradali e aerei in cui avevano perduto parenti, famigliari o amici. Era stato un grande sollievo parlare con loro; e poi aveva sempre riferito tutte le sue impressioni a Chloe.

«Be', che cosa facciamo oggi?» si decise alla fine a domandarle. In quel mese e mezzo erano diventati intimi amici e Jamie era convinto di sapere tutto di lei. Il tipo di musica che le piaceva, gli attori, le attrici e i film che preferiva, gli amici per i quali provava un affetto sincero e le persone che detestava, il tipo di casa nel quale le sarebbe piaciuto vivere quando fosse diventata grande, quanti bambini pensava che avrebbe voluto avere, in quale college avrebbe voluto studiare. Parlavano di tutto, dagli argomenti più banali a quelli più importanti.

«Non saprei», gli rispose lei in tono allegro. «Stavo pensando di andare a ballare!» Per fortuna non aveva perduto il suo senso dell'umorismo, malgrado quello che aveva passato, e Jamie le strinse una mano con affetto e la fissò negli occhi, dopo averle sentito pronunciare queste parole.

«Un giorno ci andremo, te lo prometto. Ci andremo a bordo di una limousine enorme, come quando si va a quei grandi balli studenteschi di fine anno; andremo dappertutto e balleremo tutta la notte», le promise con aria decisa e in tono molto serio, e Chloe fu commossa dall'intensità dei suoi sentimenti. Jamie le piaceva davvero e in quelle ultime settimane aveva cominciato a significare molto per lei. In un certo modo, aveva quasi preso il posto di Allie. E se qualcuno glielo avesse domandato, avrebbe dichiarato che adesso erano i migliori amici del mondo. In un certo senso tra loro era nato un sentimento più profondo, e lo sapevano entrambi, anche se non se lo erano ancora confessato. Il fatto è che avevano cominciato a contare l'uno sull'altro. Il loro rapporto era abbastanza simile a quello di Page e Trygve.

«Si può sapere che cosa state combinando voi due, chiusi qua dentro?» domandò Trygve qualche tempo dopo quando entrò a controllare se Chloe aveva bisogno di qualche cosa, se voleva mangiare o bere, se cominciava a stancarsi troppo e non avrebbe preferito essere messa a letto per un po'. Invece sembrava felice, sdraiata sul divano a chiacchierare con Jamie.

«Stiamo semplicemente parlando», gli rispose Jamie disinvolto. Apprezzava il fatto che Trygve gli avesse permesso di trascorrere tutto quel tempo con Chloe fin dal giorno dell'incidente, dandogli la possibilità di conoscerla sempre meglio. In principio aveva avuto paura che accettassero le sue visite solo perché Chloe era ricoverata in ospedale e che non lo avrebbero più voluto vedere quando lei fosse tornata a casa. Invece non era successo niente del genere e quel pomeriggio fu felice di poter condividere anche lui con gli altri la gioia del ritorno di Chloe in famiglia. «Posso fare qualcosa? Essere di aiuto?» si affrettò a domandare nervosamente, ma Trygve gli rispose che bastava tener d'occhio Chloe di continuo e badare che non si azzardasse a scendere dal divano. Se poi avesse avuto bisogno di andare in bagno, era meglio che chiamasse lui.

E quando dopo un po' Jamie lo chiamò, furono Trygve e Page ad accompagnarla, ma Chloe dimostrò subito di essere in grado di cavarsela abbastanza bene anche da sola. Si sentiva discretamente indipendente, anche se era chiaro che avrebbe avuto bisogno di aiuto per muoversi in casa e fare anche la più piccola cosa. Il ritorno dall'ospedale non significava certo la fine della parte più difficile della convalescenza, anzi era solo il principio.

Fu quello che Page spiegò a Trygve quando tornarono in cucina per prendere un'altra tazza di caffè.

«Lo so.» Trygve annuì solennemente. Aveva già calcolato anche questo e sapeva che le difficoltà sarebbero arrivate adesso e che molte sarebbero state le limitazioni per Chloe. Era logico che, una volta tornata a casa, lei si aspettasse di riacquistare in pieno la propria autonomia, e invece, purtroppo, quel ritorno a casa non aveva niente di magico. L'aspettava una specie di lungo e lento viaggio prima di poter tornare alla vita libera e semplice del passato. «Ho trovato qualcuno che venga a darmi una mano per qualche ora al giorno, in modo da poter uscire o lavorare un po'. Bjorn si fa in quattro per rendermi tutto più facile, ma la situazione sarà abbastanza complicata per un bel po'. Non credo che Chloe se ne renda conto, ma io lo sapevo.» Le sorrise, e Page pensò di nuovo che era un uomo adorabile. Tutti adesso dipendevano da Trygve, perfino lei.

Page e Andy tornarono a casa poco prima dell'ora di cena, per trascorrere tranquillamente la serata insieme. Avevano noleggiato una serie di videocassette e le guardarono mangiando popcorn; poi, dopo cena, andarono a dormire nel letto di Page.

L'indomani era il Memorial Day e Trygve aveva organizzato un barbecue al quale invitò quattro o cinque degli amici di Chloe — naturalmente anche Jamie Applegate — e Page e Andy.

«Sono ragazzi simpatici», disse poi, venendo a sedersi davanti a lei con un bicchiere di vino in mano e il grembiule ancora legato in vita. Appariva stanco. Durante la notte era stato sveglio a lungo con Chloe.

«Certo, e come sono contenti di riaverla tra loro.» Page sorrise guardandoli, desiderando che anche Allie fosse lì, in mezzo agli altri. Per lei, adesso, i momenti passati con Chloe avevano un sapore dolceamaro, ma Trygve lo capiva.

«Che esperienza è stata! Per noi tutti», sospirò. «A volte

ho l'impressione che nessuno di noi tornerà più quello di prima. Dopo un'esperienza simile nessuno può restare quello di un tempo. » Meno di tutti Phillip e Allie. « E di te, che cosa mi dici? » La guardò con un sorriso pieno di dolcezza. « Come va? Come te la cavi? » L'aveva vista meno del solito durante i quindici giorni successivi alla sua separazione. E sentiva terribilmente la sua mancanza. D'altra parte capiva quale trauma fosse stato per lei il distacco da Brad e voleva darle il tempo di adattarsi. Page lo aveva capito e gliene era grata anche se, come lui, sentiva la mancanza della sua compagnia, del calore della sua amicizia e del flirt che era nato fra loro. Trygve era sempre molto attento a tutte le sue necessità, pareva quasi che le intuisse prima ancora che lei aprisse bocca.

« Io sto bene », gli rispose piano, pacatamente. Ma il colpo era stato ancor più duro di quanto si fosse aspettata.

« Mi sei mancata », mormorò lui, fissandola.

« Anche tu mi sei mancato », gli rispose a sua volta. « Non pensavo che sarebbe stato così. Solitudine e tristezza. Sotto certi aspetti, è un sollievo. Alla fine le cose andavano talmente male che era come vivere soffrendo in continuazione. Adesso è meglio, ma è sempre triste. A volte mi sento abbastanza coraggiosa, e come rinata, ma in altri momenti, invece, talmente... » lasciò la frase in sospeso, alla ricerca della parola giusta « ...priva di protezione. » Era rimasta sposata talmente a lungo che adesso le pareva strano trovarsi sola.

« In ogni caso, non è vero che tu sia priva di protezione. Sei sempre al sicuro, come prima. Sei sempre stata tu a prenderti cura di tutti, a pensare a ogni cosa. Brad, no. » Era vero, e soltanto adesso lei cominciava a capirlo. In quelle ultime due settimane Brad non era stato quasi mai da Allie. Solo un paio di volte. Per fortuna, però, vedeva Andy.

« Credo di capirlo soltanto adesso. Però è strano. Dopo sedici anni di matrimonio ti ritrovi al punto di partenza, con qualche asciugamano e qualche pezzo d'argenteria in meno, e senza il tostapane migliore. » Sorrise. Era molto peggio di questo, naturalmente, e il fatto che Brad avesse scelto proprio determinate cose da portarsi via, le aveva dato un enorme fastidio.

« Fa male, vero? » Trygve scoppiò in una risata. « Dana ha preso la metà esatta di tutto quello che avevamo. Di ogni coppia di lampade in nostro possesso ne ha presa una, metà delle seggiole di cucina e metà di pentole e padelle, e naturalmente dell'argenteria. Adesso io ho soltanto cose scompagnate e ogni volta che devo cucinare un'omelette o mi trovo con ospiti a cena sono nei guai perché scopro che ho bisogno sempre di quello che Dana ha portato con sé in Inghilterra. »

« Capisco. » Page sorrise dolorosamente. « All'inizio ha cominciato a dire che non voleva niente. Adesso pare che Stephanie non sia né bene attrezzata né ben fornita come lui credeva. Di tanto in tanto, ogni pochi giorni, tornando a casa scopro che qualcosa è scomparso e c'è un bigliettino nel quale Brad mi spiega che ha preso questo o quello 'come parte di ciò che gli spetta'. Non riesco a capire quando faccia questa specie di incursioni, ad ogni modo io non ci sono mai. E proprio ieri si è portato via la metà esatta della posateria d'argento che mi aveva regalato mia madre. »

« Farai meglio a stare attenta. Queste cose possono diventare antipatiche. »

« Non ne dubito... presine per le pentole di cucina... recipienti... sci... è strano a che cosa finisca per ridursi tutto, alla fine, non ti pare? Così meschino, poi! Diventa una specie di svendita di oggetti usati per i sentimenti! »

Trygve sorrise a quel paragone, ma era vero. E poi le fece una domanda che fino a quel momento aveva sempre rimandato. « Che cosa avete intenzione di fare con Andy, questa estate? »

« Estate? Oh Dio... è vero, siamo in giugno... non saprei. Non credo che sia possibile lasciare Allie. »

« Certo, ma se non ci fosse nessun cambiamento? Non credi che potresti andar via, purché non si tratti di un posto troppo lontano? » Aveva l'aria speranzosa e Page gli sorrise. Effettivamente Trygve aveva sollevato una questione importante. E se non si fosse verificato nessun cambiamento? Sarebbe davvero stato possibile andar via qualche giorno? Ne avrebbe avuto il coraggio? Avrebbe dovuto cominciare a vivere la propria vita partendo dal presupposto che Allie potesse rimanere in coma?

«Che cosa avevi in mente?» gli domandò guardinga, sempre con il pensiero rivolto a sua figlia.

«Un paio di settimane sul lago Tahoe. Ci andiamo ogni anno e Bjorn sarebbe felice di avere Andy con sé.» Trygve voltò la testa dall'altra parte, ma poi tornò subito a guardare Page: «...e io sarei felicissimo di averti con me...»

«Mi piacerebbe», mormorò Page. «Ci penseremo. Aspettiamo di vedere quali saranno le condizioni di Allie al momento della vostra partenza. Quando andate?»

«In agosto.»

«Mancano ancora due mesi. E molte cose potrebbero cambiare per quell'epoca.» Allie avrebbe potuto fare qualche progresso oppure essere in coma per sempre.

«A ogni modo cerca di tenerlo a mente», riprese lui, fissandola con uno sguardo molto significativo.

«Lo farò.» E Page sorrise mentre le loro mani si sfioravano in una carezza per un attimo. Fu un attimo carico di tensione. D'altra parte, nei giorni così dolorosi successivi alla separazione da Brad, Trygve si era fatto da parte proprio perché non voleva esercitare nessuna pressione su di lei né tantomeno crearle ulteriori complicazioni. Però aveva sentito la sua mancanza.

Se ne andarono tardi e Andy si addormentò in macchina lungo il tragitto. Era stato un fine settimana piacevole.

Quando Trygve le telefonò, aveva già messo a dormire il figlio ed era andata a letto anche lei. In quel momento si sentiva terribilmente sola.

«Mi manchi», le disse, e lei sorrise. Adesso che Chloe era tornata a casa non si sarebbero visti tanto spesso, a meno che Trygve non facesse di tanto in tanto una visita all'ospedale soltanto per salutarla. Ormai conosceva i suoi orari. «Mi manchi sempre», riprese lui, con voce roca, sensuale. In quei giorni, invece, per la maggior parte del tempo Page aveva cercato di non pensare mai a lui. Aveva voluto chiudersi nel dolore per il fallimento del suo matrimonio e la perdita di Brad, ma sentiva anche la mancanza di Trygve. Era un buon amico, un uomo pieno di fascino, molto divertente come compagno. «Quando ti rivedrò?» riprese lui. «Non credo che possiamo continuare a incontrarci nella sala d'aspetto dell'ospedale per il resto dei nostri giorni.» Nessuno dei due poteva dimenticare le ore interminabili che vi avevano passato, né i baci che in quegli ultimi tempi si erano scambiati.

«Io spero che non saremo costretti a incontrarci lì in eterno», gli rispose lei tristemente.

«È quello che spero anch'io. Ma nel frattempo, che cosa ne diresti di un vero e proprio appuntamento, un appuntamento serio, senza ragazzi intorno e senza infermiere, con una vera cena e niente pizza ai peperoni?»

Lei rise a quell'idea: era attraente. Da anni nessuno la invitava più fuori. E bastò quel pensiero a farla sentire di nuovo giovane e affascinante.

«Sembra incredibile.» Una volta soltanto era uscita, e con sua madre, dal giorno dell'incidente, e forse adesso era pronta a ripetere l'esperienza. «Vuoi dire che non sarò costretta a cucinare?»

«No», rispose lui ridendo, «niente stufato alla norvegese e niente polpette di carne alla svedese. E niente tartine spalmate di burro d'arachidi! Cibo vero, autentico. Roba da adulti. Che ne diresti della *Colomba d'Argento* giovedì?» Era un ristorante romantico di Marin, e se fosse successo qualcosa o ci fosse stato bisogno di loro, sarebbero stati immediatamente reperibili.

«Mi sembra un'idea magnifica», rispose lei. Erano settimane che non si sentiva così felice. Trygve era sempre riuscito a farla sentire una persona speciale e perfino quando aveva addosso quello sbiadito maglione e le sue scarpe più scalcagnate le dava la sensazione di considerarla una reginetta di bellezza.

«Passo a prenderti alle sette e mezzo.»

«Perfetto.» Avrebbe potuto lasciare Andy con Jane, o trovare una babysitter. Poi, all'improvviso, scoppiò a ridere.

« Che cosa c'è? »

« Stavo pensando che è il mio primo vero appuntamento in diciassette anni. Non sono del tutto sicura di ricordarmi come si fa. »

« Non è il caso che ti preoccupi. Te lo mostrerò io. » Risero insieme, sentendosi di nuovo giovani, e poi ripresero a chiacchierare per un po' dell'ultimo articolo di Trygve, dei progetti che Page aveva per un nuovo affresco da dipingere a scuola, e della casa di Tahoe. Lui le riferì anche di avere parlato con l'amico giornalista, il quale stava cominciando a indagare sull'alcolismo di Laura Hutchinson. Forse non avrebbe scoperto niente e, in ogni caso, non avrebbe potuto provare niente di nuovo riguardo la dinamica dell'incidente. Ma Trygve era tormentato da quei sospetti e non riusciva a scrollarseli di dosso.

« Ci vediamo domani », si decise alla fine a mormorarle con voce che si era fatta di nuovo roca e sensuale, e lei si domandò a che cosa volesse alludere. Ma il giorno dopo Trygve si presentò al reparto di terapia intensiva con un cestino da picnic e un mazzo di fiori.

Page aveva appena finito di lavorare con la fisioterapista massaggiando i muscoli di Allie per scioglierli. Aveva infatti le gambe tese e i piedi rigidi nella loro posizione forzata, i gomiti flessi, le braccia bloccate, le mani strette con forza. Erano necessari esercizi interminabili perfino per aiutarla a muoverli, a piegarli o ad allungarli. Purtroppo pareva che il suo corpo, come il suo cervello, non reagisse. Era stato deprimente lavorare con la fisioterapista, e Page fu felice di vederlo.

« Vieni, usciamo. » A Trygve era bastata un'occhiata per rendersi conto che era stanca e demoralizzata. « È una giornata splendida. » Il sole caldo. Il cielo azzurro. Tutto quello che ci si aspetta di trovare in giugno in California. E Page, non appena fuori, si sentì subito meglio. Sedettero sul prato davanti all'ospedale e vi rimasero a lungo, in mezzo a infermiere, studenti di medicina e medici. Sembrava che tutti fossero innamorati, impigriti.

« La primavera », annunciò Trygve sdraiandosi sull'erba

305

accanto a lei. Page aspirò felice il profumo dei fiori che le aveva portato. Senza pensarci, gli sfiorò dolcemente una guancia con la punta delle dita e lui alzò la testa a guardarla con un'espressione che Page non vedeva più da anni sul viso di un uomo. Di colpo si rese conto di ciò che le era mancato. «Sei bella... molto, molto bella... anzi», esclamò Trygve raggiante «...sembri perfino una norvegese.»

«Ma non lo sono», lei sorrise, perché si sentiva giovane e sciocca quando era con lui. «Addison è un nome inglese.»

«Be', per me assomigli a una scandinava.» La guardò con aria grave. «Stavo proprio pensando che potremmo avere figli meravigliosi. Non ne vorresti ancora?» le domandò incuriosito. Voleva sapere tutto di lei. Non soltanto ciò che provava per Allyson, non soltanto se era forte e coraggiosa, o se era una buona madre. Voleva scoprire tutto il resto, le cose che non avevano avuto il tempo di esplorare mentre sedevano l'uno accanto all'altro durante quelle veglie angosciose per le loro figlie.

«C'è stato un tempo in cui avrei desiderato altri figli», gli rispose Page, «ma adesso ho trentanove anni. Mi sembra un po' tardi, e ormai sono già impegnatissima con Andy, e anche con Allie.»

«Non sarà sempre così, e a poco a poco con lei ti abituerai a una certa routine.» Ci sarebbe stata costretta, se voleva sopravvivere. «Io ho quarantadue anni, ma non mi sento troppo vecchio. Non mi dispiacerebbe averne ancora un altro paio, e a trentanove anni tu potresti averne una mezza dozzina.»

«Che idea!» Page rise, ma poi ci ripensò. «Andy ne sarebbe felice. Ne parlavamo proprio quel giorno, tornando a casa dalla partita di baseball; e poi, durante la notte, Allie ha avuto l'incidente... Ha cambiato ogni cosa, non ti sembra?» Lui annuì. Dopo un mese e mezzo lei non viveva più con suo marito e Chloe non sarebbe mai diventata una ballerina... per non parlare di Phillip, che era morto, o di Allie, la cui vita era radicalmente cambiata. «A ogni modo... certo... mi piacerebbe avere altri figli. Almeno uno. Dovrò pensarci. E poi vorrei riprendere seriamente il mio lavoro. Anzi, l'altro giorno stavo proprio pensando a quello che mi hai detto, di dipingere un affresco nel reparto di terapia intensiva. Ne ho parlato con Frances», era la loro capoinfermiera preferita, «e lei proverà a chiederlo a chi può dare l'autorizzazione.»

«Se vuoi proprio sapere come la penso, anche a me piacerebbe qualcosa del genere a casa. Mi vorresti come cliente... come cliente disposto a remunerare il tuo lavoro?»

«Mi piacerebbe moltissimo.»

«Bene. Che ne diresti se ci consultassimo in proposito domani sera dopo cena? Puoi portare Andy.»

«Non ti stancherai di me, visto che hai già combinato di vedermi anche giovedì?» Sembrava preoccupata, e lui rise.

«Non credo che mi stancherò mai di te, Page, neppure se ti vedessi giorno e notte... Anzi, è proprio quello che ho intenzione di dimostrarti.» Page arrossì e Trygve l'attirò a sé, sul prato, e la baciò. «Sono innamorato di te, Page», sussurrò. «Molto, moltissimo. Innamorato pazzo di te. E non mi stancherò mai di te. Mi hai sentito? Avremo dieci bambini e vivremo sempre insieme felici e contenti.» Stava ridendo mentre la baciava, e lei si abbandonò felice sull'erba fra le sue braccia. Le pareva di essere tornata ragazzina. Era troppo bello per essere vero. Non le restava che sperare che quel rapporto durasse nel tempo e Trygve parlasse sul serio

Poi si misero di nuovo a sedere e Page decise che era ora di tornare da Allyson. Ma si sentiva esausta al solo pensiero. Gli esercizi, la terapia, il respiratore, il silenzio, il coma profondo di Allie: a volte era difficile perfino costringersi a tornare lì dentro, ma non vi rinunciava mai. Non veniva mai meno al proprio dovere. Le infermiere avrebbero potuto puntare gli orologi senza paura di sbagliare tanto erano regolari i suoi orari; tornava sempre anche la sera tardi e rimaneva seduta accanto alla figlia per ore, accarezzandole una mano o una guancia e parlandole sottovoce.

«Vengo di sopra con te», disse Trygve circondandole con un braccio le spalle. Page portava il cestino da picnic con i fiori che lui le aveva offerto e aveva l'aria serena e distesa quando arrivarono di sopra parlando a voce bassa e ridendo.

« Ha avuto un buon pranzo? » domandò a Page una nuova infermiera quando la vide avvicinarsi al letto di Allie. Ormai gli odori del reparto di terapia intensiva le erano familiari, come i suoni le luci e i rumori.

« Splendido, grazie. » Pronunciando queste parole alzò gli occhi verso Trygve e gli sorrise; poi tornò accanto al letto della figlia mentre lui la seguiva con lo sguardo. Era instancabile, la madre più devota che avesse mai visto. Continuava a parlare con la sua bambina, a farle muovere gli arti, a distenderle le dita contratte, e aveva sempre la voce dolce nel raccontarle aneddoti e piccole storie. Adesso, per esempio, le stava descrivendo il picnic che avevano appena fatto e la bellezza del prato là fuori. A un tratto Allyson si lasciò sfuggire un gemito sommesso e spostò lievemente la testa in direzione di sua madre. Page si interruppe bruscamente e la fissò con gli occhi sbarrati. Ma Allie continuò a giacere immobile come prima, circondata da tutti quegli apparecchi. Page, invece, alzò gli occhi verso Trygve, sbalordita.

« Si è mossa... oh, mio Dio... Trygve, si è mossa... » Anche le infermiere, dal banco centrale dal quale controllavano tutto, avevano notato qualcosa e due di esse arrivarono di corsa. « Ha voltato la faccia verso di me », disse Page con le lacrime che le scendevano sulle guance, mentre si chinava a baciarla. « Hai voltato la faccia, tesoro... l'ho vista... ti ho sentito... piccolina mia, ti ho sentito! » Le rimase accanto, continuando a baciarla mentre anche Trygve scoppiava in lacrime. Una delle infermiere andò a chiamare il dottor Hammerman, che fortunatamente si trovava in ospedale. Cinque minuti più tardi arrivò. Page gli descrisse quello che aveva visto e Trygve lo confermò. Le infermiere riferirono quello che avevano notato e gli mostrarono i nastri registrati dagli apparecchi collegati al corpo di Allie. Il movimento e il suono erano evidenziati nell'elettroencefalogramma.

« È un po' difficile dire che cosa può significare », fu il cauto commento di Hammerman. « Potrebbe essere un buon segno oppure potrebbe anche non voler dire niente. In ogni caso ci dà motivo di sperare che possa essersi avvicinata un poco di più alla ripresa di coscienza. Però, signora Clarke, lei deve capire che un gesto e un gemito non significano necessariamente, che le sue funzioni cerebrali siano normali. Ma non voglio scoraggiarla... potrebbe essere anche un inizio. E auguriamoci che lo sia», disse senza sbilanciarsi; niente però poteva togliere a Page la gioia che aveva provato guardando sua figlia. Per tutta quella giornata Allie non si mosse più, ma ripeté il lieve movimento quando Page tornò a trovarla la mattina dopo. Allora lei telefonò a Brad in ufficio, per farglielo sapere, ma le dissero che quel giorno si trovava a St. Louis. Finalmente riuscì a rintracciarlo la sera, nel suo albergo: ma pur mostrandosi contento, non le sembrò emozionato come si era aspettata. Anche lui, come Hammerman, le ricordò che poteva anche non avere alcun significato.

«Sente quello che le dico, ne sono sicura», disse Page a Trygve quella sera stessa, sempre più eccitata ed emozionata. Lei e Andy erano andati a cena dai Thorensen; e la sera successiva sarebbero andati alla *Colomba d'Argento*. «È come lanciare un grido di richiamo in un profondo buco nero. Al primo momento non sai se laggiù c'è qualcuno, e riesci soltanto a sentire l'eco. Ormai sono quasi sette settimane che lancio le mie grida di richiamo lì dentro, e non ho mai udito alcun suono, tranne quello della mia stessa voce... e adesso, a un tratto, qualcuno mi risponde, mi chiama dal fondo, lo sento.» Trygve si augurò che avesse ragione ma, come gli altri, aveva anche paura di darle troppe speranze.

Page era ancora emozionata l'indomani, quando Trygve passò a prenderla per uscire a cena. Andy era da Jane e Page lo aveva avvertito che lo avrebbe ripreso al ritorno, se non fosse stato troppo tardi. Jane le aveva assicurato che non aveva problemi a ospitarlo per la notte. Andy era a letto, nella camera di uno dei suoi figli, e aveva già il pigiamino addosso. A Page sarebbe bastato, arrivando, prenderlo in braccio addormentato e portarselo via. Quanto a Trygve, aveva lasciato a casa una baby sitter per aiutare Chloe.

«Sei davvero splendida!» Trygve la fissò con sincera ammirazione. Page aveva scelto per quella serata un abito di seta bianca senza spalline, si era messa gli orecchini di perle e aveva uno scialle azzurro sulle spalle. Era dello stesso colore dei suoi occhi; quanto ai capelli li aveva lasciati sciolti. «Accidenti!» esclamò Trygve, e lei rise mentre saliva in macchina. Poi partirono diretti verso Corte Madera.

Trygve aveva prenotato un tavolo in una posizione un po' appartata, per due, e Page si stupì scoprendo che nel ristorante si poteva anche ballare. Era il locale più romantico che avesse visto e si sentì viziata e coccolata quando sedettero ai loro posti e Trygve ordinò del vino. Poi esaminarono il menu. Lui ordinò anatra e Page sogliola alla fiorentina; scelsero entrambi una minestra per cominciare e, come dessert, Trygve ordinò un soufflé al cioccolato. Fu una cena squisita. Il posto era incantevole, e la serata fu perfetta. Poi ballarono e Page sentì il corpo di Trygve aderire al suo. Si meravigliò accorgendosi di quanto fosse forte, elastico e scattante. E come ballerino era davvero favoloso.

Lasciarono il ristorante verso le undici e Page gli sorrise felice. Avevano bevuto pochissimo vino eppure lei si sentiva addirittura ebbra tanta era l'emozione e l'eccitamento della serata. «Mi pare di essere Cenerentola», disse letteralmente in estasi. «Quando mi ritroverò trasformata in una zucca?»

«Mai, spero.» E Trygve sorrise mentre guidava verso casa. In macchina, accese la radio per sentire un po' di musica e poi l'accompagnò lentamente alla porta. Anche lui si sentiva tornato ragazzo. Tutto all'improvviso cambiò quando la baciò, sulla soglia. A un tratto erano diventati timidi tutti e due, eppure, stringendola tra le braccia, Trygve si sentì letteralmente travolgere da un'ondata di passione crescente.

«Non vuoi entrare un minuto?» gli domandò lei ansante, e Trygve sorrise mentre le rispondeva.

«Mi stai fissando l'orario? È quello il mio limite?»

Lei rise mentre girava la chiave nella serratura per aprire la porta; entrarono insieme, ma non fecero un passo avanti. Page non accese nemmeno la luce. Si fermarono lì, dove si trovavano, a baciarsi al buio, mentre lui le accarezzava il corpo avidamente, sopraffatto dalla sua bellezza e dalla propria passione.

«Ti amo, Page», bisbigliò nel buio. «Se tu sapessi quanto

ti amo...» Per due mesi aveva aspettato quel momento, ma, a dir la verità, forse erano anni che lo aspettava, chissà... magari la vita intera.

Rimasero abbracciati, scambiandosi frasi appena sussurrate, e si baciarono fino a quando lui non seppe più resistere. E nemmeno Page. Senza dire niente, la precedette in direzione della sua camera da letto — ormai sapeva dov'era — e si fermarono lì, al buio. Poi lui cominciò a spogliarla. E Page non fece nemmeno un gesto per impedirglielo.

«Sei incredibile», mormorò Trygve mentre il vestito scivolava a terra. «Oh, Page...» e la divorò con le labbra, con le mani, e poi lentamente fu lei che cominciò a spogliarlo fino a quando si ritrovarono nudi, insieme, sotto il chiaro di luna. Trygve la prese tra le braccia e l'aiutò a distendersi lentamente sul letto; poi cominciò ad accarezzarla con le labbra fino a quando lei si mise a gemere di piacere, inarcandosi verso di lui e infine attirandolo contro di sé. La loro passione fu travolgente, inebriante, perché era quello che desideravano spasmodicamente tutti e due, al punto che esplosero all'unisono nell'orgasmo e poi giacquero esausti l'uno nelle braccia dell'altra, ancora stupiti per la violenza del loro desiderio. Passò molto tempo prima che uno dei due si decidesse a parlare. Intanto Trygve le accarezzava dolcemente i capelli e lei lo baciava.

«Se lo avessi saputo due mesi fa», le bisbigliò lui alla fine, «ti avrei portato a casa con me la sera dell'incidente», e Page rise di piacere.

«Che sciocco sei... ma, oh, come ti amo!» La cosa incredibile era che Trygve sembrava la persona giusta per lei sotto molti aspetti, non solo dal punto di vista sessuale ma anche perché avevano gli stessi gusti, la stessa sensibilità artistica, si trovavano a proprio agio, sulla stessa lunghezza d'onda, per così dire, quando erano insieme oppure quando stavano con i loro figli. Con Brad, questo non era mai accaduto. Erano entrambi capaci di dare e di provare affetto e mentre la stringeva fra le braccia Trygve ebbe la sensazione di essere un affamato al quale, finalmente, veniva offerto di che nutrirsi.

«Dove eri vent'anni fa, quando avevo bisogno di te, Riccioli d'Oro?» le domandò in tono malizioso. E Page ci pensò per un attimo.

«Vediamo un po'... a quell'epoca lavoravo per un teatro di Broadway e, quando me lo potevo permettere, frequentavo una scuola d'arte.»

«Ti avrei amato.»

«Anch'io avrei amato te.» Ma a quell'epoca lei era ancora profondamente sconvolta per l'esperienza vissuta con suo padre. «Non è stupefacente?» continuò lei, parlando come se riflettesse ad alta voce. «Avremmo potuto vivere nella stessa comunità per anni e non conoscerci mai realmente, a fondo. E adesso, invece, eccoci qui, e le nostre esistenze sono cambiate completamente.»

«È il destino, mia cara.» Il destino che dona e che toglie — ed è questo che aveva fatto con tutti e due. Ma alla fine, aveva regalato loro qualcosa di meraviglioso.

Rimasero così, a letto, a chiacchierare per ore e ore e poi, sia pure con riluttanza, Trygve si alzò. Doveva tornare da Bjorn e Chloe e mandare a casa la baby sitter. Ormai erano le tre del mattino, troppo tardi perché Page potesse andare a prendere Andy a casa di Jane.

«Vuoi forse dire che rimarrai qui sola tutta la notte?» le domandò Trygve, inorridito, e lei fece cenno di sì con la testa. «Un vero spreco! Non credo di poterlo sopportare.» Alla fine fecero di nuovo l'amore ed erano ormai le quattro quando lei lo baciò, in vestaglia, sulla porta di casa.

«A che ora accompagni Andy a scuola?» le chiese lui fra un bacio e l'altro. Aveva l'aria appagata e felice, come del resto Page. Sembravano due giovani amanti appassionati, incapaci di separarsi.

«Alle otto.»

«E a che ora ritorni qui?» le domandò ancora, con voce fremente.

«Verso le otto e un quarto.»

«Allora ci ritroviamo qui alle otto e mezzo.»

«Mio Dio, ma tu sei un maniaco del sesso!» E rise.

Trygve si staccò da lei solo per un attimo: «Non te l'avevo detto? È questo il motivo per il quale Dana se ne è andata. La poveretta era letteralmente esausta, mi capisci? » Risero insieme e lui la baciò di nuovo. La verità, naturalmente, era ben altra: negli ultimi due anni, lui e Dana non avevano più dormito insieme. Al punto che aveva perfino cominciato a domandarsi se ne avesse perduta la voglia. In ogni caso, se anche l'aveva perduta, adesso l'aveva ritrovata...

« E domani, che cosa fai? » le chiese ancora, tornando serio.

« Vado all'ospedale. »

« Vengo a far colazione con te e poi ti accompagno. » Lei annuì e Trygve la baciò di nuovo. Poi si staccò a malincuore dalle sue braccia e si impose con uno sforzo di raggiungere la macchina. Ma tornò indietro un'ultima volta per un ultimo bacio e risero tutti e due. Finalmente Trygve si decise ad andarsene. Ma, fedele alla parola data, la mattina ritornò per le otto e mezzo. Page, a dire la verità, aveva pensato che non facesse sul serio. Era andata a prendere Andy e lo aveva accompagnato a scuola. E stava preparando il bucato, canticchiando tra sé, quando Trygve arrivò. Subito si sentì felice.

« Buongiorno, amore mio », le disse, entrando con una bracciata di fiori. Era l'uomo più romantico che Page avesse mai conosciuto, e il più gentile. « Pronta per fare colazione? » Ma in cucina non arrivarono mai. Trygve ricominciò a baciarla e cinque minuti più tardi erano di nuovo nel letto di Page, ancora disfatto.

« Pensi che, d'ora in avanti, riusciremo mai a combinare qualcosa? » le domandò, disteso su un fianco, ammirandola per la millesima volta da quando era arrivato.

« Ne dubito. Dovrò rinunciare ai miei affreschi. »

« E io dimenticherò come si scrive. » Ma i loro orari erano talmente flessibili, le loro vite così libere e il desiderio così intenso, che si resero conto che da quel momento in poi avrebbero avuto tutto il tempo che volevano per assecondarlo. « Nella scuola di Andy, c'è anche il doposcuola? » domandò lui in tono malizioso, prendendola in giro, e poi la baciò di nuovo. Ma questa volta Page fu costretta a cacciarlo fuori dal letto. Erano le undici e doveva andare da Allie. Adesso che aveva cominciato a mostrare qualche miglioramento, per quanto minimo, non voleva perdere nemmeno uno dei momenti che dedicava a lei.

Per un'ora Trygve rimase al suo fianco all'ospedale; poi andò a casa a lavorare e a controllare Chloe.

«E stasera?» le domandò speranzoso e lei, ridendo, scrollò la testa.

«Ci sarà Andy a casa.»

«E domani?» insistette Trygve.

«Sarà fuori con Brad per tutta la giornata.» Page scoppiò in una risatina irrefrenabile e l'infermiera sorrise. Com'era bello veder succedere qualcosa di piacevole, tanto per cambiare!

«Perfetto», rispose lui in risposta all'annuncio di Page che Andy avrebbe trascorso l'intero sabato pomeriggio con Brad. «Pranzo? Caviale? Un'omelette?»

Lei si protese verso Trygve per bisbigliargli qualcosa nell'orecchio in modo che nessuno li potesse sentire. «Che ne diresti di un panino spalmato di burro di arachidi e di andarcene a fare l'amore in un prato?» Scoppiò in una risata e Trygve le rispose con un sorriso complice.

«Eccellente, mia cara, provvedo all'istante.»

«Sei pazzo!» esclamò lei.

«Ti amo», le rispose Trygve, e la baciò prima di andarsene. Era pura follia, ma anche Page lo amava. E quando tornò a dedicare tutta la sua attenzione alla figura immobile e inerte di Allie, continuava a sorridere.

314

16

Un sabato di giugno Brad parlò ad Andy di Stephanie. Li aveva presentati a pranzo, da *Prego's* in Union Street, in città. Andy si mise subito a esaminarla da capo a piedi con aria sospettosa; quanto a lei, riuscì a trovare solo con una certa difficoltà qualche argomento di conversazione con il quale interessarlo. Indossava un paio di jeans bianchi aderentissimi e una maglietta rossa e perfino un bambino come lui avrebbe dovuto trovarla carina, con quei lunghi capelli neri e i grandi occhi verdi. Invece, fin dal primo momento fu chiaro che Stephanie gli era antipatica. Quando doveva rivolgerle la parola, lo faceva a fatica, imbronciato, e più di una volta durante il pranzo fu scortese nei suoi confronti facendo commenti poco gentili sul suo conto, seguiti immediatamente da smaccati elogi della bellezza e delle virtù di sua madre.

« Andy », disse suo padre in tono irritato, quando arrivarono al dessert, « voglio che tu chieda scusa a Stephanie. » E gli lanciò un'occhiataccia mentre il bambino faceva finta di non aver sentito. Anzi dichiarò con aria cupa: « Non ci penso neppure », tenendo gli occhi fissi sul gelato che aveva davanti.

« Sei davvero maleducato! Hai appena finito di dirle che ha il naso troppo grosso. » A dire la verità, Brad avrebbe riso per un insulto del genere, e non gli avrebbe dato impor-

315

tanza, ma si era accorto che Stephanie sembrava molto offesa. Lei non aveva figli, e Andy non la divertiva affatto. Non lo trovava né carino né spiritoso, anzi lo giudicava un bambinetto maleducato e, in cuor suo, era convinta che Brad avrebbe fatto bene a dargli una lezione di tanto in tanto. Da quell'autentico marmocchio odioso e insopportabile che era, non aveva fatto che comportarsi da villano per tutto il pranzo. Aveva perfino avuto il coraggio di dirle che i suoi pantaloni erano troppo stretti e il suo seno troppo piccolo. E poi, come se non bastasse, l'aveva informata senza mezzi termini che sua madre era molto più bella, più intelligente, più carina e anche un'ottima cuoca, mentre Stephanie probabilmente non sapeva neppure cucinare un uovo. Aveva continuato su questo tono, tessendo le lodi di Page e affrettandosi a far notare tutte le pecche, reali o immaginarie, di Stephanie. Non solo, ma senza rendersene conto era arrivato addirittura al punto di farle notare che di bambini lei non se ne intendeva affatto e aveva un senso dell'umorismo molto limitato.

«La odio», grugnì, infine, con un tono di voce appena percettibile, tenendo gli occhi fissi sulla tovaglia.

«In tal caso», gli rispose Stephanie prima che Brad facesse in tempo ad aprire bocca, «non ti porteremo più fuori a pranzo con noi. E visto che ci odi, può anche darsi che non ti invitiamo più neppure a uscire con noi il sabato», aggiunse piccata, mentre Brad appariva molto a disagio. Avrebbe voluto prendere le sue parti e darle ragione, ma nello stesso tempo capiva di dover essere tollerante nei confronti di Andy.

«Naturalmente lo porteremo fuori il sabato», intervenne Brad con la massima calma, guardando prima l'uno e poi l'altra e cercando di prendere la mano di Andy per rassicurarlo. Capiva quanto dovesse essere spaventato e sconvolto, ma gli sarebbe piaciuto che mostrasse un po' di simpatia per Stephanie. Per lui significava moltissimo; e se quell'ostilità fra loro fosse continuata, prevedeva tempi difficili per il futuro. «Continuerò sempre a vederti il sabato, durante il fine settimana e ogni altra volta che potrò. Ma sarebbe più divertente se potessimo stare insieme, tutti e tre. »

«No, non lo sarebbe affatto», ribatté Andy, voltandosi a guardarlo e comportandosi come se Stephanie fosse improvvisamente scomparsa. «Per quale motivo dobbiamo portar fuori anche *lei*?»

Stephanie ormai ribolliva per la rabbia, ma Brad gli rispose: «Perché mi è simpatica e le voglio bene. È una mia amica. Anche a te piace andare fuori con i tuoi amici. È più divertente.»

«Per quale motivo non posso portare con me la mamma?» Perché non sarebbe stato affatto divertente, pensò Brad, vista la situazione... ma non lo disse.

«Sai anche tu quanto sia difficile, proprio adesso. Non ti piaceva quando litigavamo. Stephanie e io non litighiamo. Siamo buoni amici e ci divertiamo insieme. Potremmo andare al cinema, alle partite di baseball e alla spiaggia, e fare un mucchio di cose.»

Andy squadrò la ragazza da capo a piedi con aria sprezzante. «Scommetto che di baseball non sa un bel niente.»

«Vuol dire che glielo insegneremo», rispose Brad tranquillamente, guardandoli. Sia l'uno sia l'altra avevano la stessa aria infelice, afflitta e incollerita. Si accorse di aver forzato le cose; niente andava per il giusto verso, e lui lo capiva. Forse sarebbe stato più facile rinunciare per il momento all'idea di renderli amici, e riprendere a uscire con Andy da solo. Ma presto o tardi il bambino avrebbe dovuto abituarsi a Stephanie. Avevano ricominciato a parlare di sposarsi e lei era decisa a costringerlo a impegnarsi seriamente, altrimenti avrebbe dato un taglio netto ai loro rapporti. Dopo più di dieci mesi, e avendo assistito alla fine del suo matrimonio con Page, era convinta di aver dimostrato più che a sufficienza di essere paziente. Adesso voleva sapere se Brad aveva intenzione di tener fede ai propri impegni. In caso contrario non lo avrebbe più rivisto e si sarebbe guardata intorno per cercare altre soluzioni. Niente di tutto questo era molto gradito a Brad, dopo quello che aveva passato, e non aveva nessuna intenzione di perderla. Ormai Stephanie rappresentava per lui quasi una specie di valvola di sicurezza, una difesa contro la solitudine che provava senza Page, o Allyson, oppure Andy. Anche lui le voleva bene, ma la loro relazione, negli ultimi tempi, non era stata delle più facili con gli avvenimenti traumatizzanti che avevano colpito la sua famiglia. E adesso, Andy stava complicando ulteriormente le cose. No, la vita non era affatto semplice.

«Voglio offrire un'ultima opportunità a tutti e due», disse guardando prima l'uno e poi l'altra. «Per amor mio. Voglio bene a tutti e due. E voglio che siate amici. Volete provarci? Affare fatto?» esclamò come se fossero due bambini capricciosi della stessa età.

«Va bene», acconsentì Andy a malincuore, lanciando un'occhiata carica di odio a Stephanie.

«E tu cerca di comportarti bene, piuttosto», ribatté lei, tagliente. Brad soffocò un gemito mentre pagava il conto e consegnava ad Andy i dolci che gli aveva portato.

«Insomma, volete smetterla, voi due!»

Fu un pomeriggio infernale. Scesero fino al parco di Marina e passeggiarono lungo la spiaggia in un silenzio quasi totale. Poi Stephanie disse che aveva freddo e voleva tornare a casa. Andy si era chiuso nel più completo mutismo; rispondeva soltanto quando suo padre lo interrogava. Naturalmente si guardò bene dal rivolgere la parola a Stephanie fino a quando non fu costretto a salutarla, davanti a casa. Sulla strada del ritorno si fermarono per un attimo da Brad e, andando in bagno, Andy notò sul lavabo alcuni oggetti che le appartenevano e, appeso dietro la porta, il suo accappatoio di spugna rosa. Tutto questo servì soltanto a farlo sentire ancora più depresso di prima.

«Insomma, bisogna dire che non sei stato proprio carino con lei», commentò Brad con delicatezza mentre lo riaccompagnava a casa. «E non è giusto. È molto importante per me, e vuole trovarti simpatico, sul serio.»

«No, non è vero. È stata cattiva con me fin dal principio. Mi odia. Lo so.»

«*Non ti odia affatto.* Non è abituata ai bambini. E probabilmente tu l'hai anche impaurita un po'. Lasciale provare a volerti bene.» Brad lo supplicava, quasi. Era stato un pomeriggio orribile, e sapeva benissimo che Stephanie gli avrebbe fatto una scenata al suo ritorno in città.

«Anche Allie finirà per odiarla», disse Andy, fiducioso, e bastarono quelle parole a straziare il cuore di Brad. Non era più completamente convinto che Allie, un giorno, sarebbe stata capace di provare di nuovo amore o odio per qualcuno. Malgrado i piccoli segni di vita che aveva dato di recente, non c'era stato nessun miglioramento nelle sue condizioni.

«Non credo che Allie la odierebbe», provò a rispondere Brad, più che altro per tenere viva la conversazione.

«La stessa cosa vale anche per la mamma. E poi, è tutta pelle e ossa, ed è stupida.»

«Non è stupida.» Brad si scoprì a difenderla. «È andata a Stanford, ha un buon lavoro ed è una ragazza molto intelligente. Non la conosci affatto.»

«E con questo? È una cretina e io la odio.» Ormai erano tornati al punto di partenza. Allora Brad cercò di distrarlo parlando di altri argomenti, ma sembrava che Andy non volesse chiacchierare. Se ne stava seduto in silenzio e guardava fuori dal finestrino.

Brad lo lasciò davanti a casa e prima di partire salutò Page con la mano. Aveva provato per un attimo la tentazione di fermarsi a scambiare due chiacchiere con lei, ma poi si era convinto che sarebbe stato troppo difficile. Non era dell'umore più adatto e si sentiva in ansia: voleva tornare da Stephanie a rassicurarla. Sapeva che l'avrebbe trovata sconvolta per l'antipatia che Andy le aveva manifestato. A volte, in situazioni come queste si dimostrava un po' infantile. Non gli restava che sperare che un giorno, a poco a poco, si abituassero l'uno alla presenza dell'altro. In caso contrario, la situazione sarebbe diventata decisamente spiacevole.

Andy fu taciturno anche con Page quando rientrò in casa. E lei se ne accorse immediatamente.

«Qualcosa non va?» gli domandò mentre gli rimboccava le coperte, quella sera. A cena non aveva quasi aperto bocca. Di solito non faceva che raccontare quello che aveva fatto con suo padre. «Ti senti bene?» Provò a toccargli la fronte, ma non era caldo. Anzi, la sua pelle era fresca ma i suoi

319

occhi avevano un'espressione preoccupata mentre rimaneva immobile con la testa appoggiata sul guanciale.

« Già. » Sembrava che fosse sul punto di scoppiare in lacrime e lei capì che non poteva lasciarlo solo. « Papà ha detto... non posso ripeterlo. » Non voleva ferirla.

« Che cos'è successo? Avete litigato? » Forse Andy aveva fatto qualcosa di brutto, o di pericoloso, e Brad gli aveva dato uno sculaccione, anche se capitava di rado che lo facesse. Ma Andy si limitò a fare cenno di no mentre continuava ad avere quell'espressione malcontenta e triste.

Pochi minuti dopo non riuscì più a dominarsi e, sempre sdraiato nel suo lettino, scoppiò in lacrime.

« Oh, tesoro mio », esclamò Page, e tenendolo stretto al cuore si allungò di fianco a lui. « Sai che papà ti vuole bene, e non ha importanza quello che ti può aver detto oggi. »

« Certo... ma... » aveva la gola chiusa da un nodo e faceva fatica a parlare mentre le si aggrappava al collo convulsamente « ... ha una *ragazza*. Si chiama Stephanie », confessò al colmo dell'infelicità. Ecco, ormai adesso gliel'aveva detto. Non era più un segreto. Ma Page, tenendolo sempre abbracciato, sorrise fra le lacrime.

« Lo so. Tutto bene. So tutto su quella ragazza. »

« L'hai vista? » le domandò Andy, sbalordito, staccandosi da lei. Ma Page fece cenno di no con la testa, mentre pensava che era davvero dolce, così preoccupato e triste...

« No, non l'ho vista. E tu? »

« A pranzo. È stata terribile. Magra come uno stecco, stupida e brutta, e poi mi odia. »

« Sono sicura che non è vero. Non ti odia affatto. Probabilmente ha paura di te e vuole farti una buona impressione. »

« Be', io la odio. E papà dice che *devo* cercare di trovarla simpatica. » Allora la faccenda era seria, pensò Page. Se Brad insisteva in tal senso con Andy, non era escluso che meditassero di sposarsi. Provò una fitta al cuore a quel pensiero, anche se sapeva che, come Andy, avrebbe dovuto abituarsi anche lei all'idea che Stephanie facesse parte della vita di Brad. « Perché non provi? Non sarebbe più semplice? » Si azzardò a dirgli con dolcezza. «Magari è più simpatica di quello che credi, se la conosci meglio. Qualcosa di buono in lei deve esserci, se papà le vuole bene.»

«No, non c'è», rispose Andy asciugandosi gli occhi. «La odio.» Poi, con un'espressione turbata, le fece una domanda con voce ansiosa.

«Credi che un giorno papà tornerà da noi?» Ecco qual era il succo della faccenda. Stephanie appariva come una minaccia per un sicuro ritorno di Brad.

«Non so», disse Page con molta onestà. «Non credo.»

«Ma se la sposa, *non può* tornare da te.» Guardò Page con aria afflitta. «Io la *odio*.»

«No, non è vero. In fondo non la conosci bene! E papà non l'ha ancora sposata. Secondo me ti preoccupi troppo.» Però sapeva che Andy non era lontano dalla verità. Probabilmente Brad e Stephanie si sarebbero sposati.

«Questa estate vanno in Europa. Vuol dire che non ci porterà con sé in vacanza.» Andy non riusciva a capire che, in ogni caso, una vacanza insieme era impensabile. Ma le diede fastidio che Brad conducesse Stephanie in Europa. Non aveva mai portato Page, anche se lei aveva desiderato quel viaggio per anni. C'era stata solo con i genitori, e prima di sposarlo.

«A ogni modo noi non potremmo lasciare Allie», obiettò Page con voce pacata. «Papà vorrebbe condurti con lui?» Non le aveva ancora detto niente in tal senso, ma non si poteva escluderlo. Invece Andy fece cenno di no.

«Vanno soli. Per un mese.» Page annuì. Ora Brad aveva la propria vita, completamente diversa. E lei, del resto, aveva Trygve.

«Be', non è il caso di cominciare a preoccuparci adesso, ti sembra? Papà ti vuole molto bene, e anch'io. E sono pronta a scommettere che la sua amica, in fondo, è proprio molto carina e simpatica e tu finirai per fartela piacere.»

Lui continuò a brontolare per un po' mentre Page gli rimboccava le coperte, e la mattina dopo, a colazione, era ancora imbronciato. La minaccia di Stephanie significava una cosa sola: Brad non sarebbe tornato da lui né da sua madre.

321

Poi, alzando improvvisamente gli occhi dal piatto, fece a Page una domanda che le straziò il cuore. E dovette voltargli le spalle perché lui non si accorgesse che aveva gli occhi pieni di lacrime.

«Che cosa racconteremo ad Allie su papà? Quando si sveglia, voglio dire? Come glielo racconteremo?» Page guardò fuori della finestra e si soffiò il naso, mentre cercava disperatamente una risposta. Oh, se davvero un giorno avessero avuto la possibilità di parlare con Allie!

«Quando sarà arrivato quel momento, ci penseremo.»

«Magari Stephanie *muore*», continuò Andy, sempre più crudele, e Page dovette trattenere a fatica una risata quando tornò a voltarsi a guardarlo. Aveva parlato con una tale enfasi che era quasi comico! Allora lo costrinse ad alzarsi da tavola e lo mandò a giocare in giardino. Sua madre le telefonò pochi minuti più tardi.

Non aveva niente di nuovo da dirle, a parte il fatto che Alexis adesso soffriva di una gravissima ulcera. Page non se ne meravigliò affatto. A volte capitava agli anoressici. A furia di digiunare gli acidi dello stomaco finivano per corroderne le pareti. Ma naturalmente sua madre si affrettò a spiegarle che era successo perché era sempre stata molto nervosa.

Si mostrò meravigliata quando Page le spiegò di nuovo che Brad non abitava più con loro. Come se non sapesse niente e non ne avesse mai sentito parlare. Come al solito si rifiutò di prestare orecchio a ciò che sua figlia le stava dicendo e dopo qualche minuto riattaccarono.

Page ne accennò a Trygve quel pomeriggio e provò a spiegargli come fosse stata anomala la sua famiglia, ma per lui fu difficile capirlo dal momento che suo padre e sua madre erano persone talmente normali da risultare addirittura noiose.

«Sei fortunato», gli disse lei.

Rimasero seduti l'uno accanto all'altra a chiacchierare e ad accarezzarsi le mani, con una voglia pazza di potersi baciare lì, sul prato di fronte alla casa di lui, sotto gli occhi dei loro figli. Bjorn e Andy stavano giocando al pallone. Andy doveva ancora fare i lanci con il braccio sinistro, ma per fortuna presto gli avrebbero tolto l'ingessatura a quello destro. Quanto a Chloe, era in poltrona a rotelle, vicino a Jamie Applegate, e stava meditando su un compito per la scuola.

«Ieri Brad lo ha presentato a Stephanie», raccontò poi a Trygve, mentre osservavano i ragazzi.

«E lui come l'ha presa?»

«Non molto bene. Ma era quello che mi aspettavo. In fondo Stephanie costituisce una grossa minaccia. Significa che tutto è veramente finito. Mi ha detto che la odia.» Scoppiò in una risata maliziosa. «Dev'essere stato un pranzo magnifico!»

«Credo che i ragazzi a volte si illudano che i loro genitori possano tornare a vivere insieme.» Le sorrise. «Io so che perfino i miei, nel segreto del loro cuore, continuano a pensare che un giorno o l'altro Dana tornerà a casa e vivremo di nuovo tutti insieme.»

«Ed è quello che vuoi anche tu?» gli domandò Page in tono interessato, ma Trygve si protese verso di lei sorridendo.

«Dio, no! Scapperei da questa città... con te nella valigia.»

«Bene.» Poi ricambiò il suo sorriso e lasciò che le loro mani si sfiorassero rapidamente.

Le due famiglie trascorsero un pomeriggio sereno e felice; poi Page e Trygve cucinarono la cena per tutti. Chloe apparecchiò la tavola girandovi intorno in poltrona a rotelle e li aiutò per quanto era possibile. Alla fine Bjorn e Andy sparecchiarono. Erano ben affiatati e insieme si divertivano moltissimo. Pareva che Chloe colmasse il vuoto che Andy avvertiva nella sua vita per l'assenza della sorella. Nel giro di qualche giorno anche Nick sarebbe tornato a casa. Aveva trovato un lavoro per l'estate a Tiburon, al circolo del tennis, e tutti erano felici ed emozionati al pensiero di rivederlo. Solo Allie sarebbe mancata.

Dopo cena erano ancora seduti in sala da pranzo e stavano parlando di Allie quando Chloe disse che ne sentiva terribilmente la mancanza e che continuava a sperare con tutte le sue forze che sarebbe uscita presto dal coma. Era quello che si auguravano tutti e per fortuna c'erano ancora speranze.

Ma due mesi sembravano davvero lunghi. Ancora un mese e sarebbe giunto il momento della verità. Il dottor Hammerman riteneva che se Allie non fosse uscita dal coma entro tre mesi dal momento dell'incidente, forse non sarebbe accaduto mai più. Era una cosa alla quale Page cercava di non pensare. Ma la sera, quando era a letto, si sentiva ossessionare dalla paura che potesse trascorrere il resto della sua esistenza in un coma profondo.

« Ieri ho visto la signora Chapman », disse Page con voce calma. « Al Safeway. Povera donna, aveva un aspetto terribile. Pallida, triste, come se avesse perduto ogni voglia di vivere. » Trygve annuì, pensando a quello che doveva provare. Non riusciva assolutamente a immaginarlo, e non lo voleva neppure! Phillip avrebbe dovuto prendere il diploma pochi giorni prima. E alla festa dei diplomati, a scuola, c'era stato un minuto di silenzio proprio per ricordarlo.

Gli occhi di Chloe si riempirono di lacrime e voltò di scatto la testa dall'altra parte pensando a quella notte, come le capitava spesso. A poco a poco le era tornato alla memoria qualche particolare di quello che era accaduto. Aveva persino deciso di partecipare alle sedute di terapia di gruppo con Jamie perché continuava a sentirsi terribilmente colpevole dal momento che era stata lei a convincere Allie ad accettare quell'appuntamento a quattro.

Fu a quel punto che Trygve propose una partita a Monopoli ai ragazzi, che accettarono con entusiasmo. Page e Trygve, invece, si ritirarono in silenzio al piano superiore, nello studio di lui. E lì Trygve poté abbracciarla e baciarla come aveva desiderato fare fin dal pomeriggio. Voleva trascorrere più tempo con lei, poter passare la notte insieme, convincerla ad andare via con lui. Erano mille le cose che avrebbe voluto fare insieme. Ma capiva che era troppo presto. Si rendeva conto che Page in quel momento non poteva lasciare Allyson, e d'altra parte anche lui era impegnato con i figli.

« Credi che di tanto in tanto riusciremo a trovare il tempo di andarcene per conto nostro? » le domandò con un sorriso malinconico mentre la teneva fra le braccia. « Magari anche solo per un fine settimana? »

«Sarebbe bello, vero?» mormorò lei con aria sognante. Le piaceva l'idea di andare con Trygve al lago Tahoe, ma non le pareva giusto lasciare Allie. Ormai la sua vita era ridotta alle ore che trascorreva nel reparto di terapia intensiva. E poi si sentiva colpevole anche nei confronti di Andy, perché c'erano tante cose che avrebbe voluto fare con lui e delle quali lui aveva bisogno adesso che Brad se n'era andato. Allie, però, veniva prima di tutto il resto. Per il momento, purtroppo, quella era la situazione. Dovevano aspettare che venisse il loro turno, e lo sapevano entrambi.

Si accorse di essere infinitamente triste quando fu costretta a lasciare Trygve, la sera. Le piaceva stare con lui e le giornate in cui le loro famiglie erano riunite le sembravano particolarmente felici. Quando mise a letto Andy notò che sembrava molto più allegro e contento della sera prima. Ma nei suoi occhi lesse ugualmente una tacita domanda.

«Che cosa c'è? Hai avuto una buona giornata oggi?» gli aveva domandato mentre ritornavano a casa.

«Sì, mi sono divertito pazzamente. Chloe ci ha battuto a Monopoli, però imbrogliava. Bjorn dice che lo fa sempre.» Andy scoppiò in una risata. «Come fa Allie.» Page sorrise sentendola menzionare. Come sarebbe stato bello vederla giocare a Monopoli. Come sarebbe stato bello se ci fosse riuscita.

«Bjorn dice che tu piaci al suo papà», riprese Andy, con tono apparentemente disinvolto.

«Che cosa glielo fa pensare?» Page preferì non fare commenti né in un senso né nell'altro, ma scrutando il viso di suo figlio, si accorse di avere il cuore in gola. Desiderava che Andy trovasse Trygve simpatico. Così come Brad si era augurato che trovasse simpatica Stephanie, mentre era successo il contrario.

«Dice che vi ha guardato un mucchio di volte, voi due; e ti trova molto carina e simpatica, e poi dice che il suo papà dice che tu sei proprio una bella ragazza e che è divertente stare con te. Bjorn ha detto che una volta lo hai baciato sulle labbra. È vero?» Non si trattava di un'accusa, ma piuttosto di una domanda. Dopo lo choc dell'incontro con Stephanie,

325

il giorno prima, questo era un mondo completamente nuovo per lui: si trattava di uno scenario che cominciava appena adesso a scoprire. D'altra parte era un mondo completamente nuovo anche per Page, la quale però non sapeva fino a che punto fosse opportuno raccontargli qualcosa. Qual era esattamente la parte di verità che si sentiva in dovere di far conoscere a suo figlio?

«Può darsi che lo abbia fatto salutandolo prima di venir via, o qualcosa del genere. D'altra parte è vero, mi piace.»

«Come... come papà?»

«No. Non allo stesso modo. Ma come un amico, come un buonissimo amico. È stato meraviglioso con me mentre Allie era malata.» Andy fece cenno di sì. Non poteva che essere d'accordo. Aveva fatto la stessa riflessione su Trygve anche lui.

«Anch'io lo trovo simpatico... e poi mi piace Bjorn... però il mio papà mi piace di più.»

«Il tuo papà sarà sempre il tuo papà. E niente al mondo potrà mai cambiare questo fatto.»

«Volete divorziare, tu e papà?» le domandò preoccupato. Perché questo avrebbe voluto dire che tutto era veramente finito. Molti dei genitori dei suoi amici avevano divorziato, e qualcuno si era perfino risposato.

«Non lo so.» In quel mese, da quando Brad se n'era andato, nessuno dei due aveva preso contatti con un avvocato. Brad l'aveva pregata di farlo, e anche Stephanie insisteva in tal senso, ma Page non ne aveva trovato il coraggio. Trygve le aveva dato il nome di quello che si era occupato del suo divorzio, ma lei continuava a ripetere di avere troppi impegni e troppe cose da fare per telefonargli. D'altra parte sapeva che un giorno o l'altro sarebbe stato necessario farlo.

Fu Brad a rammentarglielo la volta successiva che lo vide, all'ospedale. Era arrivato un pomeriggio — non vedeva Allie da una settimana — e Page, alzando gli occhi di scatto, trasalì quando se lo trovò davanti.

«Ciao, come stai?» gli disse imbarazzata, cercando di fingere di sentirsi a proprio agio.

«Bene.» Chinò la testa a guardarla, con un sorriso. Stava

meglio del solito. Era un uomo affascinante, e a volte lei se lo dimenticava. «Come sta Allie?»

«I cambiamenti sono pochi. Continua a muoversi e a lasciarsi sfuggire qualche piccolo suono. Ma è difficile capire quello che significa.» Comunque gli apparecchi registravano un movimento quando Page pronunciava il suo nome e lei voleva credere che anche questo significasse qualcosa. D'altra parte, chi poteva saperlo? Allie continuava a essere sprofondata nel suo sonno ed era sempre una macchina che l'aiutava a respirare.

Brad rimase il più a lungo possibile, ma in genere il suo limite massimo erano cinque minuti. Poi la pregò di uscire nel corridoio del reparto perché doveva dirle una cosa.

«Hai un buon aspetto», esclamò, osservandola più da vicino. In effetti Page aveva l'aria meno esausta e più serena, ma c'era sempre un'espressione di tristezza nei suoi occhi. Non riusciva a capire se fosse a causa di Allyson o per colpa sua, e una parte di lui provava ancora una gran voglia di prenderla fra le braccia e di stringerla a sé. Ma sapeva di non poterlo fare. Stephanie lo avrebbe ammazzato, se fosse venuta a saperlo. Era terribile e crudele con lui; diceva che non avrebbe mai sopportato, nemmeno una volta, un tradimento. Sotto molti aspetti non era Page, e a volte Brad sentiva sinceramente la sua mancanza. «Stai bene?»

«Tiro avanti come meglio si può.» Era felice con Trygve e piena di speranze per Allyson, ma la sua esistenza non era certo quella di un tempo. Sua figlia era ancora malata, doveva affrontare un divorzio e non poteva ignorare la tristezza che continuava a provare ogni volta che rivedeva suo marito. D'altra parte la sua vita era molto ridimensionata. Casa e ospedale, e di tanto in tanto una cena con Trygve. Non esistevano più orizzonti verso i quali spaziare con lo sguardo, tranne la costante speranza che Allie uscisse dal coma.

«Volevo parlarti e non ho trovato il tempo di farlo per telefono. Credo che sia venuto il momento di prendere contatto con i nostri avvocati.» Lo disse con tono di scusa e si accorse di sentirsi un autentico bastardo quando vide l'espressione degli occhi di Page. Sembrava quella di Andy.

327

«Hai ragione», ammise lei, pienamente d'accordo. Ma detestava l'idea di doverlo fare. Era la campana a morte per il loro matrimonio.

«Non ha senso continuare così. È penoso per entrambi e credo che cominci a creare delle false speranze per Andy. Si adatterà meglio alla situazione quando comincerà a capire come stanno realmente le cose. E forse anche noi, chi lo sa? E tu hai diritto a ben di più di questo», le ricordò, e lei annuì. Era pienamente d'accordo. Aveva diritto a una famiglia, ad Allie guarita, aveva diritto a un marito. Aveva diritto a un mucchio di cose. Che poi le ottenesse o no, era un'altra storia.

«Sei sicuro?» gli domandò a bassa voce. «Sulla questione del divorzio, voglio dire.» Lui annuì e Page chinò la testa. Comprendeva. E accettava. Era finita.

Brad voleva sposare Stephanie, iniziare una vita nuova con lei e forse, stavolta, fare meglio di prima.

«È venuto il momento», mormorò con voce triste. «Conosci qualcuno con cui metterti in contatto?»

«Ho un nome, ma finora non mi sono presa la briga di telefonargli. Non mi ero resa conto che tu avessi tanta fretta.» Mentre pronunciava queste parole la sua voce risuonò tagliente. E, all'improvviso, si sentì irritata e furiosa che fosse venuto a dirglielo proprio lì... Tutte le cose più terribili le erano successe in quell'ospedale... però anche qualche cosa bella... Trygve...

«Otterremo il divorzio per la fine dell'anno», disse Brad in tono secco e Page rimuginò in silenzio su questa notizia. «Probabilmente prima di Natale.» Stephanie voleva sposarsi la vigilia di Natale, se avessero fatto in tempo a rendere effettivo il divorzio, e non era escluso che il suo sogno potesse realizzarsi.

«Confesso di avere molte altre cose che preferirei mettere nella mia lista degli impegni natalizi», rispose lei tristemente. Poi alzò gli occhi a guardarlo e respirò a fondo. «Domattina telefonerò all'avvocato.»

«Grazie. Lo apprezzo molto.» Esitò per un attimo, come se volesse aggiungere qualcosa di più ma non sapesse bene come fare. «Mi dispiace, Page...»

« Già, dispiace anche a me. » Gli sfiorò la mano e rientrò subito nel reparto di terapia intensiva. Ma Allie non si mosse per tutta la giornata, non si lasciò sfuggire nemmeno il più piccolo gemito. Come se comprendesse che sua madre era depressa, e preferisse lasciarla immersa nei propri pensieri. Page rimase seduta accanto al letto per tutto il giorno a guardarla. E la sera, dopo aver messo a dormire Andy, non telefonò neppure a Trygve. Voleva avere un ultimo momento per piangere il distacco da Brad prima di ricominciare da capo e guardare al futuro.

Il giorno dopo si sentì meglio. E si scoprì ansiosa di parlargli. Trygve aveva intuito che c'era qualcosa e lei gli riferì il colloquio con Brad. Come al solito si mostrò comprensivo e affettuoso. Sapeva quanto fosse duro, ma era convinto che non avrebbe influito sul loro rapporto. Era semplicemente la conclusione molto dolorosa di un matrimonio. Le diede di nuovo il nome del suo avvocato e Page si decise a telefonargli per prendere un appuntamento.

Quando andò nel suo ufficio, l'avvocato le ripeté le stesse cose che le aveva già detto Brad, cioè che per Natale il divorzio sarebbe diventato esecutivo a tutti gli effetti. Poi Trygve passò a prenderla per portarla fuori a cena. Parlarono a lungo quella sera, seduti al loro tavolo preferito, alla *Colomba d'Argento*.

Parlarono per ore, della loro vita, del loro matrimonio, dei figli... e delle speranze per il futuro.

« Sei la prima persona che conosco che mi abbia fatto provare il desiderio di sposarmi di nuovo. » E a Page bastò l'espressione dei suoi occhi per capire che parlava sul serio. Ritenevano entrambi che fosse ancora troppo prematuro, ma l'incidente aveva cambiato ogni cosa e sembrava che il tempo avesse cominciato a correre molto più in fretta di prima.

« Io credo che si capisca subito quando è la cosa giusta. Penso che sia qualcosa che si sente dentro », disse lui in tono calmo, con sicurezza. « Io l'ho capito immediatamente, all'ospedale. Solo che non riuscivo a rendermi conto come potessi provare qualcosa del genere. Tu eri sposata... e poi tutto è cambiato... Page, quando ti guardo mi rendo conto che potrei essere felice con te per il resto della mia vita. E credo che te ne renda conto anche tu.» E Page non lo negò. Effettivamente era esattamente quello che provava lei, anche se continuava ad averne una grande paura.

«Come ho potuto sbagliare prima e avere tanta sicurezza adesso? Per quale motivo dovrei essere più intelligente e più perspicace ora?» gli domandò con aria preoccupata.

«Non credo che l'intelligenza o l'intuito abbiano a che fare con tutto questo. Credo piuttosto che sia qualcosa che tu avverti dentro di te, nel tuo intimo... nel cuore... qualcosa di viscerale... chiamalo come vuoi! Con Dana, io ho sempre saputo che era la cosa sbagliata. L'ho capito fin dal principio, e anche lei. Ha perfino cercato di convincermi a rinunciare, ma io non ho voluto darle ascolto.»

«Che buffo!» esclamò Page ripensando al passato. «Anch'io ho cercato di fare la stessa cosa con Brad. Non mi sentivo preparata. Continuavo a essere condizionata da quello che era successo con la mia famiglia, mentre lui voleva sposarmi e venire in California. Avevo paura, ma poi ho pensato che fosse la cosa giusta da fare. Forse ero semplicemente una sciocca.»

«No, in quel momento è stato giusto. Se non lo fosse stato, il tuo matrimonio non avrebbe potuto durare per tutti questi anni.» In fondo la sua unione con Brad non era mai stata così instabile come quella di Trygve con Dana. «Non so come spiegartelo, ma mi rendo semplicemente conto che tutto questo è giusto. E non ho più voglia di sprecare altro tempo. Ho l'impressione di aver buttato via metà della mia esistenza con la donna sbagliata.» Poi sospirò profondamente e si costrinse con uno sforzo a calmarsi. «D'altra parte non voglio nemmeno metterti fretta. Prendi tutto il tempo che ti è necessario. Io sarò qui.»

«Una volta tanto mia madre ha ragione», fece Page, sorridendogli.

«In che senso?»

«Mi dice sempre che io sono una donna molto fortunata.»

«Questa volta il fortunato sono io.» Trygve sorrise. «Adesso dovrò imparare a essere paziente.» Bevve un sorso di vino e poi rise, guardandola. «Natale non ti sembra il momento buono? Io penso semplicemente... Babbo Natale... l'agrifoglio... i campanelli della slitta...» sapeva che il suo divorzio sarebbe diventato effettivo proprio a Natale!

«Sei pazzo. Per quello che ne sai io potrei essere una donna insopportabile, una strega... Non pensi che Brad non si sarebbe tanto annoiato con me se io fossi stata una persona spiritosa e divertente!»

«Lui è un imbecille, grazie a Dio. E adesso ascolta quello che ti dico. Voglio una cosa soltanto... non essere costretto a correre a casa alle quattro del mattino o a girare per le stanze in punta di piedi perché Andy non possa sentirci.» Una situazione del genere era per lui insostenibile. Trygve desiderava soltanto svegliarsi e ritrovarsi accanto a lei, e andare a letto con lei ogni sera. E continuava a desiderare di trascorrere un fine settimana con Page, lontano da tutto il resto. Ma lei non lo trovava giusto, perché non voleva lasciare Allie. «Insomma, prova a mettere in un angolino del tuo cervello l'idea di Natale... e vedi un po' quali saranno i frutti delle tue riflessioni... magari dopo il lago Tahoe.»

«E tu... prova a metterlo nell'elenco delle cose da fare per Natale», ribatté Page con aria maliziosa. Lui scoppiò in una risata.

«Di sicuro. Sta' tranquilla.»

17

VERSO la fine di giugno Page iniziò la decorazione ad affresco per il reparto di terapia intensiva dell'ospedale. La sua proposta era stata accolta con grande entusiasmo. E Page aveva deciso di realizzare due affreschi, entrambi a nome di Allie, uno nel lungo, deprimente corridoio che conduceva al reparto di terapia intensiva, l'altro nella squallida sala d'aspetto. Aveva trascorso lunghe serate a cercare i soggetti più adatti e alla fine aveva scelto una campagna toscana e uno scorcio del porto di Sanremo. Una era serena e distensiva, l'altra divertente perché arricchita di una quantità di piccoli particolari e di scenette umoristiche. Durante l'attesa la gente avrebbe avuto molte cose da osservare e scoprire.

Mostrò a Trygve i primi bozzetti e lui ne rimase colpito. Aveva calcolato che per portarli a termine avrebbe avuto bisogno almeno di due mesi e aveva anche intenzione di finire l'ultimo nella scuola elementare di Ross. In seguito, in autunno, avrebbe lavorato soltanto su commissione, e remunerata.

«Non posso più permettermi di farlo gratis», disse molto schiettamente. Da Brad avrebbe ottenuto soltanto il necessario per il mantenimento dei figli; a lei sarebbe stata assegnata solo una piccola quota degli alimenti per un paio di anni. Infatti l'obiezione da lui sollevata era che con il suo talento era perfettamente in grado di guadagnarsi da vivere. Quanto a lei, sperava di cavarsela con le decorazioni murali e i lavori commissionati dagli amici, perché non voleva lasciare Andy solo tutto il giorno e non aveva ancora idea di quali sarebbero state le esigenze di Allie, quanto tempo avrebbe dovuto trascorrere con lei, in quali condizioni si sarebbe ritrovata e fino a che punto avrebbe avuto bisogno della sua assistenza.

Ormai era sempre più evidente che, se non si fosse verificato un cambiamento nella situazione, Allyson non sarebbe mai più uscita dal coma. Page non aveva ancora voluto ammetterlo con Trygve, ma lui capiva che stava preparandosi a questa possibilità e cercava di accettarla. Parlava moltissimo di Allie in quei giorni, delle cose più belle che aveva fatto, di quello che aveva realizzato, delle sue capacità, un po' come se cercasse di ricordare a tutti come era stata... quasi volesse impedire che venisse dimenticata.

«Non voglio che la sua vita sia trascorsa invano», gli spiegò con tristezza una sera. «Voglio che la gente ricordi Allie per ciò che era ...non per l'incidente, per la sua tragedia, per ciò che è adesso. Perché questa non è la vera Allie.»

«Lo so.» A volte ne parlavano per ore e ore e Trygve era sempre presente, sempre disponibile per aiutarla.

Fu particolarmente contento di vederla iniziare il lavoro di decorazione all'ospedale; quanto a Page, ne era entusiasta. Le consentiva anche di rimanere nelle vicinanze e a volte faceva una breve visita ad Allie, per salutarla e darle un bacio. Adesso le fasciature le erano state tolte e i capelli ricominciavano a crescere. Erano corti e le davano un aspetto ancora più infantile, distesa in quel letto, rigida e immobile, con la testa sprofondata nel guanciale.

«Ti voglio bene», le sussurrava Page e poi tornava all'opera, i capelli raccolti in una crocchia nella quale a volte infilava i pennelli, e un vecchio camiciotto da pittore.

Nello stesso tempo, però, volle dare inizio anche a un altro progetto, molto particolare. Improvvisamente sembrava non riuscisse più a fermarsi. Per Trygve fu un grande sollievo. Finalmente Page stava ritornando nel mondo dei vivi.

Aveva proposto un programma di lavoro artistico nella nuova scuola di Bjorn, e tutti erano entusiasti, soprattutto gli allievi, che sotto la sua guida, creavano con le loro mani lavoretti in *papier-mâché*, sculture in argilla, ceramiche, acquerelli e disegni. Erano molto orgogliosi delle loro opere, e lei era orgogliosa di loro! Era l'attività che l'appagava di più e le dava maggiore soddisfazione e una sera lo disse a Trygve mentre preparavano la cena ai loro figli.

Bjorn stava spiegando quello che Page faceva nella sua scuola e quando disse che gli piaceva moltissimo lei gli rivolse un'occhiata radiosa. Con lui aveva stretto un rapporto di affetto e adesso, quando Bjorn andava a letto, Page era sempre presente e lui le buttava le braccia al collo, le augurava la buona notte e la pregava di leggergli una storia, proprio come faceva con Andy. Page a volte rimaneva meravigliata dalla sua forza quando l'abbracciava e la stringeva a sé, ma era sempre gentile, affettuoso, pieno di tenerezza.

«È davvero un bravo ragazzo», disse a Trygve una sera, dopo averlo messo a letto. E Trygve rimase profondamente commosso da quelle parole e da quanto Page faceva per lui e per Chloe, che cercava di seguire, quando ne aveva il tempo, nei suoi esercizi di terapia.

«Vorrei che tu fossi la loro mamma da sempre», le disse con molta sincerità, e Page sorrise.

«È la stessa cosa che mi ha detto Bjorn. Ne sono onorata.» Ma adesso stare con lui significava moltissimo per Page, così come il rapporto che si era instaurato fra loro a scuola. Aveva la sensazione di cominciare finalmente a realizzarsi, a creare qualcosa di importante, e anche se ancora non veniva ricompensata in denaro per questo, sapeva che presto la situazione sarebbe cambiata. Infatti le avevano già proposto in un prossimo futuro, di assumere la direzione dei loro programmi artistici. Quel progetto l'attirava moltissimo, soprattutto perché l'orario le avrebbe permesso di occuparsi senza problemi di Andy.

Trascorsero il fine settimana del 4 luglio con i Thorensen. A Page venne offerta la camera degli ospiti e Andy dormì con Bjorn. Trygve la raggiunse a notte inoltrata, e scoppiarono in risatine irrefrenabili come due ragazzini, chiudendo a chiave la porta in modo che i loro figli non li sorprendessero.

« Senti, non possiamo andare avanti così in eterno. Presto o tardi dovranno accettare quello che sta succedendo », disse Trygve. D'altra parte nessuno dei due aveva ancora il coraggio di forzare le cose. Era ancora troppo presto perché Page dormisse con Trygve, nella sua camera, senza farlo di nascosto — lo sapevano entrambi. Chloe era particolarmente possessiva nei confronti di suo padre, e Page non voleva crearle ulteriori problemi.

« Se Chloe dovesse sorprenderci, sarà la fine di tutto », rise Page. « Riuscirà a far risvegliare Allie solamente per raccontarle quello che stiamo combinando. » Sorrise a quel pensiero, e Trygve la baciò. Poi dimenticarono entrambi i loro figli e i loro problemi.

Il 4 luglio organizzarono un barbecue con tutta la famiglia e sia Trygve sia Page invitarono alcuni dei loro amici a parteciparvi. Arrivarono Jane Gilson con il marito, gli Applegate e quattro altre coppie. Era la prima volta che questi amici venivano messi di fronte alla realtà dei fatti, cioè al nuovo rapporto che era nato fra loro, e contemporaneamente alla conferma della separazione da Brad. Ed era anche la prima volta che qualcuno vedeva Page a una festa dal giorno dell'incidente. Non erano ancora passati tre mesi, ma sembravano tre anni, e in un tempo così breve erano cambiate moltissime cose. Ad ogni modo tutti si mostrarono molto felici per loro, anche perché Trygve aveva sempre goduto della simpatia generale.

Fu lui a occuparsi del barbecue mentre Page e i ragazzi facevano il resto; poi Trygve lasciò che fosse Bjorn a far scoppiare i fuochi d'artificio fra l'ammirazione generale, tenendo contemporaneamente d'occhio Andy.

« Sono troppo pericolosi », commentò Page, ma i ragazzi erano entusiasti. Per fortuna tutto andò bene e nessuno combinò guai. Il divertimento fu generale e gli ultimi ospiti se ne andarono alle dieci e mezzo.

Page e Trygve sparecchiarono, riordinarono tutto e stavano mettendo via i cibi avanzati quando Chloe entrò in cucina il più in fretta che poteva camminando con le stampelle.

« Dovete venire subito. » Aveva l'aria sconvolta e appariva pallidissima e in un primo momento Page non riuscì a capire che cosa poteva essere successo. Pensò che uno dei ragazzi si fosse fatto male e, terrorizzata la seguì di corsa insieme a Trygve. Ma nessuno di loro era preparato a quello che videro quando Chloe si fermò bruscamente davanti alla televisione. Di fronte ai loro occhi c'era la scena di un'autentica carneficina che, a quanto sembrava, si era verificata quello stesso pomeriggio a La Jolla.

« ... moglie del senatore John Hutchinson... » stava spiegando il telecronista con il solito tono anonimo e distaccato « ...poche ore fa, a La Jolla, in uno scontro frontale... è rimasta uccisa una famiglia di quattro persone e uno dei suoi figli è ferito gravemente. La ragazzina, che ha dodici anni, è ricoverata in condizioni stazionarie... la signora Hutchinson è stata arrestata sulla scena dell'incidente per omicidio colposo in quanto rea di aver provocato la collisione fra i due veicoli. I test eseguiti hanno rivelato che guidava in stato di ubriachezza. Nessun commento da parte del senatore, che non ha potuto essere contattato... Nelle prime ore della serata un portavoce della famiglia ha dichiarato che, anche se le prime testimonianze lasciano supporre che la signora Hutchinson sia effettivamente colpevole, è più probabile che sia vero il contrario... tuttavia », e il telecronista guardò dritto in direzione della telecamera, come se potesse vedere il cuore di Page che batteva convulsamente mentre lo ascoltava « ...la signora Hutchinson è rimasta coinvolta in un incidente più o meno simile un'altra volta, quest'anno, qualche mese fa, a San Francisco, anzi più esattamente nell'aprile scorso. Un ragazzo di diciassette anni è rimasto ucciso e due ragazze di quindici gravemente ferite in uno scontro frontale sul Golden Gate Bridge. Di quell'incidente, avvenuto solo undici settimane fa, non è stata stabilita la responsabilità. Le indagini relative a quello di oggi sono ancora in atto a La Jolla. » Poi il telecronista passò a parlare di alcuni disordini scoppiati a Los Angeles, mentre tutti e tre continuavano a fissare,

336

immobili, lo schermo. Laura Hutchinson aveva ucciso una famiglia di quattro persone e l'avevano arrestata per aver guidato mentre era ubriaca.

«Oh, mio Dio!» esclamò Page lasciandosi cadere su una poltrona e scoppiando in lacrime. «Allora *era* veramente ubriaca... era ubriaca... deve essere così... e c'è mancato poco che non li ammazzasse tutti...» Anche Chloe scoppiò in singhiozzi. Trygve, spenta la televisione, sedette accanto a loro. Dopo pochi minuti telefonarono anche gli Applegate e Page scoprì di non avere il coraggio di chiamare a sua volta i Chapman. D'altra parte sapeva che sarebbero stati certamente messi al corrente della situazione, e molto presto. Trygve aveva fatto centro quando aveva cominciato a sospettare che ci fosse sotto qualcosa.

Poco dopo accese di nuovo la televisione e si sintonizzò su un altro canale per poter vedere un notiziario. Adesso si sapeva qualcosa di più, e di peggio: Laura Hutchinson aveva ucciso una donna di ventotto anni, suo marito di trentadue e i loro bambini, una femminuccia di due e un maschietto di cinque anni. Non solo, ma la donna era incinta di otto mesi. Cinque persone, dunque, non quattro. Quanto alla figlia di Laura Hutchinson, si era fratturata un braccio, le avevano dato quindici punti nella guancia sinistra e aveva una leggera commozione cerebrale. Nel filmato televisivo si vedevano ambulanze, furgoni dei vigili del fuoco e le altre automobili che erano uscite di strada. Nell'incidente erano infatti rimaste coinvolte altre cinque o sei vetture, ma nessun'altra persona era rimasta ferita. Ascoltando e vedendo tutto questo, Page cominciò quasi a sentirsi male.

«Mio Dio.» Non sapeva che altro dire, ma le sembrava che Phillip Chapman fosse stavo vendicato. Si domandò che cosa avrebbero pensato e provato suo padre e sua madre. «Finirà in prigione?» domandò voltandosi a guardare Trygve.

«È probabile. Non credo che il senatore sia in grado di tirarla fuori da un guaio del genere.» Era molto noto, ma era anche una figura piuttosto discussa e che non riscuoteva troppe simpatie. Sembrava quasi un attore del cinema, quanto a bellezza e fascino, e il fatto di avere una moglie con un grave problema di alcolismo non gli sarebbe certo stato di aiuto. A quanto sembrava erano riusciti a tenere nascosta la cosa con molta abilità. Però non erano stati altrettanto abili nell'impedirle di mettersi al volante e di guidare un'automobile. Ma avrebbero dovuto farlo. «Ha appena ucciso cinque persone... Mi sembra un po' troppo per passarci sopra come se niente fosse! Non credo che ci riusciranno. Dovrà affrontare un processo per questo.» L'imputazione sarebbe stata quella di omicidio preterintenzionale nei confronti di quattro persone, dal momento che non sarebbe stato possibile accusarla anche dell'assassinio del feto. Si era fatto un estremo tentativo di salvarlo con un taglio cesareo d'emergenza, ma era già deceduto in seguito al violentissimo impatto e alla morte improvvisa della madre.

«Ha ucciso sei persone», disse Page a voce bassa, contando anche Phillip. Sette, se Allie fosse morta, ed era ancora possibile. Anche se non aveva il coraggio di pensarlo. «Come ha potuto presentarsi al funerale di Phillip? Come ne ha avuto il coraggio?»

«È stata una mossa intelligente. Tutti hanno pensato che fosse una persona piena di comprensione per il dolore degli altri», spiegò Trygve.

«È stata una cosa orribile», riprese Page, profondamente sconvolta. Quella notte, a letto, pianse fra le sue braccia; adesso sapevano chi aveva distrutto la vita delle loro creature. Non cambiava niente, ma adesso la realtà dei fatti appariva più chiara. Si sapeva chi accusare e che cosa quella donna aveva fatto. Ormai, non avevano più il minimo dubbio che Laura Hutchinson fosse stata ubriaca anche quella notte, sul Golden Gate Bridge, quando la sua automobile e quella di Phillip Chapman si erano scontrate.

L'indomani Trygve lesse attentamente i giornali e accese la TV durante la colazione. Page ascoltò con aria grave, insieme a lui, la dichiarazione rilasciata alla stampa dal senatore, nella quale si diceva sconvolto per quello che era successo e affermava che sua moglie ne era letteralmente distrutta. Avrebbero pensato loro a pagare le esequie, naturalmente, e provveduto a un'indagine completa in modo che venisse fatta luce sull'accaduto. Per quanto riguardava l'automobile di sua moglie, dichiarò che era in condizioni tutt'altro che perfette e, secondo lui, qualcosa non aveva funzionato nei freni e nello sterzo. Page, ascoltandolo, provò all'improvviso una gran voglia di mettersi a urlare. Poi il senatore venne inquadrato insieme alla figlia ferita, che aveva l'aria frastornata e impaurita, e si aggrappava convulsamente alla sua mano cercando di sorridere. Quanto a Laura Hutchinson, non si fece vedere. Spiegarono che era in stato di choc e sotto l'effetto dei sedativi. Page si limitò a commentare che, con ogni probabilità, l'avevano sottoposta a un test sul tasso alcolico prima di spedirla a disintossicarsi in qualche posto.

Poi, quando aprirono la porta per andare all'ospedale, furono letteralmente assaliti da un cameraman e quattro giornalisti. Volevano una fotografia di Chloe in poltrona a rotelle o con le stampelle, e naturalmente sapere l'opinione di Trygve sull'incidente che Laura Hutchinson aveva avuto a La Jolla.

«Terribile, naturalmente. È una cosa scioccante», fu il suo asciutto commento mentre cercava invano di evitarli. Non aveva però permesso di fotografare Chloe. Quando Trygve e Page salirono in macchina, si resero conto all'improvviso che probabilmente avrebbero trovato i giornalisti anche all'ospedale. Non appena arrivarono Page si precipitò verso il reparto di terapia intensiva. Voleva che nessuno fotografasse Allie e la trasformasse in uno spettacolo macabro o pietoso. Quella non era l'Allyson Clarke che tutti avevano conosciuto, e non avevano nessun diritto di servirsi di lei per sollevare la pubblica indignazione.

Per quanto colpevole Laura Hutchinson potesse essere, Page non aveva nessuna intenzione di permettere che usassero Allie per torturarla.

Una mezza dozzina di giornalisti e fotografi era già nel corridoio fuori dal reparto di terapia intensiva. Cercarono di fermarla quando la individuarono e si resero conto di chi fosse. E la bombardarono di domande.

«Quali sono le sue impressioni, adesso che ha saputo che

Laura Hutchinson è probabilmente la responsabile dell'incidente di sua figlia, signora Clarke?... Come sta al momento?... Uscirà dal coma, sì o no? » Avevano cercato di mettersi in contatto anche con il suo medico il quale, naturalmente, si era rifiutato di rilasciare dichiarazioni, come del resto le infermiere del reparto. Avevano anche provato a corromperne una perché li lasciasse entrare a scattare una fotografia, ma avevano scelto proprio la persona meno adatta, cioè Frances, la quale aveva minacciato di farli buttar fuori dall'ospedale con un ordine del giudice. Poi uscì per aiutare Page e sottrarla a quell'assedio, mentre Trygve cercava di convincerli a lasciarli in pace. Da parte sua Page si limitò a ripetere che non aveva commenti da fare.

« Ma non è furiosa, signora Clarke? Non si sente in collera per quello che quella donna ha fatto a sua figlia? » Cercavano di provocarla.

« Mi fa sentire molto triste », rispose Page con voce calma mentre passava davanti al gruppetto, « per tutti noi, per tutti quelli che hanno perduto le persone amate o hanno sofferto in modo atroce per questo incidente. Tutta la mia comprensione va ai parenti della famiglia di La Jolla. » Poi si chiuse nel mutismo più assoluto e con Trygve entrò nel reparto di terapia intensiva provando la sensazione di essere appena passata attraverso un autentico ciclone. Quel giorno le infermiere decisero di tenere chiuse le porte del reparto e di abbassare le tapparelle alle finestre in modo che nessuno potesse fotografare Page o Allie.

Qualche ora più tardi Trygve telefonò al suo amico giornalista e rimase stupito sentendo quanto aveva da riferirgli. Negli ultimi tre anni Laura Hutchinson era stata ricoverata quattro volte in una famosa clinica di Los Angeles per disintossicarsi, ma senza successo, a quanto pareva. Vi era entrata sotto un altro nome, ma un informatore nella clinica gli aveva confermato la sua presenza. Inoltre, dai documenti degli archivi dell'Ufficio della motorizzazione risultava che era rimasta coinvolta in almeno una mezza dozzina di piccoli incidenti, e uno più grave a Martha's Vineyard, dove passava abitualmente l'estate. Non c'erano stati morti ma solo feriti leggeri, e in un'occasione la signora Hutchinson stessa aveva riportato una commozione cerebrale. Naturalmente ogni cosa era stata messa a tacere con estrema discrezione e ogni volta che era stato possibile le registrazioni erano state chiuse in archivi ai quali era vietato l'accesso. Ma l'amico di Trygve era riuscito comunque ad aggirare anche questo ostacolo. Gli spiegò, fra l'altro, che dovevano esser state esercitate forti pressioni, e non si poteva neppure escludere qualche tentativo di corruzione per chiudere le pratiche che la riguardavano o, addirittura, che fosse stato offerto qualche vantaggio in campo politico. Bisognava però ammettere che i legali del senatore e i suoi addetti alle pubbliche relazioni avevano fatto un ottimo lavoro, riuscendo a nascondere i precedenti di Laura Hutchinson.

Era davvero agghiacciante rendersi conto che solo in quell'ultimo anno aveva provocato gravi ferite a uno dei suoi figli, aveva ucciso sei persone, una delle sue vittime era rimasta quasi invalida per sempre e un'altra era in coma. Un vero record.

Verso la fine della giornata, lo scalpore suscitato dalla notizia era diventato clamoroso. L'associazione delle «Madri contro gli ubriachi al volante» aveva rilasciato interviste e pubbliche dichiarazioni; anche i Chapman ne avevano rilasciata una, parlando della giovane vita che Laura Hutchinson aveva troncato e della reputazione che aveva lasciato venisse macchiata. Nel frattempo i portavoce del senatore continuavano a ripetere che i freni dell'automobile si erano improvvisamente guastati, come lo sterzo, ma risultavano sempre meno credibili ogni ora che passava. E Laura Hutchinson risultava «non disponibile per qualsiasi commento.»

Nella settimana successiva vennero anche intervistate famiglie che avevano perduto figli, mogli e mariti in incidenti simili e il telegiornale mostrò Laura Hutchinson che entrava di corsa in tribunale con il viso nascosto da un grande paio di occhiali neri per affrontare l'accusa di omicidio colposo. Poteva rischiare addirittura una condanna di quarant'anni, il massimo consentito per un'imputazione del genere, e Page rifletté che sarebbero stati una goccia d'acqua nel mare al confronto di quello che Laura Hutchinson doveva a tutti loro.

Ogni volta che andò a trovare Allie, quella settimana, riuscì solo a pensare a Laura Hutchinson e alla giovane donna che era morta con il suo bambino nel grembo.

Verso metà settimana la stampa si era impadronita della notizia e aveva lanciato un'autentica campagna in proposito. Le interviste ai Chapman affinché manifestassero la loro opinione in merito alla morte del figlio ormai erano continue; agli Applegate, a Page, a Brad e Trygve veniva praticamente data la caccia in continuazione. La telecamera era diventata un elemento fisso nel reparto di terapia intensiva e il regista del programma aveva perfino cercato di convincere Page a lasciargli riprendere Allyson.

« Non vuole che altre madri vedano quello che è successo a lei? Hanno il diritto di costringere persone come Laura Hutchinson a non viaggiare più in automobile sulle strade », provò a spiegarle una giovane giornalista molto aggressiva, « e lei ha l'obbligo di aiutarle. »

« Vedere Allyson non cambierà niente. » Page voleva solamente proteggere sua figlia.

« Sarebbe almeno disposta a parlare con noi? » Page rifletté a lungo e alla fine accettò di rilasciare una breve intervista nel corridoio, ma solo perché servisse come testimonianza nella causa intentata a Laura Hutchinson, a La Jolla. Spiegò quello che era successo ad Allyson tre mesi prima, le conseguenze dell'incidente e le condizioni in cui si trovava. Tutto si stava svolgendo in modo semplice e diretto e per un momento fu contenta di aver accettato.

Poi la stessa giornalista le domandò se la sua vita fosse stata in qualche modo cambiata dall'incidente. C'erano state altre complicazioni? E mentre le faceva questa domanda Page si rese conto che qualcuno doveva averle riferito che lei e suo marito si erano separati.

Poiché non aveva nessuna intenzione di diventare oggetto della compassione generale del pubblico televisivo, evitò di rispondere.

« Lei ha altri figli, signora Clarke? »

« Sì, un maschietto, Andrew », disse piano.

« Ed è rimasto colpito emotivamente da quello che è accaduto? »

« È stata molto dura per tutti noi », le rispose Page sinceramente, e la giornalista annuì.

« È vero che, qualche settimana dopo l'incidente, è scappato di casa? Secondo lei può essere stata una conseguenza del trauma subìto? » Evidentemente avevano controllato negli archivi della polizia e Page reagì di fronte a quella intrusione nella loro vita privata. Era chiaro che quella gente voleva usarli per sostenere tesi personali e per uno scopo ben preciso. Trygve aveva avuto ragione nel rifiutarsi di parlare con loro fin dal principio.

« Posso risponderle che è stato molto difficile per tutti noi, ma cerchiamo di affrontare la situazione nel miglior modo possibile. » Le rivolse un sorriso cortese e poi ripensò al motivo per il quale aveva acconsentito a rilasciare quell'intervista. « Vorrei semplicemente dire che, secondo me, chiunque sia stato responsabile di una tragedia di questo genere deve risponderne di fronte alla legge... Anche se questo non cambierà niente per noi, al momento attuale », aggiunse, a conclusione dell'intervista.

Certo, se fossero stati onesti nell'affrontare il problema dell'alcolismo di Laura Hutchinson qualche anno prima, forse lei non si sarebbe trovata al volante di un'automobile in quella fatale notte di aprile.

Ma non fu per niente soddisfatta quando rivide l'intervista sullo schermo, perché l'avevano rimaneggiata in modo da dare la sensazione che lei avesse detto cose che, invece, si era ben guardata dal dire. E poi l'avevano fatta sembrare patetica. D'altra parte, se la gente si fosse resa conto di quello che Laura Hutchinson aveva fatto a tutti loro, chissà che non fosse punita come meritava. L'incidente nel quale era rimasta ferita sua figlia non avrebbe potuto essere presentato in aula come una testimonianza convincente perché, a suo tempo, non era stata sottoposta al test del tasso alcolico, ma poteva servire come esempio, e conferma, di ciò che Laura Hutchinson aveva fatto. Era stata l'unico motivo per il quale aveva accettato di rilasciare quell'intervista alla televisione, ma adesso se ne pentiva.

Niente avrebbe potuto cambiare qualcosa per Allyson, ma lei si sentì meglio sapendo che la donna responsabile di quanto era accaduto sarebbe stata assicurata alla giustizia. Il processo venne fissato per la prima settimana di settembre.

18

TRYGVE e i ragazzi partirono per il lago Tahoe il primo agosto e Page promise di raggiungerli con Andy verso la metà del mese. A quell'epoca ormai Brad sarebbe stato in Europa con Stephanie e, in mancanza di meglio, Page aveva deciso di mandare Andy in una colonia diurna. Trygve si era offerto di condurlo a Tahoe con loro e Andy era stato tentato di accettare, ma non voleva lasciare la mamma. Non aveva più la stessa disinvolta sicurezza di prima dell'incidente, non gli piaceva più trascorrere la notte in casa dei suoi amici e, a volte, soffriva ancora di incubi per quello che era successo ad Allie.

L'incidente risaliva ormai a quasi quattro mesi prima. Il limite tanto temuto dei tre mesi ormai era stato superato senza che dalle labbra di Allie fosse uscito il più lieve mormorio. E Page si era quasi rassegnata. Aveva desiderato con la forza della disperazione che sua figlia si risvegliasse, che tornasse quella di prima, soprattutto per se stessa, anche se ci sarebbe voluto un tempo lunghissimo prima di arrivare alla completa riabilitazione o anche solo riuscire a metterla in piedi e farla camminare. Avrebbe fatto qualsiasi cosa per vedersela restituire com'era prima. Ma ora, cominciava lentamente a capire che niente di tutto questo sarebbe accaduto.

Trygve le telefonava ogni giorno da Tahoe. E ormai la sua vita aveva preso un ritmo sempre uguale. Accompagnava

345

Andy alla colonia, raggiungeva l'ospedale, faceva una visitina ad Allyson e aiutava la fisioterapista a tenere in movimento il suo corpo per impedirle di atrofizzarsi completamente. Poi si dedicava alla decorazione murale, e quindi tornava a sedersi vicino al letto di Allyson. Infine andava a prendere Andy, tornava a casa e preparava la cena.

Sentiva terribilmente la mancanza di Trygve, molto più di quanto si fosse aspettata. Una volta lui le aveva confessato di essersi sentito talmente solo senza di lei da provare una gran voglia di tornare indietro per passare almeno una notte insieme. Era meraviglioso con lei ed erano molto felici.

A quel punto, ormai, aveva terminato il primo affresco e nella prima settimana di agosto aveva iniziato quello con la scena del porto di Sanremo per la sala d'aspetto. Erano moltissimi i particolari e i dettagli che aveva già studiato e abbozzato nei primi schizzi, ma quando andava a sedersi vicino al letto di Allyson a volte le capitava di concentrarsi sulle idee che dovevano essere ancora sviluppate oppure di controllare i cartoni già preparati. In un pomeriggio pieno di pace, mentre il sole illuminava la stanza, Page sentì un lieve movimento della mano di Allie sul letto. Era già capitato e non significava niente, ormai lo sapeva. Era semplicemente il corpo che rispondeva a qualche scarica elettrica del cervello. Tuttavia, d'istinto, alzò gli occhi a guardarla e poi tornò ai suoi disegni mentre mordicchiava distrattamente l'estremità della matita. C'era un dettaglio del disegno che non la convinceva del tutto e che voleva completare; perciò rimase immobile a guardare fuori della finestra, tentando di immaginare come poteva risolvere quel problema. Poi lanciò un'altra occhiata ad Allie e vide che le sue mani si muovevano. Sembrava che si aggrappassero alle lenzuola, che si allungassero verso di lei. Non lo aveva mai fatto prima, e Page la fissò con gli occhi sbarrati chiedendosi se questa volta non si trattasse di qualcosa di diverso.

Poi vide che la testa di Allie si muoveva quasi impercettibilmente. Sembrava che si voltasse lentamente verso di lei, come se avesse intuito la sua presenza. Rimase a guardarla, con il fiato sospeso. Sembrava quasi che Allie capisse che c'era qualcuno a farle compagnia; sembrava che fosse rientrata, fisicamente, in quella stanza d'ospedale — e Page se ne accorse.

«Allie? Sei qui?... Mi senti?» Non era più come quando l'avevano data per perduta, in fin di vita; era qualcosa di molto più forte, e di molto più reale. Anche allora le era sembrato reale, ma adesso era tutto completamente diverso. «Allie...» depose matita e blocco e prese la mano di Allyson nella propria, cercando di comunicare. «Allie... apri gli occhi, tesoro... sono qui con te... apri gli occhi, bambina... va tutto bene... non essere impaurita... sono la mamma...» le parlava dolcemente e le accarezzava la mano... E Allyson reagì stringendogliela debolmente. Page scoppiò in pianto. L'aveva sentita. Capiva. L'aveva ascoltata. «Allie... mi sono accorta che mi stringi la mano... capisco che mi puoi sentire, bambina... su, coraggio... adesso apri gli occhi...» Poi, mentre aveva le guance inondate di lacrime, Page si accorse di un leggero tremito nelle palpebre di Allyson che subito si arrestò. Come se fosse troppo per lei, come se fosse esausta. Page rimase a fissarla a lungo, domandandosi se non fosse ricaduta ancora più profondamente nel coma. Sembrava infatti non ci fosse più alcun segno di vita; poi, all'improvviso, si sentì di nuovo stringere la mano, e la stretta era più forte.

Provò una gran voglia di balzare in piedi e di scrollarla perché si risvegliasse; avrebbe voluto mettersi a urlare, chiamare qualcuno, per dire che Allie era ancora lì con loro, che in quel coma profondo la sua bambina era ancora viva e respirava... e invece rimase come paralizzata a fissarla, quasi per imporle con uno sforzo di volontà di risvegliarsi. E quando quelle palpebre ebbero di nuovo un debole palpito, Page scoppiò in un pianto silenzioso. E se fosse soltanto uno scherzo crudele, se le avessero detto che erano soltanto contrazioni, e spasimi... se non si fosse risvegliata mai più...? «Bambina, ti prego, ti prego, apri gli occhi... ti voglio tanto, tanto bene... Allie, per favore...» singhiozzava piano baciandole le dita. In quel momento, le palpebre di Allyson ebbero un altro fremito e poi, con lentezza infinita, aprì gli occhi per la prima volta da quattro mesi e vide sua madre.

Al primo momento sembrò stordita, come se non fosse sicura di quello che vedeva, ma poi fissò Page in faccia e disse: «Mamma». Page non riuscì a trattenere i singhiozzi; poi si chinò a baciarla sulle guance, sui capelli... e le sue lacrime bagnarono il viso di Allie, che ripeté quella parola più forte, mentre la guardava. Era un suono fievole e roco, ma era sempre una parola, la più dolce che Page avesse mai udito... mamma...

Rimase lì seduta per un tempo che le parve interminabile, a piangere e a guardarla; poi arrivò Frances, che non riuscì a credere ai propri occhi.

«Mio Dio... si è svegliata...» Corse subito a chiamare il dottor Hammerman, ma quando lui arrivò Allie si era di nuovo assopita. Però non era ripiombata nel coma.

Page gli spiegò quello che era successo e lui visitò l'ammalata con molta delicatezza. Dopo un po' Allyson aprì gli occhi e lo fissò. Non riusciva a capire chi fosse e si mise a piangere guardando sua madre.

«Va tutto bene, tesoro... il dottor Hammerman è il nostro amico... penserà lui a farti stare meglio...» Non aveva più importanza tutto quello che avrebbero potuto fare... Allie si era svegliata, aveva aperto gli occhi e aveva parlato. Tutto quello che poteva succedere dopo sarebbe stato qualcosa in più.

Il dottore chiese ad Allyson di stringergli la mano, e di guardarlo, e lei ubbidì. Poi le chiese di parlargli, ma lei non disse niente. Poi lanciò un'occhiata a sua madre scrollando la testa. In seguito Hammerman spiegò a Page, in corridoio, che con ogni probabilità aveva perduto quasi completamente la parola. Come gran parte delle capacità motorie. Adesso rimaneva da vedere quale fosse il danno reale che aveva subìto al cervello.

«Può imparare di nuovo molte di queste cose, a camminare, a sedersi, a muoversi, a nutrirsi. Può imparare di nuovo a parlare. Bisogna semplicemente vedere quanto è rimasto intatto e fino a che punto possiamo condurla», le spiegò in tono pratico. Ma Page era disposta a fare qualsiasi cosa per sua figlia, a lavorare duramente se fosse stato necessario, a riportarla per quanto era possibile alla vita di prima. Era preparata a tutto pur di aiutarla.

Quando Hammerman se ne andò telefonò a Trygve per riferirgli quello che era successo.

«Aspetta un momento... aspetta un momento... calmati... parla più piano...» Al lago aveva un telefonino portatile e la ricezione era debole. Capì che il dottore doveva averle detto qualcosa a proposito delle capacità motorie di Allyson, ma non aveva sentito il resto. «Ripetimelo da principio.» Ma Page piangeva e lui non riuscì assolutamente a sentire quello che lei gli diceva.

«Mi ha parlato... *ha parlato!*» gli gridò Page, e Trygve per poco non si lasciò sfuggire il telefono di mano. «Si è svegliata... ha aperto gli occhi, mi ha guardato e ha detto: 'Mamma'.» Era stato il momento più bello della vita di Page dal giorno in cui Allie era nata... e dal giorno in cui avevano saputo che non avrebbero perduto Andy. «Oh, Trygve...» Adesso riusciva solo a piangere e dire cose senza senso, ma anche Trygve aveva le lacrime agli occhi e i suoi figli, che gli erano venuti vicino, lo guardavano con aria preoccupata, aspettando di sapere. Temevano che fosse successo qualcosa di terribile... forse Allie era morta.

«Veniamo stasera», si affrettò a risponderle Trygve. «Ti richiamo. Voglio dirlo ai ragazzi», riprese in tono eccitato, e riattaccò contemporaneamente a Page. Poi lei tornò di corsa da Allyson, mentre Trygve spiegava ai suoi figli che finalmente era uscita dal coma.

«Sta bene?» gli domandò Chloe, stupita e felice.

«È troppo presto per dirlo, tesoro», rispose Trygve abbracciandola stretta.

Quella sera stessa l'intera famiglia rientrò a Ross, ma Allyson si era ormai riaddormentata. Non era più in coma, dormiva semplicemente, come una persona normale. Le avevano staccato il respiratore, ma continuava a rimanere nel reparto di terapia intensiva; anzi, pensavano di trattenerla ancora per qualche tempo in modo da poterla avere sempre sotto controllo.

« Che cosa ha detto? » volle sapere Chloe quando si radunarono intorno al tavolo di cucina, in casa dei Thorensen.

« Ha detto mamma. » E Page scoppiò in pianto mentre raccontava tutto per filo e per segno anche a loro. Anche Trygve si mise a piangere, ascoltandola. Poi fu Chloe a scoppiare in singhiozzi, e anche Bjorn, che si agitava sempre quando qualcuno piangeva. Mentre ascoltavano Page, lui e Andy si tenevano per mano.

Fu la giornata più felice della loro vita. L'indomani mattina Page tornò all'ospedale in compagnia di Chloe. Allyson aprì gli occhi e la fissò a lungo; poi aggrottò le sopracciglia e si voltò a guardare sua madre. « Ragazza », disse. « Ragazza. » Poi alzò una mano e la indicò.

« Chloe », spiegò Page con cautela. « Chloe è la tua amica, Allie. » Allyson la guardò di nuovo e fece cenno di sì. Era come se lo sapesse con una parte del suo io, ma avesse perduto la capacità di pronunciare la parola adatta per definire ogni cosa. Come vivere su un altro pianeta.

« Credo che mi abbia riconosciuto », disse Chloe quando se ne andarono; ma quando si trovò a quattr'occhi con suo padre gli confessò che era rimasta delusa perché Allyson non aveva dato segno di ricordarsi di lei.

« Abbi pazienza. Viene da molto lontano. E ci vorrà un mucchio di tempo perché torni quella di una volta, o anche soltanto simile a quello che era. » E forse non sarebbe neppure arrivata fino a quel punto.

« Ma quanto ci vorrà, papà? »

« Non lo so. Il dottor Hammerman ha spiegato a Page che potrebbero volerci anni. Magari due o tre prima che la riabilitazione dia i suoi frutti. » Per quell'epoca ne avrebbe avuti diciotto e nel frattempo avrebbe dovuto imparare a sedersi, a camminare, a mangiare con la forchetta... a parlare... Che cosa atroce e terribile!

Quella sera Page riferì anche a loro i nuovi progressi che Allie aveva fatto. Adesso i fisioterapisti si dedicavano a lei giorno e notte. Ce n'era uno specializzato nella rieducazione di gambe e braccia, in modo da farle riprendere il più possibile le capacità motorie, e un altro per il linguaggio. Nei mesi successivi Allie sarebbe stata molto impegnata. E anche Page.

«E per il lago Tahoe, che cosa mi dici?» le domandò Trygve quella sera. Avevano intenzione di ritornarvi la mattina successiva. E voleva condurre con sé anche Andy, dopo averlo accompagnato a far visita alla sorella.

«Non lo so», gli rispose Page, lasciandogli capire che era preoccupata. «Non sopporto l'idea di starle lontano proprio adesso.» E se fosse ricaduta nel coma? E se avesse smesso improvvisamente di muoversi e di parlare? Ma il dottor Hammerman aveva detto che adesso non sarebbe più stato possibile. Non c'era nessun pericolo e potevano diradare le visite.

«Perché non aspetti un'altra settimana, magari anche due. In ogni caso, non avevi intenzione di venire al lago adesso; e puoi sempre fare la pendolare ogni pochi giorni. Se vuoi, posso riaccompagnarti qui io; magari dormiamo a casa nostra e poi torniamo su la mattina. È certamente faticoso, ma non è neppure da paragonarsi a quello che hai fatto in questi quattro mesi. Che cosa ne pensi?» Era sempre pronto a semplificare le cose, a trovare le soluzioni adatte per render la sua vita più facile e migliore.

«Mi piacerebbe.» Sorrise mentre lo baciava.

«Perché non vuoi che porti Andy a Tahoe, fin da adesso? Credo che gli piacerebbe.» Sapevano che sarebbe rimasto molto deluso se Allie non lo avesse riconosciuto subito. Meglio tenerlo lontano e cercare di distrarlo.

«Credo che sarebbe una soluzione fantastica per lui», gli confermò Page. E poi voleva dedicare tutto il tempo a sua disposizione ad Allyson. Quanto avevano da fare adesso!

«Vengo a prenderti la settimana prossima, e se sarà troppo presto passerò un paio di giorni con te. Potrai venire al lago la settimana successiva.»

«Perché sei così buono con me?» bisbigliò lei mentre Trygve l'attirava a sé.

«Perché sto cercando di sedurti», fu la risposta.

Non appena Allie si era risvegliata, Page aveva telefonato in Europa e Brad era stato felicissimo nel sentire la notizia. Le aveva detto che moriva dalla voglia di rivederla, appena tornato. Ma quando arrivò — come del resto era successo a Chloe e ad Andy — rimase deluso. Si era aspettato di sentirla subito gridare: «Papà!» rivedendolo, e si era illuso che gli avrebbe buttato le braccia al collo. Invece, dopo averlo guardato con aria sospettosa, Allie aveva fatto cenno di sì con la testa e rivolgendosi a Page aveva detto soltanto: «Uomo». Solo quello e nient'altro. «Uomo.» L'aveva osservato come se si sforzasse di ricordare il suo viso e poi, a un tratto, mentre lui stava per andarsene aveva bisbigliato: «Papà».

«L'ha detto!» aveva esclamato Page richiamandolo indietro. «Ha detto papà.» E Brad l'aveva stretta fra le braccia piangendo. Però era stato un gran sollievo per lui, come sempre, lasciare il reparto di terapia intensiva. Non riusciva a sopportare di vedere sua figlia in quelle condizioni. Anche se aveva cominciato a sedersi sul letto, non riusciva però ancora a camminare ed era una lotta continua per ogni parola e ogni gesto che faceva.

Quando ritornò, una settimana più tardi, Trygve rimase invece colpito dai suoi progressi. «Chloe», disse Allie appena lo vide. «Chloe.» Sapeva chi era.

«Trygve», si affrettò a ricordarle lui. «Il papà di Chloe.»

Lei lo guardò facendo cenno di sì con la testa e dopo un attimo sorrise. Era qualcosa di nuovo, questo. Poteva sorridere, ma mai nel momento in cui avrebbe voluto. Sembrava che il sorriso arrivasse sempre dopo, in ritardo. E la stessa cosa capitava quando piangeva. Ma il dottor Hammerman ripeteva che tutto questo con il tempo si sarebbe aggiustato, naturalmente con molto impegno e uno sforzo tremendo.

«Ha un aspetto magnifico», disse Trygve a Page, ed era sincero. Allie aveva fatto miglioramenti incredibili, se si pensava in quali condizioni era solo un mese prima.

«Sembra anche a me», gli rispose lei raggiante. «Poi capisce molto di più di quello che si può credere. Solo che non riesce a spiegarsi come vorrebbe. E mi rendo conto, guar-

352

dandola in faccia, che si impegna con tutte le sue forze. Ieri le ho mostrato il suo orsacchiotto e lei lo ha chiamato 'Sandwich'. Il suo nome è Sam. Ci è andata vicino. Poi è scoppiata a ridere, si è spaventata e si è messa a piangere. Insomma è un po' imprevedibile, come una corsa sull'ottovolante... ma è meraviglioso. »

« Che cosa ne pensa Hammerman? »

« È un po' presto, però dice che in seguito agli esami che hanno fatto e per quello che può giudicare dei suoi progressi, secondo lui ci dovrebbero essere buone speranze di un recupero al novantacinque per cento.» Gli sembrava ancora incredibile. Solo un mese prima si stavano rassegnando all'idea che non sarebbe mai più uscita dal coma.

« Il che significa che non sarà mai in grado di far quadrare i conti del suo libretto d'assegni a perfezione, che i suoi riflessi potranno non essere tali da consentirle di guidare un'automobile — o magari sì — che non potrà diventare la ballerina più brava del mondo e che non si può escludere che la traduzione simultanea rimanga sempre qualcosa di troppo complesso per lei. Però potrà avere una vita normale, andare al college, trovare un lavoro, avere una famiglia, ridere alle battute di spirito, godersi una buona lettura, raccontare una favola. Sarà come il resto del mondo, come me e te, forse soltanto un po' meno perfetta di come sarebbe stata se tutto questo non fosse successo. » Erano molte le cose di cui essere grati, se si considerava che aveva corso il rischio di morire ed era stata in coma per quattro mesi.

« A me sembra fantastico. » La situazione non era molto diversa per Chloe. Non avrebbe più realizzato il suo sogno di diventare una danzatrice classica, ma poteva camminare, ballare, muoversi e vivere. Aveva perduto qualcosa, ma non tutto. Non come Phillip, o come tutte le altre persone che Laura Hutchinson aveva strappato alla vita a La Jolla.

Page spiegò ad Allyson che l'indomani sarebbe partita per il lago Tahoe. E lei scoppiò in lacrime sentendosi dire che la mamma la abbandonava, ma poi sorrise di nuovo quando riuscì a capire che si trattava soltanto di un'assenza di due giorni. Page si rese conto di non sopportare l'idea di lasciarla; d'altra parte sapeva che avrebbe potuto tornare indietro ogni due o tre giorni a trovarla. Sarebbe stato massacrante, ma aveva deciso così e Trygve la capiva. Voleva trascorrere quel poco tempo che aveva a disposizione con Andy, Trygve e la sua famiglia, senza abbandonare completamente Allie.

Mentre viaggiavano fra le montagne Page ebbe l'impressione di essere una persona completamente nuova. Si sentiva più libera di quanto non le fosse capitato da anni, più forte, più viva. Si voltò a guardare Trygve e scoprì di avere il cuore leggero e felice.

« Si può sapere perché ridi a quel modo? Sembri il gatto che ha appena mangiato il canarino. » Gli bastava vederla per sentirsi bene. Le era terribilmente mancata in quegli ultimi quindici giorni e adesso sperava che presto sarebbe arrivato il giorno in cui poter rimanere sempre uniti.

« Sono felice, molto semplice », disse lei con un sorriso.

« Non riesco proprio a capire perché », ribatté Trygve, fingendo di prenderla in giro.

« Io, invece, sì. Ho tutto quello per cui sento di poter essere grata in questo mondo. Due figli miracolosi... e un uomo miracoloso... e altri tre figli per i quali vado matta. »

« Mi sembra giusto. Però c'è sempre posto per altri, sai? »

« Forse sarebbe meglio non insistere troppo con tutte queste fortune. Chissà che cinque figli fantastici non siano più di quello che una persona può meritare. »

« Frottole. » Trygve era deciso ad avere altri figli, ma dopo tutto quello che avevano appena passato Page non osava desiderare altro. La guarigione di Allie era un miracolo — mai aveva sperato tanto!

Il soggiorno sul lago Tahoe era proprio quello che ci voleva. Finalmente presero la decisione di dormire nella stessa camera da letto e, malgrado le risatine di Bjorn e Andy la prima sera, sembrò che la cosa venisse accettata e nessuno se ne meravigliò in modo particolare.

Fu un periodo rilassante, pieno di pace. Facevano gite in macchina, andavano a pesca e passeggiavano. Parlarono di molte cose, cominciando a conoscersi meglio. Una notte dormirono tutti sotto le stelle e accesero fuochi da bivacco e barbecue. Fu una vacanza perfetta. I viaggi che Page affrontava ogni pochi giorni per tornare a Ross erano massacranti, ma ne valeva la pena. I progressi di Allie erano incredibili.

Alla fine della seconda settimana poteva stare in piedi e fare qualche passo con un minimo di aiuto. Quando Page entrò, le sorrise e le domandò: «Ciao mamma, come stai?» Ricordava il nome di Trygve e non dimenticava mai di domandare notizie di Chloe. Poi le disse che voleva rivedere Andy. Page lo aveva accompagnato a farle visita prima della sua partenza per il lago Tahoe. E le spiegò perciò che era lassù a pescare.

«Pesce... oohh... puah!» esclamò Allie facendo una smorfia orribile, e tutti risero.

«Sì, brutti, vero?...» confessò Trygve, emozionato ed eccitato per i suoi progressi quanto Page. «E poi hanno anche cattivo odore.»

«Spazzatura.» Allie lottava alla ricerca delle parole, e loro risero.

«Io non arriverei fino a questo punto. La prossima volta dovrai venire con noi e potrai andare a pesca di spazzatura anche tu!» Allie rise a quella battuta, e Trygve se la strinse al cuore. Era sempre bellissima e ancora non riuscivano a credere che i danni esteriori potessero essere stati tanto modesti.

Trygve e Page tornarono sul lago per trascorrervi il fine settimana del Labor Day. L'aria era un poco più frizzante e già si poteva sentire che l'estate stava finendo. Anche se il tempo trascorso insieme era stato così spezzettato, si sentivano più forti e sereni. Avevano tutti molte cose da fare al ritorno a casa, soprattutto Page, che doveva dedicarsi alle sue decorazioni murali e al programma di studi artistici e, per di più, sapeva di dover lavorare anche sodo con Allie. La loro serenità fu turbata improvvisamente quando, aprendo un giornale, seppero che Laura Hutchinson stava per essere processata a La Jolla il martedì successivo.

«Mi auguro che la mettano in prigione per cent'anni», esclamò Chloe con veemenza, pensando più ad Allie che a se stessa. E naturalmente a Phillip. Laura Hutchinson era stata ben felice che tutte le colpe venissero addossate a Phillip, lasciando che il suo nome e il suo onore venissero infangati! Qualche tempo prima qualcuno si era finalmente deciso a dichiarare che, quando aveva lasciato il famoso ricevimento di quella sera, Laura Hutchinson era ubriaca perché aveva bevuto come una spugna. Se ne erano accorti tutti, ma non la polizia. Perché non avevano fatto qualche controllo anche sulle sue condizioni? Ormai era troppo tardi. A ogni modo, almeno stavolta sarebbe stata costretta a pagare per la tragedia che aveva provocato a La Jolla.

« È straordinario come la tua vita possa cambiare da un momento all'altro, vero? » domandò Page con voce malinconica quando si ritrovarono seduti sulla riva del lago, al tramonto. L'indomani era il giorno del ritorno e i ragazzi erano tutti a casa a prepararsi per uscire a cena. Avevano intenzione di provare un nuovo ristorante di Truckee. « Cinque mesi fa la mia vita era articolata in un modo completamente diverso... adesso guarda che cosa abbiamo passato e dove siamo arrivati. Non si sa mai quello che può succedere. »

In conclusione si sentivano più ricchi di prima, ma a quale prezzo! Avevano pagato caro tutto quello che era accaduto.

« Non riesco nemmeno a pensare a quel giorno, non vorrei riviverlo mai più », le rispose Trygve con aria pensierosa. « Ricordo ancora quando mi hanno telefonato... e poi quando ti ho visto all'ospedale... credevo che le ragazze fossero da voi, figurati un po'! »

« E io ho pensato che fossi rimasto ucciso tu, quando mi hanno detto che la persona al volante dell'auto era morta nello scontro sul ponte... Dio, che momento orribile. » Lo guardò con affetto, stupita di fronte alla forza del destino, alla sua crudeltà e alla sua dolcezza. « Credo proprio che siamo stati abbastanza fortunati. » Poi gli sorrise e gli prese una mano.

« Sei stato così buono con me in questi ultimi mesi. »

« Ti meriti anche di meglio! Devi solo darmene il tempo. » Allora Page scoppiò in una risata, come se Trygve avesse detto qualcosa di buffo, e in fondo era proprio così, anche se non se ne rendeva conto. « Hai fatto qualche riflessione sui nostri progetti? » Non voleva insistere, non voleva esercitare pressioni ma di tanto in tanto sollevava di nuovo quell'argomento, più che altro perché ci riflettesse. Era sempre deciso a sposarla non appena il divorzio fosse diventato definitivo, a Natale.

«Sì, ci ho pensato», gli rispose con voce sommessa, con gli occhi fissi sul lago, lontano, mentre lui la osservava, e poi si voltò a guardarlo con una strana espressione. «Sei proprio sicuro che sia quello che vuoi, Trygve? Perché è un grosso impegno. Io ho due figli... e la guarigione di Allie non sarà facile.»

«Neppure quella di Chloe. E Bjorn sarà sempre quello che è. Piuttosto, dimmi di te... ci hai pensato? Malgrado tutte le mie insistenze, che cosa ne dici dei grossi fardelli che mi porto appresso?»

«Vedi, il caso vuole che io sia affezionata a quei ragazzi. Voglio molto bene a tutti. Non avrei mai creduto di poter voler bene a questo modo ai figli di un'altra persona.» Si era persino affezionata a Nick nel poco tempo che aveva avuto per conoscerlo meglio durante l'estate.

«Io direi che siamo pari.» Le sorrise e lei fece cenno di sì. Poi Trygve diventò serio. «Mi ero abituato a pensare che non avrei mai più dovuto risposarmi a causa di Bjorn, che non sarebbe stato onesto nei suoi confronti. Non riuscivo a immaginare che qualcuno potesse volergli bene quanto me, e non volevo che nessuno gli facesse del male. Poi sei arrivata tu», aveva gli occhi umidi quando la strinse a sé, «e ti sei mostrata veramente meravigliosa nei suoi confronti... credimi, merita di avere intorno persone che gli vogliano bene. È una piccola anima così buona e gentile, malgrado le sue limitazioni!»

«Anche tu», ribatté Page, rannicchiandosi contro di lui; anche se, a dire la verità, non aveva ancora scoperto quali fossero le limitazioni di Trygve.

«Allora, che ne pensi dell'idea di Natale?» le sorrise con aria sbarazzina — e questa volta Page scoppiò in una risata.

«In effetti volevo proprio discuterne con te», e quando tornarono a sdraiarsi sui lenzuoli di spugna alzò gli occhi verso di lui.

«Dici sul serio?» Sembrava emozionato e felice. Page gli aveva lasciato capire di essere riluttante a prendere una decisione troppo presto. Almeno fino a poco tempo prima quella era la sua intenzione, ma adesso che Allie era uscita dal coma tutto sembrava diverso.

«Può darsi. Però prima devo discutere un certo argomento con te.» Era diventata seria e Trygve, sdraiandosi di fianco a lei, si dispose ad aspettare. «C'è qualcosa che credo di doverti dire.» Qualcosa che forse riguardava Allyson... o Brad... magari adesso stava per dirgli che continuava a essere innamorata di Brad, e le pareva giusto che lui lo sapesse. Aveva riflettuto anche su questa possibilità, ma aveva avuto l'impressione che lei avesse accettato senza troppi traumi l'idea del divorzio... anzi, meglio di quanto non fosse riuscito a lui con Dana. «Ti ricordi quando dicevi che avresti voluto avere subito un bambino?»

Sembrava preoccupata, e lui rise. Sapeva che Page era riluttante a prendere una decisione del genere. Diceva di volere altri figli ma allo stesso tempo di avere paura di essere troppo vecchia, e non voleva neppure essere troppo impegnata e non avere più tempo per dedicarsi ad Allie.

«Se proprio ci sono costretto, posso anche aspettare. Ma pensavo che sarebbe stato bello. Tuttavia, se tu hai bisogno di tempo... siamo abbastanza giovani da poter aspettare ancora un po'.» E se poi Page avesse deciso che non si sarebbe sentita di affrontare altre maternità, era disposto ad accettare anche quello. Ma adesso lei lo stava guardando accigliata. E sembrava turbata. «Non è una questione che possa guastare i nostri piani, Page.»

«Vediamo un po' se riesco a spiegartelo in un altro modo», riprese lei, appoggiandosi a un gomito. «Che ne diresti di sposarci a Natale...» lui si sentì il cuore in gola dalla gioia e scoppiò in una risata. Era letteralmente in estasi, ma Page non aveva ancora finito «... e io per quell'epoca fossi incinta di quasi sei mesi?»

«Cosa?» Si mise a sedere di scatto e la guardò. Lei gli sorrise imbarazzata e poi, rotolando sulla schiena, scoppiò in una risatina sommessa.

«Non riesco a capire come diavolo sia successo. Devo avere sbagliato i conti o fatto dei pasticci con la pillola o qualcosa del genere all'incirca sei settimane fa. In un primo momento ho creduto che fosse tutta immaginazione, invece no. Non sapevo che cosa ne avresti pensato con i ragazzi e tutto il resto... è un po' uno choc per tutti, e devo dire che dovremo prepararci a un matrimonio decisamente insolito, anzi... molto interessante! » Lo guardava con l'aria di una bambina che ha combinato una marachella, mentre gli spiegava tutto questo. Si sentiva una sciocca, ma era contenta. Aveva sempre desiderato un altro figlio. E d'altra parte la loro relazione era cominciata con entusiasmo... in tutti i sensi.

«Sai che sei sorprendente? » Trygve si sdraiò di nuovo al suo fianco e la strinse a sé. «Non riesco a crederci. » Poi, improvvisamente, scoppiò di nuovo a ridere. Era emozionato ed eccitato. In fondo era proprio quello che aveva desiderato ed ecco che si realizzava ancora più in fretta di quanto avesse creduto possibile — ma andava bene ugualmente! «Comincio a pensare che questo sarà un altro bambino del miracolo, per noi. » E scoppiò a ridere, mentre si prendeva gioco di lei.

«Che cosa vuoi dire? »

«Be', c'è Bjorn, che è abbastanza speciale, a modo suo. E c'è Chloe, che adesso è a sua volta una specie di piccolo miracolo... e Andy, che è nato prematuro ma è diventato uno splendido bambino... e la guarigione miracolosa di Allie... e vediamo un po', se ci sposiamo in dicembre, avrai il bambino... tre mesi e mezzo, al massimo quattro dopo le nozze... pensa che miracolo sarà anche quello! Un neonato a tempo di record! » Rideva a più non posso e lei sembrava quasi vergognosa.

«Sei terribile. Pensa quanto si sentiranno imbarazzati i nostri poveri figli. »

«Non permetteremo che si sentano imbarazzati. Se non riuscissero a capire quanto sono fortunati, quanto siamo fortunati tutti, e benedetti da Dio, e che anche le persone grandi qualche volta possono commettere un errore, be'... che vadano al diavolo! Ti giuro che non sarò certo io a mettere in discussione un autentico dono del Cielo come questo... Non rifiuterò mai quello che ci viene offerto... ho intenzione di tenermi stretto questo dono, più che posso, e di tenermi stretta anche te, e di sussurrare una preghiera di ringraziamento ogni sera prima di addormentarmi... Quanto a miracoli, devo dire che più di così non ne potremmo davvero chiedere... abbiamo fatto il pieno, non ti pare? » esclamò con orgoglio. Poi, senza aggiungere una parola, si chinò su di lei per baciarla, e Page lo strinse a sé pensando a quanta strada avevano fatto insieme, a com'era stato lungo e irto di pericoli il loro viaggio e a quanto erano fortunati ad avere l'amore l'uno dell'altra.

FINE

L'autrice

Danielle Steel è la scrittrice più popolare del mondo, con più di 650 milioni di copie vendute in 69 Paesi. Autrice di oltre 80 bestseller internazionali, dal 1981 è sempre presente nella classifica del *New York Times*, spesso con più di un libro. Tutti i suoi romanzi sono pubblicati in Italia da Sperling & Kupfer.
www.daniellesteel.net
www.daniellesteel.com

Finito di stampare presso ELCOGRAF S.p.A.
Stabilimento di Cles (TN)

ACKNOWLEDGEMENTS

We express our profound gratitude to the publishers who have so kindly co-operated in making possible this book of treasures, by permitting the use of copyrighted material. Our grateful acknowledgements go to the following:

To Fleming H. Revell Company for "The Finnish Gold Story" by S. D. Gordon, and "How I Know There Is a God" by R. A. Torrey.

To Million Testaments Campaigns, Inc. for "A Jew, a Book, and a Miracle" by Dr. Jacob Gartenhaus.

To The Judson Press for "My Infidelity and What Became of It" by B. H. Carroll.

To Mrs. R. L. Moyer for "Our Solitary Saviour" and "The Christian and War" by the late Dr. R. L. Moyer.

To Mrs. Henry M. Woods of the World-Wide Revival Prayer Movement for "The Wonder of the Book" by Canon Dyson Hague.

For other material we have obtained the kind permission of the authors, or the author and publisher, when known to us.

SWORD OF THE LORD PUBLISHERS

CONTENTS

INTRODUCTION

This is really a "book of treasures." We believe that you will find here some of the choicest gems of Christian literature ever printed. They are a collection of articles, sermons and stories that were first printed in THE SWORD OF THE LORD, the evangelistic weekly of which I am editor. They are selected from the material printed in nearly six hundred issues of this Christian magazine, and are by writers famous and little-known, living and dead.

The fact tremendously impressed me, as I scanned afresh the back copies of THE SWORD OF THE LORD, that nearly all the full-length articles and sermons appear in books later and have a wide sale. This indicates that the quality is of unusually high class. Some of the fine material which has appeared in the THE SWORD OF THE LORD is already published in books that are available to the public and they are not reprinted here. Surprisingly, some of the very cream of literature which we have printed is not available in cloth-bound books readily available to the public and these messages are published here. Either the books in which they were published are now out of print, or they were put in paper-bound pamphlets, not easily kept in libraries.

But the popularity of every chapter in this book is amazing. For example, "Safety, Certainty and Enjoyment," by the English evangelist, George Cutting, has been printed in millions of copies, and only Heaven will reveal the comfort and assurance it has given to hundreds of thousands of people. "Pearls of Paradise" has been widely spread in many tens of thousands of copies, and the same can be said of many of the other chapters. Some of these have been published in many, many forms. We are delighted that now they can be collected into a great *Book of Treasures*, available for every home and library.

This is a family book. The growing child and the aged saint alike will find delight and wisdom and refreshing in these pages. It will be read over and over again. We can think of almost nothing that will make as delightful a gift as this book. And the best thing about it is that every chapter is true to the Bible, truly exalting to the Lord Jesus Christ, and every page, we trust, will help people to love and serve the dear Son of God who died to save us from our sins, who rose again, ascended on high, and who ever lives to make intercession for us, according to the will of God.

JOHN R. RICE

September 20, 1946

INTRODUCTION
TO SECOND EDITION

Sometimes an anthology on diversified subjects by many authors has such a scattered appeal that it does not find a great demand. However, these treasures from *The Sword of the Lord* have such great spiritual and literary value that the first edition of ten thousand copies has warmed the hearts of thousands, and there has been an insistent demand for a new edition.

Therefore, we have brought up to date some of the biographical sketches and send out again this treasure chest to warm the heart and enrich the mind of other thousands and draw them nearer to the Saviour whom these authors have all loved and served.

Here is blessing for the whole family. Here are gems to be read aloud in the evenings. Here are quotations and illustrations for many a sermon and rich thoughts for meditation. Let others share these riches!

JOHN R. RICE

June, 1968
Murfreesboro, Tennessee

HON. CLINTON N. HOWARD

Mr. Howard was editor of *Progress Magazine*, general superintendent of the International Reform Federation, Washington, D. C. He was for five years chairman of the World Peace Commission. He had wide hearing as a Bible lecturer, a defender of the faith, a temperance and peace advocate. William Jennings Bryan said, "I have never heard his equal." You will be moved and richly blessed by the inspired eloquence and devotion to Christ in *Pearls of Paradise*. As printed in *The Sword of the Lord* it was among the most popular messages we have printed.

PEARLS OF PARADISE

By Dr. Clinton N. Howard

"Let this mind be in you, which was also in Christ Jesus: Who, being in the form of God, thought it not robbery to be equal with God: But made himself of no reputation, and took upon him the form of a servant, and was made in the likeness of men: And being found in fashion as a man, he humbled himself, and became obedient unto death, even the death of the cross. Wherefore God also hath highly exalted him, and given him a name which is above every name: That at the name of Jesus every knee should bow, of things in heaven, and things in earth, and things under the earth; And that every tongue should confess that Jesus Christ is Lord, to the glory of God the Father."—Phil. 2:5-11.

A name that is above every name! A name that is above the archangel Gabriel who stands in the presence of God and was sent from Heaven to earth to announce the birth of the Saviour of the world.

A name that is above the archangel Michael, who cast the great red Dragon, called Satan and the devil, out of Heaven for insurrection against the throne of God.

A name that is above the seven angels of the Revelation that are to sound the seven last trumpets of God.

A name that is above the twelve angels that stand before the twelve gates of the Holy City, the New Jerusalem, having the glory of God, with walls of jasper, gates of pearls, and streets of gold, the eternal abode of those whose names "are written in the Lamb's book of life . . . and have washed their robes, and made them white in the blood of the Lamb."

A name that is above the angel of the Lord that appeared unto Abraham, Isaac and Jacob, Moses, Samuel and David, Elijah, Isaiah and Jeremiah! A name that is above all the angels of the skies!

For unto which of the angels said he at any time, "Thou art my Son, this day have I begotten thee"? And unto which of the angels said he at any time, "Sit thou at my right hand, until I make thine enemies thy footstool"? And again, "I will be to him a Father, and he shall be to me a Son"?

Of the angels he saith, "Who maketh his angels spirits, and his ministers a flame of fire." But unto the Son he saith, "Thy throne, O God, is for ever and ever: a sceptre of righteousness is the sceptre of thy kingdom."

And again, when he bringeth in the first begotten into the world, he saith, "Let all the angels of God worship him."

A Mohammedan Rosary

It was my high privilege as Chairman of the World Peace Commission to attend the opening session of the Conference for Limitation of Armament, called by President Harding at Washington during the early months of his administration.

Among the high commissioners attending, representing the world powers, was an interesting and extraordinary personality. In any group of distinguished men he would attract immediate attention by his manner, attire, color, conduct and character.

While every other head was uncovered, this high commissioner kept his hat on. During the invocation of the President's pastor, all stood save this one man. When the President of the United States was introduced to deliver his address of welcome, all stood with bared heads but this one high commissioner representing more than 250,000,000 people, who kept his head covered, following the custom of his race, station, religion and nation. His white turban was wound closely around his head and climbed to a great height, setting like a pyramid upon his finely-chiseled, dark-skinned, dignified head.

Around his neck was a string of beads which he fingered with reverence, pushing them from right to left, one by one, until he made a complete circuit of his neck. He presented a weird and mystic appearance, until one understood the significance of his oriental adornment.

He was the commissioner from India, a high-caste prince from that land of mystery, a Mohammedan nobleman. There he sat in silence, pushing his beads, at times moving his lips in inaudible speech. He aroused my curiosity, and I resolved to learn the significance of his oriental adornment.

Introduced by an official of the government, I made bold to inquire, "What is the significance of that string of beads around your neck?"

"String?" said he. "This is not a string," pushing the beads close together to disclose its character and color. "That," said he, "is a golden cord that binds my soul to my Allah God."

"And the beads?" I inquired.

"Beads?" said he. "These are not beads; they are gems, gems of glory; they are jewels, jewels of joy; they are pearls, pearls of paradise! This is my rosary," he said. "Each one of these gems, jewels and pearls, ninety-nine of them in all on this cord of gold, represent the ninety-nine beautiful names of Allah, the God of the Koran, the holy Book of my religion, and I was worshipping my Allah God, calling upon him by every one of the ninety-nine beautiful names by which he is known in the book of my religion. I challenge you," said he, "I challenge you as a Christian, to match my rosary! I have a better speaking acquaintance with my Allah than you have with your Christ. I know my Allah by his full name, and I challenge you to match me gem for gem, jewel for jewel, pearl for pearl."

And I could not. I could not accept the challenge of a man from a pagan land. I was brought up in a Christian home, in the nurture and admonition of the Lord, with a family altar, the songs of Zion, and the daily reading of the Bible; but here was a man from a pagan land, to which we send our missionaries to change its religion to ours, who had a better speaking acquaintance with his Allah God than I had with my Lord Christ, and who could call him by every one of the beautiful names by which he is known in the book of his faith. "My rosary," he said, "my rosary!"

A Protestant Rosary

I resolved to have a rosary of my own, seen by the eye of God alone: invisible though it might be to the eye of man. I began writing down one after the other all the names of our Lord I could call to mind, but I could not approximate the pearls of paradise on the rosary of my Mohammedan friend.

I consulted Cruden's Concordance to find there some fifty names of our Lord, but I discovered that some of Cruden's names were not on my list and that some of my memory names were not on Cruden's list, and concluded that neither one had them all.

Where shall I find them? In what book? Only one: the Book of books. "Search the scriptures," said the Lord . . . "they are they which testify of me." "Seek, and ye shall find." "Whatsoever he saith unto you, do it." I searched the Scriptures, and as I searched, I wrote down each name in consecutive order, from the first name found in the first book and the first chapter and the first verse of the New Testament, to the last name found in the last book, the last chapter and the last verse, and I made some startling, enlightening and comforting discoveries, and bowed my knee at the name of Jesus. "That at the name of Jesus every knee should bow." It was the first time I knew Him by His full name.

His first name in the New Testament was brought from Heaven to earth by the angel Gabriel to the humble home of the virgin mother before His birth, as told in the Gospel according to Luke, in what Wm. E. Gladstone called the most beautiful book that was ever written, and when asked by Queen Victoria what he regarded as the most beautiful story in the most beautiful book, he replied, "The story of the birth of our Lord as told by Doctor Luke."

Not by Matthew, Mark or John, but by Doctor Luke, who was not to be deceived by the story of a virgin-born child unless it was divinely authenticated. This is the story he called "the literary gem of the ages."

Prophecy Fulfilled

"In the sixth month the angel Gabriel was SENT from God unto a city of Galilee, named Nazareth, To a virgin espoused to a man whose name was Joseph, of the house of David; and the virgin's name was Mary. And the angel came in unto her, and said, Hail, thou that art highly favoured, the Lord is with thee: blessed art thou among women . . . Fear not, Mary: for thou hast found favour with God. And, behold, thou shalt conceive in thy womb, and bring forth a son, and shalt call his name Jesus." And my rosary began! I had my first pearl, The Pearl of Greatest Price, as the beginning of the string. "He shall be great, and shall be called the Son of the Highest:" and I had my second pearl—"and the Lord God shall give unto him the throne of his father David: And he shall reign over the house of Jacob for ever; and of his kingdom there shall be no end."

And Mary said, "How shall this be, seeing I know not a man? And the angel answered and said unto her, The Holy Ghost shall come upon thee, and the power of the Highest shall overshadow thee: therefore also that holy thing which shall be born of thee shall be called the Son of God."

And I had the third pearl for my rosary, brought by the heavenly messenger "sent from God," Jesus, the Son of the Highest, Son of God, the first three pearls at the beginning of the string, found in the first chapter of the Gospel according to St. Luke.

And Mary said, "Behold the handmaid of the Lord; be it unto me according to thy word." (Now all this was done, that it might be fulfilled which was spoken of the Lord by the prophet, saying, "Behold, a virgin shall be with child, and shall bring forth a son, and they shall call his name Emmanuel, which being interpreted is, God with us," as Matthew 1:22-23 tells us. And I had my fourth pearl.)

"And there were in the same country shepherds abiding in the field, keeping watch over their flock by night. And, lo, the angel of the Lord came upon them, and the glory of the Lord shone round about them: and they were sore afraid. And the angel said unto them, Fear not: for, behold, I bring you good tidings of great joy, which shall be to all people. For unto you is born this day in the city of David a Saviour, (fifth) which is Christ (sixth) the Lord," and I had my seventh pearl: Jesus, Son of the Highest, Son of God, Emmanuel, Saviour, Christ, Lord—the first SEVEN names brought from Heaven before the star of the East led the wise men to the place of His birth.

A Mystical Number

The humanity, the divinity and the deity of our Lord is confirmed from Heaven by this mystical number of seven. Every claim made by our Lord for Himself, by the prophets who foretold Him, by His disciples and apostles who followed Him, by the evangelists who wrote of Him—is confirmed by the two heavenly witnesses in those SEVEN names given Him from Heaven.

In the controversy with the Jews as recorded in the twenty-second chapter of St. Matthew's Gospel, Jesus turned on them with the question: "What think ye of Christ? whose son is he?" Here is the answer sent from God out of Heaven . . . Jesus, Son of the Highest, Son of God, Emmanuel, Saviour, Christ, Lord! Seven names sent from Heaven before He was given a name on earth—after His birth. And the first name is found to be the seventh word of the first book, first chapter, first verse, and the first line of the New Testament.

"The book of the generation of Jesus"—seven! Not of Mark, in whose name there are but four letters; not of Luke or John, in whose name there are likewise four letters, but in Matthew, in whose name there is the key number of the Bible

—M-A-T-T-H-E-W—seven! And I read on to the last book, and the last chapter, and the last page to find that the last name of our Lord in the New Testament Revelation ends with seven.

He fulfilled His mission, He finished His work, He purchased our redemption, was crucified, buried, resurrected, ascended, "and sat down on the right hand of the majesty on high." Back home on His throne, He gave to John in the Revelation His last recorded name, in the last book, the last chapter, and almost the last verse; "I am Alpha (one) and Omega, (two) the beginning (three) and the end, (four) the first (five) and the last (six) . . . I Jesus"—seven. First name on earth, last name in Heaven; Jesus first and Jesus last. So when I brought my completed rosary together, I had Jesus, The Pearl of Greatest Price, at both ends of the string!

Seven hundred times in the New Testament He is called *Jesus* —another seven. "Thou shalt call his name Jesus: for he shall save his people from their sins."

". . . ye were not redeemed with corruptible things, as silver and gold, . . . But with the precious blood of Christ." "And the blood of Jesus Christ his Son cleanseth us from all sin."

That is the glad tidings of great joy that shall be to all people. "For unto you is born this day in the city of David a Saviour." "For the Son of man is come to seek and to save that which was lost." That is the gospel; that is the Word that St. Paul exhorted Timothy to preach, the Word that became flesh and dwelt among us—"God was in Christ, reconciling the world unto himself," confirmed by the first seven names given Him from Heaven. I read on to discover that the first name given Him on earth after His birth was a confirmation of the seven names given Him from Heaven before His birth, as told in the second chapter of the Gospel according to St. Matthew. He, Joseph, arose, and "took the young child and his mother by night, and departed into Egypt: And was there until the death of Herod: that it might be fulfilled which was spoken of the Lord by the prophet, saying, Out of Egypt have I called my son." He that hath ears to hear, let him hear,—"my Son." And I had my eighth pearl. "And he came and dwelt in a city called Nazareth: that it might be fulfilled which was spoken by the prophets, He shall be called a Nazarene." And I had my ninth pearl.

"Then cometh Jesus from Galilee to Jordan unto John to be baptized of him . . . And Jesus, when he was baptized, went up straightway out of the water: and, lo, the heavens were opened unto him, and he saw the Spirit of God descending like a dove, and lighting upon him: And lo a voice from heaven, saying, This is my beloved Son, in whom I am well pleased." And I had my tenth pearl.

"The next day John seeth Jesus coming unto him, and saith, Behold the Lamb of God." And I had my eleventh pearl.

"One of the two which heard John speak, and followed him, was Andrew, Simon Peter's brother. He first findeth his own brother Simon, and saith unto him, We have found the Messias." And I had my twelfth pearl.

I have given to you consecutively and in the order of their occurrence the first twelve names of our Lord found in the New Testament revelation: Jesus, Son of the Highest, Emmanuel, Saviour, Christ, Lord, My Son, The Nazarene, My Beloved Son, The Lamb of God, Messiah—twelve!

"Philip findeth Nathanael, and saith unto him, We have found him, of whom Moses . . . and the prophets, did write, Jesus of Nazareth." Thirteen! . . . "Nathanael answered and saith unto him, Rabbi, thou art the Son of God; thou art the King of Israel." Fourteen!

"When Jesus came into the coasts of Caesarea Philippi, he asked his disciples, saying, Whom do men say that I the Son of man am? . . . And Simon Peter answered and said, Thou art the Christ, the Son of the living God." Fifteen!

Shall I go on? Would God, as the Hebrew damsel said to Naaman whom she advised to go to Samaria to see the prophet Elijah that he might be healed of his leprosy—would God that time would permit me to give the time, place, circumstance, chapter and verse, and quote each passage where are found the names of our blessed Lord, in their consecutive order, every gem, jewel and pearl "that ye might believe that Jesus is the Christ, the Son of God: and that believing ye might have life through his name." "That ye might behold his glory, the glory as the only begotten of the Father, full of grace and truth." "For God, who commanded the light to shine out of darkness, hath shined in our hearts, to give the light of the knowledge of the glory of God in the face of Jesus Christ." Would God that I could, as "he telleth the number of the stars; he calleth them all by their names." Impossible!

A Casket of Jewels

All I can do is to give you the names of our divine Lord from the cradle to the cross, from His crown of thorns to His throne of glory, in constellations of character and kind, and let you string them one by one on your own invisible cord of gold, with Jesus, His first and last name on earth and in Heaven, at each end of the rosary. Jesus first and Jesus last, and between His cradle and His glorified name you will have a galaxy of gems, a casket of jewels, a heavenly Son-burst of pearls, giving you an invisible rosary longer than that worn by my Mohammedan friend. Gems of glory, jewels of joy, pearls of paradise, dazzling in brilliance, transcendent in beauty, revealing the majesty and the divine personality of the Son of God from glory unto glory. "Who being the brightness of his glory, and the express image of his person, and upholding all things by the word of his power, when he had by himself purged our sins, sat down on the right hand of the Majesty on high."

Who Named Him?

Not one of those names was given Him by His mother Mary; not one of them by Joseph, the foster father of Jesus (St. Luke). He was named by His Father—God. He was named by the prophets and the angels before He came, and by those who knew Him, those who followed Him, those who believed on Him, those who worshipped Him while on earth,

and by heavenly messengers and a voice from the throne, after
He had returned to His heavenly home. Named, as we read
in the Gospel of John, 'When they saw his glory and learned
of him.' Know *your* Lord by His full name and you will see
His glory when you wear your invisible rosary, and count your
pearls one by one. It begins at the cradle and ends at the
throne.

Pearls of Paradise

He is called Jesus, The Young Child, Thy Holy Child, The
Nazarene, Jesus of Nazareth.

He is called Lord, Lord Jesus, The Lord from Heaven, The
Lord of Glory, The Lord of Righteousness, The Lord of the
Holy Prophets, Lord and Saviour, My Lord and my God.

He is called Jesus Christ, Christ Jesus, Lord and Christ,
The Lord's Christ, The Christ of God, Lord Jesus Christ, Lord
of Sabbath, Lord of Hosts, Lord of Heaven and Earth, Jesus
Christ our Lord, Our Lord and Saviour Jesus Christ.

He is called Jesus Christ the Righteous, Saviour, Emmanuel,
Teacher, Rabboni, Master, Governor, Law Giver, Forerunner,
Redeemer, Messiah, Shiloh, Deliverer, Mediator, Intercessor,
Messiah and Prince, A Prince and a Saviour, Mighty to Save.

He is called The Surety of a Better Testament, The Just
One, The Holy One, The Holy and the Just, The Holy and
Righteous One, The Holy One of God, The Faithful and True
Witness, A Witness to the People, A Leader and Commander
of the People, The Consolation of Israel, The Lion of the Tribe
of Judah.

He is called The Firstfruits, The First Begotten, The Elect
of God, A Branch of Righteousness, The Second Adam, The
Last Adam, King of Zion, The King of the Jews, The King of
Israel, The King of Saints, The Prince of the Kings of the
Earth, The King Eternal, Immortal, Invisible, God Manifest
in the Flesh.

He is called The Righteous Judge, The Judge of Israel, The
Judge of all the Earth, The Desire of all the Nations, The

Ensign of the People, The Captain of the Lord's Host, A Banner Upon the High Mountain.

He is called The Messenger of the Covenant, A Minister of the Sanctuary, The Author and Finisher of Our Faith, Our Advocate, Our Advocate With the Father, Our Peace, Our Ransom, Our Passover, Our Great High Priest, A High Priest Forever After the Order of Melchisedec, King of Righteousness, King of Salem, King of Peace!

He is called The Man Christ Jesus, A Man Approved of God, Our Elder Brother, The Firstborn Among Many Brethren, A Friend That Sticketh Closer Than a Brother.

He is called The Master, Your Master, Your Lord and Master, Good Master.

He is called The Horn of Salvation, The Captain of Our Salvation, The Brightness of the Father's Glory, The Glory as of the Only Begotten, The Image of Invisible God, The Express Image of His Person, The Fullness of the Godhead Bodily, The Bridegroom, The Beginning of the Creation of God.

We have passed the Mohammedan's rosary! 106 to ninety-nine, but we are not through.

He is called The Way, The Truth, The Life, The Tree of Life, The Light of Life, The Word of Life, The Bread of Life, The Prince of Life, Life Eternal.

He is called The Water of Life, The Living Water, the Living Bread, The Bread Which Came Down From Heaven, The True Bread From Heaven, The Hidden Manna.

He is called The Door, The Door of the Sheep, The Chief Shepherd, The Good Shepherd, That Great Shepherd of the Sheep, The Shepherd and Bishop of Your Souls, A Lamb Without Spot or Blemish, A Lamb Slain Before the Foundation of the World.

He is called The Vine, The True Vine, The Root of Jesse, The Root and Offspring of David.

He is called The Prophet of Nazareth, A Prophet Mighty in Word and Deed, The Prophet of the Highest.

He is called The Day Star, The Day Spring From on High, Heir of All Things.

He is called A Tried Stone, A Living Stone, An Elect Stone, A Sure Foundation, A Stone Chosen of God and Precious.

He is called That Rock, That Spiritual Rock, The Rock of Ages.

He is called Faithful and True Witness, The Apostle and High Priest of Our Profession.

He is called I AM!

He is called The Man of Sorrows, A Friend of Sinners, The Gift of God, The Unspeakable Gift, God Blessed Forever.

He is called The Light of the World, A Quickening Spirit, The Firstfruits of Them That Sleep, The First Begotten of the Dead, The Resurrection and the Life—160!

He is called The Head of the Corner, The Head of the Church, The Head of Every Man, The True Light Which Lighteth Every Man Which Cometh Into the World.

He is called The Rose of Sharon, The Lily of the Valley, The One Altogether Lovely, The Fairest Among Ten Thousand, The Bright and Morning Star.

He is called The Power of God, The Wisdom of God, The Gift of God, The Word of God, The Image of God, The Lamb of God Which Taketh Away the Sins of the World, God's Elect.

He is called The First and the Last, The Beginning and the End, Alpha and Omega, Ancient of Days, King of Kings and Lord of Lords, Blessed and Only Potentate, God With Us, God Our Saviour, The Only Wise God Our Saviour, The Lord Which Is, Which Was, Which Is to Come.

He is called The Almighty.

He is called The Son of Mary, The Son of Man, The Son of David, The Son of Abraham, The Son of the Blessed, The Son of Righteousness, The Son of the Highest, My Son, The Son of God, The Son of the Living God, God's Dear Son, The Son of His Love, The Only Begotten Son of God, and This is My Beloved Son in Whom I Am Well Pleased!

A Warless World

Two hundred and three names and I am not done! I have saved the crowning name until last, without which my rosary would be incomplete. The most promising, prophetic and exalted name by which our Lord is called is that great name given Him by the prophet Isaiah seven hundred years before He came, and the first name given to our Lord in the Bible, the pearl of all the prophecies, the world's one hope for a better tomorrow: A world without war!

"It shall come to pass, that the mountain of the house of the Lord shall be established in the top of the mountains, and it shall be exalted above the hills; and people shall flow unto it . . . And they shall beat their swords into plowshares, and their spears into pruninghooks: nation shall not lift up a sword against nation, neither shall they learn war any more.

"All the armor of the armed warrior, and all the garments rolled in blood; but this shall be with burning and fuel of fire . . . For the earth shall be full of the knowledge of the Lord, as the waters cover the sea. . . . He shall judge among the nations. . . . And my people shall dwell in a peaceable habitation, and in secure dwellings, and in quiet resting places. . . . For ye shall go out with joy, and be led forth with peace: the mountains and the hills shall break forth before you into singing, and all the trees of the field shall clap their hands. . . . They shall sit every man under his vine and under his fig tree; and none shall make them afraid: for the mouth of the Lord of hosts hath spoken it. . . . The zeal of the Lord of hosts will perform this."

And the Reason?

"For unto us a child is born, unto us a son is given: and the government shall be upon his shoulder: and his name shall be called Wonderful, Counsellor, The mighty God, The everlasting Father, The Prince of Peace!" Two hundred and eight names! One hundred and nine more gems, jewels and pearls than my Mohammedan friend had on his cord of gold!

Pearls of Paradise, Pearls of Prophecy, Pearls of Peace—
proclaiming the pre-existent, eternal and never-changing Christ
—"the same yesterday, and to day, and for ever."

". . . who was made a little lower than the angels for the
suffering of death, crowned with glory and honour; that he by
the grace of God should taste death for every man. . . . by
whose stripes ye were healed."

Hallelujah 'tis done, I believe on the Son,

I am saved by the BLOOD of the crucified one!

And my rosary is done!

The Great Confession

"Great is the mystery of godliness: God was manifest in the
flesh, justified in the Spirit, seen of angels, preached unto the
Gentiles, believed on in the world, received up into glory."
And finally, when back on the throne in His heavenly home,
John the Revelator heard the "angels round about the throne
and the beasts and the elders: and the number of them was
ten thousand times ten thousand, and thousands of thousands:
Saying with a loud voice, Worthy is the Lamb that was slain
to receive power, and riches, and wisdom, and strength, and
honour, and glory, and blessing. . . . unto him that sitteth upon
the throne, and unto the Lamb for ever and ever"!

"Wherefore God also hath highly exalted him, and given
him a name which is above every name. . . . and set him at his
own right hand in the heavenly places, Far above all princi-
pality, and power, and might, and dominion, and every name
that is named, not only in this world, but also in that which
is to come. . . . That at the name of Jesus every knee should
bow, of things in heaven, and things in earth, and things under
the earth; And that every tongue should confess that Jesus
Christ is Lord, to the glory of God the Father."

We are now ready to make the great confession of Simon
Peter, "Thou are the Christ, the Son of the living God."

The Way of Salvation

"Whosoever therefore shall confess me before men, him will I confess also before my Father which is in heaven." For "if thou shalt confess with thy mouth the Lord Jesus, and shalt believe in thine heart that God hath raised him from the dead, thou shalt be saved." Not when you die, not next year, month or week, not tomorrow—NOW! "Behold, now is the accepted time; behold, now is the day of salvation."

"And this is life eternal, that they might know thee the only true God, and Jesus Christ, whom thou hast sent." "Lord, I believe; help thou mine unbelief."

Day Star From on High

I wrote them all down as the train carried me on the long journey from Washington to Miami, where I spoke on the succeeding Sabbath at a mass meeting in the White Temple at which William Jennings Bryan presided, where for the first time I wore my invisible rosary, and used my gems, jewels and pearls to glorify the Son of God.

As I climbed the heights of glory in exaltation of our Lord, the presiding officer, seated on the platform, was visibly affected. He made no effort to display or conceal it, but the audience observed it. At the close Mr. Bryan arose and said, "I never saw the King in all His beauty until now."

Mrs. Bryan was a wheel-chair invalid and unable to attend the meeting. Despite the fact that the hour of adjournment was late and another engagement was to be filled at the First Presbyterian Church at the evening service, Mr. Bryan insisted that I go along to his home at Villa Serena, five miles out, and repeat a certain portion of the address to Mrs. Bryan, who had been impatiently awaiting his return, promising to take me in his car to the evening service. What occurred at the bedside of Mary Bryan, when, for the first time she saw "The Day Star from on high," is forbidden, as when Jesus said to the disciples who were with Him on the Mount of Transfiguration, "Tell the vision to no man." It was an undiscovered pearl.

The next day Mr. Bryan wrote me a letter, repeating what he had urged at his home, saying, "I want you to have printed your address of yesterday on 'Pearls of Paradise.' . . . It is the greatest argument for the divine origin of Christianity and the divinity of Jesus that I have ever heard or read. I hope the world can hear this message."

I continued giving the address, at the International Bible Conference, Winona Lake, in leading churches, Boston to Los Angeles, several times in my home city, Rochester, New York, and at scores of Chautauqua assemblies from coast to coast, reminded by Mr. Bryan again and again, "You must print it!"

Upon his death, July, 1925, as his body was lowered into mother earth in Arlington Cemetery, Washington, I resolved to print it. It has since gone around the world.

"Print It! Print It!"

Here it is after thirty years! Multitudes who have heard it have said, "Print it." Many pastors have asked for and been sent a copy, and were I to include the letters from those who have been blessed by it, whose faith has been restored by it, reactions from those who have heard it delivered, they would fill a book.

I conclude with two: In a Pacific Coast campaign as chairman of the World Peace Commission, when I was announced to give the "Pearls of Paradise" in Portland, there came to my hotel a former well-known evangelist, who was a member of J. Wilbur Chapman's Simultaneous Revival.

He volunteered to drive me to the meeting. He had left the ministry, quit the church and rejected everything he used to preach, and classed Christ with Mohammed, Buddha, and other moral teachers. I prayed for him and myself all the way to the meeting, while he did the talking. On the return trip to the hotel he spoke not a word. After midnight he returned to my room, threw himself on his knees, wept like a child and cried, "I have found Him of whom Moses and the Prophets wrote . . . Jesus, the Son of God."

On one occasion the late Dr. Clarence A. Barbour, president of Brown University and my pastor at the Lake Avenue Baptist Church, Rochester, New York, for eighteen years, where I was his deacon, was in my audience. No one would think of Dr. Barbour as an emotional man, but how deep the current of his life ran, only those who loved him knew. He tarried until most of the congregation had departed, took my hand and with deep emotion, said, "I know whom I have believed, and am persuaded that he is able to keep that which I have committed unto him against that day."

Are you wearied with the length of the "Pearls of Paradise"?

"Come unto me, all ye that labour and are heavy laden, and I will give you rest. Take my yoke upon you, and learn of me; for I am meek and lowly in heart: and ye shall find rest unto your souls."

THE WONDER OF THE BOOK

By Rev. Dyson Hague, D.D.

Late Rector of the Church of the Epiphany, Lecturer Wycliffe College, Toronto. Formerly Canon, St. Paul's Cathedral, London, Ont.

"Thy testimonies are wonderful!" is the enthusiastic outburst of the 129th verse of the 119th Psalm. It has been echoed from soul to soul through the centuries, for the wonder of the Book grows on us as experience is enlarged. The more deeply we search it, the more we feel that the Bible is not merely a book, but The Book. Sir Walter Scott in his dying hour asked his son-in-law to read to him out of the Book. And when Lockhart asked him the question, "What book?" the great man replied, "There is only one Book, the Bible. In the whole world it is called 'the Book.'" Yes. All other books are mere leaves, fragments. It alone is the perfect Book. It is the eternal Book. It is the Voice; all others are merely echoes.

Of course, we all know that the Bible literally means the Book. It is a translation of the Greek title of the Bible, *He Biblos;* in English, the Book. In the Greek New Testament it is the first word of the first chapter of the first book, Biblos Geneseos, which almost might be rendered the Bible of Genesis, the Bible of the beginning, or origin, or source; a curious counterpart to the first words of the first chapter of the Old Testament. It is the Book that stands alone; unapproachable in grandeur; solitary in splendour; mysterious in ascendancy; as high above all other books as Heaven above earth, as the Son of God above the sons of men. Compare John 1:1-3; John 3:31; John 17:17.

The Wonder of Its Construction

Now, one of the first things about this Book that evokes our wonder is the very fact of its existence. Any one who has studied the history and origin of the Divine Word must be overwhelmed with wonderment at the mysterious method of its formation. That it ever was a book, and is today the Book of the modern world, is really a literary miracle. Think of this. There never was any order given to any man to plan the Bible, nor was there any concerted plan on the part of the men who wrote, to write the Bible. The way in which the Bible gradually through the centuries grew, is one of the mysteries of time. Little by little, part by part, century after century, it came out in disconnected fragments and unrelated portions, written by various men without any intention, so far as we can tell, of anything like concerted arrangement. One man wrote one part in Syria, another man wrote another part in Arabia, a third man wrote in Italy or Greece. Some writers wrote hundreds of years after or before the others, and the first part was written about fifteen hundred years before the man who wrote the last part was born, for the authorship of the books of the Bible ranges over a period of nearly sixteen centuries.

Now take any other book you can think of on the spur of the moment and think how it came to be a book. In nine cases out of ten a man determined to write a book. Then he thought out the thoughts. Then he collected the material. Then he wrote it, or dictated it. Then he had it copied or printed; and it was completed within say two or three or more months or years. The average book, we may suppose, takes from a year to ten years to produce, though a book like Gibbons' "Decline and Fall of the Roman Empire," or Tennyson's Poems, took longer to complete. But, generally speaking, any book you can think of has been produced by one man within his own generation. Now, here is a Book that took at least one thousand five hundred years to write, and spanned the span of sixty generations of this famous old world's history.

It enlarges our conception of God; it gives us new ideas of His infinite patience; we think of the wonder of His calm, quiet waiting as He watched the strain and the haste and the restlessness of man across the feverish years, while slowly and silently the great Book grew. Here a little and there a little of it came on; here a bit of history, and there a bit of prophecy; here a poem, and there a biography; and at last in process of time, as silently as the House of the Lord of old (I Kings 6:7) it came forth before a needy world in its finished completeness.

When Moses died there were only five small portions. When David sat upon the throne there were a few parchments more. One by one princes and priests and prophets laid on the growing pile their greater and smaller contributions, until in process of time the whole of the Old Testament Bible was written in its entirety; word for word, letter for letter, sentence for sentence, book for book, precisely as we have it now, intact and complete. As Josephus, the famous Jewish historian declared: "Never, although many ages have elapsed, has ever any one dared to take away or to add, or to transpose anything whatever, for it is implanted in all the Jews from their earliest childhood to speak of them as the decrees, or statutes, of God."

But if the construction of the thirty-nine books of the Old Testament is wonderful, the formation of the twenty-seven books of the New Testament is equally superhuman. For the New Testament is even a greater miracle from the literary standpoint than the Old Testament. The Jews, we know, were not a writing people. One hardly knows of a Jew who ever wrote a book, except Josephus, and we doubt very much if the average man or woman could mention two. Their training, as Bishop Westcott once said, was exclusively oral and they had a disinclination for literary work. Everything in the national and spiritual position of the apostles was unfavourable to the formation of a written record.

To their Jewish minds the Old Testament admitted no rival, and seemed to require no supplement. That the New Testament should ever have been written by Jews is a moral miracle of overwhelming dignity. Not only so, but their Master was not a writer. Jesus never wrote a line as far as we know, and the idea of their writing an additional or supplementary Bible would never seem to have entered the mind of His disciples. They would doubtless have sprung back with horror at the very idea of such a thing, and for fifty years after Jesus was born there was probably not a line of the New Testament written. But then, by the mystic suggestion and overruling design of the Almighty Spirit, without any concerted collaboration or unity of plan, fragment by fragment, here a little letter, there a biography, the New Testament grew. But remember; there was no prearrangement. It was not as if Matthew, and Mark, and Luke, and John came together in committee, and after solemn conference and seeking for the leading of the Spirit, Matthew undertook to write of Christ as the King, and Mark said, "I would like for my part to write of Him as the Worker," and Luke said, "And I think I will undertake to delineate Him as the Man," and then John said "Well, I will crown it all by writing of Him as the Son of God!" It was not as if Paul met James one day and after talking and praying about it, Paul agreed to write of the dogmatic, and James of the practical aspects of Christianity. Nothing of the sort. There is no trace of such a thing. They simply wrote as they were moved by the Holy Ghost (II Pet. 1:21), to meet some passing need, to express some earnest longing, to teach some glorious truth, by a letter, or a treatise, or a memoir. And so this composite of fragmentary memoirs and letters came into this miraculous unit that we call the New Testament. Yes! The Book is marvelous; it is transcendental: it is altogether unexplainable. It is the miracle of literature in its origin and construction, for as Bishop Westcott says, "There is no trace of any designed connection between the separate books, and still less of any outward unity or completeness in the entire collection. If the books combined to form a perfect whole, then this completeness is due, not to any conscious cooperation of the authors, but to the will of Him by Whose power they wrote and wrought." In one word: The very existence of the Bible is an overwhelming proof that the Book is not of man, but that it is a production of Almighty God.

The Wonder of Its Unification

Another marvel: it is one book, yet made up of many books. We talk of this Bible as a book, but we seldom think of it as a Library. Very few of us, save those who studied the matter, ever think of this book as a whole Library in itself. It is a complete Library, consisting of sixty-six separate volumes, written by between thirty and forty different authors, in three different languages, upon totally different topics, and under extraordinarily different circumstances. One author wrote history, another about biography, another about sanitary science and hygiene; one wrote on theology, another wrote poetry, another prophecy. Some of the authors wrote on philosophy and jurisprudence, others on genealogy and ethnology, and some on stories of adventure and travel of romantic interest. Why, if these sixty-six books were printed separately, in large-sized print and heavy paper, and bound in morocco, they could all hardly stand on one table! And yet here we have them all, the whole sixty-six volumes, in a little book that a child can carry in its little hand. And the strangest thing of all is that, though their subjects are so diverse and so difficult, the most difficult and abstruse of all conceivable subjects; though there was no possibility of anything like concerted action or transfer of literary responsibility (for it was impossible for the man who wrote the first pages to have had the slightest knowledge what the men would write about one thousand five hundred years after he was born), yet this miscellaneous collection of heterogeneous writings is not only unified by the binder in one book, but so unified by God the Author, that no one ever thinks of it today as anything else than One Book! And One Book it is—the miracle of all literary unity.

The Wonder of Its Age or Youth

Again, it is a wonder that this Book is here today. I repeat, it is a wonder that we have the Bible at all when we think of its age. When we compare the Bible as a book with any other book in this respect it is a perfect wonder. I will tell you why. We all know that the greatest test of literature is time. Do you know of any book that is read by any one today to speak of, that was written one thousand years ago? Books that were the rage a few years ago are forgotten today. Whoever thinks nowadays of reading "Robert Ellesmere," or asks at a book store for Rider Haggard's "She"? Why, poor "David Harum" is almost unsellable, and we will soon hear nothing of "The Rosary." These books were born, were boomed, and died. The cold hand of oblivion is laid upon them. It is the echo of I Corinthians 7:31. The fashion of this world passes away! Their force is spent. Their power is gone. They were literary skyrockets; they are like the popular songs of ten years ago. The transientness of the great sales of the day is almost a sign of the times. Or think of how really admirable historic novels like Charles Reade's "The Cloister and the Hearth," or Stanley Weyman's "A Gentleman of France," or Conan Doyle's "Micah Clark," have passed as far as the selling of the best-sellers goes. Where is the book, after all, that is five hundred years old and read by the masses nowadays? As we said, a book that is one thousand or two thousand, or three thousand years old is read by nobody. Horace and Homer may be studied by students of the classics, and school boys may have Virgil and Xenophon crammed into them, but whoever thinks of reading them? They are dead books in dead languages. For you can put it down for a certainty that the older a book is the smaller is its chance of surviving, or being read by people of diverse nationalities.

And here is another thing. No book ever has had much chance of being circulated widely amongst a people from which it did not originate. No book, for instance, written by a Spaniard has much chance of being read by Russians. German works are read by Germans; English works by Englishmen. I know of people who never could enjoy "Old Mortality," for they are not Scotch. What work do you know of, with a few great exceptions, such as that of Dante, Cervantes, Goethe,

Dumas, Shakespeare, Tolstoi or Bunyan, that has been able to overleap the bounds of nationality? And as to Turkey, China, or Mexico, or Brazil, what man out of a hundred could tell you whether they had any authors, or if they had, the name of one of their works. But the marvelous thing about the Bible is that it is the only book in the world that has not only over-leaped the barrier of time, and is possessed of an agelessness that is eternal youth; that it shows no sign of the decrepitude of advancing years; it is the only book in the whole world that has been able to overleap the barrier of nationality.

Sir William Jones pointed out long ago that all other Ori-ental books, be they ever so political, or be they ever so wise, in order that they may be made intelligible and palatable to the Western mind, require to be transfused. Passage after passage has to be omitted, and large sections have to be modified. Curi-ous, is it not, that this Oriental Book, this Bible of ours, whether taken to Greenland, Madagascar, South Africa, or India, is the Book that appeals to the mind and heart of those that hear it. Or take the Koran. Carlyle said of the Koran that it is re-garded with a reverence by the Moslem which few Christians pay even to their Bible. The whole of it is read daily in certain mosques by thirty relays of priests. There are Mohammedan doctors who have read it 70,000 times. "But," he adds, with his dry humour, "nothing but a sense of duty could carry an Euro-pean through the Koran. I must say, it is as toilsome reading as I ever undertook. There is in it unreadable masses of lum-ber; a wearisome, confused jumble; endless iterations; long-windedness; entanglement; insupportable stupidity; in short, it is written, so far as writing goes, as badly as any book ever was" (Heroes, p. 59).

Or take the other so-called Bibles. The Veda of the Hindus dates 1,000 B. C. The Zendavesta of the Parsees dates 500 B. C. The Tripitaka of the Buddhists dates 500 B. C. The King or Confucian text of the Chinese dates 500 B. C. These have been translated into at least one language beside their own,

but their circulation has been so infinitesimal as to be quite unknown. As books they excite no general interest whatever.

Now the Bible was written mainly in a dead language, for
the Hebrew language is, technically speaking, a language that
is scarcely spoken or written today; and yet that Book, written
in a dead language, written by men who died two thousand or
three thousand years ago, is not only living today, but it is the
most widely-circulated book in the world.

The Wonder of Its Circulation

This is another marvellous thing. The old Book is easily the
best seller of the day. There are perhaps people who think that
the Bible is a book of the past, and not sold now. Yet think of
its circulation today. An influential citizen of Toronto, who has
devoted a vast amount of time and attention to the subject, has
made the extraordinary computation that through the thirty
Bible Societies (the British and Foreign Bible Society by itself
publishes over 10,000,000 copies of the Scriptures a year), and
the various publishing houses in many lands, that there are
probably published today over 30,000,000 copies of the Bible
a year. You may sometimes see an advertising circular of a
typewriting concern asserting that its machines are used in all
parts of the world and in all languages. But when you investi-
gate, you find that the languages used are at the outside about
seventy in number. Here is a book that has been translated in
over 900 languages, and is not only found in every great center
of the world, but is read from the snow hut of the Eskimo to
the last lone village of the South Sea islander. A remarkable
thing about its sale is its purchase by the Yiddish ragman, the
Polack axeman, the Chinese laundryman, the Arabian boatman,
the Hottentot miner, in order that they may learn their own
tongue in that wonderful Book. You can quite understand then
what a leading bookseller said when he was asked what book
had the largest circulation. He did not mention a recent novel
or the latest scientific work. He said that the book which out-
sells all the other books in the world was the book called the

Bible. Other books compute their circulation by thousands; the Bible by millions.

The Wonder of Its Interest

Another marvellous thing about this book is that it is the only book in the world read by all classes and all sorts of people. You know very well that literary people rarely read a child's book, and children would not read books of philosophy and science even if they could. If a book is philosophical and scientific it commands the attention of literary people, and if it is a child's book it is read in the nursery. A wonderful thing it is to think that there is one book that differs from all others; a Book that is read to the little child and read by the old man as he trembles on the brink of the other world. Years ago I heard the nurse reading a story to my child, and I said to her, "What is it that you are reading to the little one?" "I am reading the story of Joseph in the Bible," she answered. And the little child, in excitement, cried, "Please don't stop her, please," as she listened with delighted interest to the reading of a book that was written in Hebrew probably three thousand five hundred years ago. And not far away from the room where the little child was listening, there sat one of the noblest of modern minds, one of the greatest of modern scientists, our foremost Canadian scholar, the great Sir William Dawson, President of McGill University, Montreal, reading with profound devotion and a higher delight the pages of that same marvelous Book.

Here is a phenomenon. One of the ablest of modern scientists delights in the reading of a Book which is the joy of a little child in the nursery! Verily it is without a parallel in literature. Our boys and girls read and study it in myriads of homes and Sunday Schools, and great scholars like Newton, and Herschel, and Faraday and Brewster, and great statesmen like Gladstone and Lincoln and Lloyd George, and great soldiers like Gustavus Adolphus, and Gordon, and Stonewall Jackson, have taken this Book as the joy and the guide of their life.

The Wonder of Its Language

Another wonderful thing is that this Book was not written in Athens, the seat of learning in Greece, nor in Alexandria in Egypt. It was not written by men who received their inspiration from the ancient sources of wisdom. It was written by men who lived in Palestine, in Nazareth, in Galilee. Many of the writers were what we would call illiterate. Not only were they not university men, or scholars, or original thinkers; they could not speak their own language properly. There is a strong probability that neither John nor Peter could speak grammatically. You remember Peter was trapped because his dialect betrayed him. He spoke like a Galilean, with a provincial accent (Matt. 26:73; Acts 2:7; 4:13). Perhaps you remember the story of the Yorkshireman who was asked whether you should pronounce either, *i*ther, or *e*ther, and said, "Other of 'em will do." And you surely have heard the brogue of the Irishman from the Green Isle with his soide, and wan, and noite. Now it was probably something like that with Peter and John. They were uneducated men. It is probable that Peter at the time spoke in the Aramaic dialect, and not only the words, but the pronunciation of the Northern province differed very strongly from the cultured dialect of Judea and the city of Jerusalem. There were certain letters such as the guttural Aleph for A, for instance, which they could not properly pronounce, and his mistakes even in short sentences would be at once detected. When it was said (Acts 4:13) that they perceived they were unlearned and ignorant men, it means that they recognized at once they were not what we call today college men, men who had studied in the schools of Jewish culture.

Now many of the men who wrote the Bible were of that character. One was a farm hand. Another was a shepherd. They were men of no literary reputation. And yet from men of that type educationally has come a Book that God in His mysterious power has so divested of all provincialism that it has become the standard of the language of the most literary nations of the world. And not only so; it is a book that has gone to the North and South and East and West. It is the strongest factor in modern life today. And yet it is of the ancient world! It is the most potent factor in the influence of the great nations of the progressive West; and yet it proceeded from the narrowest and most conservative people of the unprogressive East. All its authors were Jews. And the Jews by instinct and tradition, by education and sentiment, were the narrowest of all narrow people. The Jew was not only narrow; he had no interest in other nations. You know what a time it took to get the idea into Peter's head that he ought to have an interest in the salvation of the Gentiles of the outside world. Only a miracle of special revelation did it (Acts 10:28; Gal. 2:11-14). How do you explain then the fact that these ignorant men, these most uncosmopolitan men, with all their provincialism and exclusiveness, and insularity, were enabled to write a Book which has become not only the Book of the Jews, but the Book of all men, and the Book of the world today. It is for only one tongue, and that is, the world's. It is for universal man as man.

It is the proud boast of the Church of Rome today that it has but one language, and that a dead language, the Latin. But the Bible Societies have a prouder boast. It is their boast that they have printed the Bible in over six hundred living languages; that they are giving the living Word to every nation under Heaven, that they may hear in their own tongue the wonderful works of God. "Is the Christian church speaking with tongues?" asked the Bishop of London. And he answered his own question with the words: "Yes, in the Bible Society!" Yes! God has so ever ruled the history of His world that there has been born a Society which has reestablished the miracle of Pentecost (Acts 2:9-11). It is truly a miracle. It is a wonder to think that an old Hebrew book, written by a lot of Jews, has in God's mystic providence been so divested of all Orientalism and Judaism, and rabbinism, that the millions upon millions of boys and girls and men and women who read it never think of it as the writing of Hebrews or the language of an ancient and Oriental race. To them they are simply the words of their own dear mother tongue. It is the English Bible; the best that our literature can give in simple noble prose, as Frederic Harrison once said in a lecture at Oxford. Or as Huxley declared: "This Book, the Bible, has been woven into the life of all that is best and noblest in English history; it has become the national epic of Britain; it is written in the noblest and purest English."

The Wonder of Its Persecution

Another wonderful thing about the Bible is that it is almost the only Book in the world that has stood age after age of ferocious and incessant persecution. Century after century men have tried to burn it and to bury it. Crusade after crusade has been organized to extirpate it. Kings of the earth set themselves, and rulers of the church took counsel together to destroy it from off the face of the earth. Diocletian, the Roman Emperor, in 303 inaugurated the most terrific onslaught that the world has known upon a book. Every Bible almost was destroyed, myriads of Christians perished, and a column of triumph was erected over an exterminated Bible with the inscription: "Extincto nomine Christianorum" (the name of the Christians has been extinguished). And yet not many years after, the Bible came forth, as Noah from the ark, to repeople the earth, and in the year 325 Constantine enthroned the Bible as the Infallible Judge of Truth in the first General Council.

Then followed the prolonged persecution of Medievalism. You all know how the Church of Rome denied the Scriptures to the people. The Church of Rome has never trusted the people with the Bible. For ages it was practically an unknown book. Even Luther was a grown-up man when he said that he had never seen a Bible in his life. No jailer ever kept a prisoner closer than the Church of Rome has kept the Bible from the people. Not only so; in consequence of Edicts of Councils, and the bans and bulls of Popes, Bibles were burned, and Bible readers sent by the Inquisition to rack and flame. Many of us have seen the very spot in old London where baskets full of

English Testaments were burned with great display by the order of Rome.

Yet perhaps the most deadly persecution of all has been during the last one hundred and fifty years. The bitterest foes of the Bible, curiously enough, were men who claimed liberty of thought, and Bolingbroke, and Hume, and Voltaire seemed so confident of the extermination of the Bible, that the Frenchman declared that a hundred years after his day not a Bible would be found save as an antiquarian curiosity. Then came the German rationalistic host, with the fiercest and deadliest of all the attacks, Baur, and Strauss, and the Tubingen School took up the cry of the children of Edom: "Down with it, down with it, even to the ground." But He that sitteth in His silent heaven laughed; Jehovah has had them in derision (Psa. 2:2-4). For here it is today, and stronger than ever. It stands, and it will stand. The adversaries have done their worst. They have charged their heaviest charge. They have fired their deadliest volley. Whatever unexpected adversaries appear in the future, no more destructive trios than Julian and Celsus and Porphyry, than Voltaire and Strauss and Renan, than Eichhorn, Wellhausen and Kuenen, will ever be confederate against it. Yes, in spite of these age-long persecutions the Word of the Lord is having free course and is being glorified. It is being circulated at the rate of millions of copies a year, in almost every language of the globe. It has an influence it never possessed before, greater in power, greater in life, greater in freshness, and the beauty of spring. "Think of it," said an eloquent American Bishop, "the same Word, brilliant with eternal youth, skin without scar, organ without disease, voice without weakness, step without failure, eye without dimness; the untouched, unharmed, scatheless Word of God." Verily as we think of it we may challenge our proud age with the challenge of Moses, and cry: "Ask now of the days that are past, which were before thee, since the day that God created man upon the earth, and ask from the one side of heaven unto the other, whether there hath been any such things as this great thing is, or hath been heard like it?" (Deut. 4:32).

The Crowning Wonders

But before I close I would like to briefly refer to certain other things that are to my mind the crowning wonders of this wonderful Book.

The Wonder of Its Self-authenticatingness

There is, first of all, what we might call its self-authenticatingness. You need no historical critic or university professor to prove that the Bible is God's own Word. The Holy Ghost alone is the Author and Giver of that conviction. If you will but hear the accents of His voice you will be assured beyond all possibility of argument that this book is God's own Word. The Bible is not in need of proof, says Bettex, for it does not treat of that which is relative, but establishes that which is absolute. The relative must be proved; the absolute cannot. Have you proofs that the sun shines, that the stars twinkle? Can you prove that the rose is fragrant, that bread nourishes you, that love refreshes your soul, and that hatred grieves it? Can that which is greatest, and best, and loftiest, and most beautiful, be proved? As Pascal has finely said, "There are truths that are felt and there are truths which are proved. Primary truths are not demonstrable. Principles are felt; propositions are proved. The heart has reason, which the reason does not know." Men have come and still come to unsettle and destroy; the Spirit of Christ comes to validate and confirm with a divine conviction and a divine certainty that is incommunicable by mere reason and is impervious to the assaults of doubt.

You have perhaps heard Spurgeon's famous story of the poor woman who was confronted by a modern agnostic, and asked: "What are you reading?" "I am reading the Word of God." "The Word of God? Who told you that?" "He told me so Himself." "Told you so? Why, how can you prove that?" Looking skyward, the poor soul said: "Can you prove to me that there is a sun up in the sky?" "Why, of course; the best proof is that it warms me, and I can see its light." "That's it!" was her joyous reply. "The best proof that this Book is the Word of God is that it warms and lights my soul." You cannot explain this. But it is a fact deep and real.

The Wonder of Its Inexhaustibility

Another wonder of the Bible is its inexhaustibility. It is like a seed. You might tell how many acorns are on an oak, but you cannot tell how many oaks are in an acorn. The tree that grows from a seed produces in turn the seeds of other trees; each seed the possible germ of trees. So the Bible. Its depth is infinite; its height is infinite. Millions of readers and writers, age after age, have dug in this unfathomable mine, and its depths are still unexhausted. Age after age it has generated with ever-increasing creative power, ideas and plans, and schemes, and themes and books. Yes, books; and in many cases, books that are the only literature of the nation. The greatest minds have been its expositors. Myriads of students have studied it daily, and its readers from day to day can be numbered by millions. The volumes that have been written on single chapters or even verses would fill the shelves of many a library, and today they are as fresh, as fertile, as inexhaustible, as the day they were first written. The treasures yet to be found are as the stars of the sky in infinity of multitude.

The Wonder of Its Creativeness

The creative power of the Bible is one of the miracles of history. Take the history of literature, for instance. Could you name at random three creative works in the same class with Milton's "Paradise Lost," Bunyan's "Pilgrim's Progress," and Dante's "Inferno," whose grandeur springs as a tree from its roots, direct from the Bible? Think of the enormous volume of speeches, and appeals, and tracts, and addresses, and circulars, and books, and leaflets, and booklets that have poured out, and are pouring out, millions upon millions, flooding this mighty modern world every week, with their inspiration and suggestion. Think of the tremendous national and international movements that have owed their impulse to a verse or verses or words from the Bible. The transformation of modern Europe was owing to the Bible. It is a liberating Book. It made slaves free, for it was the Bible that abolished slavery. It has made nations free. "Here," was the word from Queen Victoria to an African prince as the Bible was handed to him, "here is the secret of England's greatness." Yes. And it is the secret of American greatness.

Or take two of the greatest movements of the modern world. The missionary enterprise of the last hundred years with its unparalleled heroism, its magnificent altruism, its world comprehension and penetration, owes its impetus and energy to practically one verse of the Bible: "Go ye into all the world, and preach the gospel to every creature" (Mark 16:15). And the movement of social reform—its effort to relieve poverty, to improve conditions, to suppress misery, and generally to uplift the level of humanity—is all the result of the teaching of this wonderful old Book. The most notable philanthropic achievements in the modern world, the works of Wilberforce, and Shaftesbury, and Barnardo, and Muller, and General Booth, are the direct effects of the inspiration of the Bible. What has atheism or infidelity done? What did they do in the Great War of God throughout the ages? Above all, what mortal tongue can tell, what mortal mind compute the number of the souls that through the life-imparting words of this mysterious volume have the life that is life indeed. The Bible is a Book of Life, and it is a Book for life. This is not a mere theory of theology. It is fact. A million souls today can echo the words of Psalms 119:93, "I will never forget thy precepts: for with them thou hast quickened me," i.e., hast given me new life. They know by vital experience the truth of the statement of Christ, "The words that I speak unto you, they are spirit, and they are life." Yes, it saves! It saves!! It saves!!!

The Wonder of Its Authoritativeness

The irresistible authoritativeness of the Bible; this is another wonder. The Word of God breaks upon you as a voice from Heaven. Five hundred times in the Pentateuch it prefaces or concludes its declarations with the sublime assertion, "The Lord said," or, "The Lord spake"! Three hundred times again in the following books it does the same, and in the prophetical twelve hundred times again with such expressions as: "Hear the word of the Lord," or, "Thus saith the Lord," or, "The mouth of the Lord hath spoken it." It challenges the will of every soul that ever lived with its stupendous claim: "God spake these words, and said." No other book dares thus to address itself to the universal conscience. No other book could speak with such binding claim, or presume to command the obedience of mankind. No other book can stand as the Bible on the commanding heights and cry: "Unto you, O men, I call; and my voice is to the sons of men" (Prov. 8:1-4); or look over the vast spaces of time in every century, and of the globe in every continent and say: "O earth, earth, earth, hear the word of the Lord" (Jer. 22:29). And the strange thing is that men in every age and clime acknowledge it. They know that the Book speaks to their inner consciousness with an authority like the authority of God Himself. It has the authority of God. It has the authority of the Son of God who said, "My word is truth." Therefore we receive it. Therefore we trust it. And we find it true.

The Wonder of Its Reinspiration

Another wonder is what might be called its perpetual re-inspiration. Men think of the Bible as a Book that was inspired. But the wonder of the Bible is that it is inspired. From the far-distant heights of time it comes sweeping into the hearts of man today, and the same breath of God that breathed into it its mystic life, makes it live and energize again today. It is the Living Word, vital with the life of the Living God who gave it and gives it living power. It is theopneustic, as St. Paul says (II Tim. 3:16), "God breathed." The twenty-third

Psalm was inspired. But again and again today as it is whispered in the hush of the death-chamber, or read with the hidden cry, "Open thou mine eyes, that I may behold wondrous things out of thy law," it is reinspired, and the Spirit makes it live once more. For this is the most remarkable and unique feature of the Bible. I feel that it is mine. Its cheering words are for me. Its prayers are the cries of my heart. Its commands are to me. Its promises are mine. As I read the 103rd Psalm, it is not ancient Hebrew, it is present-day power; and I, a living soul, overwhelmed with gratitude, cry out: "Bless the Lord, O my soul."

The other day I took up this dear old Bible that my mother gave me, and I noted a verse in Genesis with a date written on the margin. There floated back upon my mind a time, some years ago, when I was in great trouble. I had to leave my dear wife and children, and to travel in quest of health in distant lands; and my heart within me was sad, and one day opening my Bible, at random, as men say, my eye caught these words in Genesis 28:15: "Behold, I am with thee, and will keep thee in all places whither thou goest, and will bring thee again into this land." Shall I ever forget the flash of comfort that swept over my soul as I read that verse! All the exegetes and critics in the world could never persuade my soul that that was a far-off echo of a Babylonian legend, or some relic of an Oriental myth. No, no! That was a message to *me*. It came straight down to *me*. It swept into my soul as a Voice from Heaven. It lifted me up, and no man will ever shake me out of the conviction that that message that day was God's own Word to me, inspiring because inspired, inspired because inspiring.

The Wonder of Its Prophecy

Another wonder of the Bible is its prophecy. It shows things to come. It declared things that were not yet done, centuries before they happened. The Old Testament as a whole is a book of prediction, anticipation, and expectation. All through its thirty-nine volumes there are predictions daring beyond human conjecture. Its predictions with regard to Moab, to Edom, to Sidon and Tyre, to Egypt and Assyria and Babylon are so definite and have been so marvelously fulfilled that they have stopped the mouths of scoffers, and changed the hearts of infidels. The marvellous prophecy of the second and seventh chapters of Daniel surpasses all human forecasting ability. Its prophecy in the New Testament in regard to the kingdom and the last days have been incredibly fulfilled during the passing centuries. Any thoughtful reader can conclude that the great question whether there is or is not a divine revelation is satisfactorily settled by Genesis 3:15; 12:2, 3; 22:18; 49:10 alone. The incredible conception that in the descendant of an Oriental sheik all the families of the earth should be blessed; that world powers surpassing in their might any of the modern nations should absolutely disappear, and their capitals be obliterated from the face of the earth; that a nation that was to be the source and center of the blessings of the world should be disrupted and scattered to the uttermost corners of the earth, and that upon its ruins should arise a world filling, all-nation embracing, spiritual inheritor of the divine blessing; all these are so far beyond the reach of human prophetic power that one is compelled by this argument alone to recognize the divine hand in authorship.

Take, for instance, the prophecies about the first coming of Christ. Centuries before Christ was born His birth and career, His sufferings and glory were all described in outline and detail in the Old Testament. Christ is the only Person ever born into this world whose ancestry, birth time, forerunner, birth-place, birth manner, infancy, manhood, teaching, character, career, preaching, reception, rejection, death, burial, resurrection, ascension, were all written in the most marvelous manner centuries before He was born. Who could draw a picture of a man not born yet? Surely God, and God alone. Nobody knew five hundred years ago that Shakespeare was going to be born; or two hundred years ago that Napoleon was to be born; or one hundred and fifty years ago that Queen Victoria was to be born. Yet here in the Bible we have the most striking and unmistakable likeness of a Man portrayed, not by one, but by twenty or twenty-five artists, none of whom had ever seen the man they were painting. The man was Jesus Christ. The painters were the Bible writers. The canvas is the Bible. Beginning with faint touches in the books of Moses, Christ's whole career is described, the pictures becoming more and more precise as the time of fulfilment draws near.

The Wonder of Its Christfulness

But the final wonder of the Book is Christ. He is its fulness, its center, its fascination. The Bible is Christocentric. It is all about Jesus! Some time ago a young Brahman said to one of our missionaries, "Many things which Christianity contains I find in Hinduism, but there is one thing that Christianity has that Hinduism has not." "What is that?" said the missionary, whose curiosity was aroused. "A Saviour," was the reply. That is it. That is the one thing. That is the supreme distinction of the Bible. Their sacred books contain philosophy and ethics and poetry and history and many important truths, and here and there, possibly, a holy aspiration, or petition, inculcating virtues high and beautiful. But there are no divine promises, no divine counsels, no divine answers to prayer. There is no tender, loving, listening, gracious, holy and righteous God, who as a Father pitieth his children, and is love and light; no Almighty God, Creator of all things, and of all men, the God of love, the God and Father of us all.

Above all, there is no glorious Mediator, the Son of God, and Son of man, the Lamb of God, and the Lord of man, who is grace and truth, and light and life, and coming glory. Genesis 1:1-3, and John 1:1-3, Genesis 22:18, and John 3:16, Psalm 23, and John 10, Isaiah 53, and Romans 8, I Corinthians 15, and Revelation 21 and 22, are a challenge to the world with regard to the validity of the divine revelation. Old Testament and New Testament alike tell of Jesus, who is the great fact of history, the great force of history, the great future of history; for of this Book it can be said: "The glory of God did lighten it, and the Lamb is the light thereof." And as long as man lives upon the face of this globe the Book that tells of that supreme Personality, the center of a world's desire, Jesus; Jesus, the arch of the span of history, the keystone of the arch of prophecy; Jesus, the revealed, the redeeming, the risen, the reigning, the returning Lord; Jesus, the desire of all nations; so long will this Book draw men's hearts like a magnet, and men will stand by it, and live for it, and die for it.

The Last Word

Let me say this one word more. Oh, do not think and do not say, as you have heard men say they think, that we ought to read this Book as we read any other book; we ought to study it and analyze it just as we do any textbook in literature or science. No, no! When you come to this Book, come to it with awe. Read it with reverence. Regard it with a most sacred attention. "Put off thy shoes from off thy feet, for the place whereon thou standest is holy ground." Never, never compare this Book in the terms of human comparisons with other books. Comparison is dangerous. They are of earth. This is from Heaven. And do not think and do not say that this Book only contains the words of God. It is the Word of God. To say the Bible contains the Word of God, instead of saying the Bible is the Word of God, is inadequate and misleading as Saphir declares. Everything that is in Scripture would authenticate itself to us as the Word of God, if we understood it in its right connection with the center.

Therefore, think not of it as a good book, or even as a better book, but lift it in heart and mind and faith and love far, far above all, and ever regard it, not as the word of man, but as it is in truth, the Word of God; nay, more, as the living Word of the Living God; supernatural in origin; eternal in duration; inexpressible in value; infinite in scope; divine in authorship; human in penmanship; regenerative in power; infallible in authority; universal in interest; personal in application; and as St. Paul declares, inspired in totality.

Rev. T. Myron Webb

Former business and professional man, the late Mr. Webb was signally used of God in a versatile ministry. Thousands of sinners were brought to Christ in his evangelistic campaigns, and multitudes of saints grew in grace and knowledge of the Lord through His expository Bible teaching ministry. For twelve years he conducted a daily broadcast known as "The Bible Fellowship Hour." He edited and published a monthly periodical, *The More Sure Word*. Some four hundred answered his challenge to surrender themselves for full-time Christian service.

III

GOD'S ABOUNDING LOVE

Sermon by T. Myron Webb

Before we read our text tonight, I want to say that it is an old, old text—perhaps the most used text of the entire Bible. It has frequently been called "the Bible in a nutshell." Certainly no other portion of Scripture so adequately covers the Bible from cover to cover. No other single text so completely covers God's motive and purpose of salvation; therefore, we will use for our subject John 3:16—

"For God so loved the world, that he gave his only begotten Son, that whosoever believeth in him should not perish, but have everlasting life."

In the evangelistic field there is a great necessity for preaching upon the various phases of eternal truth as revealed in the sacred Word. Sharp, indicting preaching is often required. Often God requires His servant to pull back the curtain, revealing His terrible judgments upon the ungodly. Again, of necessity, the preacher is moved upon by God to denounce sin in such a scathing manner many will wonder if God is anything but a tyrant.

I wonder how many of you have considered what God is like and how often you have pondered over His personality and character. When a boy, I often wondered about God. From listening to various sermons I drew from them the idea that He was a God of wrath and One who was never satisfied. I rather imagined He was a tyrant who ruled with merciless power. Then, too, I concluded He was entirely without compassion for us weak human beings. I often thought of Him as watching with an all-seeing eye for some flaw in me, delighting in the opportunity to inflict dire punishment upon me.

After I was saved and grew in the grace and knowledge of the Lord Jesus Christ, I was amazed and filled with wonder when I found that He was not only a God of wrath, but also a God of love and long-suffering. I was astounded when this truth burst in revelation upon my heart.

Now I want to thank Him for His matchless grace, His everlasting mercy, and His abounding love. God is a God of judgment. Yes, He is a God of wrath! Yes, but His wrath and judgment only fall after His great love and mercy have failed to bring erring sinners to repentance. It is the goodness and mercy of God that lead sinners to repentance. When God's Holy Spirit first revealed the love of God to me, my heart was broken, broken because I had rejected such matchless grace throughout many years.

During the past few nights I have preached upon prophecy, judgment and repentance. With all that is given me tonight, I want to set forth a Scriptural picturization of the love of God.

In this task I feel woefully inadequate. Orators whose words flow like a rippling brook have been unable to describe it. Artists whose brushes spread untold beauty have been unable to portray it on canvas. Writers whose words drip from their pen like dewdrops from a rose petal have been unable to write God's love. It is nondescript for the simple reason we carnal beings are too finite and too short of vision to see it. We are too carnal within ourselves to understand the all-consuming, overshadowing love of God. We cannot understand how the Holy One could love a sin-blotched, sin-stained, besmirched child of perdition.

> Could we with ink the ocean fill,
>   And were the skies of parchment made;
> Were every stalk on earth a quill,
>   And every man a scribe by trade;
> To write the love of God above
>   Would drain the ocean dry;
> Nor could the scroll contain the whole,
>   Though stretched from sky to sky.

The Object of God's Love

Before we can understand the extent of God's love we must first discover the object of God's love: "For God so loved." I like the Chinese interpretation: "For God so passionately loved." Loved whom? The world—you and me and all those who inhabit the globe. God is infinitely a God of love. God created man in His own image (spiritual likeness), that He might lavish His love upon him. Some inkling of the love of God might be understood if we were to consider for a moment the beauty God has prepared for man.

The doors of Eden closed when sin entered in. No spot remains upon this earth comparable with the beauty there. But as we look at the azure arch of the blue sky, as we see the flaming rays of the sunset, or the golden beams of the sunrise, we are filled with awe at some of the beauties of God. The white bosom of the lily, the blushing cheek of the rose, as well as the golden wing of the butterfly, are but minute glimpses of the beauties that once adorned Eden. A mother's love is great and imperishable; the love of man and wife is beautiful to behold; the love of a father for son is something that thrills the soul. However, all of earth's affections are but shallow rivulets in comparison to the deep ocean of God's love. Beloved, if you want to know the object of God's love, go look in the mirror. There is your answer: God loves you. God loves us; God loves the world.

How Much Does God Love?

Another question might be asked: What is the extent of God's love? God bless you, it incorporates every being upon this whole globe. *"For God so loved the world."* God's love includes every Eskimo in the frozen wastes of the Arctic Circle; it includes every savage, flesh-eating cannibal in the tropics; it includes the white man, the black man, the yellow man; the Jew, and the Gentile; the Oriental and Occidental. It reaches behind every prison bar, into slums where men and women live in filth so vile it would nauseate even the most hardened case worker. It reaches into the "red light" district where men's and women's bodies have been ravaged by social prostitution. It reaches into the pit of sin where man has fallen lower than beasts. It reaches into the death cell where hardened criminals await their doom. God's love, like His plan and purpose, is not a respecter of persons. It reaches into the icy huts of Greenland's mountains; it flows into the Orient, to water the lives of India's teeming millions; into the lonely jungles of Africa to quicken the soul of the savage Bushman. God's love is so abundant, its supply so inexhaustible that it is above all and for all.

"For God So Loved That He Gave"

We often wonder, "How much did God love?" The text answers this question: "FOR GOD SO LOVED THAT HE GAVE." That is the measurement of all love. You can tell the extent of love by the gift of the giver. When a man loves a woman he stands before the minister and solemnly swears, in the presence of God and the angels, "I thee, with all my worldly goods, endow." Why? Because he loves her. He loves her so much he considers all his possessions too little to bestow upon her in return for her affection. When a young man falls in love he promptly buys an engagement ring. If he really loves the girl of his choice he buys the most costly his purse will afford. He wouldn't think of going to the dime store for a ring to express his love.

Again I say, GIVING IS THE PROOF OF LOVE. That is the reason a preacher knows who in his flock really love God. I haven't any confidence in you old backslidden devils who go around singing, "Oh, how I love Jesus," and when the collection plate passes you turn to marble and put a padlock on your pocketbook. You don't love the Lord. If you did you wouldn't insult Him with a nickel when you owe Him everything you possess. Some of you old hypocrites might try the same ratio of expressing your love to your wife: Go down and buy her a ninety-eight cent dress when you are wearing a fifty dollar suit. Go buy her a ham sandwich for dinner while you eat a porterhouse steak. Let the public look on and see if they will believe in your affection.

God loved and God gave. That is how God expressed His love. Yes, and more than that. It would be easy for you and me to give to some worthy person, but God gave to the unworthy. Perhaps the Scripture will illuminate your hearts:

"But God commendeth his love toward us, in that, while we were yet sinners, Christ died for us."—Rom. 5:8.

God loved us "while we were yet sinners." While we were yet vile and unclean, God's abounding love overshadowed us —God's abundant mercy enveloped us in the form of Jesus Christ. Oh, it is easy to love and admire a righteous person. It is easy for us to love some beautiful, young virgin with the flower of purity blossoming on her cheek. It is easy to love some handsome young Absalom whose strength and health radiate from his countenance, BUT GOD DID NOT LOVE US FOR OUR PURITY. God expressed His love toward man "WHILE WE WERE YET SINNERS." While the human heart was filled with iniquity, while it was yet desperately wicked, while every imagination was only evil continually before Him, God loved us. God was moved to compassion while the heart of man was the habitation of every foul, hateful, and unclean spirit. Yes, even then God's heart was filled with an everlasting love for sinful man.

"For God So Loved That He Gave His Son"

"For Christ also hath once suffered for sins, the just for the unjust, that he might bring us to God, being put to death in the flesh, but quickened by the Spirit."—I Pet. 3:18.

He suffered once, "the just for the unjust." What a capacity for love! What depths of compassionate mercy! Christ suffered for the UNJUST. It was not for someone good that He suffered: He suffered, "the just for the unjust." Christ, the incarnate Truth, suffered for sinners. He who was purer than the driven snow suffered for those whose lives were an open shame before God. Christ, whose lips were purity itself, was smitten for foulmouthed blasphemers. Christ, whose heart only beat to love sinful man, suffered for those whose hearts were an open cesspool of iniquity. Christ prayed for sinners; Christ pleaded with sinners; Christ purchased sinners. He suffered, the just for the unjust. The Giver of all good suffered for the thief; the Righteous for the unrighteous. He suffered, the Holy for the ungodly; the Prince for the pauper; the Blessed for the cursed.

How Much Did He Suffer?

"Christ hath redeemed us from the curse of the law, BEING MADE A CURSE FOR US."—Gal. 3:13.

He, who only lived to bless, became a curse for everybody. He, who was always a blessing, was made a curse. Jesus, the fairest of ten thousand, was made to be a curse for the unseemly and unlovely. Jesus, who was "the brightness of his [God's] glory, and the express image of his person," was made a curse. Jesus, who was in the beginning with God, 'gave His back to the smiters, and His cheeks to them who plucked off His beard, hiding not His face from shame and spitting.' Oh, what depths of suffering and humiliation! Why? For us! It was "for us" that He suffered; it was "for us" that He was beaten; it was "for us" that He was made a curse.

Into the midst of earth's blackest night He came to give light. Into the midst of earth's sorrow He came to give joy. Into the midst of earth's strife He came to give peace. Into the midst of earth's death He came to give life. HE SUFFERED, THE JUST FOR THE UNJUST, that He might bring US to God. How much did God love us? Jesus, the inhabiter of eternity, was made "a curse for us." How much does God love us? There is no measure. The vision of the human eye is too narrow in its scope to see. The ear of man has been too hardened by sin to hear. The heart of man has become too darkened by iniquity to understand.

> For the love of God is broader
> Than the measure of man's mind,
> And the heart of the Eternal,
> Is most wonderfully kind.

The Length, Breadth, Depth, and Height

". . . that ye, being rooted and grounded in love, May be able to comprehend with all saints what is the breadth, and length, and depth, and height; AND TO KNOW THE LOVE OF CHRIST, WHICH PASSETH KNOWLEDGE." — Eph. 3:17-19.

Paul prayed that we might know the extent of God's love. He prayed our vision would be extended that we might see the height of God's love. He prayed that our lives might be quickened to the extent of sounding the depths of God's love. On Mount Wilson Observatory there is a giant telescope. It penetrates the uttermost recesses of God's universe. Stars a thousand times larger than our own earth are but dim specks in the distance, yet God's love is higher than that. It reaches to the very throne of Heaven itself. God's love is too high for mortal man to see, for the love of God is as high as God, and He reigns over all.

The Trophies of God's Love

On the banks of Italy's most beautiful river, the Arno, there is an exceptional piece of statuary. The sculptor who executed it was Michelangelo. Travelers say there is no other piece of statuary in all the world that will compare with Michelangelo's "David." The story is told that when Michelangelo had conceived this great statuary in his mind, he could find no marble suitable for his artistic chisel. For years he searched the world over for some suitable piece of marble. After almost despairing in his search, he at last found a beautiful piece of marble buried underneath the debris of the city.

This particular piece of marble had been rejected by those who had built the city, but it was of the exact design and consistency to yield its beauties to Michelangelo's chisel. It was from this piece of supposedly worthless marble that he executed the most beautiful piece of statuary in the world. There has never been another that has excelled it in symmetry and beauty, YET IT WAS EXECUTED FROM A WORTHLESS PIECE OF

STONE. Oh, how like the transforming grace of God! From the base He makes the beautiful. From the rejected He makes the beloved. From the vile He makes the clean. From the lowest levels He lifts to the highest plane. Talk about modern miracles—the greatest miracle of all times is the regenerated life of a sinner. Were we to call the roll of the ages we would see some of the results of God's love.

Behold Peter, the smelly, cursing, vile fisherman. His whole being reeked of human filthiness. His mouth was unclean. His heart was desperately wicked—rejected by the better class of society. No doubt he dwelt in a home that was little more than a hovel. No self-respecting Pharisee would have considered him good company.

But the love of God came into his heart—the power of God changed his life. The mercy of God enveloped him and he became a great evangelist. His first sermon was blessed of God with three thousand souls. His hands were cleansed in the fountain filled with blood, and God reached down with His holy hand and moved Peter's to write two great epistles.

Paul, what can you say as to the love of God? Saul of Tarsus, the bloody-handed murderer, the archenemy of the church of the living God, the conspirator who brought the indictment against the saintly Stephen: Paul, whose heart was so black and whose sense of love was so warped he could look on while the body of an innocent man was being broken with stones— what does Paul say? 'WHO SHALL SEPARATE US FROM THE LOVE OF GOD? Shall principalities and powers—shall nakedness and peril and sword—shall the angels in heaven or the demons of hell—shall things present or things to come?' 'No'! Paul says: "NAY, IN ALL THESE THINGS WE ARE MORE THAN CONQUERORS THROUGH HIM THAT LOVED US" (Rom. 8:37).

What does that mean, beloved? It means that even though all the angels of Heaven should rise in rebellion and declare war on our souls, WE ARE MORE THAN CONQUERORS. It means that though Hell should be opened and out of its maw every foul spirit and demon of all ages should rise up against us, we would be MORE THAN CONQUERORS, not in our feeble strength, not with our inadequate weapons, not through our wisdom—but "THROUGH HIM THAT LOVED US."

Do you want to know the height and depth and the length and breadth of God's love? If so, roll back the pages of time and stand with Him on Golgotha's brow. There, suspended between the heavens and the earth, Jesus, the Son of God, is substituting Himself for you.

"For he hath made him to be sin for us, who know no sin; that we might be made the righteousness of God in him."—II Cor. 5:21.

Go and write on the top of the cross, "The height of God's love." Stoop down beneath the nail-pierced feet that never touched nor walked in sin, and write, "The depth of God's love." Then walk around to the left of the cross, the side where the heart of God beats, the heart that loved you and me, the heart that bore our griefs and sorrows, the heart that wept over the lost condition of sinners, and at the fingertips of that bruised and bleeding hand, write, "The length of God's love." And then walk around to the opposite side, the right hand, the everlasting hand, the hand that cradled the universe, the hand that was dipped into the sea of eternity to form the worlds, the hand that blessed little children, the hand that lifted up the woman taken in adultery, the hand that rebuked the winds and the waves, the hand that kept the unbelieving Peter from sinking beneath the waves. Go there and write, "The breadth of God's love."

That love was for you and me. That love is for you and me. The cross exemplified the love of God. All of God's pardoning mercy was invested in the cross. All of God's love toward men appeared in the cross. The condemnation of God that was borne by Christ was ours; the judgment of God upon sin was ours. The shame of the cross should have been ours, the sufferings of the cross were rightfully ours, BUT GOD LOVED

AND GOD GAVE HIS SON. Oh, how I love our text: God loved and God gave. We believe and we have. Have what? We have everlasting life. We have life when we deserve death. We have peace when we deserve trouble. We have joy when we should have sorrow. We have righteousness when we should have unrighteousness. We have forgiveness of sins when we should have condemnation.

"For we ourselves also were sometimes foolish, disobedient, deceived, serving divers lusts and pleasures, living in malice and envy, hateful, and hating one another. BUT AFTER THAT THE KINDNESS AND LOVE OF GOD OUR SAVIOUR TOWARD MAN APPEARED . . . WHICH HE SHED ON US ABUNDANTLY THROUGH JESUS CHRIST OUR SAVIOUR."—Titus 3:3-4, 6.

How Deep Is God's Love?

Oh, how impossible it is to proclaim the love of God! David says that it is "from everlasting to everlasting." There is no measuring line that can plumb its depths. God's love has descended into the vilest hovels of sin and shame. Dens of vice have been penetrated in order that men might be rescued from sin. 'I was in an horrible pit,' David says. "He brought me up . . . and set my feet upon a rock." That should be enough. There never was a depth that God's love could not reach.

When Nansen was looking for the North Pole, his ship entered into deep waters. Each day he gathered up rope and let down the plummet to measure the depth of the ocean at a given point. One day he came to a place where he knew the water must be exceptionally deep. He let down the plummet but was not able to sound the depth. The next day he gathered up all the available rope on board the ship and attached it to the line—down, down, down went the plummet, but it never reached the depth. In his report he wrote the exact length of the line, and regarding the depth, "DEEPER THAN THAT." So, sinner friend, no matter how low you have fallen, no matter how deep you have sunk in the quagmire of sin, no matter the depth of depravity, God's love goes deeper than that.

> Through all the depths of sin and loss,
>> Drops the plummet of the cross;
> Never yet, abyss was found,
>> Deeper than the cross can sound.

Do you want to know the extent of the love of God? Behold Adam, who was created in the image and likeness of God. It was through sin that he became conscious of his nakedness. From his high estate, clothed with the glory of God, he fell to the planes of nakedness and shame. He heard God walking in the garden and was terrified. God said to Adam, "Where art thou?" This was not the cry of an angry God; rather it was the agonized cry of a brokenhearted Father. Adam did not seek God; God sought Adam and restored him to fellowship through the slaying of an animal, typifying the time when the 'Lamb of God should take away the sin of the world.'

"The Son of man is come to seek and to save that which is lost." It is man who is lost. It is man who has lost his fellowship with God. It is man who has lost his God-given inheritance. It is man who has lost his right, title and deed to the glories of Heaven. It is God who is seeking to restore man to his rightful position. It is God who is pleading with sinful hearts. It is God who is moving Heaven and earth to save man from a terrible doom.

"For God so loved the world, that he gave his only begotten Son, that whosoever believeth in him should not perish. . . ." —John 3:16.

"Should Not Perish"

How small is our conception of the love of God. Unthoughtedly we sing, "Rescue the Perishing." I often wonder at the little we give toward the rescue of the perishing. There are a lot of foolish persons who are trying to rule Hell out of existence. How little they understand of the purpose of

God. How little they know of the sin question. Hell seems to be a mystery in the mind of both preachers and laymen. I want to say here and now, THE SIN QUESTION DID NOT ORIGINATE WITH MAN. Sin began before the first rose bloomed in Eden. It began before the first ray of light penetrated the mists of a ruined earth. Sin began with the fall of Satan and with the rebellion of angels. God's doom was pronounced upon those that sinned long before the existence of man.

"God spared not the angels that sinned, but cast them down to hell, and delivered them into chains of darkness, to be reserved unto judgment."—II Pet. 2:4.

Hell is just as much a prepared place as the earth is a prepared place. It was not prepared for man but for the devil and his angels. We have a law in our land pronouncing the death sentence upon murderers. That law was made before I was born. It was not made for me, but if I foolishly put myself in the way of that law by committing murder, I immediately come under its condemnation. The state would be unjust if it would calmly overlook my act of premeditated murder. To condemn one and to let another escape condemnation would be unjust. God could not be a just God and let man escape the penalty pronounced against sin after He had invoked that penalty upon celestial beings. Therefore, GOD LOVED US AND GAVE HIS SON FOR US. In order to redeem man someone must bear God's judgment upon sin. CHRIST BECAME OUR SUBSTITUTE. Christ did not die a natural death: HE DIED A SUPERNATURAL DEATH. His death was voluntary and substitutionary. God gave His Son that WE MIGHT NOT PERISH.

God Gave All That He Had

I read of a murder case the other day. A young man had taken the life of his sweetheart in a moment of passion. The old father was immensely rich. Appeal after appeal was made. Batteries of legal talent were employed. Months and years elapsed. Finally the sentence was commuted, BUT THE FATHER SPENT ALL THAT HE HAD in order to save his son from the death sentence. Why did he do it? BECAUSE THE FATHER LOVED THE SON. The fact that the son was guilty made no difference. His guilt did not separate the boy from the love of the father.

We see these things taking place on earth every day and then cannot understand THE LOVE OF GOD. God loved us and gave Christ in our stead to remove the penalty against us. God only left us one thing to do—BELIEVE, ". . . that whosoever believeth in him should not perish." We continually reject the love of God and shun the grace of God by refusing to believe His Word. May God help you, sinner friend. If you persist in putting yourself in a position where God's love cannot reach you, you will have to pay the inevitable penalty.

God's Word is fixed and settled in Heaven. "The soul that sinneth, it shall die" (Ezek. 18:20). God cannot deny His own Word. God cannot condemn the angels and pardon man without a substitute. Christ is that substitute. You can believe on Him and be saved or you can refuse to believe and be damned. God's Word is immutable, irrevocable, and unerring. His judgment must and will stand. His Word is absolute; therefore,

"For if the word spoken by angels was steadfast, and every transgression and disobedience received a just recompence of reward; HOW SHALL WE ESCAPE, IF WE NEGLECT SO GREAT SALVATION?"—Heb. 2:2-3.

And how shall we escape if we refuse the love of God? How shall we escape when we insult God in refusing Christ as our Saviour? How shall we escape when we refuse to accept Christ's righteousness? How shall we escape when we reject such matchless love? There is but one answer: WE SHALL NOT ESCAPE. God did not ask you to do and live. He is asking you to "BELIEVE AND BE SAVED." His gift is to "whosoever believeth." Christ's substitutionary death is for "whosoever believeth." God's salvation is to "WHOSOEVER BELIEVETH." 'Whosoever believeth SHALL BE SAVED; whosoever believeth NOT shall be DAMNED.'

God's Love in Operation

Of all the portrayals of God's salvation there are none so vivid and clear as that of the prodigal son. Jesus gives in this picture the complete story of man's degradation and God's sovereign grace and love. From the fall to restoration, it is God's love that overlooks and overshadows the life of the prodigal. No sadder picture can be painted than that of the presumptuous, proud, self-willed and ambitious prodigal, who, despising the riches and goodness of his father's household, departs from home and fireside to seek pleasure and profit in the world. Here we have the picture of the fall of man. The prodigal became dissatisfied with the provision of his father's house. That is the direct reason Adam and Eve fell. 'Thou may eat of every tree, save that of the knowledge of good and evil.' Our Edenic parents were not satisfied with every other thing in the garden—they must have it all. The tempter's voice did not fall upon unwelcoming ears. The reason there are so many falls is that there are many ears outstretched to hear the voice of Satan: "Ye shalt not surely die."

The Prodigal Departs

"... *Father, give me the portion of goods that falleth to me. And he divided unto them his living. And not many days after the younger son gathered all together, and took his journey into a far country* ..."—Luke 15:12-13.

What a sad day it is to every father when the apple of his eye departs from his tender care. But, oh, what a sad day it is to God when His creatures become dissatisfied with His provision and shelter and depart into a far country. When the prodigal departs from the "Father's house," he is in a "far country" indeed. When any child of God deliberately leaves the path of peace, he is immediately in a "far country." When you forsake the house of God and the place of worship, you are in a "far country." It may only seem a step to you but it is a far country to God.

Wastes His Inheritance

The prodigal had received an inheritance and immediately squandered it. Every person born upon this earth has an inheritance of God: it may not be silver or gold—it may be something infinitely more precious. The saddest picture presented to the human eye is the dissipate. Some things are beyond the price of money. Every girl has in herself a priceless possession until it is squandered. Who can place a price upon virtue, the freshness of an unspoiled countenance and the brightness of an innocent eye? Every man is born with a heritage more precious than earthly riches. Who past the meridian of life would not trade his earthly goods for the unabated strength of youth? Oh, how sad it makes the human heart to think of the purity, virtue, strength, and beauty being squandered in the riotous pleasures of this sin-mad world!

Men standing in their prime of life launch out into carnal pleasures which sap their manhood, break their strength, and rob them of their manly inheritance. Many girls today (and too many) are trading their God-given birthright for a mess of pottage. The skulking step, the furtive eye, the pallid cheek, and the sin scars upon the countenance are engraved upon the face of all those who travel the pace that kills. There is no sadder picture than the epitaph of all prodigals, as depicted by Ella Wheeler Wilcox in her poem, "The Squanderer":

God gave him passions splendid as the sun—
    Meant for the lordliest purpose. A part
Of nature's full and fertile mother heart,
    From which new systems and new worlds are spun.
And now, behold what he hath done,
    In folly's court and carnal pleasure's mart:
He flung the wealth God gave him at the start,
    This, of all mortal sins, the deadliest one.

At dawn he stood; potential, opulent,
　　With virile manhood and emotions keen,
And wonderful with God's creative fire.
　　At noon he stands, all life's large fortune spent,
　　In petty traffic, unproductive, mean,
　　A pauper, cursed by impotent desire.

Boys and girls, in God's name, count the cost before you choose the path. Before you throw away the indispensable gift of virtue, count the cost. Before you enter into a life of shame, be sure you see the end of the road. The prodigal began to be in want. Some day this thoughtless generation will want the things they now esteem so lightly. Girls who are now permitting licentious petting will want the virtue they have thrown away. Some day you will see the man of your choice—a young man who is clean in mind, body, and soul. You will want him for a husband; you will want a home; you will want children. You will want to feel the velvet hand of a baby on your cheek. You will want to hear childish laughter pealing in your ears. BUT WHERE WILL YOU BE? You will be in want of virtue to offer a clean husband. You will be in want of a clean body with which to bear children. You will be in want of a good name to give them, and you may be in want of a healthy heritage to give them.

Oh, God, how my heart goes out to the thoughtlessness of youth today! How I would like to gather them into my arms and shelter them from the heartaches that will some day be theirs. Do you know why I am spending my strength and my life preaching from three to five times a day? I'll tell you why: because out in the field somewhere there is some father's son, some mother's daughter to be saved from a life of shame. Why? Because there are ten thousand times ten thousand prodigals that need to hear that God loves them and can save them.

The Prodigal Comes to Himself

How often we would like to save the erring boy or girl from the scars of sin, but it is like trying to save a child from putting his hand on a hot stove. You can warn him—you can plead with him—you can threaten him—but it is of no avail. He must put forth his hand to find out for himself just how hot the stove can get. When the prodigal came to himself he began to think. Do you know the trouble with the world? THEY DO NOT THINK! They sail the seas of optimism in boats without a compass and never consider their ways until their feeble bark is crushed against the rocks. When you talk to them about their souls they say, "I want to think it over." And they will not think. The devil doesn't want you to think. He has provided shows, dances, parties, entertainment, jazz, radio, and ten thousand things to KEEP YOUR MIND OFF ETERNAL THINGS. Had the prodigal considered his ways before his departure, he would not have landed in the hogpen. Had the drunkard "thought" in time, he would not have landed in the ditch.

Where were the prodigal's friends? They were gone! Why? He had spent all that he had. When the young sport has a pocketful of money, he will always have a bunch of leeches to help him spend it. When the young girl is vibrant and beautiful, she has many amorous admirers who will stay with her until they have sipped the last bit of nectar from the flower of virtue. But when beauty is gone, when she has spent all that she has, THEY LEAVE LIKE RATS DESERTING A SINKING SHIP!

There Was But One Place to Go

"I will arise and go to my father, and will say unto him, Father, I have sinned against heaven, and before thee, And am no more worthy to be called thy son: make me as one of thy hired servants. And he arose, and came to his father. But when he was yet a great way off, his father saw him, and had compassion, and ran, and fell on his neck, and kissed him."— Luke 15:18-20.

O broken heart; O broken soul; O backslider and sinner, there is but one place to go. There is but one refuge for human derelicts. There is but one solace for the outcast. "I will arise and go to my father." What a decision! The prodigal was a great soul. He knew from whence he had departed. He knew the place of comfort and joy. Straight as a homing pigeon he made his way there. May God help you to retrace your steps. May He help you to make the decision, "I will arise and go to my father."

The prodigal's fortune was gone. His strength was spent. His earthly friends were gone. He reeked with the stench of the hogpen. Ragged and dirty, he represents the condition of every sin-besmirched, sin-stained, sin-defiled human derelict. He is a representative of every man who has had his fling. He is the picture of every woman who has trodden the primrose path.

The beauty he once possessed was no longer his. The attractiveness of his personality was covered with filth. No human being could love him. There was nothing about him to love. There was nothing desirable in his appearance. His very presence was repulsive. The path of sin is a devastating one. The bleary eye of the harlot, the besodden eyes of the drunkard, the shifty look of the libertine are repulsive to all. No love can be found for them in the human heart. Every door of society is closed to them. Sin has scarred the countenance with awful lines.

But the Father Loves and Forgives

Oh, how little we know of the love of God! Truly it passes understanding. While the prodigal was yet a great way off, the old father saw him and was moved with compassion. It is ONLY GOD WHO CAN LOVE A VILE SINNER. The father ran to meet him and fell on his neck and kissed him. He did not wait for him to have a bath and a change of clothes. He gathered him into his arms—rags, dirt, filth, stench and all. THERE IS A PICTURE OF THE LOVE OF GOD.

"But God commendeth his love toward us, in that, while we were yet sinners, Christ died for us."—Rom. 5:8.

God doesn't wait for the sinner to clean himself up, to quit his wickedness and to reform. How well He knows we have no strength with which we may reform. That is why

". . . when we were yet without strength, in due time Christ died for the ungodly."—Rom. 5:6.

God does not wait until we have taken ourselves by the bootstraps and have lifted ourselves into Heaven. He is moved to compassion while we are "afar off."

Putting on Beautiful Garments

"But the father said to his servants, Bring forth the best robe, and put it on him; and put a ring on his hand, and shoes on his feet."—Luke 15:22.

What a picture of God's love and salvation! Here the father clothes the lost son in new garments. That, beloved, is a picture of God's loving grace and salvation. He takes our sin-dyed, sin-stained, sin-defiled garments and burns them on the altar of judgment. He cleanses our sin-blackened souls in the BLOOD OF THE LAMB. When we step forth we are as white as snow. We are new creatures. The sorrow of our departure is exchanged to the gladness of the return. Our mistakes are erased by His perfection. Our squandered inheritance is restored sevenfold. The ring put on the prodigal's finger was a seal of sonship. It bore the seal of the father's house. That is God's salvation. We are not servants; we are children. "And if children, then heirs; heirs of God, and joint-heirs with Christ." We who were the children of wrath are now the heirs of God. We who were once dead in trespasses and sin are now made alive. Thank God!

Rejoicing in Heaven Over One Sinner That Repents
(Luke 15:10)

"And bring hither the fatted calf, and kill it; and let us eat, and be merry: For this my son was dead, and is alive again; he was lost, and is found. And they began to be merry."—Luke 15:23-24.

I cannot express the love of God in words. It is too big and too infinite. The human eye cannot see it. It moves in such mysterious ways, but thank God, I can feel it. I have experienced it. I know whom I have believed.

All I can say to you is this: Sinner, God loves you. Christ died for you—the Holy Spirit is wooing you. The voice of God is calling you to repentance. He wants to remove your filthy garments and replace them with Christ's garments of righteousness. He wants to save and keep you. The angels and your loved ones in Heaven are waiting to make merry with you. You cannot save yourself. God does not expect you to save yourself. GOD WANTS TO SAVE YOU. God is just as anxious to embrace you in His arms as the prodigal's father was eager to embrace his son. Jesus' blood can wash the vilest sinner clean. God's love can overshadow and overrule every sin you have ever committed. You may be unclean to every person on earth. You can even despise yourself, but God's love is bigger than that.

"Where sin abounded, grace did much more abound: That as sin hath reigned unto death, even so might grace reign through righteousness unto eternal life by Jesus Christ our Lord."—Rom. 5:20-21.

You may have committed sins that you cannot tell to any living being, but you can tell them to a God who loves you. Sin may have taken you to the depths, but God's love can restore you to heights sublime. Satan's power may have been great to tempt you, but God's power is greater to succor you. Satan's power may have bruised you, but God's power is greater to heal you. You may be dirty, but thank God, you can be clean. You may have lost your inheritance, but thank God, it can be restored through Jesus Christ our Lord.

Come ye sinners, poor and needy,
Weak and wounded, sick and sore;
Jesus ready stands to save you,
Full of pity, love and power

Come, ye thirsty, come and welcome,
  God's free bounty glorify;
True belief and true repentance,
  Every grace that brings you nigh.

Come, ye weary, heavy laden,
  Lost and ruined by the fall,
If you tarry 'till you're better,
  You'll never come at all.

Let not conscience make you linger,
  Nor of fitness fondly dream,
All the fitness He requireth;
  Is to feel your need of Him.

How many will come tonight and receive the pardon that God has provided? How many will let the everlasting Father dress you in the garments of salvation? Will you let Him receive you and set you at His banquet table? If so, come! Don't wait! Don't tarry! Get up out of your seat and come to Him. He is ready to save you, sinner. Backslider, He is ready to restore you to fellowship. Come now!

REV. ROBERT L. MOYER, D.D.

Dr. Moyer, whose father was a saloonkeeper, was early a drunkard but was saved from a life of sin, studied at Moody Bible Institute, was pastor of a Brethren church in Minneapolis, and then for twenty years was a teacher of Bible in Northwestern Bible and Missionary Training School and Seminary and was dean there when he died in 1944. He also succeeded Dr. W. B. Riley as the pastor of the First Baptist Church. His devotion to Christ, his remarkable use of Scripture, his beauty of expression, are well illustrated in *Our Solitary Saviour*, printed here. His fine grasp of Bible truth and his vigor are well shown in the Bible study, *The Christian and War*. He was a beloved friend of the editor and a greatly used man of God.

IV

OUR SOLITARY SAVIOUR

By Robert L. Moyer, D.D.

Late pastor of the First Baptist Church and Dean of the Northwestern Bible School and Seminary of Minneapolis, Minnesota.

"He was . . . alone" (Matt. 14:23).

Our Saviour is none other than Immanuel—"God With Us." Nineteen hundred years ago God walked and talked with men as Jesus Christ. There is no question concerning the deity of Jesus Christ. Of Him it is written: "This is the true God" (I John 5:20). But Jesus Christ is also man. We read of Him, "The Word was God," and "The Word was made flesh, and dwelt among us" (John 1:1, 14). He became a partaker of flesh and blood; He took upon Himself our nature; He became one of us (Heb. 2:14-18).

The incarnation was by way of the virgin birth. God sent forth His Son, made of a woman, to be born in a stall and cradled in a manger. He was a baby, a boy, a man. He was subject to all the sinful infirmities of the human race. He slept, He walked, He ate, He drank, He worked, He sorrowed—just as we do.

In the text it is stated that "he was . . . alone." This has reference to Him alone in the mountain, praying. But that text might be written over the whole of His earthly life, for He was lonely, solitary. That is one of the peculiarities of His humanity. One, in commenting on it, said, "His was the solitude of the royal stranger who tarries for a night." In this study we shall see that from the manger to the cross He was alone; that through His whole life there ran a deep, silent, sad undercurrent of loneliness.

He Was Solitary in His Singularity

Jesus Christ is unique. He is the only One of His kind. There has been and there is none other like Him. There has never been, nor will there ever be, another incarnation. There has been but one God-man. It is not right to say that Jesus Christ was a good man, a great man, a great leader, a great teacher—He was all that, of course, but more. He was human, yet He was God. There was in Him a duality of nature, yet a singleness of person. Two persons did not dwell in the one body—make no mistake about that. There were two natures, not two persons. Into union with His divine personality God took a human nature, to become the solitary One, for He was never paralleled by any created person. He is far separated from the human race. He was in the midst of death —the living One. He was in the midst of darkness—the Light of the world. He was in the midst of sin—the holy One.

It is possible to be surrounded by human beings and still be alone. On the writer's first visit to New York City he went alone. In that city he was surrounded by five or six millions of people—yet he was alone. (Sometimes folk laughingly say, "Well, if I do go to Hell, I'll have lots of company." Yes, —and you'll be alone.) I saw a Chinaman on the streets today —a man in the midst of men, yet solitary. He was away from his land, away from his home, away from his kind. He was alone. But what can a finite illustration do to bring to us the thought of Christ surrounded by man—yet alone, alone because no other being of His kind ever existed?

He Was Solitary in His Sinlessness

Someone has described Jesus Christ as a "white Rose in the midst of a bed of scarlet poppies." Isn't that a vivid picture of our Saviour in the midst of the sinful men of this world? He had nothing in common with them. It was true then as now, that "the whole world lieth in wickedness." How His sensitive soul must have shrunk from the blasphemy, sin, and hypocrisy of His day! His stainless purity could have no fellowship with the wrongs, sins, impurities, shames, of this earth. His own disciples wounded Him again and again. In a very true sense of the word, He had no companions. Men could not be His companions, for they were impure, while He is pure; their aspirations were unholy, while His are always holy; their hearts were full of hate; His full of love.

Did you ever stop to think how lonely a saint would be in Hell? Yet loneliness such as that is not comparable to the loneliness of our Lord while here on earth. He was alone in His sinlessness.

He Was Solitary in His Love

Jesus Christ loved men—they did not love Him. They "hate me without a cause," was His declaration. He called to men, "Come unto me," but "He came unto his own, and his own received him not." The leaders of His nation—His own nation—derided Him, and cried out, 'It is not fit that such a fellow should live. Away with Him! Crucify Him!' His own denied Him, forsook Him, sold Him. I have often imagined Christ walking the highways and byways of His own land, His eager eyes scanning each face that He met for some sign of recognition, but He was in the world and the world knew Him not. When my boy was a baby I came home every two or three weeks from some evangelistic trip, and I remember how I walked to the crib where he was lying— my boy—to look down into those blue eyes of his, longing for some sign of recognition. He was my own, yet he gave no sign of recognition whatsoever. How often I turned away from that crib to say, "Oh, he doesn't know me." He was my own but he didn't know me. That brings grief to the heart of a man.

There isn't anything more depressing, or anything that makes a heart heavier, than to long for those whom you love, only to find them beyond reach or out of touch. This was impressed upon me recently when I went into the home of a man over ninety years of age, who had, just a few months before, buried away from his sight, like Abraham of old, the wife of his bosom. She had been a wife to him. She had made a home for him. She had been a companion to him. Now she was gone. He was ill. In weakness he sat in his chair that day and said to me, "Brother Moyer, I don't want to stay." And then in his weakness he broke into tears and, unable to speak, pointed with shaking finger to the wall where hung her picture. I knew that he longed to be with the one he loved. His heart reached out after her, but she was beyond his reach. Yet, never in all the history of the race did one yearn after a loved one as Christ yearned after men. Full of loneliness is that wail, that sad, sad wail, 'O Jerusalem, Jerusalem! How oft I would have gathered you together, but you would not!' The very men whom He loved, instead of coming to Him, instead of loving Him, spit upon Him, smote Him, thorn-crowned Him, mocked Him, crucified Him. Oh, the heartache of it! How lonely He was! And He has the same yearning over men today. He still calls to men, "Come unto me," and men still refuse to come. Have you? Is His heart still yearning for you? Is He still the solitary Saviour, the lonely Lord, as far as you are concerned?

He Was Solitary in His Mission

There was a dullness of the human intellect, a deadness of the human heart with reference to the mission of our Saviour. He knew His mighty task, but no one else seemed to comprehend it. When He was born they called His name Jesus, because He was to save His people from their sins, but that seemed to mean nothing even to His dear ones.

All through His life His eye was on the cross. When He spoke of His "Father's business," He referred to the cross. When He mentioned "Mine hour," He had in mind the cross. From the beginning He knew the awful climax of His earthly career: that of agony, anguish, shame, pain, beyond human description. If some of us knew the future, the responsibility would break us; we would be overwhelmed; some would go insane. The only hope for us, did some of us know the future, would be in the companionship and fellowship of those who love us. But He had no one who understood. He was alone. His heart must have yearned for sympathy, but He found none.

He was misunderstood at every step. His own people were blind to His mission. They thought only of temporal glory, not of redemption. They knew that their Scriptures declared of their Messiah," The government shall be upon his shoulder." He would dash His enemies "in pieces like a potter's vessel." But here was this man Jesus, called the Christ, 'tis true, yet walking through the dust of the land while the enemy rode in chariots, with nowhere to lay His head while the enemy dwelt in palaces. So they laughed Him to scorn and cried out, "Away with him." And finally they condemned Him as an impostor and nailed Him to the cursed tree.

Even His own disciples were disappointed in Him. They shared the hopes of their people, and expected Him to go to the throne of David in the overthrow of Rome. Then when He told them that He must suffer, that He must be killed, they rebuked Him, and cried out, "Not so."

And beyond this, even His mother, who knew of His supernatural birth and sinless years, did not seem to understand His course. It seems that she joined with others in considering Him crazy—"beside himself" (Mark 3:21).

It was all of this misunderstanding and rejection, this loneliness, which culminated in the cross which inspired the poet to write,

"He died of a broken heart."

He Was Solitary in His Suffering

Go to Gethsemane. See Him in the travail of His soul. See the agony and bloody sweat. Hear Him cry out to His Father. Oh, how He needed sympathy that night! How He longed for the disciples to watch with Him for a little while! And they were asleep! He was alone. They did not comprehend the agony which shook His soul. He was alone.

Then, when He stepped out from beneath the shadow of the olive trees, He was betrayed by one of His familiar friends

—betrayed with a kiss! Then they all forsook Him and fled! And then Peter—Peter!—took an oath that he had never known this man Jesus! What a scene! The Friend of men stood without a friend! He was alone. He stood alone before the high priest with no one to protest the indignities offered Him. He stood alone before Pilate with not a single one to speak a single word in His defense. Oh, one did carry His cross, but not for love, only because he was compelled to do so. Then when they nailed Him to the tree, what friendly hearts there may have been were lost in the crowd, and He was confronted on every hand by the face of a foe. The crowd milled round the cross, the priests wagging their heads, the rabble mocking and reviling, the multitude shouting—all with hard, unmoistened faces waiting to see the end, watching to see Him die. There was no cry of sympathy anywhere. He was alone.

Oh! if that were all, it might not be so bad, for others have endured pain, agony, persecution. But—He was forsaken of God! That is the meaning of that strange cry that pierced the air, "My God, my God, why hast thou forsaken me?" Even God forsook Him. No angel came to help Him. Earth clenched her fist at Him, and Heaven was shut up against Him. There was no look of love, no word of hope, no hand of help from either earth or Heaven. Around about, enemies shouted hatred at Him; above, God turned away from Him. He was alone. The dense darkness that came at midday seemed to declare and intensify His loneliness, for it cut Him off from everyone, from everything. He was left to Himself. And there has never been, in all the annals of the human race, such solitude as this. When the three Hebrew children were thrust into the fiery furnace, the king saw walking with them in the flame the Son of God. They were not alone. An early Christian martyr was taken by the cruel hands of torture, to have flesh rent and bones broken, in an effort to make him deny his faith. When he was left, he was a mass of bleeding flesh and broken bones. Yet he endured all the suffering without a single cry. When his dear ones found him and sobbed over him, they said, "How did you stand it all without a single cry or complaint?" And he answered simply, "Jesus was with me." He was not alone. But our Lord on the cross was denied the comforting presence of God. He was alone. He died alone. He wrestled, prayed, sorrowed, suffered, died alone.

AND OUR SIN MADE IT SO. The sinless One on the cross was made to be sin for us. He "bare our sins in his own body on the tree." He was made a "curse for us." He was there "smitten of God, and afflicted" in our room and stead. He bore what we deserved. He alone died for us because He alone could do it. Hebrews says, "When he had by himself purged our sins"—and it must be "by himself" for it could be by no other one. No other person could do it, not even the one who loves you most. That is why He was alone in the work of redemption. He alone bore our iniquity. He alone bore the curse of God. He alone bore the wrath against sin. He alone could do it, so He was alone in it.

He Is Not Now Solitary

We believe that now our Saviour is in Heaven, surrounded by multitudes of men and women who are absent from the body and at home with Him—because He died alone. Isaiah may have meant something like this when he wrote of the time when "he shall see his seed." Paul tells of the bringing of many sons unto glory. God has always desired to surround Himself with men. A blessed intimacy existed between God and man in Eden—an intimacy marred by sin. God dwelt in the midst of His people Israel in the tabernacle, and later in the temple. God dwelt in the midst of men in the days of His flesh, and He will dwell again in the midst of His people in the millennium. God's purpose will one day be fully *realized* and gratified in the eternal state, in that day when all Heaven and earth shall be gathered round Him, and when He shall be all in all. That purpose might be expressed in the words,

"The tabernacle of God is with men, and he will dwell with them, and they shall be his people, and God himself shall be with them, and be their God."

Alone

It was alone the Saviour prayed
   In dark Gethsemane;
Alone He drained the bitter cup
   And suffered there for me.

It was alone the Saviour stood
   In Pilate's judgment hall;
Alone the crown of thorns He wore,
   Forsaken thus by all.

Alone upon the cross He hung
   That others He might save;
Forsaken then by God and man,
   Alone, His life He gave.

Can you reject such matchless love?
   Can you His claim disown?
Come, give your all in gratitude,
   Nor leave Him thus alone.

Alone, alone, He bore it all alone;
   He gave Himself to save His own,
He suffered, bled and died,
   Alone, alone.

—B. H. PRICE

V

THE CHRISTIAN AND WAR

By Robert L. Moyer, D.D.

Late pastor of the First Baptist Church and Dean of the Northwestern Bible School and Seminary of Minneapolis, Minnesota.

Questions concerning a believer's relationship to war are
often asked, especially in a time of war such as that in which
we find ourselves today. In this article we shall attempt to
answer a few such questions, basing our answers on Scripture.
In too many cases today the Bible is not the standard by which
we settle matters. We are more inclined to look to human
opinions, and human desires, and human sentiment. We will
not answer these questions according to the desires of the
Communist or Fifth Columnist, who would weaken this country and hinder its plans for preparation for defense. We will
not answer them according to the desires of the war capitalist.
We will not answer them according to the conscience of the
conscientious objector. Nor will we answer them according to
the hearts of those who have loved ones who are subject to draft.
We repeat that the source of our answers will be the Word of
God, and we shall try to be honest in rightly dividing the Word
of truth in this connection.

Is Human Government Ordained of God?

Our answer is *Yes*. There can be no question of this in the
mind of the Bible student. Human government is just as truly
a divine institution as is the church. It began in the days of
Noah, after the flood. Human authority and headship were
vested in Noah. Government was put into the hands of man.
This thought carries through all of Scripture. The New Testament tells us that there is no power but of God; the powers
that be are ordained of God. There are many illustrations in

Scripture of the divine institution of government. To Nebuchadnezzar it was said, "The God of heaven hath given thee a kingdom, power, and strength, and glory. And wheresoever the children of men dwell, the beasts of the field and the fowls of the heaven hath he given into thine hand, and hath made thee ruler over them all" (Dan. 2:37-38). The same hand of power that placed him on the throne, swept him from that same throne to live seven years of bestial degradation. "This is the decree of the most High" (Dan. 4:24). That same hand guided in the rise of Medo-Persia, Greece, and Rome (Dan. 2:39-40). That same guiding hand gave to Great Britain, France, Germany, Italy, and other nations their places of authority, and it was the same hand that prepared for the establishment of the United States of America.

"He removeth kings, and setteth up kings" (Dan. 2:21). God raised up Pharaoh (Rom. 9:17), and God raised up Cyrus (Isa. 44:28). Jesus Christ recognized that the power of Pilate came from above (John 19:11). There can be no question but that human government is a divine institution.

Does God Ever Take Life?

Our answer is *Yes*. God is the author of life, for it is a divine creation. Certainly the Creator may take life as He will. The Word contains many illustrations of God taking life in judgment for sin. In Genesis 38 God took the lives of the two sons of Judah. When Nadab and Abihu offered strange fire before God, He took their lives in judgment. God caused the earth to open her mouth and swallow up Korah, Nathan, and Abiram. God smote Uzzah because he put forth his hand and touched the ark. God killed 185,000 Assyrians in one night. God slew the first-born man and beast in the land of Egypt, and also the army of Pharaoh at the Red Sea. God smote Herod for his presumption and pride. God killed Ananias and Sapphira instantly because of their sin in lying to the Holy Ghost. God caused some Christians at Corinth to die because of their sin at the Lord's table. There are very many other such cases in the Word. Yes, God sometimes takes life. That is His prerogative.

God has also, in certain instances, instructed individuals to act for Him in putting sinners to death. Thus three thousand Israelites were slain in Israel's apostasy at Sinai. Samuel, the prophet, killed Agag of the Amalekites at the command of the Lord.

Is All Killing Murder?

Our answer is *No*. We can easily prove this by one of the so-called contradictions of Scripture. The sixth command is "Thou shalt not kill" (Exod. 20:13). This is better translated "Thou shalt do no murder." Yet in Deuteronomy 7:2 we read concerning the Canaanitish nations, "Thou shalt smite them, and utterly destroy them." Here is a self-evident contradiction: "Thou shalt not kill"; "Thou shalt . . . utterly destroy them." Both statements were written by Moses, both were the commands of God, both were addressed to the same people. There is no contradiction, however, when we heed God's exhortation to rightly divide the Word of truth. The sixth commandment concerns the conduct of the individual. The other commandment concerns the conduct of a nation. God's command to the individual was "do no murder"; God's command to the nation was "utterly destroy them." Killing by an individual is prohibited, but killing by a nation is permitted. Scripture does not allow personal vengeance or retaliation.

All murder is killing, but all killing is not murder. In Numbers 35:9-34, God speaks of killing a man unawares; that is, by error or unwittingly. God declared that "the murderer shall surely be put to death" (vss. 16-18), and yet if a man took another man's life unintentionally, he was not a murderer. We today recognize degrees of guilt in our first, second, and third degree murders.

Killing by the individual may be intentional and still not be murder. In Exodus 22:2-3 we are told that if a thief, in breaking into a house, be smitten so that he die, there shall no blood be shed for him. The man defending his home and property is not to be punished for that killing. This is not murder. The Bible recognizes a man's right to defend his person, his property, his dear ones—and his country, too. Would you defend your home or your dear ones from attack? Certainly you would. If you saw a big brute of a man abusing a boy, would you go to the defense of the boy? You ought to.

Does God Ever Authorize Human Governments to Take Life?

Our answer is *Yes*. God established capital punishment in connection with the establishment of human government. He put into the hands of man the highest principle of government when he delegated the power to take life under certain conditions (Gen. 9:6). That power and government is God-given. We mean that the taking of life in capital punishment is by the express command of God. Such killing is not murder. It is not by the volition of man, but by the volition of God. God gave life. All life is His and He has a right to take it. God delegated that right to men for the maintenance of a social order based upon righteousness. Mercy to the criminal is cruelty to the community. Henry VIII once pardoned a murderer; the pardoned murderer then killed another man. When a second plea of mercy was made to the king on behalf of this murderer, Henry answered, "No, he killed the first man, but I killed the second, and I will kill no more. He must be executed." Our local governments may be guilty in the same way.

In the Mosaic law the thought of capital punishment is reiterated. "He that smiteth a man, so that he die, shall be surely put to death" (Exod. 21:12). The executed man thus loses his life by the will and command of God. This law does not mean, of course, that if one man slays another man, a third man is to slay the second man, and then a fourth the third, etc. It does mean that a murderer is to be executed, and that is the end.

Nor does that mean that "Judge Lynch" is to take things in hand. It does mean that a magistrate is clothed with public civil authority, and that as a judicial officer he, under certain circumstances, represents God in executing penalties upon wrongdoers. To lynch a man is murder, but to execute a man under governmental authority is not murder.

Let me add this: Those who are today responsible for the abolition of capital punishment are individuals who assume to be wiser, more loving, and more merciful than God Himself. It is because God's Word is disregarded that there is so much bloodshed in this country of ours. God established the law of capital punishment and never abrogated it. Do not get the idea that a Christian man may not be an officer of the law, that he may not be a judge who sentences a man to death, that he may not be a paid executioner for the government. Such a job would be heartbreaking, indeed, but not one that would displease God, for, we repeat, such killing is not murder, but the judgment of the living God.

God also authorizes governments to take life. Og, the King of Bashan, and all his people were appointed to death by God (Num. 21:33-35). The same is true of Sihon and the Amorites. We read that Israel "utterly destroyed the men, and the women, and the little ones" (Deut. 2:32-34). God ordered the extermination of the Amalekites by the nation of Israel under Saul. When Israel entered the land, Joshua was instructed to slay all of the people of Jericho. God ordered the extermination of all the nations of Canaan. And let us not lay any charge of cruelty against God. There has been much sickly and silly sentiment concerning the extermination of the Canaanites. Impudent critics and ignorant Christians have both made displays of their ignorance in this case. Their destruction was necessary for the preservation of the human race. I once saw a man who had part of his face cut away by an operation for cancer. That surgery was necessary to save the physical body. The destruction of the Canaanites was merely an operation by which God cut out the cancerous growth of sin to save the body politic. These Canaanites worshipped the goddess of lust and practiced nameless vices. Their extermination was surgery and not murder. Don't fail to notice the long-suffering of God even in this connection. In Genesis 15:16 we are told the reason for a delay of four hundred years before this surgery took place—"The iniquity of the Amorites is not yet full." As long as there is the slightest hope God stays His hand of judgment, but when a nation has passed the line of all possibility of repentance and faith in God, God acts in judgment. Leon Tucker wrote the truth, "In destroying the Canaanites God was preserving the race of whom the Messiah should come, and the ultimate blessings of all the earth in Him, also the final overthrow of the kingdom of this world's darkness."

It is very easy to see that God has two attitudes on the subject of killing. Personal killing, or murder, is constantly disapproved, while war, which is God's judgment upon nations, is carried out by His express command.

In the life of David you have a striking illustration of the two attitudes of God toward killing. In a war with the Ammonites and Syrians, the victory which came to David was the direct outcome of his dependence upon the Lord. In the midst of the same campaign you have that black chapter in which David plotted the death of Uriah in order to hide his sin with Bathsheba. The waves of swift and terrible judgment broke over the house of David for this personal killing. You see the difference. As king, David was the government, and as such, an instrument in the hand of God to bring judgment upon nations; but as an individual, when David contrived to bring about the death of one man, God charged him with murder.

Should Nations Ever Declare War?

Our answer is *Yes*. Nations have magisterial functions to perform for God in declaring and conducting war. Any student of the Word of God must know that war is a judgment of God upon nations. Remember that God may deal with an individual after death, but if God deals with nations in judgment, it must be while those nations are in existence, and God does judge nations. In Ezekiel 14:21 God says, "I send my four sore judgments . . . the *sword,* and the famine, and the noisome beast, and the pestilence." This very clearly states that war is one of God's judgments upon nations. Instead of war, God may send famine or pestilence upon a nation. He sent pestilence in the days of David, and famine many times upon Israel. More than once if Israel had not declared war she would have defied God. Again, Assyria was the rod of God's anger and the staff of His indignation against Israel. Isaiah tells us that Nebuchadnezzar was God's servant to subjugate all nations in his day. Jeremiah speaks of a universal war sent in judgment upon the nations of the earth, for the Lord has a controversy with the nations. God delivered Jerusalem to the Gentiles because "they walked not in my statutes, and they despised my judgments."

There are only two causes that bring war; man's sin and God's wrath. If there were no sin there would be no war, for war is the consequence of sin, but, as Dr. James Gray once said, "As long as sin exists we will have war. All the peace palaces ever built cannot prevent this." Some have said, "If it were not for Hitler we would not have war." This is foolish. Our Lord said, "wars and rumors of war" down to the end. He said, "These things must come to pass." The first child born into this world was a murderer, and ever since that, the feet of men have been "swift to shed blood." In passing, note that the first man who rejected substitutionary blood was the first man to shed human blood, and as long as the nations of the earth reject the blood of Christ, the other blood will flow.

Does God Enjoy War?

Our answer is *No*. God hates war. Of course He does. Sherman said, "War is Hell," and war is an awful business, and so is Hell, and yet God says, "The wicked shall be turned into hell, and all the nations that forget God" (Psa. 9:17).

God hates Hell, but He uses it. God hates war, but He uses it. War is God's judgment upon sin here; Hell is God's judgment upon sin hereafter.

You cannot argue against the love of God because He deals in judgment. A parent who loves a child will sometimes punish that child for disobedience and sin. War sent by God does not mean that God does not love. To love people does not mean that we are to permit them to go on in all kinds of wickedness without judgment. God loves all men and has manifested that love in the gift of His Son. A man may go to Hell unsaved, but he will never go to Hell unloved. We know a policeman who is a good Christian man. He loves criminals, but that does not mean that he should not bring a criminal to judgment. Paul loved that sinner in Corinth, and yet he delivered him to Satan for the destruction of the flesh (1 Cor. 5).

Someone says we are to resemble our heavenly Father. All right. He is a God of judgment. Don't resist Him or try to do anything to prevent the out-working of that judgment. There is something worse than war, and that is sin. Be sure that God will always pour out His wrath upon it.

God loves Hitler and Germany, or Mussolini and Italy, or Stalin and Russia, more than does any pacifist in the United States. He gave His Son for them just as truly as for us. But that will not prevent God from bringing judgment upon a nation guilty of banditry, and massacre, and rape.

God loves the United States, but that will not prevent ultimate judgment coming upon one of the most sinful of nations.

Did Christ Teach Anything About War?

Our answer is *Yes*. Someone says, "All your argument is based on the Old Testament, but Christ taught differently. His coming made a difference, and what was true in the old dispensation is not now true."

Well, what did Jesus Christ teach?

In Luke 22:36 He said, "He that hath no sword, let him sell his garment, and buy one." That is, if they had no purse, no money, they were to sell their garment in order to buy a sword. You cannot spiritualize the purse, the scrip, the shoes; why spiritualize the sword? To say that the Lord meant the sword of the Spirit is very poor exegesis, and to say that the Lord referred to the two swords when He said, "It is enough," is poor understanding. He was not referring to the two swords, but to the conversation. It was an abrupt dismissal. "It is enough" does not mean "they are sufficient."

Some insist that what our Lord meant was that the sword was to be used merely for self-defense. All right, admit it so. At least it does mean that, and that is sufficient to overthrow any theory of non-resistance held by pacifists, conscientious objectors, Quakers, or any other sect. It is a decisive testimony from the mouth of the Lord Himself against any such views.

Someone says, "Yes, but look at the Sermon on the Mount." All right, look at the Sermon on the Mount. Remember that Christ prefaced that sermon by saying, "Think not that I am come to destroy the law, or the prophets: I am not come to destroy, but to fulfill" (Matt. 5:17). Do not force into the Sermon on the Mount meanings that are not there, for the words of our Lord do not mean the abolition of armies and navies, or that we are to do away with magisterial functions on the part of nations, because such objections are part of the law and the prophets.

I know that Isaiah 2:4 says, 'Beat your swords into plowshares,' but I also know that Joel says, "Beat your plowshares into swords." Again, this is not a contradiction when the Word is rightly divided. The time to beat your swords into plowshares is not now, with the world in its present-day condition.

When our Lord said, "Resist not evil," and "love your enemies," He was talking about the law of retaliation between men, but not about their relationship to government.

Some seem to think that when Christ said, "Love your enemies," He was saying something new. That was not new, for God taught the same thing through Moses. See Leviticus 19:18 and 34, "Thou shalt love thy neighbour as thyself." Someone calls attention to a fiendish addition by which the Pharisees had supplemented that command, making it, "Thou shalt love thy neighbour and hate thine enemy."

This was a "fiendish addition" because it contradicted God's Word. It was wrong. Our enemy is our neighbor, and as such he is to be loved. By that it does not mean that you are to permit him to attack your wife and daughter without resistance. That does not mean that you condone the evil of his life. Men have opposed and resisted each other on the battlefield, and yet history abounds with stories of how men, even in the heat of battle, have helped their enemies. No man is to go to war singing the "Hymn of Hate." A Christian judge does not hate the criminal he sentences. A Christian executor does not hate the criminal he puts to death. A Christian soldier must not hate the enemy he faces in battle.

What did our Lord mean in Matthew 26:52 when He said, "Put up again thy sword into his place: for all they that take the sword shall perish with the sword"? He meant that Peter was not to draw a sword in rebellion against the order of a magistrate, which was a crime. Such rebellion would probably mean the forfeiture of his life. In other words, if you oppose your own civil government by force, you must expect to be met by force.

In Matthew 10:34 our Lord said, "Think not that I am come to send peace on earth: I came not to send peace, but a sword." You may spiritualize this if you wish, but we insist that the tenth chapter of Matthew is dispensational, Israelitish, and national in character, dealing with the kingdom of Heaven. Read the chapter and note especially such verses as 5 to 7, 15, 18, etc. The kingdom of Heaven is not the Church, but the millennial kingdom to be set up when Christ comes again. This chapter brings the history of the Jew to a climax. It tells of the end-time when the Great Tribulation shall come upon the earth. It is associated with the sword, for when our Lord comes the second time, He will come with the sword.

Some say that Jesus Christ came as Messiah at a time when His whole nation was subjugated by Rome. His whole nation was keenly exercised by this problem, and its mind occupied with this political issue. They expected their Messiah to bind His enemies to His chariot wheels and overthrow their Gentile conqueror. Yet He absolutely refused to contemplate war or to do anything to overcome His enemies. He could have called twelve legions of angels to liberate Himself and to overthrow the Romans, yet He did nothing. The reason for this is that HE CAME INTO THIS WORLD TO DIE. Some man said that this explanation did not satisfy him. The reason it does not satisfy is that he is like the prophets of old who could not distinguish between the first and second comings of Christ. We are told in I Peter 1:10-11 that they tried to understand the sufferings of Christ and the glory that should follow. They did not understand the parenthesis of time between the two. This was the trouble with John the Baptist, the forerunner of the Lord, who expected Christ to take the throne immediately, and when he found himself in prison, sent his disciples to inquire of Christ, "Art thou he that should come, or do we look for another?" These actions that Israel expected of their Messiah will take place when He comes the second time, for then He will come with a sword and make war. His throne will be established by the overthrow of His enemies. Revelation 19:11 says, "In righteousness he doth judge and make war." This is not to be spiritualized. It means just exactly what it says. See also Revelation 19:15 and 14:20. The winepress which He treads is the winepress of judgment. In His first coming He became Redeemer through death at the hands of His enemies; in His second coming He will become Ruler through the death of His enemies.

In John 18:36 our Lord said, "If my kingdom were of this world, then would my servants fight, that I should not be delivered to the Jews: but now is my kingdom not from hence." His kingdom is not of this world. It is the kingdom of Heaven, and will be established by Him when He descends from Heaven. It was not our Lord's intention to establish His kingdom by "the sword" any more than it was His intention to propagate the faith by "the sword." "The sword" that will be used to establish His kingdom is the sword that goeth out of his mouth to smite the nations of the earth (Rev. 19:15).

Shall a Christian Obey Human Governors?

Our answer is *Yes.* We submit to you the teaching of Paul in Romans 13:1-5: "Let every soul be subject unto the higher powers." "Every soul" means that no one is excepted. Certainly not Christians, for they are in the mind of the writer. "The powers that be are ordained of God," and at the moment that Paul wrote, he was under a dictatorship created by the Roman army. "Whosoever therefore resisteth the power, resisteth the ordinance of God." Paul adds that the power "beareth not the sword in vain." The reason given is that the magistrate is "a revenger to execute wrath." "The sword" refers to government as established by God, with the right to take life in punishment and judgment. This is why a public executioner is not a murderer, because he has the authority of death as a personification of government. The man who pulls the switch when the criminal dies is the agent of God who commanded the death of a murderer. When a police officer is forced to slay a man in his duty of upholding the law, he is not a murderer; he is a personification of government. When the government calls a man to go out and fight for his country, it is as the minister of God. And if a soldier in such duty slays an enemy, he is not a murderer, but a representative of God's established government, bringing judgment upon a sinful nation. Your government has a divine right to bear the sword and to call you to its defense. You see, government does not rest on human economics or human politics, but on divine authority, and the obedience commanded in general is absolute.

Someone says, "You mean that we are to obey wicked men?" Who was ruling when Paul wrote Romans 13? It was the worst of rulers—Nero, himself. And if that man on the throne of the Caesars is to be obeyed, surely all the others are. We do not say that all rulers are Christians, but we do say that government is a divine establishment, and we do know that God makes use of even the wicked among rulers to execute His displeasure against sinful natures. Think of the rulers before whom Jesus Christ stood. Who gave the final sentence against Him? He was one of the worst rulers Jewry had ever known, but he was one of those ordained of God. We repeat that Christ knew that when He said, "Thou couldest have no power at all against me, except it were given thee from above" (John 19:9-11). That means that Christ was obeying the ordinance of God rather than the ordinance of Caesar when He was submissive to the governor's orders. Of course Pilate did not know that his power was from above, for he boasted of his own power (John 19:10).

Someone says, "Yes, but Paul teaches that our citizenship is in Heaven," and he does this in Philippians 3:20; but when he said this, he was not speaking of a man's relationship to his government. He was speaking of lustful living on earth. This allusion to heavenly citizenship is often misunderstood. Paul was exhorting Christians to emulate him in the subjection of the body. He is rebuking the immorality of the Epicurean, expressed in the words, "whose God is their belly." He was fearful of men because they minded earthly things such as the gratification of their bodily appetites; he would have them to be heavenly-minded.

We ought to live as those who belong to Heaven, of course, but that does not mean that we have no responsibility to earth. We are still to render to Caesar the things that are Caesar's.

The Christian is a citizen of the country in which he dwells so far as subjection and obedience to the civil power is concerned, but in spirit, in aim, in affection, in reason, in devotion, he is a stranger and pilgrim in every country upon earth.

Every Christian should be alive to the social and political obligation of the place and period in which he dwells. The Christian does not expect that the millennium will ever be brought about by moral reform and political righteousness any more than he believes that war shall be brought to an end in this present age by arbitration. The Christian should know that he has certain obligations to the government under which he lives, for out of the privileges which he possesses there grows a certain stewardship, and for that stewardship every Christian

will have to give an account to God. The privileges of government are seen in Paul's claim for protection from Rome, his
appeal to Caesar, etc. No man has a right to any protection
or privilege of government who washes his hands of all responsibility to that government.

The contention that Romans 13:1-5 refers merely to the payment of tribute and taxes is only made by one who has a point
to prove. Taxes and assessments are included, of course, and
such taxes are used to support our police, our law courts, our
penitentiaries, our armies, and our navies. A large part of our
present-day taxes is used for war purposes. A conscientious
objector will not go to war, but will pay taxes so that his
neighbor may go to war, which is scarcely the meaning of "love
thy neighbour as thyself."

May I here inject a word concerning the use of the ballot
by the Christian? If you love your neighbor as yourself, you
certainly ought to use your ballot, and every other means at
hand, to prevent the flauntings of the temptations of the world,
the flesh, and the devil before the face of that neighbor. The
"salt of the earth" is not merely dispensational.

Caesar, under whom Paul wrote, took men as well as money.
Both were used to carry on his wars; both were used to hold his
captives in subjection; both were used to maintain his throne.
He had a right to do so. Your country has a right to do so.

Shall a Christian Always Obey Human Government?

Our answer is *No*. Every Christian man belongs to the state.
He also belongs to the church. He has civil duties and rights,
since he belongs to the state. Paul did not hesitate to call upon
Rome for protection. He also has religious privileges and
duties because he belongs to the church. Both state and church
are of divine origin, remember. There may come times when
there will be a clash between state and church. When such a
clash comes, in the words of the apostles, "we *must* obey God
rather than men." The apostolic answer is for all time. The
state has a divine authority which can be resisted only on divine

authority. If the law of the state opposes the law of God, the law of God must take precedence. To oppose the state without authority of God is a sin in itself, but when the state forbids what God commands, or commands what God forbids, God alone is to be obeyed. We are sure that Daniel obeyed the government of Babylon until the governor demanded idolatry, at which time Daniel obeyed God rather than man. That the command of the government contradicts the command of God must be proved explicitly by Scripture rightly divided.

Can a Man Scripturally Be a Conscientious Objector?

Our answer is *No*. Romans 13:5 indicates that a man is to be subject to the powers that be "not only for wrath, but also for conscience sake." There goes your conscientious objection. Obedience to rulers is not a worldly matter; it is a religious duty. A man's conscience not illuminated by the Word of God is of no value whatsoever. The word "conscience" means "with knowledge," and here it refers to the Christian's knowledge and sense of the right of God-ordained government. Many men wrest the Scriptures from their correct interpretation and argue themselves into a state of mind where they can disobey both the Scripture and the government with a clear conscience. The Scripture says, "Let every soul be subject," but they refuse. The Scripture says that government is ordained of God, but they deny. The Scripture says, 'Whosoever resisteth government resisteth God,' but they resist. Too many refuse to believe that portion of the Word which fails to tally with their preconceived ideas.

There is nothing in all this that means that a man should not do his best to improve a government, but there is in this the fact that anarchy is rebellion against God.

Shall a Christian Go to War?

Our answer is *Yes*. If your government calls, you are obligated to obey. In I Peter 2:13-14 Peter adds his voice to that of Paul. Peter says, "Submit yourselves to *every ordinance of* man *for the Lord's sake:* whether it be to the king, as supreme; Or unto governors, as unto them that are sent by him for the punishment of evildoers, and for the praise of them that do well."

Paul says, "Every soul;" Peter says, "Every ordinance." Yes, a Christian should bear arms in obedience to the commands of the government, for the government is authorized by God to "bear the sword," hence that government may delegate any of its citizens as its representatives in its military or naval obligations. We have organized society, and it is right. We have an organized police force, and it is right. We have an organized military force, and it is right. There is little difference between an armed police force and an army.

Our question is not, Should the United States go to war? That we cannot answer. We do know that every soul is to be subject to the higher powers. That does not exclude you, nor does it exclude me.

We think that one is right who says the present war in Europe is not merely a war in conquest and suppression, but that the real issue is the rejection and expulsion of Christianity. He also states that in view of this fact, it is interesting that in recent months Fascism, Communism, and Naziism, erstwhile bitterly opposed to each other, have now combined their forces and pooled their interests for one common cause; namely, to drive from the earth, not democracy as they claim, but to exterminate the nations that still profess to have a semblance of Christianity left.

Is Our Hope a Warless World?

Our answer is *No.* Our hope is the coming of our Saviour to take us to Himself. That is the next thing in the program of God. Are you ready to meet Him? Things are not going to get better, but worse. The horrible drama of the Great Tribulation is still to be played upon this earth, but the true child of God will miss that, for when tribulation is upon the earth, the saints will be rejoicing with Christ in the air.

Some who are reading this are not young men. You will not have to enroll. You will not be drafted. Certainly the young man who faces draft ought to trust in Christ. He died for your sins, and rose again. You are not fit to face death anywhere unless you believe in Him. Death! You are not ready to face life without Him!

But war today is not between soldiers; it is between nations. It is "nation against nation," and whole nations are involved. Not only the soldier at the front, but the women and children at home are slain. Death and destruction drop from the heavens; cities with their hospitals, schools, churches, orphanages, hotels and homes are bombed and destroyed—whole cities wiped out and inhabitants mowed down. That is the "hell" they are suffering in other parts of the world. Are we better than they? NO! Shall we escape? The man at the front does not need Christ any more than the man at home. Wherever we are, we ought to live and be ready to die with faith in the only One who can take us to Heaven. The one who trusts in Christ is saved and safe for eternity. Do you trust in Him? Will you?

Conclusion

Because this booklet may fall into the hands of some unsaved ones, we would like to add a few words to make plain the way of salvation.

Salvation is a welcome term when danger is believed or realized. It is then that we are really interested in being saved. When you are on a bed of sickness and there seems little hope, how welcome the doctor who says, "Sure, I can save you." A man in a burning building will welcome a deliverer from the terrible flame.

Where is such danger and trouble as sin? The rich man died "and in hell he lift up his eyes" and cried, "I am tormented in this flame"!—what could be worse than that?

In Acts 4:12 we read: "Neither is there salvation in any other: for there is none other name under heaven given among men, whereby WE MUST BE SAVED." See the great necessity expressed in the words: "we *must* be saved." Why must we be saved? Because we are all sinners; because we are all lost; because we cannot save ourselves; because our loved ones cannot save us. "We must be saved" by One who is able to save.

As sinners we are under the curse of God. It could not be otherwise, since God is holy and righteous. He has declared, "Cursed is every one that continueth not in all things which are written in the book of the law to do them." Your own heart condemns you. You have not "continued" in the way of God. His curse rests upon you. "He that believeth not is condemned already."

How did Christ become Saviour? He went to the cross because there was absolutely no other way to save man. The curse of a broken law could never rest upon Him. Every sin that men ever commit is a breaking of that law—but Christ never broke it. That curse must rest upon every other man, however, for none other ever kept the law. But there is another curse: "Cursed is every one that hangeth on a tree" ("He that is hanged is accursed of God," Deut. 21:23). Death on the tree was such a shameful and extreme death that the one who was nailed there was always accounted guilty. This curse fell upon Christ. He was nailed to the cross and accounted guilty. Hence we can read in Galatians 3:13, "Christ hath redeemed us from the curse of the law, being made a curse for us: for it is written, Cursed is every one that hangeth on a tree." It was then that suffering came to Him that was far beyond that of physical suffering. It came to its climax in that cry, "My God, my God, why hast thou forsaken me?" Then the sun hid its face, while in the darkness God dealt with His Son for our sin. He died in our place. He bore what we deserved. There and then He drew the wage that we had earned—"the wages of sin is death." He drew our wages that we might be the recipients of His gift of everlasting life.

Peter puts it this way: "Christ also hath once suffered for sins, the just for the unjust, that he might bring us to God" (I Pet. 3:18). He "suffered for sins"—but not His own, for

He had none. Jesus Christ not only suffered from the injustice of men: He suffered from the justice of God. Please do not make the mistake of thinking that Christ merely suffered FROM men; He suffered FOR men. Our sins were laid on Him and then the prediction of Isaiah was fulfilled: "smitten of God, and afflicted," for God raised His sword of justice, and smote our sin which had been laid on His Son. The curse was borne to the full satisfaction of God. That that is true is witnessed by the resurrection of the Lord. That was the seal of the Father's approval upon and acceptance of the redemptive work of His Son. Had Jesus Christ merely suffered *from* men there would not have been a resurrection from Joseph's tomb.

Before Christ was laid in the tomb He had been a Man of sorrows. He was under a burden, an awful burden that brought the great drops in Gethsemane and the heart-rending cry from the cross. But after the resurrection the burden and the sorrow are gone. Both are behind. That burden was the burden of your sins, and my sins. For these He suffered to settle the sin question, that we might come to God.

And how do we come to God? By faith. Just a simple trust in the finished work of the Lord Jesus Christ. There is no other way. Will you say right now:

> "My faith looks up to Thee,
> Thou Lamb of Calvary"?

It is because there is no other way that God asks this question: "How shall we escape, if we neglect so great salvation?" The question is not: "How shall we escape if we reject?" You don't have to reject anything. You can just neglect, put it off, and off, until tomorrow, until the next day—until it will forever be too late! "What must I do to be saved?" "Believe on the Lord Jesus Christ, and thou shalt be saved." "What must I do to be damned?" NOTHING.

"How shall we escape, if we neglect so great salvation?" What is the use of man trying to answer that question, when God Himself has no answer? God would have spared His

Son had He been able. He gave His Son to die for you because there was no other way.

Christ died to "bring us to God." Has He brought you to God? Are you coming to God? Will you put your trust in Him?

A prisoner was to be executed. The chaplain came to him, and asked, "Do you have any hope?"

"Yes, sir," answered the condemned man.

"What is it?" The man reached into his pocket, pulled out a well-worn New Testament, turned to John 3:16, and read: "For God so loved the world, that he gave his only begotten Son, that whosoever believeth in him should not perish, but have everlasting life." That is the way of escape from damnation.

REV. S. D. GORDON

S. D. Gordon was never given a degree of doctor, and he always preferred to be called simply Mr. S. D. Gordon. His full name was Samuel Dickey Gordon and he was born in 1860. He served as assistant secretary of the Y.M.C.A. in Philadelphia for two years and then was made secretary of the Y.M.C.A. in Ohio, where he served nine years. Since that time he devoted himself to public speaking in this country, Europe and even in the Orient. In 1895 he was invited to the Moody Bible Institute where he delivered a course of lectures, and his first *Quiet Talks* volume was published at that time. A world tour was undertaken by Mr. Gordon during which time he spent eighteen months in this country and a year in the Far East. A warm supporter of Keswick, Mr. Gordon spoke at the convention in 1909 and then again at his last visit to Britain in 1932. He died at his home in Winston-Salem, North Carolina, June 26, 1936.

VI

THE FINNISH GOLD STORY

How God Miraculously Increased the Money for His Chapel
Till It Was Enough, in Answer to a Woman's Prayer

By S. D. Gordon

"If True"

God never disappoints anyone. (Psalm 9:10: "Thou, Lord, hast never failed them that trust thee." English Prayer-Book Version.) He never has. He never does. He never will. He cannot. That does not mean that there are no disappointments. We all know too much of life to believe that. But it does mean that they are never due to God; on the other hand they come in spite of God. And they mean as much pain to Him as to us —maybe more.

God never breaks His Word. He is very jealous about that. No banker's word given in solemn promise is half as dependable, for banks may break, but God cannot. The Scripture cannot be broken (John 10:35). It never has been broken yet. God is watching jealously over His Word to see that it shall never be allowed to fail by so much as the dotting of an *i*, or the crossing of a *t* (Jer. 1:12; Matt. 5:18; 24:35).

True prayer never fails. It cannot because it depends on God and on His pledged Word. I say *"true* prayer," because the word "prayer" is used in a slipshod way for much that the earnest heart knows within itself to be not true prayer.

Prayer itself is a very simple thing. It is the pleading or claiming by a sincere heart for some needed thing, based on some promise of God's Word and pleaded on the ground of the blood of Jesus (Rev. 12:11). Such prayer is very simple. Its strength, so far as the man praying is concerned, is in its simplicity. Such praying never fails. It never has; it never does; it never will; it cannot. Heaven and earth will pass away before such prayer can fail.

It is barely conceivable that under certain extraordinary circumstances of the unlikeliest sort, the Bank of England might possibly be obliged to close its doors, or the government at Washington fail to meet the interest on its bonds. Such things have happened. But God will not permit any trusting child of His to be disappointed, so far as He is concerned. Bonds reckoned as "gilt-edged," and negotiable paper as "A-1," do not rate high on the Exchange of God, nor on the Exchange of His trusting follower, as His own pledged word.

> Not a word He has spoken
> Can ever be broken.

When those earthquakes of the book of Revelation come along, well-secured first mortgages, "gilt-edged" bank stock, and "fancy" securities will not be worth the beautifully engraved paper on which they are written. But not a letter of this old Book of God will be affected; not a scrap of God's power shall be touched. There will be no shrinking in those securities. They will rate higher than ever before.

There are living illustrations of this in every part of the world. There are as striking stories in present-day life as that of the nameless widow's bottomless barrel up on the east coast of the Mediterranean (I Kings 17:8-16). In many a shutaway corner of the earth God is proving Himself unfailing to those simple and strong enough to trust Him and to walk the difficult, despised path of faith in Him.

I ran across such a story recently. And I want to tell it as simply as it came to me. Yet I do not tell it as an exception, but rather as the rule of what God is doing for His trusting and trusted ones (Gen. 22:16-18; John 2:24-25). The trailing arbutus modestly hides its beauty and its sweet fragrance under the friendly green, out of sight. The lily of the valley seeks the shaded, retired nook. The sweetest flowers are not found in the shop window. They are known only by those who seek them out in the quiet seclusion of the valley or hillside.

There is a wondrous modesty about truth. Shall I say, with awe-touched words, that there is a sweet modesty about God. He speaks to all in the unfailing sun, the noiseless moon, the life-giving rain and dew. But His best is reserved for those who come away into the inner circle. He opens His inner heart to all who will come into heart touch, but only to these (Psa. 25:14, margin; John 15:15).

This story is of a humble, quiet woman in one of the shut-away corners of the earth; of the sad spiritual need of her neighborhood; of her simple bravery in trying to do something to meet that need; of an hour of great distress when the enemy pressed hard and her soul was in sore straits; and of God's unfailing faithfulness. This is the whole point of the simple recital—God is faithful (I Cor. 10:13). His Word cannot be broken. Prayer never fails.

I think I will tell the story as it worked itself out to me, for there is to me, and ever will be, a distinct touch of awe—a touch of God's own hand—in the way in which I came to know the story personally. There is a story of guidance, guidance of an exquisite sort, as a prelude to the story itself.

It was a winter's night up in Stockholm. The evening meeting was over and a number of Christian friends were gathered about the supper table. We were talking, as we ate, of our experiences of God's goodness. One lady present was induced to tell, through interpretation, a story of the unusual experience of a friend of hers in Finland.

It was about a woman who had to pay an unjust bill for lumber used in building a little chapel. She hadn't enough money; all efforts to get more failed; legal action threatened; then during prayer the money in her little treasure-box increased in amount until there was enough to pay the claim. There are the bones of the story.

It quite startled every one who heard it. Such a thing was unheard of in modern times. And doubt was freely expressed by some of the most earnest and thoughtful ones present. The doubt was not of God's power to do such a thing, but of the accuracy of the story. The woman in her excitement must have made a mistake. Some friend was secretly helping, it was thought. Was she used to counting money? Was the box locked up so that no one else could get access to it? She was probably a good woman, but rather excitable. So question and comment ran on.

As I listened to the story, then to the comments, I thought that if it were true—and our friend who told it to us and who personally knew the woman in it, seemed quite assured herself of its being so—it should not be told until it could be thoroughly verified, but that if it could indeed be verified, it should be told and told widely. So my wife and I began to slip in a daily petition at praying time that if it were true as told, we might be led up to the little remote village—somewhere in Finland, I knew not just where—to learn the story at first hand; and that I might be privileged to speak in the little chapel.

"Step by Step"

(Proverbs 4:12: "As thou goest, step by step, the way shall open up before thee."—*Free Translation.*)

Several months went by. A request came late that winter from Finland, but I was unable to accept because of other work at the time named. Then came another urgent request for a summer appointment in Finland, which I was glad to be able to accept. But it was on the southern coast of Finland and this was a long distance—a full twelve hours' journey— from the village of the story. Still the daily prayer went up that the Father's own plan in this would work out.

A little while later, while speaking in Christiania, a letter came requesting attendance at the annual meeting of the Free Church of Finland. I had never heard the name of the place of meeting before and hadn't the remotest idea just where it was. So it was with intensest interest that we hastened down town to a tourist office to see a map and find out just where this place was.

A touch of awe was felt as we saw that it was in the far northern part of Finland and that we must pass straight through the village of the story to get there. The date of this second appointment came immediately upon the heels of the first. It began to seem very plain that we were "being taken" to the scene of the story. And that made it look as though it were indeed true and that there was a purpose of God in its being known and told. But I determined to sift it most rigidly.

Then there came a letter from the woman herself who had the experience and with whom I had corresponded in the winter, saying that she was to be a delegate at this Free Church meeting and asking me to speak at a district meeting of ministers and others appointed to meet in her village a week later. Then came a request from the summer school of Finnish University students at a place within two hours of this village I was thinking about.

Both places and dates of these gatherings fitted together as though it had been so arranged for convenience in travel. The quiet sense of awe deepened. I felt that it *had* been arranged. There was a plan of action being worked out. The feeling that I was being led on by an unseen hand grew and stilled me. I was being led to where I would meet this person, then straight into her village and into her own home, and to speak in the little chapel, which was itself the standing witness in wood and brick of the wondrous experience.

I had been praying that if that journey to Norway and Finland were indeed God's own plan, the dates and places might dovetail. And no itinerary carefully studied out for months before had ever dovetailed more beautifully than this was doing. I was enabled to attend five annual national gatherings, each of which touched the whole of Finland and each a different circle; and one less representative in attendance—all within three weeks.

I learned afterwards that our friend of the story had been praying that her unusual experience might in some way become widely known, so that God's great faithfulness might be more known and appreciated. Then when first she learned that I was coming to Finland she began praying that the doors might open very wide to me, but was careful to do nothing toward that end herself, so that God's own purpose and power might be more evident. It is seen now how fully both these prayers were answered.

Then our prayer had begun to include another very important item; namely, a good interpreter for the story. I would need one who was perfectly free in English as well as Swedish if I were to get a clear, intelligent understanding of the story. My experience in listening to broken English made me feel keenly how absolutely essential this was. Yet I knew that, humanly, it might be very difficult. For good interpreters are rare.

As it turned out it was even more difficult than I knew. For the people of this inland country district of Finland spoke and understood, for the most part, only Finnish, the language used by about seven-eighths of the Finnish people. And so the interpreter who would have done for me ordinarily would not answer the purpose now unless he could speak freely three languages—namely, Finnish and English for the meetings, and Swedish also for the story, for that was the native speech of the woman of the story.

And as it all turned out the answer could not have been better. One of my interpreters at the Free Church meeting— the Finnish interpreter—was an acquaintance of the woman of the story. She is a schoolteacher in the Finnish capital, and combines in rare degree the intellectual and spiritual qualities that must combine in good interpretation. Finnish is her native speech; she has known Swedish also from early girlhood, and she spoke English as freely as I could wish.

I heard afterwards that she is widely known as a schoolteacher, as an expert interpreter and as a very earnest Christian. I have had no one in all my experience with interpreters who combined spiritual grasp and insight and spiritual sensitiveness with the keen accurate intellectual equipment to a fuller degree. And I have been unusually blessed in the rarely-qualified interpreters whom God has graciously sent to me. This lady was on her vacation and her arrangements were such that she could come. She graciously offered to make her plans suit our need and came for whatever days I would say. I have anticipated a little in order to group together the items in the rare guidance that surrounds the story.

The Background of the Picture

It was with an unusual sense of awe and of God's gracious presence, ever increasing, that we went on to Finland and began the round of appointments there. I shall never forget those three weeks in Finland. If ever I was moving in the current of the stream of God's will, surely it was then, as constantly revealed by the quiet, irresistible power felt and seen in the meetings. I had only to think of steering—steering to keep in the current; the power was in the current.

So we came to meet our friend of the story and so we came to her village—two hours by rail inland from the Baltic coast of Finland. At last we came into her own simple home and then into the plain little wooden chapel with its wondrous story of God's faithfulness.

We had nearly two days to get acquainted with our new friend and to learn her story, before the meetings began. We found that she is the postmistress. There really is not a village —only a railroad junction, whose importance is made the greater by the extensive railroad operations being carried on here by the Russian Government.

We found a very quiet woman in middle life, whose gentle, patient face told plainly her life story of careful planning, hard work, and thinking of others. Her father had been a clergyman of the old conservative State Church in Abo, the ancient cathedral center of Finland, where her early life had been spent; her mother's father was a physician.

She has been postmistress here for more than twenty years, a position which can be held only by one passing the rigid government examination. That means more than it would in the United States or in England, for the post office in the country districts of Finland is practically the national or government bank. In the absence of banks most money changes hands by registered mail instead of by bank check. The extensive railroad operations have much increased the volume of post office business at this point—the work requiring usually three, sometimes four of five assistants.

I found that during one quarter recently the registered mail passing through her hands, whose contents were known, contained almost one million Finnish marks (a German mark is about twenty-five cents or one shilling; a Finnish mark about twenty cents, or tenpence), that is about $200,000 or £40,000. That would make the annual sum passing through her hands that year, roughly, $800,000 (£160,000); though I got the impression that that was a rather heavier quarter than usual. Besides this was registered mail whose money contents were not declared. This at once showed the great importance of her post and the responsibility with which she was entrusted by the government.

Her books were as carefully kept as any bank account books I have ever examined in my earlier banking days; not only with the painstaking accuracy, but with the neatness of a skilled accountant. This seems a sufficient answer to the comments I heard when the story was told in Stockholm. She was accustomed through the years to the careful counting of, and accounting for large funds. Painstaking accuracy in money matters had become a life habit deeply grained in.

Then a few questions brought a picture of the sore need out of which the experience had grown. Finland, of course, has a State Church—the Lutheran—which is practically the only church in the country, the Free Church movement being of comparatively recent origin and not yet legally organized as a church. The whole country is divided into parishes, many quite large. The parish here, I found, was a large one with one church building in a population of some four thousand people and in a territory eighteen English miles across. This church was about two and a half English miles away; the nearest others being four, ten, and twelve miles away. Meetings had been held in the houses and schoolhouses; many had been converted, and many others greatly blessed. But the need of a little chapel was sorely felt. Our quiet friend was the leader in all this, as well as in the building of the chapel.

The story of the building of the chapel was a most fascinating one, but I think I must come at once to the story of the money.

The Sore Need

While the building was going up, there came in a bill for lumber which had been bought and received. But the amount was larger than it should have been. With the bill came a peremptory letter demanding immediate payment and threatening legal action. The bill was for seven hundred and fifty-one Finnish marks (about $150, or £30), being twenty-seven dollars (£5,8s.) more than the right amount. The common commercial custom of the country provides for long credit. The amount was unjust, the usual time of payment was not given and legal proceedings threatened. This was a wholly unexpected and distressing complication.

She was troubled to know what to do about the unjust increase in the bill. The difference of over one hundred and thirty marks was a serious one, in view of the condition of the chapel funds and the great difficulty experienced in getting funds. She could refuse to pay and go to law, but that meant endless trouble and additional expense; and, further, she could not feel free in her heart about engaging in a lawsuit over the Lord's work. The words of Matthew 5:40 came repeatedly to mind. Finally she decided to pay the full amount if she must, but only under strong protest against the injustice. It greatly strengthened her afterwards in praying for the money that she was acting in the spirit of the Master's teaching.

The chapel funds were made up wholly of freewill offerings by the people attending the services. The people are very poor; the funds were very low. Our friend stood quite alone in the responsibility. There had been much opposition among the church people to the chapel being built. It was a time of sore stress of soul. She cried to God and there came to her a great quiet peace that seemed to brood over her. Then she commenced praying for the money. This was in May of 1908. The legal action, if taken, would give her until October.

Then followed a never-to-be-forgotten time of tireless effort, constant disappointment, unceasing prayer, sore stress of spirit and yet a strangely quiet peace—all intermingled. Every effort to get the money, either by gift or by borrowing, was entirely fruitless. There seemed only a stone wall at every turn. There were criticism, reproach and even sneers, but very little money. Her difficulty became known in the little community and was freely discussed, especially by those opposed to the chapel, who said that now it must be sold to pay this debt.

Still she prayed. In her words, "The prayer lamp burned day and night." It was a time of great searching of heart and sore strain in her spirit. The final time of payment drew near. Now something must be done. The law officer or sheriff was a friendly man, but of course must do his duty. A last effort, involving a journey to a near-by town, proved unavailing. The man she hoped to see was abroad; his wife thought she ought not to have begun building till she had the money. As she returned on the train her spirit was in deepest concern and yet there was that strange sense of peace that would not leave.

The telling of it to us brought back the experiences so vividly that she had to pause at times to get better control of herself inwardly, though outwardly she was always very quiet and controlled. And we waited with a deep and deepening sense of awe as we were allowed to look into the secret recesses of a human soul and witness a little of the intensity of its struggles.

The Story

That was a wondrous time on the train. The brooding presence of Jesus seemed so near as she quietly sat thinking, while the train noisily hurried on. Her soul was drawn out in prayer to an unusual extent. In her dire extremity she cast herself upon God. Then there came into her mind something she had thought of all during the building of the chapel. But now it seemed to have a new meaning. Her mind was turned to the time in the desert when the loaves and fishes were multiplied. Then this prayer seemed given to her, that God would touch her slender chapel funds and do as in the desert—make them sufficient for the need.

On her return home, as soon as she could get time from her work, she went to the drawer to get the little box where the chapel funds were kept. She had counted the money before that last journey and found she had just three hundred and fifty marks ($70, or £14). Now she took the box out to the sitting room. She had on hand ninety marks ($18, or £3, 12s.) of her own personal money. This she added to the Lord's money and poured all out upon the table. It was at the noon hour. The post office, which was in one part of the dwelling, was closed. She was quite alone.

She bowed in prayer over the table, spreading her hands out over the little heap of money, and prayed that God would indeed do as she believed He was leading her to ask. In simple childlike language she said, "Lord Jesus, bless *Thy* money as Thou didst bless the loaves in the wilderness. I will put my loaves, too, in Thy hands, and do Thou let them with Thine meet this need; let this money cover the amount of this bill." So she remained a little in prayer.

Then she counted one hundred marks ($20, or £4), and put it in a little heap by itself, then a second hundred, and a third, and so on, until there were seven such heaps of one hundred each, and a smaller heap of fifty-one marks. And she noticed that there was now much gold, though there had not been much gold in the box. This brought to her mind the words of Isaiah 60:17.

With a great awe filling her being, she fell upon her knees thanking the Lord Jesus; then she rose and carefully counted again. Again she placed her hands upon the money, praising Jesus whose presence seemed very real, and again she prayed that the money might remain until she could pay the law officer.

We went with her as she unlocked the drawer in which she always kept the Lord's treasure-box, and reverently handled the plain little wooden box. No one looking at the big business-like bunch of keys which she always carried in her pocket, and watching her unlocking the various drawers for papers and record books and carefully locking each again, could have any doubt about that box being locked securely where no hand but hers could get at it.

Then she saw the sheriff, or law officer, and told him that now he could come for she had the money. He couldn't believe her, knowing well her struggles, and asked where she got it. In her simple quiet way she said the Lord had sent it. Two days later he said he would call on the morrow to collect the amount of the bill.

That day, when free from the post office duties and quite alone, she took the box and spread the money out again. Now she felt an impulse to put her own ninety marks in a little heap by itself before counting the rest. She obeyed this impulse. Again she spread her hands over the money and prayed and praised; again she counted, and now an additional touch of God's power was revealed—there was the full sum of seven hundred and fifty-one marks without her own scant, hard-earned and hard-saved money.

With heart too full for words she fell upon her knees praising the Lord again and again. She understood better now what the Master was doing; she had freely given all her own reserve, but He would make the funds enough without her own slender store. Again she prayed that the money might remain until the collector came.

The next day he came. She had him sit at the opposite side of the table while she told him her story. He was much moved. Then she did as before, poured the money out of the box, quietly prayed and praised over it, then counted it out to the man. Now some few silver coins were left over after the bill was paid, though she had put her own money aside. She had often prayed that the Lord's little treasury box might never be quite empty and that prayer was now being remembered. The collector was greatly moved and drew five marks from his pocket, saying, "I want to put a little to this wonderful money."

So the money was paid and the legal receipt duly made out. Then our friend wrote a note to be sent with the money to the lumber dealer. It said that the amount of the bill was unjust as he knew and was now being paid under strong protest, but in accordance with the spirit of love in the words of the Saviour in Matthew 5:40. So the bit of witnessing went with the gold.

That is the story. She had three hundred and fifty Finnish marks in a little box under lock ($70, or £14). To this she added ninety marks of her own, making four hundred and forty marks in all. This sum increased to seven hundred and fifty-one marks, an increase of three-hundred and eleven marks (slightly over $62, or £12.8s.) Then a second time it increased to seven hundred and fifty-one marks, without her own ninety marks, a total increase of four hundred and one marks (slightly over $80, £16), then it still further increased a slight sum, which remained in the box after this bill was paid.

This increase came through prayer alone, without human means being used, though the utmost effort had been made to get human help. The prayer was offered only because she felt moved to do so. The increase came only after five months of tireless yet wearying effort, continual prayer, sore strain of spirit, very much suffering of mind and spirit, and after real sacrifice that cut deep down into her own life. And that sacrifice was, as I incidentally learned, only a part of the sacrifice she had been yielding to in her own home and life, at every step, since the building of the chapel had commenced.

This was the same sort of thing that took place daily for many months with the widow of Zarephath (I Kings 17:8-16). It is identically the same as occurred with that prophet's widow, whose two sons were about to be sold into slavery to pay her debt (II Kings 4:1-7), and again, with the multiplying of the loaves to feed the hungry in a time of sore famine (II Kings 4:42-44). It is not different in kind, only in degree, from the feeding of the great multitudes twice, by our Lord, with a few loaves and fishes, and enough pieces left over and carefully gathered to feed still other hungry souls (Matt. 14:15-21; 15:32-39, with parallels). It belongs in the same group with the two great catches of fish in the gospels, where the Master's presence increased the supplies required for the need (Luke 5:1-11; John 21:1-14).

I must confess that we had rather a wet time—the interpreter, my wife and I—as we sat with our friend, listening to her story, looking at her neatly-kept diary of those wondrous days, watching reverently as she lived over again the stress and then the joy of those days; pausing with her as the sudden flush of feeling was quietly gotten under control, then listening again, and questioning, and in our hearts trying to praise such a faithful Saviour, and Friend, and Master.

What It Means

The teaching of this simple, startling story is very plain. And most earnestly do I ask that no editorial shears shall ever part this paragraph and what follows from the story itself. The teaching is *not* that we are to ask God to multiply our money in this way. Or, even that we *may* do so. If ever again He leads some trusting child of His to do something of this same sort, that one will recognize His leading without needing to depend on such an incident as this and will recognize it better yet as the results come. This same thing may not occur again in a generation or in many generations. I have never before heard of such a case, though for years I have kept a sharp lookout for striking actual experiences of God's dealings. This came in a sore emergency; it was an emergency transaction.

The simple teaching of the experience for us is this: God never fails anyone who depends upon Him; He never disappoints; His Word never fails. True prayer, guided by the Holy Spirit, bathed in the spirit of sacrifice, never fails and cannot. Should an emergency arise where men have wholly refused to let Him use them in sending help, and everything else fails, He will do an act of creation before He will let His Word fail, or let any trusting child of His be disappointed in his dependence upon Him. God Himself is the only One who knows when such an emergency arises. *His Spirit guides the prayer.* This is the one touchstone of all true prayer.

Some might think, without thinking much, that here is an easy way out of money difficulties, if we can go to God and have our money increased in this way. Yet such a thing may not occur even in sore need. For notice, this little chapel is not yet wholly paid for. This is one of the burdens of service which our Finnish friend, at her country post office up yonder, is carrying just now and constantly praying over. There yet remains over eight hundred dollars (£160) unpaid. (The title to the property is vested in a holding board of trustees which has been formed to hold title to all Free Church property in Finland, so best meeting the legal situation.) That is a large sum to these people to whom the chapel has become a spiritual home; much more than it sounds to American or British ears. They are poor country folk. The money being given constantly comes out of hard-earned, carefully counted, and frugally eked-out funds. Our friend has no thought of praying that this debt shall be met in like manner. That prayer has not been put into her heart. Where it is all to come from she often wonders, as she prays and plans and nurses the funds, and prays some more.

The School of Prayer

There is a further bit of a living sermon here. It is this: True prayer is put into our hearts by the Holy Spirit. The yearnings of our hearts after God, for loved ones, for special needs, are simply echoed yearnings. They are in God's heart. They are there first and most. They are simply echoed in our hearts from His. His great yearning is that we shall be in such simple touch with Himself that He can echo His own heart's longings in our hearts.

In our quiet broodingtime, alone. with Him over His inspired Word, day after day, He draws near to us. He trains our judgment; He schools our understanding; He disciplines our inner spirit; He opens the ears of our hearts (Eph. 1:18); He teaches us what to pray for and how to pray, and—even more—how to pray persistently.

There was a special session of five months in that schoolroom of prayer before He put into our Finnish friend's heart the prayer which from the first He planned that she should offer. She wasn't ready to offer it till it was put into her heart. If she had offered it sooner of her own accord, it would have brought nothing. True prayer is not a matter of logical conclusion mentally arrived at from examining some promise of God's Word. It is far deeper than that, while still very simple. True prayer is hammered into shape upon the anvil of the knees, while the fire burns hot and every strike of the hammer is keenly felt.

It is difficult to tell the sense of awe mingled with intense interest with which we went down the very dusty country road to look at the little chapel. It was a very unpretending structure, thoroughly built and practically arranged. There was a smaller room opening out of the larger, with a little combination kitchen and sleeping room at one side. Upstairs was the "prophet's chamber," combining sleeping and study room for the preachers when they were so blessed as to have some one come.

But Sunday is a busy day regardless of the presence of a "proper preacher." At ten is a Sunday School in Finnish, at noon a preaching service which our friend takes when no one else can be gotten, at four a Swedish Sunday School. The caretaker is a woman of practical versatility, keeping the place in order, opening it for services, sleeping in the combination kitchen, and being a converted woman, teaching the Finnish Sunday School. About two hundred can be crowded in when all available space is thrown together.

But there were many more than that during the few days of meetings. The inner space was crowded almost to discomfort, speaker and interpreter having no extra elbow space on the platform. And each window brought to view a group of eager listeners standing without. Was it any wonder that in such a building the Spirit of God moved so mightily, though gently, upon human hearts! It seemed as though the heavens opened and the upper gales blew softly down and swept over the people. Heart doors that had been tight shut opened up at that touch and some only partly open swung wide.

As we walked over the little chapel with our quiet friend, questioning, listening, thinking, it became clear and then clearer that this story we had come for was only one chapter in a story. It was a sort of climax chapter; those going before were of the same sort, all leading up to this climax. It was a long story running through a number of years—a story of longing, of struggle, of steady, patient fighting against difficulties of every imaginable sort, of most stubborn resistance to all her plannings, as though some unseen spirit force were pitted against her, of persistence in effort and prayer always *just a bit more* persistent than the resistance, and of an unfailing, unseen Friend by her side. Here seemed to be one secret of the final victory. This was the decisive factor. It was persistence that had won and won only because it was more persistent and would still hold on just a bit longer.

The Master's Word in that prayer-parable of Luke 18 (Luke 18:1-8) came to mind, "always to pray, and not to faint." The chief thing in the conflict of life and of service is prayer. The chief temptation in such fighting and prayer is to tire out and give up. It seems as though some invisible power were trying to wear us out, to exhaust our bodily strength and so our persistence. The chief factor in prayer, on the human side, is persistence—a gentle, cheery, undiscourageable persistence, but without the common element of stubbornness.

That word "stubborn" really stands for a sort of blind animal doggedness, from which the elements of intelligence and reasonableness are absent (Psa. 32:9). There is a strength that is strong enough to hold on, but not strong enough to do it graciously and to yield on nonessentials. The persistence that the Holy Spirit gives and strengthens, sees, feels, listens, shifts the position slightly here and there to meet the opposition more intelligently, but never yields on the main issue. Yet there is a quietness, a cheeriness, a gentleness of spirit, a sweet reasonableness wholly absent from persistence of the stubborn sort. This has enormous influence in breaking down the opposition. Only the Holy Spirit can give such persistence. And He can give it only to him who goes to school daily, steadily, and tries faithfully to learn his lessons. That is what the Master means by "not to faint." This cheery undiscourageable persistence (Luke 11:8-9) is one of the great traits of the prayer that changes things; the other is definiteness (Matt. 18:19; Mark 11:24).

Merely a Climax

Our friend's experience brought this all up to mind afresh. In the beginning it seemed wholly impossible to get a lot on which to build. Slowly, bit by bit, things changed. The foreign owner of the land wanted came unexpectedly on a visit to his property. The direct appeal was favorably received at last. In the change of ownership of a large tract a free grant was made for the chapel, then a bit of cunning, underhanded redtape threatened to affect the clear title. Finally the bit of land was secured with a clear title in perpetuity. But it was fighting and keen work, one ditch after another, every step of the long, slow way; persistent opposition, yet more persistent hanging on, with the wondrous unseen Friend never failing in suggestion and in strength.

Then when building could be begun, it seemed impossible to get lumber. None was to be gotten anywhere. The season's supply was all bought up. But the faithful inner Friend kept her hopefully hoping in the midst of most hopeless circumstances (Rom. 4:17-21). Then an unexpected raft of logs came floating down the river. So, step by step she plodded on. Prices were lowered; unconverted men offered their labor; the best builder was secured; difficulties rose and were downed. It was one long story of opposition, reproach, criticism, prayer and the unfailing faithfulness of God. The bit that came at the end was simply a climax. It fitted perfectly as a capstone to the whole structure of faith going up with the going up of the chapel. That capstone was brought forth with glad shoutings of praise to our wondrous faithful God (Zech. 4:6-10).

And to the praise of His grace it is put down here that men may trust Him more, and more simply.

REV. B. H. CARROLL,
LL.D.

Dr. Carroll came out of the Civil War as a wounded Confederate veteran, an infidel. Here is the moving story of his conversion to Christ, and it should show the way to every honest infidel who wants to know the truth about Christ. The language is classic, the message tremendous. Dr. Carroll was later pastor of the First Baptist Church, Waco, Texas, and teacher of Bible in Baylor University there. Then he founded Southwestern Baptist Theological Seminary, at Fort Worth, Texas, one of the largest orthodox seminaries in America. He was the most influential theologian among Southern Baptists. Although he died some fifty years ago, his influence is still tremendous in the South.

VII

MY INFIDELITY AND WHAT BECAME OF IT

By Dr. B. H. Carroll

I cannot remember when I began to be an infidel. Certainly at a very early age—even before I knew what infidelity meant. There was nothing in my home life to beget or suggest it. My father was a self-educated Baptist minister, preaching—mainly without compensation—to village or country churches. My mother was a devoted Christian of deep and humble piety. There were no infidel books in our home library, nor in any other accessible to me. My teachers were Christians—generally preachers. There were no infidels of my acquaintance, and no public sentiment in favor of them. My infidelity was never from without, but always from within. I had no precept and no example. When, later in life, I read infidel books, they did not make me an infidel, but because I was an infidel, I sought, bought and read them. Even when I read them I was not impressed by new suggestions, but only when occasionally they gave clearer expression of what I had already vaguely felt. No one of them or all of them sounded the depths of my own infidelity or gave an adequate expression of it. They all fell short of the distance in doubt over which my own troubled soul had passed.

From unremembered time this skepticism progressed, though the progress was not steady and regular. Sometimes in one hour, as by far-shining flashes of inspiration, there would be more progress in extent and definiteness than in previous months. Moreover, these short periods of huge advances were without preceding intentions or perceptible preparations. They were always sudden and startling. Place and circumstances had but little to do with them. The doubt was seldom germane to the topic under consideration. It always leaped far away to a distant and seemingly disconnected theme, in a way unexplained by the law of the association of ideas. At times I was in the Sunday School or hearing a sermon or bowed with others in family prayer—more frequently when I waked at night after healthful sleep, and still more frequently when rambling alone in the fields or in the woods. To be awake in the stillness of night while others slept, or to be alone in forest depths, or on boundless prairies, or on mountain heights has always possessed for me a weird fascination. Even to this day there are times when houses and people are unbearable. Frequently have I been intoxicated with thoughts of the immensity of space and the infinity of nature. Now these were the very times when skepticism made such enormous progress. "When I consider thy heavens, the work of thy fingers, the moon and the stars, which thou hast ordained; What is man, that thou art mindful of him? and the son of man, that thou visitest him?"

Thus before I knew what infidelity was, I was an infidel. My child-mind was fascinated by strange and sometimes horrible questionings concerning many religious subjects. Long before I had read the experiences of others, I had been borne far beyond sight of any shore, wading and swimming beyond my depth after solutions to such questions as the "philosopher's stone," the "elixir of life," and "the fountain of youth," but mainly the "chief good."

I understand now much better than then the character and direction of the questionings of that early period. By a careful retrospect and analysis of such of them as memory preserves, I now know that I never doubted the being, personality and government of God. I was never an atheist or pantheist. I never doubted the existence and ministry of angels—pure spirits never embodied: I could never have been a Sadducee. I never doubted the essential distinction between spirit and matter: I could never have been a materialist.

And as to the origin of things, the philosophy of Democritus, developed by Epicurus, more developed by Lucretius, and gone to seed in the unverified hypothesis of modern evolutionists—such a godless, materialistic anticlimax of philosophy never had the slightest attraction or temptation for me. The intuitions of humanity preserved me from any ambition to be descended from either beast or protoplasm. The serious reception of such a speculative philosophy was not merely a mental, but mainly a moral impossibility. I never doubted the immortality of the soul and conscious future existence. This conviction antedated any reading of "Plato, thou reasonest well." I never doubted the final just judgment of the Creator of the world.

But my infidelity related to the Bible and its manifest doctrines. I doubted that it was God's book; that it was an inspired revelation of His will to man. I doubted miracles. I doubted the divinity of Jesus of Nazareth. But more than all, I doubted His vicarious expiation for the sins of men. I doubted any real power and vitality in the Christian religion. I never doubted that the Scriptures claimed inspiration, nor that they taught unequivocally the divinity and vicarious expiation of Jesus. If the Bible does not teach these, it teaches nothing. The trifling expedient of accepting the Bible as "inspired in spots" never occurred to me. To accept, with Renan, its natural parts and arbitrarily deny its supernatural, or to accept with some the book as from God, and then strike at its heart by a false interpretation that denied the divinity and vicarious expiation of Jesus—these were follies of which I was never guilty—follies for which even now I have never seen or heard a respectable excuse. To me it was always "Aut Caesar, aut nihil." What anybody wanted, in a religious way, with the shell after the kernel was gone I never could understand.

While the beginnings of my infidelity cannot be recalled, by memory I can give the date when it took tangible shape. I do know just when it emerged from chaos and outlined itself in my consciousness with startling distinctness. An event called it out of the mists and shadows into conscious reality. It happened on this wise:

There was a protracted meeting in our vicinty. A great and mysterious influence swept over the community. There was much excitement. Many people, old and young, joined the church and were baptized. Doubtless in the beginning of the meeting the conversions were what I would now call genuine. Afterward many merely went with the tide. They went because others were going. Two things surprised me. First, that I did not share the interest or excitement. To me it was only a curious spectacle. The second was that so many people wanted me to join the church. I had manifested no special interest except once or twice mechanically and experimentally. I had no conviction for sin. I had not felt lost and did not feel saved. First one and then another catechized me, and that categorically. Thus: "Don't you believe the Bible?" "Yes." "Don't you believe in Jesus Christ?" "Y-e-s." "Well, doesn't the Bible say that whosoever believes in Jesus Christ is saved?" "Yes." Now, mark three things: First, this catechizing was by zealous church members before I presented myself for membership. Second, the answers were historical, Sunday School answers, as from a textbook. Third, I was only thirteen years old. These answers were reported to the preachers somewhat after this fashion: "Here is a lad who believes the Bible, believes in Jesus Christ and believes that he is saved. Ought not such a one join the church?" Now came the pressure of well-meant but unwise persuasion. I will not describe it. The whole thing would have been exposed if, when I presented myself for membership, I had been asked to tell my own story without prompting or leading questions. I did not have any to tell and would have told none. But many had joined, the hour was late and a few direct questions elicited the same historical, stereotyped answers. Thus the die was cast.

Until after my baptism everything seemed unreal, but walking home from the baptism the revelation came. The vague infidelity of all the past took positive shape, and would not down at my bidding. Truth was naked before me. My answers had been educational. I did not believe that the Bible was

God's revelation. I did not believe its miracles and doctrines. I did not believe, in any true sense, in the divinity or vicarious sufferings of Jesus. I had no confidence in professed conversion and regeneration. I had not felt lost, nor did I feel saved. There was no perceptible, radical change in my disposition or affections. What I once loved, I still loved; what I once hated, I still hated. It was no temporary depression of spirit following a previous exaltation, such as I now believe sometimes comes to genuine Christians. This I knew. Joining the church, with its assumption of obligations, was a touchstone. It acted on me like the touch of Ithuriel's spear. I saw my real self. I knew that either I had no religion or it was not worth having. This certainty as to my state had no intermittance. The sensation of actual and positive infidelity was so new to me that I hardly knew what to say about it. I felt a repugnance to parade it. I wanted time and trial for its verification. I knew that its avowal would pain and horrify my family and church, yet honesty required me to say something. And so I merely asked that the church withdraw from me on the ground that I was not converted. This was not granted because the brethren thought I mistook temporary mental depression for lack of conversion. They asked me to wait and give it a trial; to read the Bible and pray. I could not make them understand, but from that time on I read the Bible as never before—read it all; read it many times; studied it in the light of my infidelity; marked its contradictions and fallacies, as they seemed to me, from Genesis to Revelation.

Two years passed away. In this interval we moved to Texas. In a meeting in Texas, when I was fifteen years old, I was persuaded to retain membership for a further examination. Now came the period of reading Christian apologies and infidel books. What a multitude of them of both kinds! Hume, Paine, Volney, Bolingbroke, Rousseau, Voltaire, Taylor, Gibbon, and others, over against Watson, Nelson, Horn, Calvin, Walker, and a host of others. In the meantime I was at college devouring the Greek, Roman and Oriental philosophies. At seventeen, being worn out in body and mind, I joined Mc-

Cullough's Texas Rangers, the first regiment mustered into the Confederate service, and on the remote, uninhabited frontier pursued the investigation with unabated ardor.

But now came another event. I shall not name it. It came from no sin on my part, but it blasted every hope and left me in Egyptian darkness. The battle of life was lost. In seeking the field of war, I sought death. By peremptory demand I had my church connection dissolved and turned utterly away from every semblance of Bible belief. In the hour of my darkness, I turned unreservedly to infidelity. This time I brought it a broken heart and a disappointed life, asking for light and peace and rest. It was now no curious speculation; no tentative intellectual examination. It was a stricken soul, tenderly and anxiously and earnestly seeking light.

As I was in the first Confederate regiment, so I was in the last corps that surrendered; but while armies grappled and throttled each other, a darker and deadlier warfare raged within me. I do know this: My quest for the truth was sincere and unintermittent. Happy people whose lives are not blasted may affect infidelity, may appeal to its oracles from a curious, speculative interest, and may minister to their intellectual pride by seeming to be odd. It was not so with me. With all the earnestness of a soul between which and happiness the bridges were burned, I brought a broken and bleeding, but honest heart to every reputed oracle of infidelity. I did not ask life or fame or pleasure. I merely asked light to shine on the path of right. Once more I viewed the anti-Christian philosophies, no longer to admire them in what they destroyed, but to inquire what they built up, what they offered to a hungry heart and a blasted life. There now came to me a revelation as awful as when Mokanna, in Moore's "Lalla Rookh," lifted his veil for Zelica.

Why had I never seen it before? How could I have been blind to it? These philosophies, one and all, were mere negations. They were destructive, but not constructive. They overturned and overturned and overturned; but, as my soul liveth, they built up nothing under the whole heaven in the place of what they destroyed. I say nothing; I mean nothing. To the unstricken, curious soul, they are as beautiful as the aurora borealis, shining on arctic icebergs. But to me they warned nothing and melted nothing. No flowers bloomed and no fruit ripened under their cheerless beams. They looked down on my bleeding heart as the cold, distant, pitiless stars have ever looked down on all human suffering. Whoever, in his hour of real need, makes abstract philosophy his pillow, makes cold, hard granite his pillow. Whoever looks trustingly into any of its false faces, looks into the face of a Medusa and is turned to stone. They are all wells without water and clouds without rain.

I have witnessed a drouth in Texas. The earth was iron and the heavens brass. Dust clouded the thoroughfares and choked the travelers. Watercourses ran dry, grass scorched and crackled, corn leaves twisted and wilted, stock died around the last water holes, the ground cracked in fissures, and the song of birds died out in parched throats. Men despaired. The whole earth prayed: "Rain, rain, rain! O Heaven, send rain!" Suddenly a cloud rises above the horizon and floats into vision like an angel of hope. It spreads a cool shade over the burning and glowing earth. Expectation gives life to desire. The lowing herds look up. The shriveled flowers open their tiny cups. The corn leaves untwist and rustle with gladness. And just when all trusting, suffering life opens her confiding heart to the promise of relief, the cloud, the cheating cloud, like a heartless coquette, gathers her drapery about her and floats scornfully away, leaving the angry sun free to dart his fires of death into the open heart of all suffering life. Such a cloud without rain is any form of infidelity to the soul in its hour of need.

Who then can conjure by the name of Voltaire? Of what avail in that hour is Epicurus or Zeno, Huxley or Darwin? Here now was my case: I had turned my back on Christianity, and had found nothing in infidelity; happiness was gone and death would not come.

The Civil War had left me a wounded cripple on crutches, utterly poverty-stricken and loaded with debt. The internal war of infidelity, after making me roll hopelessly the ever-falling stone of Sisyphus, vainly climb the revolving wheel of Ixion and stoop like Tantalus to drink waters that ever receded, or reach out for fruit that could not be grasped, now left me bound like Prometheus on the cold rock, while vultures tore with beak and talons a life that could suffer, but could not die.

At this time, two books of the Bible took hold of me with unearthly power. I had not a thought of their inspiration, but I knew from my experience that they were neither fiction nor allegory—the Book of Job and the Book of Ecclesiastes. Some soul had walked those paths. They were histories, not dreams and not mere poems. Like Job, I believed in God; and like him had cried: "Oh, that I knew where I might find him! that I might come even to his seat! . . . Behold, I go forward, but he is not there; and backward, but I can perceive him: on the left hand, where he doth work, but I cannot behold him: he hideth himself on the right hand, that I cannot see him: But he knoweth the way that I take." Like Job, I could not find answers in nature to the heart's sorest need and the most important questions; and, like Job, regarding God as my adversary, I had cried out for a revelation: "Oh that one would hear me! behold, my desire is, that the Almighty would answer me, and that mine adversary had written a book. Surely I would take it upon my shoulder, and bind it as a crown to me." Like Job, I felt the need of a mediator, who as a man could enter into my case, and as divine could enter into God's case; and, like Job, I had complained: "He is not a man, as I am, that I should answer him, and we should come together in judgment. Neither is there any daysman betwixt us, that might lay his hand upon us both." And thus I approached my twenty-second year.

I had sworn never to put my foot in another church. My father had died believing me lost. My mother—when does a mother give up a child?—came to me one day and begged, for her sake, that I would attend one more meeting. It was a Methodist camp meeting, held in the fall of 1865. I had not an atom of interest in it. I liked the singing, but the preaching did not touch me.

But one day I shall never forget. It was Sunday at eleven o'clock. The great, wooden shed was crowded. I stood on the outskirts, leaning on my crutches, wearily and somewhat scornfully enduring. The preacher made a failure even for him. There was nothing in his sermon. But when he came down, as I supposed to exhort as usual, he startled me not only by not exhorting, but by asking some questions that seemed meant for me. He said: "You that stand aloof from Christianity and scorn us simple folks, what have you got? Answer honestly before God, have you found anything worth having where you are?" My heart answered in a moment: "Nothing under the whole heaven; absolutely nothing." As if he had heard my unspoken answer, he continued: "Is there anything else out there worth trying, that has any promise in it?" Again my heart answered: "Nothing; absolutely nothing. I have been to the jumping-off place on all these roads. They all lead to a bottomless abyss." "Well, then," he continued, "admitting there's nothing there, if there be a God, mustn't there be a something somewhere? If so, how do you know it is not here? Are you willing to test it? Have you the fairness and courage to try it? I don't ask you to read any book, nor study any evidences, nor make any difficult and tedious pilgrimages; that way is too long and time is too short. Are you willing to try it now; to make a practical, experimental test, you to be the judge of the result?" These cool, calm and pertinent questions hit me with tremendous force, but I didn't understand the test. He continued: "I base my test on these two Scriptures: 'If any man willeth to do his will, he shall know of the doctrine, whether it be of God;' 'Then shall we know, if we follow on to know the Lord.'" For the first time I understood the import of these Scriptures. I had never before heard of such a translation for the first, and had never examined the original text. In our version it says: "If any man will do his will, he shall know of the doctrine, whether it be of God." But the preacher quoted it: "Whosoever willeth to do the will of God," showing that the knowledge as to whether the doctrine was of God depended not upon external action and not upon exact conformity with God's will, but upon the internal disposition— "whosoever willeth [or wishes] to do God's will." The old translation seemed to make knowledge impossible; the new, practicable. In the second Scripture was also new light: "Then shall we know, if we follow on to know the Lord," which means that true knowledge follows persistence in the prosecution of it; that is, it comes not to temporary and spasmodic investigation.

So, when he invited all who were willing to make an immediate experimental test to come forward and give him their hands, I immediately went forward. I was not prepared for the stir which this action created. My infidelity and my hostile attitude toward Christianity were so well known in the community that such action on my part developed quite a sensation. Some even began to shout. Whereupon, to prevent any misconception, I arose and stated that I was not converted, that perhaps they misunderstood what was meant by my coming forward; that my heart was as cold as ice; my action meant no more than that I was willing to make an experimental test of the truth and power of the Christian religion, and that I was willing to persist in subjection to the test until a true solution could be found. This quieted matters.

The meeting closed without any change upon my part. The last sermon had been preached, the benediction pronounced and the congregation was dispersing. A few ladies only remained, seated near the pulpit and engaged in singing. Feeling that the experiment was ended and the solution not found, I remained to hear them sing. As their last song they sang:

> O land of rest, for thee I sigh,
> When will the moment come
> When I shall lay my armor by
> And dwell in peace at home.

The singing made a wonderful impression upon me. Its tones were as soft as the rustling of angels' wings. Suddenly there flashed upon my mind, like a light from Heaven, this Scripture: "Come unto me, all ye that labour and are heavy laden, and I will give you rest." I did not see Jesus with my eye, but I seemed to see Him standing before me, looking reproachfully and tenderly and pleadingly, seeming to rebuke me for having gone to all other sources for rest but the right one, and now inviting me to come to Him. In a moment I went, once and forever, casting myself unreservedly and for all time at Christ's feet, and in a moment the rest came, indescribable and unspeakable, and it has remained from that day until now.

I gave no public expression of the change which had passed over me, but spent the night in the enjoyment of it and wondering if it would be with me when morning came. When the morning came, it was still with me, brighter than the sunlight and sweeter than the songs of birds, and now, for the first time, I understood the Scripture which I had often heard my mother repeat: "Ye shall go out with joy, and be led forth with peace: the mountains and the hills shall break forth before you into singing, and all the trees of the field shall clap their hands" (Isa. 55:12).

When I reached home, I said nothing about the experience through which I had passed, hiding the righteousness of God in my own heart; but it could not be hidden. As I was walking across the floor on my crutches, an orphan boy whom my mother had raised noticed and called attention to the fact that I was both whistling and crying. I knew that my mother heard him, and to avoid observation I went at once to my room, lay down on the bed and covered my face with my hands. I heard her coming. She pulled my hands away from my face and gazed long and steadfastly upon me without a word. A light came over her face that made it seem to me as the shining on the face of Stephen; and then, with trembling lips, she said: "My son, you have found the Lord." Her happiness was indescribable. I don't think she slept that night. She seemed to fear that with sleep she might dream and wake to find that the glorious fact was but a vision of the night. I spent the night at her bedside reading Bunyan's *Pilgrim's Progress*. I read it all that night, and when I came with the pilgrims to the Beulah Land, from which Doubting Castle could be seen no more forever, and which was within sight of the heavenly City and within the sound of the heavenly music, my soul was filled with such a rapture and such an ecstasy of joy as I had never before experienced. I knew then as well as I know now, that I would preach; that it would be my life work; that I would have no other work.

REV. SAMUEL N. MORRIS, D.D.

Dr. Morris is Texas born, has A. B. degree from Hardin-Simmons University. He also has M. A. degree from Brown University. He has a Texas drawl, is master of pungent phrases and is a great Bible preacher. His father was a drunkard, and God led Dr. Morris to enter a crusade against booze. He was known as "The Voice of Temperance" because of nationwide radio broadcasts against booze, and wets classed him with William Jennings Bryan as a dry orator, and said he was the greatest enemy of alcoholic liquor in this generation. Best of all, thousands have been led to Christ by his gospel preaching, while many others have turned from drunkenness to sobriety and from ruined lives to happiness. His *My Mother's Bible* is a real gem of Christian literature.

VIII

MOTHER'S BIBLE or ANCHORS OF HOPE

By Sam Morris

Its Permanence

The Bible—the miraculous Bible—the Book of all books—luminous with the light that dwelleth not on land or sea—what is it—whence cometh it—what means it?

It has made and unmade nations. It has uprooted kingdoms and empires. It has diverted the mighty tides of history. It has crumpled ancient faiths and superstitions. Because of it fell pagan Rome. The antique systems of India and the Far East have bowed their heads to its enlightened sway.

China and the Orient now first awaken from their sleep of thrice a thousand years, and follow their sister nations of the Occident—whose feet are guided by one sole lamp—the sacred flame of which was kindled by the inspired Hebrew prophets, and fed for all time by the Lord and Master of the Golden Rule.

Only ignorance scoffs at the Bible! The greatest rulers—the greatest statesmen—the greatest scholars—writers—orators—scientists—soldiers—and the untold millions of the common people, whose collective genius outweighs them all—have thrilled to its Divine Wisdom.

Its lyrics of unfathomable tenderness—its orations of compelling potency—its contemplative prose of preternatural grandeur—have never been equaled. Its emotional depths and its intellectual heights make it, in the one and only Book of books, vouchsafed for the guidance of mankind through the ages.

The Bible is composed of sixty-six books. It was originally written in several different languages, in different countries, over a period of about sixteen hundred years, by about forty different authors. These men varied in their circumstances and positions of life. David and Solomon were kings; Daniel and Nehemiah were statesmen; Isaiah, Ezekiel, Jeremiah and Zechariah were prophets; Ezra was a priest; Amos a herdsman; Moses was learned in all the wisdom of Egypt and was mighty in words and deeds; Paul, a converted Pharisee, was well-grounded in Jewish law; James, Peter and John were "unlearned" and ignorant fishermen; Matthew was a tax collector; Luke was a physician.

Many of these men never saw each other and as they wrote they did not know what the other had written. They represented different ages, different conditions, different classes and different complications of society. Kings, prophets, priests, statesmen, lawyers, doctors, merchants, herdsmen, toilers, tillers of the soil and fishermen; they came forth from palace or temple or office or field or lake, and, moved by the Holy Ghost, wrote the books in the Bible. Later generations gathered these books together and we have them bound in one book—the Bible.

The Bible itself tells us that it is living "and powerful, and sharper than any twoedged sword"; that it is a revealer or "discerner of the thoughts and intents of the heart." It is the "sword of the Spirit." It is a "lamp unto my feet, and a light unto my path." It is true from the beginning. It is settled in Heaven; it will stand forever.

Jesus declared: "Heaven and earth shall pass away, but my words shall not pass away" (Matt. 24:35).

Peter wrote: "All flesh is as grass, and all the glory of man as the flower of grass. The grass withereth, and the flower thereof falleth away: But the word of the Lord endureth for ever" (I Peter 1:24-25).

Those statements were written nearly two thousand years ago. It was no idle boast. Nearly two millenniums have come and gone. Centuries have followed centuries. Empires have risen and fallen and are forgotten. Dynasties have succeeded dynasties. Kings have been crowned and uncrowned. Civilizations have changed, rechanged and perished. But the Word of God still stands.

"Speech may change and customs may change and men may change, but God's truth, never!"

Emperors have decreed the Bible's extermination. Atheists have railed at it. Agnostics have smiled cynically upon it. Profane and prayerless lips have pouted at it. Higher critics have carped at its claims of inspiration. Modernists have moved Heaven and earth to disprove its miracles. Materialists have ignored its spiritual claims. Radicals have ranted and raved over it. Scoffers have scorned its promises. Freethinkers have derided it. Devotees of folly have denounced it. Infidels have predicted its abandonment. "The whiskey vendor and the slave driver and the money grabber have all in turn sought by garbled passages and isolated sentences to justify their rascality by the Word of God."

Dr. R. G. Lee has well said, "All its enemies have not torn one hole in its holy vesture nor stolen one flower from its wonderful garden nor diluted one drop of honey from its abundant hive nor broken one string on its thousand-stringed harp nor drowned one sweet word in infidel ink nor made dim one ray of its perpetual light nor stayed its triumphant progress by so much as one brief hour."

Men may spurn the Bible, they may burn it; they may abuse it, they may misuse it; they may seek to disprove it with their lexicons, their mathematics, their philosophies, their theories, their chemical formulas, by their spades and their prehistoric bones, but when they have said their final word, they will lie down in death like those who have gone on before them and some preacher of the simple gospel of Christ will be called upon to stand over their casket and read from its sacred pages, and while their bodies are crumbling back to the dust from whence they came, my mother's Bible will continue on its Heaven-gladdening, life-purifying, sin-smiting, and soul-saving way.

We again take the liberty to quote from Dr. Lee and say that the Bible is today a "Book which is above and beyond all other books as a river is beyond a rill in reach, as the sun is beyond a tallow tip in brightness, as a tree is beyond a twig in fruit bearing, as the wings of an eagle are beyond the wings of a sparrow in strength, as Niagara is beyond a mud puddle in power and glory."

All that Homer had to say has been told in twenty modern languages.

All that Shakespeare wrote has been translated into forty languages.

All that Tolstoy declared to the world has found expression in sixty languages.

Bunyan's *Pilgrim's Progress* talks today through 118 different languages.

But the Bible in whole or in part is today translated into 886 different languages and dialects.

It has weathered all the storms of hate.

It has withstood all the thunderbolts of wrath.

It has triumphed over the edicts of tyranny.

It has endured all the anathemas of infidelity.

It has conquered all the gnawing teeth of time.

It has out-lived, out-lifted, out-looked, out-loved, out-reached, out-ranked, and out-blessed all other books.

When childhood needs a standard of truth, when youth calls for a beacon of light, when sorrow cries for consolation, when weakness needs sustaining grace, when age needs a staff, when the weary seek refuge and rest, when hungry hearts call for living bread, when the thirsty pilgrim needs refreshing inspiration, when the drifting soul needs an anchor, when the sinful need salvation, my mother's Bible is the Book to which they may all turn and find their supply.

It has been the pillow upon which the trust of millions of God's saints and heroes have rested as they were passing over Jordan's swollen stream. Martyrs have held it to their bosoms while they waited the creeping flames, or the twisting thumbscrews, the agony of the stocks, or the stealthy step of wild beasts which were to tear them to pieces at the command of pagan monarchs.

Rev. T. DeWitt Talmage fittingly expressed our adoration for it when he declared:

"This book is the hive of all sweetness, the armory of all well-tempered weapons, the tower containing the crown jewels of the universe, the lamp that kindles all other lights, the home of all majesties and splendors, the steppingstone upon which Heaven stoops to kiss the earth with its glories, the marriage ring that unites the celestial and the terrestrial, while all the clustering white-robed multitudes of the sky stand around to rejoice at the nuptials. This Book is the wreath into which are twisted all garlands, the song into which has been struck all harmonies, the river of delight into which hath flooded all the great tides of hallelujahs, the measureless firmament into which all suns and moons and stars and constellations and galaxies and immensities and universes and eternities wheel and blaze and triumph."

Dr. David James Burrell, who had such a notable ministry as pastor of the Collegiate Reformed Church at Fifth Avenue and Twenty-Ninth Street in New York and was the author of so many fine volumes of sermons, tells us in one of them this experience. He writes:

"One of the earliest memories of my boyhood is of a dear father whose faith was for many years reposed in Paine's *Age of Reason*. One winter's day as I stood beside my mother's knee, he entered the room with that book in hand, and throwing it into the fire, said simply, 'Wife, there's an end of it.' That night he took down the old family Bible and gathered his sons and daughters about him in prayer. His last years were spent in simple faith in the veracity of God's Word. On my leaving home to attend school his last injunction was, 'Be true to the Good Book.' Long afterward, when I was summoned by telegraph to come and pray with him in his last illness, on entering the room, I said: 'Father, it's too bad that an old man should suffer so at the last.' He answered, 'My son, bring the Book'; and I brought it, and by his direction read from the eighth chapter of Romans until I came to the place where it is written: 'I reckon that the sufferings of this present time are not worthy to be compared to the glory which shall be revealed in us.' There he had me pause and left that bequest with me. In memory, not only of that venerable saint, but of ten thousand times ten thousand who like him have 'known their Bibles true,' who have found them trustworthy in their pains and troubles, and a staff to lean upon in the valley of the shadow, nay, more in reverence of the great Teacher who always believed it, devoutly preached it, and never in word or syllable, in hint or suggestion, ever disparaged it, I bid you also have confidence in the Scriptures."

Its Inspiration

Dr. Edward McShane Waits, President of Texas Christian University, in *A College Man's Religion*, page 46, has written:

"Open the Bible where you will and the first impression is that of vastness. It has in it the curve of the earth and the arch of the sky, great and wide like the world. It is rooted in the abyss of creation and rises into the blue mysteries of Heaven. There are in those books continents of truth, seas of mystery, marshes of melancholy, depths sombre and sunless, and peaks that press the sky. It reveals a world in which men live and love, sin and suffer, hope and die."

And on page 50 he writes:

"The Bible is like a great organ with myriad keys on which the Master plays. In the Bible there is every form of literature; art, history, poetry, drama, fiction, biography, letters, lyrics, elegies, epics, epigrams, proverbs, parables, allegories, and the dreams of the apocalyptic seers. Here is a splendid, spacious book in which we find every variety of thought, mood and feeling, from bitter skepticism to death-defying faith, from the sob of despair to the shout of ecstasy, from the bit of sensuous love poetry to the prayers that have wings; songs of victory and of faith over death and time, and confessions that lay bare the soul of the weary pilgrim."

Dr. Waits raises these questions:

"How did Isaiah know that the world was round? Yet in the fortieth chapter and twenty-second verse he says that the Lord sitteth upon the circle of the earth. How did Job know before the authorities in Washington that there was a great space in the northern sky that was starless? Yet Job says, 'He stretcheth out the north over empty space.' How did Job understand the influence of the distant stars, exercising their subtle, mysterious pulling power through three thousand billion miles of space? Yet Job said, 'Canst thou bind the sweet influence of the Pleiades, canst thou follow the marching forth of Arcturus and his sons?' Before such vastness as this the human intellect is truly bewildered and staggered."

The answer to these questions raised by Dr. Waits is found in the fact that the Bible was written as no other book was ever written. It is the writings of God and is not the work of man but of God Himself.

The claim that the Scriptures are the "words" of God is made 680 times in the first five books of the Bible. It is repeated 418 times in the historic books of the Old Testament. It is declared 196 times in the Psalms. In the prophetical section, the prophets 1,307 times claim that their "words" came from God. Through the Old Testament alone, over 2,600 times the words, sayings and writings are ascribed to God.

Jesus upheld this Old Testament claim. He said, "Have you not read that which was spoken unto you by God, saying, I am the God of Abraham, and the God of Isaac, and the God of Jacob?" (Matt. 22:31-32).

"That which was spoken by God," not by Moses, not by man, but by *God*. And on another occasion He declared, "Verily I say unto you, Till heaven and earth pass, one jot or one tittle shall in no wise pass from the law, till all be fulfilled" (Matt. 5:18).

Not a jot.

Not a tittle.

Not an iota.

Not a single letter, let alone a word.

The jot or tittle was a small subscript used in the Greek writing, the language which the Scriptures that Jesus read from had been translated. And here Jesus said not one of them should pass until all were fulfilled.

This is not *verbal* inspiration, it is *letter* inspiration. It is carrying inspiration to the very finest point possible. For if every letter was inspired, then every word, syllable, verse, chapter and book had to be inspired and is, therefore, authoritative.

That is exactly the claim Paul made for the Scriptures when he wrote, "All scripture is given by inspiration of God, and is profitable for doctrine, for reproof, for correction, for instruction in righteousness" (II Tim. 3:16).

Peter makes the same claim and explains how it was brought about. He declares, "For the prophecy came not in old time by the will of man: but holy men of God spake as they were moved by the Holy Ghost" (II Pet. 1:21).

The Bible is not the evolved thoughts of men's religious thinking through the ages. It is the result of God's Spirit moving upon them and causing them to write great truths which their own minds could not comprehend. For example, Moses wrote in Genesis, Leviticus and in Deuteronomy (Gen. 9:4; Lev. 17:11; and Deut. 12:16), "The life of the flesh is in the blood." In other words, Moses claimed that the blood stream was the life stream of the body. Was he scientifically correct?

Go to the hospital today and what is one of the first things they do to you? I'll tell you. They stick a needle in you and draw out some of your blood and examine it under a microscope to see if it is pure or contaminated. Why? Because all medical science today acknowledges that a pure, healthy blood stream means a pure, healthy body; a contaminated blood stream means a deficient or diseased body. But, my friends, some three thousand years before Harvey proclaimed the theory of the circulation of the blood, and before a man ever looked through a microscope and medical science began doctoring the body by doctoring the blood stream, Moses wrote, "The life of the flesh is in the blood."

How did Moses know it? Moses didn't know it! It wasn't Moses who was doing the writing. He was being moved along by the Holy Spirit and God who created the body and put the blood stream in it knew it was the life stream and so He caused Moses to write 3,000 years ago a truth that the scientists have verified in modern times.

Take another example. It was the belief among ancient people that the earth was flat. When Galileo and Columbus talked about it being round, people mocked them, and you will recall with what difficulty Columbus as late as in the fifteenth century obtained sailors to accompany him on his voyage because they thought the earth was flat and that they might sail over the edge and never come back. But today there is no dispute among informed people because many people have circumnavigated it. We know that it is a sphere. But turn to Isaiah 40:22 and you will read that the Lord sits on the circle of the earth. How did Isaiah know over 2,000 years before the time of Columbus that the earth was a sphere? He didn't know it. He didn't know any more about it than the rest of the folks of his day. But God who created the heavens and the earth did know it and so His Spirit took possession and moved old Isaiah to write that which later centuries have verified.

Another belief common to ancient people was that the earth was sustained by some under-support. What does the Bible say? Turn to Job 26:7 and you will read, "He stretcheth out the north over the empty space, and hangeth the earth upon nothing." Newton, after seeing the apple fall, could not have more perfectly expressed the law of gravitation, and there is not a living scientist today but knows Job told the truth. How did he know it way back in those dim, dark days of superstition and ignorance? Again I repeat, he did not know it. Left to himself, he could never have written it. But the great God of my mother's Bible knew it and so His Spirit took possession of

Job and moved him to write a scientific fact that later centuries have verified.

Take a New Testament example or two. Look at Acts 17:26. In it Paul declares that God has made all men that dwell upon the face of the earth "of one blood." Is that so? There was a time when a criminal might explain the blood upon his hands or clothing as being the blood of some animan or fowl. He can do it no longer. Scientists have perfected instruments today whereby they can examine blood and distinguish the blood of fowls, reptiles, animals and men. But you can place the blood of a white man, the blood of a Mexican, the blood of an Indian and the blood of a Chinaman before them and they are only specimens of "human blood," with human characteristics that cannot be distinguished as to race or color. Why? Because God made "of one blood" all men to dwell upon the face of the earth. How did Paul know it 1,900 years before our present-day strides of science? Again I reply—Paul did not know it; it wasn't Paul speaking anyway. It was the great God of my mother's Bible. He did know it because He created men and so His Spirit took possession of Paul and "moved" him to write this scientific truth.

Let us take one more. This one is also from the New Testament. Turn to I Corinthians 15:41 and you will read, "There is one glory of the sun, and another glory of the moon, and another glory of the stars: for one star differeth from another star in glory."

Paul is here writing about the resurrection of the dead. He is arguing their identity. He says that just as "one star differeth from another star in glory," so also is the resurrection of the dead. Did Paul tell the truth? Was Paul scientific? Are no two stars alike? We have read that they have photographed 300,000,000 stars in the "milky way" alone at the Mount Wilson Observatory. A few years ago a friend of mine was there making observations. He asked the man in charge if they had ever photographed any two stars alike. The man replied, "No, sir, no two of them are alike."

How did Paul, writing nineteen centuries before any astronomer ever photographed a star, know that no two of them were alike? Again, and for the last time in this message, I repeat, Paul knew no more about it than we would have known had we lived back there in Paul's day. But it wasn't Paul doing the writing. The great God of my mother's Bible who created the stars did know it, however, and by His Spirit He bore Paul along, moved him to write a fact that nineteeen centuries later stands as a demonstrated truth by scientific investigation.

Don't lose sleep over the scientists. They will catch up with God and the Bible some day if they keep following the truth! In the meantime, don't permit any little half-baked scientist to lead you to believe the Bible is unscientific and out of date.

Truly, Whittier was right when he wrote:

> We search the world for truth,
> The graven stone, the written scroll,
> And all the flower fields of the soul;
> But, weary seekers of the best,
> We come back laden from the quest,
> To find that all the sages said
> Is in the book our mothers read.

Its Theme

To the Jews Jesus said, "Search the scriptures . . . they are they which testify of me" (John 5:39). And to His disciples on the night of His resurrection, gathered in the upper room, He said, "These are the words which I spake unto you, while I was yet with you, that all things must be fulfilled, which were written in the law of Moses, and in the prophets, and in the psalms, concerning me" (Luke 24:44).

In these words the Lord Himself claimed that He was spoken of in the historical section, in the prophetical section and in the poetical section of the Old Testament—in other words, He is the theme of the Scriptures.

A study of the Bible reveals Him as its central subject and great theme. What the hub is to the wheel, Christ is to the Bible. It revolves around Him. All its types point to Him, all its truths converge in Him, all its glories reflect Him, all its promises radiate from Him, all its beauties are embodied by Him, all its demands are exemplified by Him, and all its predictions are accepted by Him.

Abel's lamb was a type of Christ.

Abraham offering Isaac on Mount Moriah was a type of God giving Christ, His only Son, on Mount Calvary.

The Passover lamb in Egypt was a type of Christ.

The brazen serpent in the wilderness was a type of Christ. He told Nicodemus so Himself.

The scapegoat typified Him bearing our sins.

The scarlet thread that the harlot Rahab hung in the window of her home in Jericho typified Him.

Joseph, pictured to us by the Bible without a flaw, was a type of Christ "who did no sin, neither was guile found in his mouth."

In the Old Testament He is spoken of as "the angel of the Lord" and as such He appeared unto men.

He was with Adam and Eve in the Garden of Eden.

He was with Abel in his death.

He walked with Enoch.

He rode with Noah in the ark.

He ate with Abraham in his desert tent.

He pled with Lot to leave wicked Sodom.

He watched Isaac reopen the wells that his father Abraham dug.

He wrestled with Jacob at Peniel.

He strengthened Joseph in his temptation, protected him in prison and exalted him to first place in the kingdom.

He watched over Moses in the ark of bulrushes, talked to him from the burning bush, went down into Egypt with him, opened the Red Sea for him, fed him on bread from Heaven, protected him with a pillar of fire by night, and after 120 years of such blessed companionship that they left no marks of passing time upon Moses, led him up from the plains of Moab unto the mountain of Nebo, to the top of Pisgah, let him take one long, loving look at the Promised Land and then kissed him to sleep, folded Moses' hands over his breast and buried his body in an unmarked grave, to sleep in Jesus till the morning of the great resurrection day.

He was the captain of the Lord's host to Joshua, led him over the swollen stream of Jordan in flood tide, around Jericho, in conquest of Ai, helped him conquer Canaan, divide the land and say good-bye to the children of Israel.

He was with Gideon and his famous three hundred.

He was with Samuel when he rebuked Saul.

He was with David when he wrote the twenty-third Psalm.

He was with Solomon when he built the first temple.

He was with good king Hezekiah when Sennacherib invaded the land.

He was with Josiah in his great reformation that brought the people back to the Law.

He was with Ezekiel and Daniel in Babylon.

He was with Jeremiah in Egypt.

He was with Ezra when he returned from Babylon and with Nehemiah when he rebuilt the wall. In fact, He was with all those

"Who through faith subdued kingdoms, wrought righteousness, obtained promises, stopped the mouths of lions, Quenched the violence of fire, escaped the edge of the sword, out of the weakness were made strong, waxed valiant in fight, turned to flight the armies of the aliens."—Heb. 11:33-34.

Abraham saw His day and rejoiced. Jacob called Him the Lawgiver of Judah. Moses called Him the Prophet that was to come. Job called Him "my living Redeemer." Daniel called Him the "Ancient of days." Jeremiah called Him "The Lord our Righteousness." Isaiah called Him "Wonderful, Counsellor, The mighty God, The everlasting Father, The Prince of Peace."

All of this in the Old Testament? Yes, and much more besides. "To him give all the prophets witness." Micah tells of the place of His birth. Jonah tells of His death, burial and resurrection. Amos tells of His second coming to build again the tabernacle of David. Joel describes the day of His wrath. Zechariah tells of His coming reign as King over all the earth. Ezekiel gives us a picture of His millennial temple.

In fact, my friends, it matters little where we wander down the aisles, avenues, byways, or highways of the Old Testament: Jesus walks beside us as He walked beside the two disciples on that dusty road to Emmaus on that glorious resurrection day long, long ago.

Its types tell of Him, its sacrifices show Him, its symbols signify Him, its histories are His-stories, its songs are His sentiments, its prophecies are His pictures, its promises are His pledges; and our hearts burn within us as we walk beside Him across its living pages!

In the New Testament

When we open the New Testament the Word which was in the beginning with God becomes flesh and dwells among us, and we behold His glory, the glory as one of the only begotten of the Father, full of grace and truth.

There are four personal histories of His earthly life written in the New Testament. One is by Matthew, the redeemed publican, and signifies His lineage; one is by Mark, the unknown servant, which magnifies His service; one is by Luke, "the beloved physician," and tells of His humanity; and one is by John, "whom Jesus loved," and it tells of His deity. He is Christ the King in Matthew, the Servant in Mark, the Man in Luke and the Incarnate Word in John.

Concerning His royal lineage we learn that He was born in Bethlehem, the Seed of Abraham, the Son of David, the Son of Mary, the Son of God; and was acknowledged as "King of the Jews," "Christ the Lord," God's Son, "The Saviour of men," by angels, demons, shepherds and wise men; and that He received tribute of gold, frankincense and myrrh.

Concerning His service we learn that He labored as a carpenter, opened eyes of the blind, unstopped deaf ears, loosed dumb tongues, cleansed lepers, healed the sick, restored withered hands, fed the hungry, sympathized with the sad, washed the disciples' feet, wept with Mary and Martha, preached the gospel to the poor, went about doing good, and gave His life as a ransom for many.

Concerning His humanity we learn that He was born of a woman, as a little babe was wrapped in swaddling clothes, grew up and developed as a child in wisdom, stature, and in favor with God and men. He worked with His hands, He grew weary, He hungered, He thirsted, He slept, He felt the surge of anger; knew what it was to be sad, shed tears, sweat drops of blood; was betrayed, went through the mockery of a criminal trial, was scourged, had His hands and feet pierced; wore a crown of thorns, was spit upon, was crucified, wrapped in a winding sheet and was buried in a borrowed tomb, behind a sealed stone and was guarded by Roman soldiers in His death.

Concerning His deity we read that He was born of a virgin, lived a sinless life, spoke matchless words, stilled storms, calmed waves, rebuked winds, multiplied loaves, turned water to wine, raised the dead, foretold the future, gave hearing to the deaf, sight to the blind, speech to the dumb, cast out demons, healed diseases, forgave sins, claimed equality with God, arose from the dead, possessed all authority both in Heaven and in earth.

GOD AND MAN

He was both God and Man; two individuals united in one personality. As has been so ably set forth by Dr. R. G. Lee, "As a man, He thirsted; as God, He gave living water. As man, He went to a wedding; as God, He turned the water to wine. As man, He slept in a boat; as God, He stilled the storm. As man, He was tempted; as God, He sinned not. As man, He wept; as God, He raised Lazarus from the dead. As man, He prayed; as God, He makes intercession for all men."

This is what Paul means when he writes, "Without controversy great is the mystery of godliness: God was manifest in
the flesh, justified in the Spirit, seen of angels, preached unto
the Gentiles, believed on in the world, received up into glory"
(I Tim. 3:16). He was made unto us wisdom, righteousness,
sanctification and redemption.

He is the Light of this world.

He is the Bread of Life.

He is the True Vine.

He is the Good Shepherd.

He is the Way.

He is the Life.

He is the Door to Heaven!

He is the Faithful Witness, the First Begotten of the dead,
the Prince of the Kings of the earth, the King of kings, and
the Lord of lords, Alpha and Omega, the first and the last, the
beginning and the ending, the Lord who is, who was, and who
is to come, the Almighty. "I am he that liveth, and was dead;
and, behold, I am alive forevermore. Amen; and have the keys
of hell and of death."

He is the theme of the Bible from beginning to end; He is
my Saviour; let Him be your Saviour, too!

Its Message

*"Moreover, brethren, I declare unto you the gospel which
I preached unto you, which also ye have received, and wherein
ye stand; By which also ye are saved, if ye keep in memory what
I preached unto you, unless ye have believed in vain. For I
delivered unto you first of all that which I also received, how
that Christ died for our sins according to the scriptures; And
that he was buried, and that he arose again the third day according to the scriptures. . . . Christ the firstfruits; afterward
they that are Christ's at his coming."—I Cor. 15:1-4, 23.*

Gospel means "good news," and we have here what Paul
declares was the gospel that he preached, that the Corinthians
believed, by which they were saved, and wherein they stood.

What was that gospel? It was good news about three things: First, it was the story of blood redemption; second, it was the story of a bodily resurrection; and third, it was the story of a blessed return.

BLOOD REDEMPTION

Paul wrote: "I delivered unto you first of all that which I also received, how that Christ died for our sins according to the scriptures." This is redemption's story from Genesis to the Revelation. Christ died for our sins—the story of blood redemption.

In the garden God slew animals and with their skins provided for Adam and Eve garments that they might be made fit for God's presence. It prefigured the death of Christ when God offered His Son that we might be clothed in His righteousness.

The lamb that Abel offered and by which he was accepted, through faith, prefigured Christ "wherein he hath made us accepted in the beloved."

Abraham offering Isaac on Mount Moriah is a picture of God offering His only Son on Mount Calvary—the story of blood redemption.

The Passover lamb slain in Egypt but under whose blood the children of Israel found perfect refuge is a picture of us being sheltered under the blood of Jesus in the Great Tribulation period because Paul wrote: "Being now justified by his blood, we shall be saved from wrath through him" (Rom. 5:9).

The brazen serpent lifted up by Moses in the wilderness was a type of Christ lifted up on the cross.

The scarlet thread hung by the harlot Rahab in the window of her home as a pledge for her protection at the fall of Jericho symbolizes Christ's blood as our pledge of safety when the kingdoms of this world fall under the crushing march of Christ's return.

When Isaiah writes, "With his stripes we are healed" (Isa. 53:5), he is predicting the scourging of Christ at the command of Pilate.

John pointing out Jesus and saying, "Behold the Lamb of God" is the ringing introduction of New Testament readers to the story of blood redemption. And Christ, wet with bloody sweat in Gethsemane, bearing His cross on bloody back, and bleeding from hands, feet and side as He later hung upon that cross, is the fulfillment of prophetic redemption and the groundwork of all later New Testament writings on the subject.

Every time Christians observe the memorial supper it symbolizes our redemption by the blood.

Paul never grew weary of writing, "In whom we have redemption through his blood, the forgiveness of sins, according to the riches of his grace" (Eph. 1:7).

Peter wrote: "Forasmuch as ye know that ye were not redeemed with corruptible things, as silver and gold, from your vain conversation received by tradition from your fathers; But with the precious blood of Christ, as a lamb without blemish and without spot" (I Pet. 1:18-19).

When we go on into the Revelation it is to read of a great host that "no man could number, of all nations, and kindreds, and people, and tongues," as they sing, "Thou art worthy to take the book, and to open the seals thereof: for thou wast slain, and hast redeemed us to God by thy blood out of every kindred, and tongue, and people, and nation."

Thus from Genesis to Revelation it is one continuous story of redemption through the blood—that Christ died for our sins.

BODILY RESURRECTION

But there is more to the good news that Paul preached than just the story of blood redemption. The gospel does not stop with Christ on the cross. It tells of His personal, literal, bodily resurrection that took place on the third day "according to the scriptures."

Abraham was willing to slay Isaac, "accounting that God was able to raise him up, even from the dead" (Heb. 11:19).

Ancient Job, in the midst of his afflictions and suffering, shouted his faith in a bodily resurrection when he said: "For I know that my redeemer liveth, and that he shall stand at the latter day upon the earth: And though after my skin worms destroy this body, yet in my flesh shall I see God" (Job 19:25-26).

David proclaimed his own faith as well as the resurrection of Christ from the dead when he sang: "Thou wilt not leave my soul in hell; neither wilt thou suffer thine Holy One to see corruption" (Psa. 16:10).

Isaiah predicted, "Thy dead men shall live, together with my dead body shall they arise" (Isa. 26:19).

Daniel wrote: "Many of them that sleep in the dust of the earth shall awake, some to everlasting life, and some to shame and everlasting contempt" (Dan. 12:2).

Hosea wrote: "I will ransom them from the power of the grave; I will redeem them from death: O death, I will be thy plagues; O grave, I will be thy destruction" (Hosea 13:14).

These are Old Testament predictions of a bodily resurrection. And when we turn to the New Testament, unfaltering testimony to Christ's resurrection abounds on every page.

Matthew wrote that Jesus arose from the dead.

Mark wrote that Jesus arose from the dead.

Luke wrote that Jesus arose from the dead.

John wrote that Jesus arose from the dead.

Paul wrote that Jesus arose from the dead.

Peter wrote that Jesus arose from the dead.

And in this fifteenth chapter of I Corinthians Paul writes that Jesus arose from the dead on the third day and that "he was seen of Cephas, then of the twelve: After that, he was seen of above five hundred brethren . . . After that, he was seen of James; then of all the apostles. And last of all he was seen of me . . ."

Triumphant and glorious and just as essential as blood redemption is the fact that Christ arose from the dead the third day according to the Scriptures. He who omits or shuns preaching that Christ literally arose from the grave is not preaching the gospel that Paul preached, that the Corinthians believed, by which they were saved and wherein they stood.

BLESSED RETURN

But there is still more to the gospel than just redemption by the blood and the bodily resurrection of Christ. There is the further fact of His blessed return. Many who unhesitatingly proclaim Christ's death for our sins and His resurrection from the dead are satisfied to stop right there. I know of one minister who arrogantly boasted that he never had preached on the second coming of Christ and that he never would.

It is at the second coming of Christ that the dead are to be raised. "Christ the firstfriuts; afterward they that are Christ's at his coming." Nothing could be plainer. Jesus Himself said: "I will come again." As He went up in the clouds two men in white apparel told the disciples: "This same Jesus, which is taken up from you into heaven, shall so come in like manner as ye have seen him go into heaven." Paul was constantly urging his disciples "to serve the living and true God; And to wait for his Son from heaven . . . even Jesus."

James declared: "The coming of the Lord draweth nigh."

Peter wrote: "We have not followed cunningly devised fables, when we made known unto you the power and coming of our Lord Jesus Christ."

Jude wrote: "The Lord cometh with ten thousands of his saints."

And John, in the Revelation, wrote: "Behold, he cometh with clouds; and every eye shall see him."

In fact, the last promise in the Bible is a promise of His second coming: "He which testifieth these things saith, Surely I come quickly," and the last prayer in the Bible is a prayer for that coming when John responds: "Amen. Even so, come, Lord Jesus" (Rev. 22:20).

Any preacher who neglects to preach the second coming of Christ is not a preacher of the gospel in all its fulness. If the value of a doctrine is to be judged by the frequency of its mention in the Bible, then the second coming of Christ is easily the most important doctrine in the Word of God. From the very first promise of the Bible, where God promised that the seed of the woman would bruise the head of the serpent—a promise to be fulfilled at the second coming of Christ—to the last promise of the Bible just quoted, we find this truth strewn as thickly upon the pages of God's Word as leaves upon a wooded hillside at Christmas time.

It is bound up with every fundamental doctrine and it is made the basis of appeal in every exhortation to high and holy living on the part of Christian believers. Faithfulness as portrayed in the parable of the pounds, charity as portrayed in the scene of the judgment, and watchfulness as portrayed in the parable of the ten virgins, are all linked to the admonition: "For ye know neither the day nor the hour wherein the Son of man cometh" (Matt. 25:13).

If we are urged "not to forsake the assembling of ourselves together" it is because we see "the day approaching." When we are urged to partake of the memorial supper it is because "Ye do shew the Lord's death till he come." If a young minister is urged to "preach the word" it is because Christ shall judge the quick and the dead "at his appearing and his kingdom." If we are urged to live clean and pure lives it is because "the grace of God that bringeth salvation hath appeared to all men, Teaching us that, denying ungodliness and worldly lusts, we should live soberly, righteously, and godly, in this present world; Looking for that blessed hope, and the glorious appearing of the great God and our Saviour Jesus Christ" (Titus 2:11-13).

And when we stand beside the graves wherein have been laid away the bodies of our dear ones we are admonished not to sorrow as others who have no hope because "the Lord himself shall descend from heaven with a shout, with the voice of the archangel, and with the trump of God: and the dead in Christ shall rise first: Then we which are alive and remain shall be caught up together with them in the clouds, to meet the Lord in the air: and so shall we ever be with the Lord" (I Thess. 4:16-19).

Conclusion

In conclusion let us reiterate that the gospel which Paul preached was a gospel of blood redemption, a gospel of bodily resurrection, and a gospel of the blessed return. That was the gospel that the Corinthians believed. That was the gospel by which they were saved. And it was the gospel wherein they stood. Let us preach it, every bit of it, and if anyone omits any part of it he is not preaching the old-time gospel that saves and sustains.

Its Promise

"Our Resurrection"

First Corinthians 15:35-38 sets out five great truths in the promise of our resurrection. They are first, the identity of the resurrected body; second, the immortality of the resurrected body; third, the image of the resurrected body; fourth, the imminence of the resurrection; and fifth, the inspiration of the resurrection truth.

The Identity of the Resurrected Body

"But some man will say, How are the dead raised up? and with what body do they come? Thou fool, that which thou sowest is not quickened, except it die: And that which thou sowest, thou sowest not that body that shall be, but bare grain, it may chance of wheat, or of some other grain: But God giveth it a body as it hath pleased him, and to every seed his own body. All flesh is not the same flesh: but there is one kind of flesh of men, another flesh of beasts, another of fishes, and another of birds. There are also celestial bodies, and bodies terrestrial: but the glory of the celestial is one, and the glory of the terrestrial is another. There is one glory of the sun, and another glory of the moon, and another glory of the stars: for one star differeth from another star in glory."—I Cor. 15:35-41.

Ministers are often asked, "Will we know each other in heaven?" These verses answer that question by setting out the identity of the resurrection body. Here are advanced three arguments to prove that the new body will retain the identity of the one buried. The first is taken from the grainfield. A grain of wheat is planted. It perishes and dies. It decays and dissolves but out of its decay and death there is produced another grain so identical in color, size and characteristics that were the original grain placed beside the new grain you could not tell them apart. All of the beauty and identity of the original grain is preserved beyond death in the new grain. And so will our individual identities be preserved beyond death in our new, resurrected bodies.

The second argument is based upon the cellular construction of the flesh. The flesh of men, of beasts, of fishes and of birds differ, though all types of flesh are readily recognizable because of their distinctive construction; and just so will our new bodies beyond the grave have their own peculiar identities of the flesh preserved.

The third argument for identity in the resurrection is based upon the fact that of the billions of heavenly bodies, no two of them are alike. One star differs from another; and of the billions of resurrected saints, each will differ from the other and therein shall we be able to recognize each other as an individual personality.

THE IMMORTALITY OF THE RESURRECTED BODY

"It is sown in corruption; it is raised in incorruption: It is sown in dishonour; it is raised in glory: it is sown in weakness; it is raised in power: It is sown a natural body; it is raised a spiritual body. There is a natural body, and there is a spiritual body."—I Cor. 15:42-44.

Our present earthly bodies are subject to disease, decay, dishonor, and death. They are subject to physical infirmities and pains. Our muscles and joints ache. Our sight grows dim. Our hearing becomes dull. Our shoulders stoop with the weight of passing years. Our feet and hands become feeble with age. The years take their toll and disease leaves its mark. We cut and sew and patch ourselves up and doctor this way and that, only to find that we are steadily deteriorating. We are gripped by death which was passed upon us with the sin of Adam and Eve in the Garden of Eden, for "by one man sin entered into the world, and death by sin; and so death passed upon all men," the good and the bad, the moral and the immoral, the infant and the aged, the intellectual and the imbecile, the saint and the sinner, the believer and the infidel.

It is the curse of sin. When we believe on the Lord Jesus Christ for salvation our personal sins are forgiven, but the curse of this Adamic sin is not removed. We must bear this weighty burden either to the grave, or until the return of the Lord for His saints. Then in the morning of the resurrection, or at His appearance, this burden of the centuries will be laid aside, and we shall come in possession of a body that will know no pain, no decay, no disease, no death, no sorrow, no aching joints and stiffening muscles, no weakness (for in the flesh dwells no good thing and it is the medium of Satan's most strategic assaults upon us), no tears and no griefs. We shall move into a spiritual body of power, glory and incorruptibility.

THE IMAGE OF THE RESURRECTED BODY

"As is the earthy, such are they also that are earthy: and as is the heavenly, such are they also that are heavenly. And as we have borne the image of the earthy, we shall also bear the image of the heavenly."—I Cor. 15:48-49.

Do you want to know what we will be like in our resurrected bodies? Then look at the resurrected body of Jesus. It was the same body that was placed by loving hands in the tomb. There is no doubt about that. He had the same feet and hands with nail prints in them. He talked in the same language as before death. It was not an immaterial, invisible and unreal body. He urged His disciples to take hold of Him, to look upon the nail prints and to assure themselves that He was no ghost. He walked along the road. He ate fish and honeycomb. He talked and taught. He was just as real as before His death.

So shall it be with our resurrected bodies—a better way is to say: "So shall it be with our glorified bodies"—for "We shall not all sleep, but we shall all be changed," and all believers shall be made like Him. Philippians, chapter 3, verses 20 and 21 declare: "Our citizenship is in heaven; from whence also we look for the Saviour, the Lord Jesus Christ: Who shall change our vile body, that it may be fashioned like unto his glorious body." John likewise wrote: "We know that, when he shall appear, we shall be like him." And David had long before sung: "As for me, I will behold thy face in righteousness: I shall be satisfied, when I awake, with thy likeness" (Psa. 17:15).

This gives reality to the promise of our resurrection. It will not be a ghostly affair where each shall be lost in the midst of multitudes, but we shall be real, loving, talking, and living. As Jesus, after His resurrection, talked of things before His death and ate in sweet fellowship with His disciples, so shall we bear His image and eat and talk and have fellowship with the saints who have gone on before: 'They shall come from the east, and from the west, and from the north, and from the south, and shall sit down with Abraham, Isaac, and Jacob in the kingdom.'

THE IMMINENCE OF THE RESURRECTION

"We shall not all sleep, but we shall all be changed, In a moment, in the twinkling of an eye, at the last trump: for the trumpet shall sound, and the dead shall be raised incorruptible, and we shall be changed."—I Cor. 15:51-52.

Death is not absolutely certain. The generation of believers living at Christ's return will not die. They will "be changed." The transformation wrought in the bodies of believers who die, by death and the resurrection, will be instantaneously and supernaturally wrought in the bodies of all living believers "in a moment, in the twinkling of an eye," at the return of the Lord. This transformation prepares both dead and living believers for the "catching up" in the clouds to meet the Lord in the air.

The resurrection of dead believers and the transformation of living believers are contingent upon the return of the Lord. No one knows the day nor the hour that He will appear. His warning is: "Watch and be ready." His appearing is imminent and may occur at any moment. Therefore, the resurrection of dead believers and the transformation of living believers may occur at any moment.

This being true, let us quit weeping and fretting over our believing loved ones who are dead. We may see them at any moment. We may be reunited with them before the rising of another sun!

This being true, then let us quit dreading old age and death. It may never come to us! Let us not climb hills until we reach them! If the Lord returns, He will catch us up, and if He tarries and we grow old, He will provide grace for us in old age as He has in youth.

It is victory either way. "For this corruptible must put on incorruption, and this mortal must put on immortality. So when this corruptible shall have put on incorruption, and this mortal shall have put on immortality, then shall be brought to pass the saying that is written, Death is swallowed up in victory. O death, where is thy sting? O grave, where is thy victory?"

The Inspiration of the Resurrection

"Therefore, my beloved brethren, be ye steadfast, unmovable, always abounding in the work of the Lord, forasmuch as ye know that your labour is not in vain in the Lord."—I Cor. 15:58.

If there is no resurrection, then Christ is not raised, there is no use worshipping and serving a dead Christ. If there is no resurrection, then preaching is vain, faith is vain, there is no forgiveness of sin, dead believers have perished, and living believers are of all men most miserable. But thank God, there is a resurrection of the dead! Christ has risen, preaching is important, faith is founded on fact, forgiveness is a reality, our dead loved ones are waiting for us, and we rejoice in the hope of the glory of God! This is a fundamental doctrine. This is an inspiring doctrine. And since Christ lives to give victory and to reward our feeble labours, and since our loved ones live to greet us, and since we shall know them and have a body devoid of the frailties of this life and fashioned after the body of Christ, and since this marvelous transformation, meeting, and reward may transpire at any moment, then let us be steadfast, unmovable and always abounding in the work of the Lord. It is not vain labor. It is not vain hope. It is not uncertain in its reward!

Several years ago in a Bible School in Fort Worth I listened one night to a discussion of this chapter by Dr. W. B. Riley. His outline I have largely followed. I took no notes, but his message was one of the high peaks of my ministry. That night I caught a new vision of my life's work. It lifted me as few messages have lifted and inspired me. I have gone on the strength of that encouragement through the darkest and most discouraging periods of my ministry, following the gleam of that glad day when Christ shall come and we shall realize the fulness of this wonderful promise from our Mother's Bible.

Its Consolation
"A Living Hope"

"Blessed be the God and Father of our Lord Jesus Christ, which according to his abundant mercy hath begotten us again unto a lively hope by the resurrection of Jesus Christ from the dead, To an inheritance incorruptible, and undefiled, and that fadeth not away, reserved in heaven for you, Who are kept by the power of God through faith unto salvation ready to be revealed in the last time."—I Pet. 1:3-5.

The Christian's hope, which is here designated as a "lively [living] hope" does not spring eternally in the human breast. Unregenerated men know nothing about it. They are aliens from the commonwealth of Israel, and strangers from the covenants of promise, *having no hope,* and without God in the world (Eph. 2:12).

This hope of the Christian has its origin in regeneration. It starts with the new birth. It begins when we are "born again." It is not the result of resolves. It is not the reward of works. It is not purchased by prayer. It is not the product of purity. It is not procured by our pleadings. It is planted in us by the new birth. God "begets us again unto" this living hope.

"FOUNDED UPON THE RESURRECTION OF CHRIST"

Peter praises God for begetting us again unto a living hope "by the resurrection of Jesus Christ from the dead." This vital relation between the resurrection of Christ and the hope of the Christian is more fully set forth by the Apostle Paul when he wrote:

"If there be no resurrection of the dead, then is Christ not risen: And if Christ be not risen, then is our preaching vain, and your faith is also vain. Yea, and we are found false witnesses of God; because we have testified of God that he raised up Christ: whom he raised not up, if so be that the dead rise not. For if the dead rise not, then is not Christ raised: And if Christ be not raised, your faith is vain; ye are yet in your sins. Then they also which are fallen asleep in Christ are perished. If in this life only we have hope in Christ, we are of all men most miserable."—I Cor. 15:13-19.

MEASURED BY THE MERCY OF GOD

Peter declares that God has begotten us again unto this living hope by the resurrection of Christ and that it is "according to his abundant mercy." This gives us the measure of the Christian's hope. The same thought is expressed in Titus 3:5 where we read: "Not by works of righteousness which we have done, but according to his mercy he saved us, by the washing of regeneration, and renewing of the Holy Ghost."

In Luke 18:9-14 we have a parable in which we are specifically told Jesus spoke to "certain which trusted in themselves that they were righteous, and despised others." It is the parable of the Pharisee and the publican, and is as follows:

"Two men went up into the temple to pray; the one a Pharisee, and the other a publican. The Pharisee stood and prayed thus with himself, God, I thank thee, that I am not as other men are, extortioners, unjust, adulterers, or even as this publican. I fast twice in the week, I give tithes of all that I possess. And the publican, standing afar off, would not lift up so much as his eyes unto heaven, but smote upon his breast, saying, God be merciful to me a sinner."

Now the trouble with the Pharisee was that he measured his hope by his good works and his own righteousness. The blessing of the publican was that he claimed no good works or self-righteousness but pled the mercy of God. And we are told by Jesus that he went down to his house from that prayer meeting justified. He was justified according to the "abundant" mercy of God which is the measure of every Christian's living hope.

OUR HEAVENLY HERITAGE

The Christian's hope embraces a heavenly heritage. Peter wrote that God, according to His abundant mercy, had begotten us again unto a living hope by the resurrection of Jesus Christ from the dead "to an inheritance incorruptible, and undefiled, and that fadeth not away, reserved in heaven." Paul wrote: "The Spirit itself beareth witness with our spirit, that we are the children of God: And if children, then heirs; heirs of God, and joint-heirs with Christ" (Rom. 8:16-17).

This heritage is "incorruptible." This is the same thing that is said concerning our resurrected body in I Corinthians 15:53-54, and points to its imperishable duration. It is also the thought expressed by Paul concerning our heavenly home when he declares, "We know that if our earthy house of this *tabernacle* were dissolved, we have a *building* of God, an house not made with hands, eternal in the heavens" (II Cor. 5:1). Thus we shall have an eternal body, an eternal home, and an eternal heritage in contrast to the transitory body, dwelling place and earthly possessions of this life.

Our heritage is said to be "undefiled." This means that it has no tarnishes nor taints upon it and points to its acquisition. It was not purchased by such "corruptible things as silver and gold," but its purchase price was "the precious blood of Christ, as of a lamb without blemish and without spot: Who verily was foreordained before the foundation of the world, but was manifest in these last times." It indicates the same adoration as that given expression to by the new song of Heaven ascribing our redemption to Jesus: "Thou art worthy to take the book, and to open the seals thereof: for thou wast slain, and hast redeemed us to God by thy blood out of every kindred, and tongue, and people and nation; And hast made us unto our God kings and priests: and we shall reign on the earth" (Rev. 5:9-10).

We read that this heritage "fadeth not away." This points to its enjoyment by us. It is not an illusion. It is not a mirage. It is not a cunningly devised fable. Its joys will never pass away. Its glories will never grow dim. Its peace will never perish. It was this aspect of our heritage to which Paul was alluding when he wrote: "I reckon that the sufferings of this present time are not worthy to be compared with the glory which shall be revealed in us" (Rom. 8:18). And again, "Our light affliction, which is but for a moment, worketh for us a far more exceeding and eternal weight of glory" (II Cor. 4:17).

Finally, we are told that this heritage is "reserved in heaven." It is where Jesus said for us to lay up our treasures—"Lay up for yourselves treasures in heaven, where neither moth nor rust doth corrupt, and where thieves do not break through nor steal" (Matt. 6:20). This is the heritage that Jesus promised the rich young ruler when He told him: "Go thy way, sell whatsoever thou hast, and give it to the poor, and thou shalt have treasure in heaven: and come, take up the cross, and follow me."

"A RESERVED HERITAGE AND A KEPT HEIR"

Peter tells us that this incorruptible, undefiled, fadeless and reserved heritage is for those "who are kept by the power of

God through faith unto salvation ready to be revealed in the last time." The heritage is "reserved" and the heir is "kept." God guards both. He reserves one in Heaven and keeps the other on earth. One is as safe as the other. His keeping power on the earth is just as great as His protecting power in Heaven.

"Kept by the power of God through faith." When Jesus told Peter that he was to betray Him before the cock crowed He also said: "But I have prayed for thee, that thy faith fail not" (Luke 22:32). That was about all of Peter that did not fail. His courage failed. His devotion failed. His self-control failed. His integrity failed. He cursed and lied. But when he heard the rooster crow and saw Jesus looking at him his faith took hold of his heart afresh and he went out and wept bitterly, and forty days later at Pentecost preached a sermon that converted three thousand souls.

"For whosoever believeth that Jesus is the Christ is born of God . . . for whatsoever is born of God overcometh the world: and this is the victory that overcometh the world, even our faith. Who is he that overcometh the world, but he that believeth that Jesus is the Son of God."—I John 5:1, 4-5.

THIS HOPE AN ANCHOR OF THE SOUL

The writer of Hebrews calls attention to God's promise to Abraham and then says that He, "willing more abundantly to show unto the heirs of promise the immutability of his counsel, confirmed it by an oath: That by two immutable things, in which it was impossible for God to lie, we might have a strong consolation, who have fled for refuge to lay hold upon the hope set before us: Which hope we have as an anchor of the soul, both sure and stedfast, and which entereth into that within the veil." That we might have a strong consolation! The Christian's hope is his consolation. It is the anchor of his soul in times of stress and storm.

Such an anchor is needed. Over each pathway some clouds must darken, into each life some rain must fall. All of us meet our obstacles. Social standards change. Political, industrial, economic and domestic strifes arise. Creeds conflict. Plans go wrong. Friends betray our confidence. Life's earnings are often lost. Disease takes its toll upon our bodies. We must separate from loved ones. We face sunshine and shadow, sorrow and joy, life and death. How shall we meet them?

The answer is given us in Mother's Bible. We sorrow not as others who have no hope. We have fled for refuge and laid hold upon the hope set before us and we have it as an anchor of our souls both sure and steadfast. We can join with Washington Gladden in saying:

> In the bitter waves of woe,
>   Beaten and tossed about
> By the sullen winds that blow
>   From the desolate shores of doubt,
> Where the anchors that faith has cast
>   Are dragging in the gale,
> I am quietly holding fast
>   To the things that cannot fail.

> And fierce though the fiends may fight
>   And long though the angels hide,
> I know that truth and right
>   Have the universe on their side;
> And that somewhere beyond the stars
>   Is a love that is better than fate.
> When night unlocks her bars
>   I shall see Him—and I will wait.

IX

MR. MOODY AND THE FREE-THINKERS

By the late MR. GEORGE SOLTAU

Amongst the most remarkable scenes I have ever witnessed was one in East London, during the visit of those beloved and honored men of God, Moody and Sankey, in the years 1883-84. The hall was pitched in the center of the dense working population of that quarter, where men by the hundred thousand work and live in workshops and factories. One Monday evening had been reserved for an address to atheists, skeptics, and free-thinkers of all shades.

At that time Charles Bradlaugh, the champion of atheism, was at his zenith, and hearing of this meeting he ordered all the clubs he had formed to close for the evening and all the members to go and take possession of the hall. They did so, and five thousand men marched in from all directions and occupied all of the building except that which was taken by the clergy and workers.

The service commenced earlier than usual. After the preliminary singing, Mr. Moody asked the men to choose their favorite hymns, which suggestion raised many a laugh, for atheists have no song or hymn. The meeting got well under way. Mr. Moody spoke from "Their rock is not as our Rock, our enemies themselves being judges." He poured in a broadside of telling, touching incidents from his own experience of the deathbeds of Christians and atheists, and let the men be the judges as to who had the best foundation on which to rest faith and hope. Reluctant tears were wrung from many an eye. The great mass of men, with the darkest, most determined defiance of God stamped upon their countenances, faced this running fire attacking them in their most vulnerable points, namely, their hearts and their homes; but when the sermon was ended one felt inclined to think nothing had been accomplished, for it had not appealed to their intellects, or their reasoning faculties had convinced them of nothing.

At the close Mr. Moody said, "We will rise and sing 'Only Trust Him,' and while we do so, will the ushers open all the doors so that any man who wants to leave can do so; and after that we will have the usual inquiry meeting for those who desire to be led to the Saviour." I thought, "All will stampede and we shall only have an empty hall." But instead, the great mass of five thousand men rose, sang, and sat down again —not one man vacating his seat.

"I Can't!" "I Won't!"

What next? Mr. Moody then said, "I will explain four words: receive, believe, trust, take HIM." A broad grin pervaded all that sea of faces. After a few words upon "receive," he made the appeal, "Who will receive Him? Just say, 'I will.'" From the men standing round the edge of the hall came some fifty responses, but not one from the mass seated before him. One man growled, "I can't," to which Mr. Moody replied, "You have spoken the truth, my man; glad you spoke. Listen, and you will be able to say 'I can' before we are through." Then he explained the word "believe" and made his second appeal, "Who will say, 'I will believe Him?'" Again some responded from the fringe of the crowd, till one big fellow, a leading club man, shouted, "I won't." Dear Mr. Moody, overcome with tenderness and compassion, burst into broken, tearful words, half sobs, "It is 'I will,' or 'I won't' for every man in this hall tonight."

The Atheists Confounded

Then he suddenly turned the whole attention of the meeting to the story of the Prodigal Son, saying, "The battle is in the will, and only there. When the young man said, 'I will arise,' the battle was won, for he had yielded his will; and on that point all hangs tonight. Men, you have your champion there in the middle of the hall, the man who said, 'I won't.' I want every man here who believes that man is right to follow him and to rise and say, 'I won't.' " There was perfect silence and stillness; all held their breath, till as no man rose, Moody burst out, "Thank God no man says, 'I won't.' Now, who'll say, 'I will'?"

In an instant the Holy Spirit seemed to have broken loose upon that great crowd of enemies of Jesus Christ, and five hundred men sprang to their feet, their faces raining down with tears, shouting, "I will, I will," till the whole atmosphere was changed and the battle was won. Quickly the meeting was closed that personal work might begin, and from that night till the end of the week nearly two thousand men were swung out from the ranks of the foe into the army of the Lord, by the surrender of their will. They heard His "rise and walk," and they followed Him. The permanency of that work was well attested for years afterward and the clubs never recovered their footing. God swept them away in His mercy and might by the gospel.

X

SEVEN MEN WENT SINGING INTO HEAVEN

(Translated for "All the World" by Major Clara Becker.)—*The War Cry.*

"One of the strangest experiences in my life is connected with the war," says Nordenberg, an eminent engineer in Finland.

"I offered my services to the government and was appointed an officer in General Mannerheim's army. It was a terrible time. We beseiged the town. It had been taken by the Red Army and we re-took it. A number of Red prisoners were under my guard. Seven of them were to be shot at dawn on Monday. I shall never forget the preceding Sunday. The seven doomed men were kept in the basement of the town hall. In the passage my men stood at attention with their rifles.

"The atmosphere was filled with hatred. My soldiers were drunk with victory and taunted their prisoners, who swore as much as they could and beat the walls with their bleeding fists. Others called for their wives and children who were far away. At dawn they were all to die.

"We had the victory, that was true enough; but the value of this seemed to diminish as the night advanced. I began to wonder whether there did not rest a curse on arms, whichever side used them.

"Then something happened: one of the men doomed to death began to sing! 'He is mad!' was everybody's first thought. But I had noticed this man, Koskinen, had not raved and cursed like the others. Quietly he had sat on his bench, a picture of utter despair. Nobody said anything to him—each was carrying his burden in his own way and Koskinen sang, rather waveringly at first, then his voice grew stronger and filled out, and became natural and free. All the prisoners turned and looked at the singer who now seemed to be in his element.

Safe in the arms of Jesus, Safe on His gentle breast,
There by His love o'ershaded, Sweetly my soul shall rest.
Hark! 'tis the voice of angels, Borne in a song to me
Over the fields of glory, Over the jasper sea.

"Over and over again Koskinen sang that verse and when he finished everyone was quiet for a few minutes until a wild-looking individual broke out with, 'Where did you get that, you fool? Are you trying to make us religious?'

"Koskinen looked at his comrades and his eyes filled with tears. Then he asked quietly: 'Comrades, will you listen to me for a minute? You asked me where I got this song: it was from the Salvation Army. I heard it there three weeks ago. At first I also laughed at this song but it got me. It is cowardly to hide your beliefs: the God my mother believed in has now become my God also. I cannot tell you how it happened, but I know that it has happened. I lay awake last night and suddenly I felt that I had to find the Saviour and to hide in Him. Then I prayed—like the thief on the cross—that Christ would forgive me and cleanse my sinful soul, and make me ready to stand before Him whom I should meet soon.

" 'It was a strange night,' continued Koskinen. 'There were times when everything seemed to shine around me. Verses from the Bible and from the song book came to my mind. They brought a message of the crucified Saviour and the blood that cleanses from sin and of the home He has prepared for us. I thanked Him, accepted it, and since then this verse has been sounding inside me. It was God's answer to my prayer. I could no longer keep it to myself! Within a few hours I shall be with the Lord, saved by His grace.'

"Koskinen's face shone as by an inward light. His comrades sat there quietly. He himself stood there transfixed. My soldiers were listening to what this Red revolutionary had to say.

" 'You are right, Koskinen,' said one of his comrades at last. 'If only I knew that there is mercy for me, too! But these hands of mine have shed blood and I have reviled God and trampled on all that is holy. Now I realize that there is a Hell and that it is the proper place for me.'

"He sank to the ground with despair depicted on his face. 'Pray for me, Koskinen,' he groaned. 'Tomorrow I shall die and my soul will be in the hands of the devil!'

"And there these two Red soldiers went down on their knees and prayed for each other. It was no long prayer, but it opened Heaven for both, and we who listened to it forgot our hatred. It melted in the light from Heaven, for here two men who were soon to die sought reconciliation with God. A door leading into the invisible stood ajar and we were entranced by the sight.

"Let me tell you shortly that by the time it was four o'clock all Koskinen's comrades had followed his example and began to pray. The change in the atmosphere was indescribable. Some of them sat on the floor, others talked of spiritual things.

"The night had almost gone and day was dawning. No one had had a moment's sleep. 'Sing the song once more for us, Koskinen,' said one of them. And you should have heard them sing! Not only that song but verses and choruses long forgotten came forth from their memories as buds in the sunshine. The soldiers on guard united their voices with them.

"The town clock struck six. How I wished I could have begged for grace for these men, but I knew that this was impossible.

"Between two rows of soldiers they marched out to execution. One of them asked to be allowed once more to sing Koskinen's song. Permission was granted. Then they asked to die with uncovered faces—and with hands raised to Heaven they sang with might and main:

Safe in the arms of Jesus, Safe on His gentle breast.
When the last lines had died out the lieutenant gave the word 'Fire!' and the seven Red soldiers had fought their last fight. We inclined our heads in silent prayer.

"What had happened in the hearts of the others I do not know; but so far as I was concerned I was a new man from that hour. I had met Christ in one of His lowliest and youngest disciples, and I had seen enough to realize that I, too, could be His. 'The Lord looketh from heaven; he beholdeth all the sons of men' " (Psalm 33:13).

Jesus said: "I am the resurrection, and the life: he that believeth on me, though he die, yet shall he live" (John 11:25, R. V.).

Evangelist
BOB JONES, SR., LL.D.

Dr. Bob Jones preached 70 years. A Southern
Methodist in background, he had the fervor of heart
and the beauty of expression so well exemplified
among many of the best evangelists of a generation
ago in the South. Dr. Jones preached to more people, it is said, than any other living American evangelist. Tens of thousands of converts came to Christ
in his evangelistic campaigns. Dr. Jones was founder
and president of Bob Jones College. In 1947 the
school (with some sixteen hundred students), was
transferred to Greenville, South Carolina, as a great
Christian university, with capacity for three thousand students, "standing for the Bible and the old-
time religion." Dr. Jones' full-length messages are
often used in *The Sword of the Lord*. He went to be
with the Lord January 16, 1968, at age 84.

XI

THE MOST INTERESTING STORY I EVER HEARD

By Bob Jones, Sr., *D.D., LL.D.*

The most interesting story I ever heard was told me years ago by a man over eighty years of age. We were sitting together on a projecting rock of a mountainside in Arkansas. Here is the story:

"I was down in this country during the Civil War. Across on the other side yonder there were hundreds of tents where our soldiers were encamped. Measles broke out and many of our brave lads died. The epidemic got so bad we stretched some tents farther down the valley and moved all the measles patients into these tents. This, of course, was done to protect as far as possible the health of the well soldiers. I was wardmaster in charge of the tents where the measles patients were located.

"One night while I was on the ward I passed a bunk where there was a very sick soldier lad not more than seventeen years of age. The boy looked at me with a pathetic expression and said, 'Wardmaster, I believe I am going to die. I am not a Christian. My mother isn't a Christian. My father isn't a Christian. I never had any Christian training. I never did attend church. I did go with a boy friend to Sunday School just once. A woman taught the Sunday School class. She seemed to be such a good woman. She read us something out of the Bible about a man—I think his name was Nicodemus. Anyway, it was about a man who went to see Jesus one night. Jesus told this man he must be born again. The teacher said all people must be born again in order to go to Heaven when they die. I have never been born again and I don't want to die like this. Won't you please get the chaplain so he can tell me how to be born again?' "

The old man hesitated for a moment. "You know, in those days I was an agnostic—at least that is what I called myself. As a matter of fact, I wasn't anything but an old sinner. So I told the boy, 'You don't need a chaplain. Just be quiet now. Don't worry, you'll be all right.' I went on around the ward and in about an hour I came back to the boy's bed. He looked at me out of such sad, staring eyes as he said, 'Wardmaster, if you won't get me the chaplain, please get me the doctor. I am choking to death.' 'All right, my son, I'll get you the doctor,' I said. So I went off and found the doctor and he came and mopped out the throat of the lad so he could breathe just a little easier. I knew the boy was going to die. I had seen many other cases just like his. The boy was so sweet he literally climbed into my heart. He thanked me for my kindness. He thanked the doctor for being so good to him. The doctor and I went away from the bed.

"In about an hour I came back expecting to find the boy dead but he was still struggling. He looked up out of his eyes of death and said, 'There is no use, Wardmaster. I have got to die and I haven't been born again. Whether you believe in it or not, won't you find the chaplain and let him tell me how to be born again?' I looked at him for a moment and thought about how helpless he was in the grip of death. So I said, 'All right, my son. I will get you the chaplain.'

"I walked away a few paces and then turned and went back to the boy's bedside. I said, 'My boy, I am not going to get you the chaplain. I am going to tell you what to do myself. Now, understand, I am an agnostic. I don't know whether there is any God. I don't know whether there is any Heaven. I don't know whether there is any Hell. I don't know anything. Yes, I do. I know one thing. I know my mother was a good woman. I know if there is a God my mother knew Him. If there is a Heaven I know she is there. So, I will tell you what my mother told me. You can try it and see if it works. Now, I am going to teach you a verse of Scripture. The verse is John 3:16. "For God so loved the world, that he gave his only begotten Son, that whosoever believeth in him should not perish, but have everlasting life." My mother said that I cannot save myself, but if I will believe in Jesus He will save me.'

"I asked the boy to say the verse with me. I started and he followed with a weak and trembling voice; 'For God so loved the world,' 'For God so loved the world'; 'That he gave his only begotten Son,' 'That he gave his only begotten Son'; 'That whosoever believeth in him,' 'That whosoever believeth in him'; 'should not perish,' 'should not perish'; 'but have everlasting life,' 'but have everlasting life.' 'Now, my boy, my mother said if a person will trust Jesus he will not perish but have everlasting life.'

"I referred the lad to another verse my mother taught me, but he closed his eyes, stretched his hands across his breast and in a whisper he quoted slowly, repeating some of the words several times, 'For God so loved the world . . . he gave his only begotten Son . . . that whosoever, whosoever . . . *whosoever* believeth, *believeth* in him, *believeth* in him . . .' Then he stopped and said with a clear voice, 'Praise God, Wardmaster, it works. I believe in Him! I shall not perish! I have everlasting life! I have been born again! Wardmaster, your mother was right. Why don't you try it? Do what your mother said. It works, Wardmaster. This thing works! Wardmaster, before I go I want to ask you to do something for me. Take a kiss to my mother and tell her what you told me, and tell her that her dying son said, "It works." ' I leaned over and kissed him on the mouth and then as he drew his last breath he said, 'It works.' "

The old man, wiping tears out of his eyes and tears out of the wrinkles of his face, said, "The lad was right. It *does* work. Whosoever believeth in Him shall not perish, but has *now* everlasting life. *It works. I know it works!*"

REV. WALTER L. WILSON, M.D.

His has been an unusual ministry, signally blessed
of the Lord. He was a doctor of medicine. He has
written sixteen books, all of which emphasize Christian living, especially soul winning. He has enjoyed
a great radio ministry, and for ten years Station
WDAF of Kansas City gave him the privilege of a
morning Bible hour. He was president of Kansas
City Bible College. As a young man he designed and
sold circus tents to Buffalo Bill, Sells-Floto, Al G.
Barnes and others. Early in life he also began
preaching on the street corners of Kansas City. Because of his unique background as physician, author,
businessman, radio speaker, Bible lecturer and
college president, he had an approach to man's old
as well as new problems. He has a sweet spirit.
The message, *Whose Body Is Yours?* has blessed
many lives.

XII

WHOSE BODY IS YOURS?

By Walter L. Wilson, M.D.

"And I will pray the Father, and he shall give you another Comforter, that he may abide with you forever; Even the Spirit of truth; whom the world cannot receive, because it seeth him not, neither knoweth him: but ye know him; for he dwelleth with you, and shall be in you."—John 14:16-17.

"I beseech you therefore, brethren, by the mercies of God, that ye present your bodies a living sacrifice, holy. acceptable unto God, which is your reasonable service."—Rom. 12:1.

Because there exists in these days a great desire in the heart for, and a confusion in the mind concerning, the Spirit-filled life, or the path of consecration, it may help to clear this matter if I tell you of my own experience with the Lord, the Spirit.

It was my privilege to be raised among a group of believers who were quite orthodox in their teaching and quite earnest in studying the Word. It was among these that I first trusted the Lord Jesus in December 1896. He saved me and changed my life. Immediately the Word of God became my constant companion. I loved it, studied it, preached it, and gave away tracts in large quantities. No apparent success followed my labours and much energy produced little fruit. This failure disturbed me greatly, but I assured myself, and was assured by others, that we were not to look for results, but only to be busy at seed sowing.

In 1913 the Lord sent to my home a godly man who had been serving the Lord in France. He said to me, "What is the Holy Spirit to you?"

I replied, "He is one of the Persons of the Godhead."

"Yes," said he, "that is who He is but I asked you what is He to you?"

I answered this question by saying, "He is a Teacher, a Guide; He is the third Person of the Trinity."

My friend corrected me, saying, "He is the first two, but He is not the last that you mentioned, for to call Him the third Person is to give Him a place of insignificance and inferiority which He should not have. He is just as great, just as precious, just as needful as the other two Persons of the Trinity. But still you have not answered my question, what is He to you?"

I now saw the point Mr. Levermore was trying to make with me, and answered truthfully, "He is nothing to me. I have no contact with Him, no personal relationship, and could get along quite well without Him."

This fact and truth surprised my own heart. I knew it was true and yet dreaded the fact that it was true. My friend at once remarked, "It is because of this that your life is so fruitless even though your efforts are so great. If you will seek to personally know the Holy Spirit, He will transform your life. Read John 14:16-17 and see whether you do really know Him, the Spirit, and if you find you do not, then come to Him immediately in faith and make Him the Lord of your life."

I was afraid to do as this brother suggested because for years I had been taught by those who ministered the Word in my circles that the believer can have nothing personally to do with the Spirit. God worked by, and with, His Spirit, but we should have no contact with Him whatever. I was told from the platform that if anyone yielded himself to the Spirit, that one was a heretic to be avoided. Because of the years of this training three obstacles loomed large before me to prevent me from taking the Holy Spirit for myself. The first was my fear of becoming a religious fanatic; the second was a fear of giving Christ an inferior place and thus hurting His heart. (I did not know that there was no jealously in the Godhead); the third was that I should be giving to the Holy Spirit a position and place that should be occupied only by Christ.

These doubts and questions I made known to my Christian teacher. He was a wise man of God and revealed to me from the Scriptures that only by the Spirit would Christ be made known to me and the beauties of Christ be revealed to my heart. He assured me that if the Spirit had all His own way in my soul He would do freely what He came to do—reveal the Scriptures, exalt the Saviour, magnify the Father, give power in service and victory in the battle with Satan. This encouraged me to study those passages which told of the privilege of the believer in receiving the Holy Spirit.

The preacher left the city before I had made a decision in my soul. Shortly thereafter that blessed man of God, the late Dr. James Gray, came to our city, and one evening expounded Romans 12:1. Leaning over the pulpit, he said, "Have you noticed that this verse does not tell us to whom we should give our bodies? It is not the Lord Jesus who asks for it. He has His own body. It is not the Father who asks for it. He remains upon His throne. Another has come to earth without a body. God could have made a body for Him as He did for Jesus, but He did not do so. God gives you the privilege and the indescribable honour of presenting your bodies to the Holy Spirit, to be His dwelling place on earth. If you have been washed in the blood of the Lamb, then yours is a holy body, washed whiter than snow, and will be accepted by the Spirit when you give it. Will you do so now?"

At this service Mr. Baker was sitting beside me and he was in deep meditation, as I was. We said little as we went home together, for he was living with me. He went at once to his room, while I went to my study. There I lay upon the carpet, prostrate in God's presence, heartbroken over a fruitless life, yet filled with a great hope because of the words I had heard from a teacher in whom I had all confidence.

There in the quiet of that late hour, I said to the Holy Spirit, "My Lord, I have mistreated You all my Christian life. I have treated You like a servant. When I wanted You, I called for You; when I was about to engage in some work I beckoned You to come and help me perform my task. I have kept You in the place of a servant. I have sought to use You only as a willing servant to help me in my self-appointed and chosen work. I shall do so no more. Just now I give You this body of mine; from my head to my feet, I give it to You. I give You my hands, my limbs, my eyes and lips, my brain; all that I am within and without I hand over to You for You to live in it the life that You please. You may send this body to Africa, or lay it on a bed with cancer. You may blind the eyes, or send me with Your message to Tibet. You may take this body to the Eskimos, or send it to a hospital with pneumonia. It is Your body from this moment on. Help Yourself to it. Thank You, my Lord; I believe You have accepted it, for in Romans 12:1 You said 'acceptable unto God.' Thank You again, my Lord, for taking me. We now belong to each other."

During the night I had seen the light burning in the room of my father-in-law, so in the morning when he came to breakfast I said, "It is too bad you were ill during the night, Father; why did you not call me?" He replied, "I was not sick last night, but all night long I sought to get to the Lord and to give my body to the Holy Spirit. I was unable to do so because business kept intruding. Tents, camp furniture, flags, advertising, factory problems all pressed upon my mind and demanded my attention. It was four-thirty this morning before I could really get to the Lord. Then I did give this body to the Holy Spirit and accepted Him as the Lord of my service. At five o'clock I retired. You go down, Walter, and open the mail and get the work started, for I am going to a luggage shop to buy a travelling bag. Since I have given my body to the Spirit and He has accepted it, I know He will have work for me to do, and I want to be ready to go."

At the luggage shop Mr. Baker was waited on by a young lady. As he told her of his need, she said, "Are you the Mr. Baker of the awning shop?" "Yes," he replied. Immediately her face flushed and she was choked with emotions. She told how just a few weeks before her mother had died, and on her deathbed had requested the daughter to find Mr. Baker and ask him to lead her to the Lord Jesus, as she herself had been led by this same friend some years before. Thus, before he arrived at the office, the Holy Spirit had proved His acceptance of that servant by giving him this soul the first thing in the morning.

As I left home that morning I said to my wife, "Lover, this is to be a wonderful day with me, for I gave my body to the Holy Spirit last evening. I have quit asking Him to help me to do things and shall today see Him as Lord of my life, doing things through me. I will call you up and let you know what happens."

About ten o'clock two young ladies entered my office, selling advertising. They had often called for that purpose before and I had given them some large contracts. Never had I spoken to them about the Lord Jesus. My lips had been my own and I used them for business purposes. Now, however, these lips had been given away, and the Holy Spirit made use of them at once. "Are you girls bad enough to be lost?" I said. The older one answered immediately that she was and had been sitting up the previous night until two in the morning reading her Bible and seeking the Lord. It was only a short way to Calvary for this girl. She soon met the Saviour and found peace in her soul. The younger sister was not so easily led. She said, "You must think I am a very bad girl," upon which I handed her my Bible, open at Romans 3, and requested her to read the chapter, verses 9 to 19, and see what God said about her. She denied that this passage referred to her at all and would not accept it. I handed her my scissors and requested that she cut it out of the Book in order that I might not have an untrue statement in my Bible. This she refused to do, saying that her mother had taught her that all the Bible was true. This part, she said, referred to someone else, but not to her. From this passage I turned her to Mark, chapter 7, and had her read verses 20 to 23. In this portion she admitted that the last two items did refer to her, but certainly the other items were not true in her life. We next turned to

Matthew 13 and read the story of the wheat and the tares. As we read the explanation, verses 37 to 43, the tears fell from her eyes as she acknowledged that she was like the tares. She was quite like a Christian, but knew in her heart that she did not have the life of Christ. Having thus admitted that she was a hypocrite and lost, she too, like her sister, trusted in Christ Jesus.

The gracious Spirit of God, having obtained the mastery and control of these lips and eyes and brain, began at once to use them. These two precious souls were the first fruits of this "life more abundant." After the two sisters had gone I called up on the telephone to tell my companion of the great honor given me and the blessed assurance granted that the Holy Spirit had accepted my body for His own purposes.

Since that eventful time He has proved in a multitude of ways His authority and His power, His wisdom and His knowledge in bringing about many such miracles, showing Himself to be indeed the Leader of the life, the Lord of the harvest. I entreat each of you to go directly to the Holy Spirit Himself, give Him your body, and then look to Him constantly to do what He wants with that body for the glory and the honour of our Lord Jesus Christ.

Rev. George A. Cutting

Mr. Cutting was an English evangelist of the Plymouth Brethren group. His message, *Safety, Certainty and Enjoyment*, has been widely published as a tract, sometimes under the title, *What Class Are You Traveling?* Heretofore it has not been spread widely in permanent form. So many thousands have been led to fuller assurance of salvation and so many to trust Christ as Saviour by it, that we are glad to include this gem—popular wherever Christians speak English—in this group of treasures.

XIII

SAFETY, CERTAINTY, AND ENJOYMENT

By Evangelist GEORGE CUTTING

*"What Class Are You Travelling?"

What an oft-repeated question! Let me put it to *you*, my reader; for *travelling* you most certainly are—travelling from *time* into *eternity,* and who knows how very, very near you may be this moment to the GREAT TERMINUS?

Let me ask you then in all kindness, *"What class are you travelling?"* There are but three. Let me describe them, that you may put yourself to the test as in the presence of "Him with whom you *have to do."*

1ST CLASS.—Those who are *saved* and who *know it.*

2ND CLASS.—Those who are *not sure* of salvation but *anxious* to be so.

3RD CLASS.—Those who are not only *unsaved* but *totally indifferent about it.*

Again I repeat my question, *"What class are you travelling?"* Oh, the madness of *indifference,* when eternal issues are at stake! A short time ago a man came rushing into the railroad station at Leicester, and while scarcely able to gasp for breath, he took his seat in one of the cars just on the point of starting.

"You've run it fine," said a fellow passenger. "Yes," replied he, breathing heavily after every two or three words, "but I've saved *four hours,* and that's *well worth running for."*

Saved four hours! I couldn't help repeating to myself, Four hours well worth that earnest struggle! What of eternity? Yet are there not thousands of shrewd, far-seeing men today who look sharply enough after their own interests in this life, but who seem stone-blind to the eternity before them? In

*In England where the author lived, there are three classes of railroad accommodations according to price.

spite of the infinite love of God to helpless rebels told at Calvary, in spite of His pronounced hate of sin, in spite of the known brevity of man's history here, in spite of

THE TERRORS OF JUDGMENT

after death, and of the solemn probability of waking up at last with the unbearable remorse of being on Hell's side of a "fixed" gulf, man hurries on to the bitter, bitter end, as careless as if there were no God, no death, no judgment, no Heaven, no Hell! If the reader of these pages be such an one, may God this very moment have mercy upon you, and while you read these lines open your eyes to your most perilous position, standing as you may be on the slippery brink of an endless woe!

Oh, friend, believe it or not, your case is truly desperate! Put off the thought of eternity no longer. Remember that procrastination is like him who deceives you by it, not only a *"thief,"* but a *"murderer."* There is much truth in the Spanish proverb which says, "The road of *'By-and-by'* leads to the town of *'Never.'*" I beseech you, unknown reader, travel that road no longer; *"NOW* is the day of salvation."

"But," says one, "I am *not indifferent* as to the welfare of my soul. *My* deep trouble lies wrapped up in another word— *Uncertainty; i.e.,* I am among the second-class passengers you speak of."

Well, reader, both indifference and uncertainty are the off-spring of one parent—*unbelief.* The first results from unbelief as to the sin and ruin of man; the other from unbelief as to God's sovereign remedy *for* man. It is especially for souls desiring before God to be *fully and unmistakably* SURE *of their salvation* that these pages are written. I can in a great measure understand

YOUR DEEP SOUL TROUBLE,

and am assured that the more you are in earnest about this all-important matter, the greater will be your thirst, until you *know for certain* that you are really and eternally saved. "For what shall it profit a man, if he shall gain the whole world, and lose *his own* soul?"

The only son of a devoted father is at sea. News comes that his ship has been wrecked on some foreign shore. Who can tell the anguish of suspense in that father's heart until, upon the most reliable authority, he is assured that his boy is safe and sound? Or, again, you are far from home. The night is dark and wintry, and your way is totally unknown. Standing at a point where two roads diverge, you ask a passer-by the way to the town you desire to reach, and he tells you he *thinks* that such and such a way is the right one, and *hopes* you will be all right if you take it. Would *"thinks,"* and *"hopes,"* and *"maybes"* satisfy you? Surely not. You must have *certainty* about it, or every step you take will increase your anxiety. What wonder, then, that men have sometimes neither been able to eat nor sleep when the eternal safety of the soul has been trembling in the balance!

> To lose your wealth is much,
> To lose your health is more,
> To *lose your soul* is such a loss
> As no man can restore.

Now, dear reader, there are three things I desire, by the Holy Spirit's help, to make clear to you, and, to put them into Scripture language. They are these:

1. The way of salvation (Acts 16:17).
2. The knowledge of salvation (Luke 1:77).
3. The joy of salvation (Psa. 51:12).

We shall, I think, see that, though intimately connected, they each stand upon a separate basis; so that it is quite possible for a soul to know the way of salvation without having the certain *knowledge that he himself is saved;* or again *to know that he is saved,* without possessing at all times the joy that ought to accompany that knowledge.

First, then, let me speak briefly of

The Way of Salvation

Please open your Bible and read carefully EXODUS 13:13; there you find these words from the lips of Jehovah: *"Every firstling of an ass thou shalt redeem with a lamb; and if thou wilt* NOT *redeem it,* THEN THOU SHALT BREAK HIS NECK: *and all the firstborn of man among thy children shalt thou redeem."*

Now come back with me in thought to a supposed scene of 3,000 years ago. Two men (a priest of God and a poor Israelite) stand in earnest conversation. Let us stand by, with their permission, and listen. The gestures of each bespeak deep earnestness about some matter of importance, and it is not difficult to see that the subject conversation is a little ass that stands trembling beside them.

"I have come to find out," says the poor Israelite, "if there cannot be a merciful exception made in my favor this once. This feeble little thing is the firstling of my ass, and though I know full well what the law of God says about it, I am hoping that mercy will be shown and the ass' life spared. I am but a poor man in Israel and can ill afford to lose the little colt."

"But," answers the priest firmly, "the law of the Lord is plain and unmistakable: *'Every firstling of an ass thou shalt redeem with a lamb; and if thou wilt not redeem it, then thou shalt break his neck.'* Where is the lamb?"

"Ah, sir, no lamb do I possess!"

"Then go, purchase one, and return, or the ass' neck must surely be broken. The *lamb* must die, or the ass must die."

"Alas! then all my hopes are crushed," he cries, "for I am far too poor to buy a lamb."

While this conversation proceeds, a third person joins them, and after hearing the poor man's tale of sorrow, he turns to him and says kindly, "Be of good cheer,

I CAN MEET YOUR NEED,"

and thus he proceeds: "We have in our house, on the hilltop yonder, one little lamb, brought up at our very hearthstone, which is 'without spot or blemish.' It has never once strayed from home and stands (and rightly so) in highest favor with all that are in the house. This lamb will I fetch." And away he hastens up the hill. Presently you see him gently leading the fair little creature down the slope, and very soon both the lamb and ass are standing side by side.

Then the lamb is bound to the altar, its blood is shed, and the fire consumes it.

The righteous priest now turns to the poor man and says, "You can freely take home your little colt in safety; no broken neck for it now. *The lamb has died in the ass' stead,* and consequently *the ass goes righteously free.* Thanks to your friend."

Now, poor troubled soul, can't you see in this God's own picture of a sinner's salvation? His claims as to your sin demanded a "broken neck"—*i.e.,* righteous judgment upon your guilty head; the only alternative being the death of a divinely-appointed substitute.

Now *you* could not find the provisions to meet your case; but, in the person of His beloved Son, God *Himself* provided the Lamb. "Behold the *Lamb of God,*" said John to his disciples, as his eyes fell upon that blessed, spotless One; "Behold the Lamb of God, which taketh away the sin of the world" (John 1:29).

Onward to Calvary He went, "as a lamb to the slaughter," and there and then He "once suffered for sins, the just for the unjust, that he might bring us to God" (I Pet. 3:18). He *"was delivered for our offenses,* and was raised again for our justification" (Rom. 4:25). So that God does not abate one jot of His righteous, holy claims against sin when He justifies (*i.e.,* clears from all charge of guilt) the ungodly sinner who believes in Jesus (Rom. 3:26). Blessed be God for such a Saviour, such a salvation!

"DOST THOU BELIEVE ON THE SON OF GOD?"

"Well," you reply, "I have, as a poor condemned sinner, found in HIM one that I can safely trust. I do believe on Him."

Then I can tell you that the full value of His sacrifice and death, as God estimates it, He makes as good to you as though you had accomplished it all yourself.

Oh, what a wondrous way of salvation is this! Is it not great, and grand, and Godlike—worthy of God Himself—the gratification of His own heart of love, the glory of His precious Son, and the salvation of a sinner, all bound up together? What a bundle of grace and glory! Blessed be the God and Father of our Lord Jesus Christ, who has so ordered it that His own beloved Son should do all the work and get all the praise, and that you and I, poor, guilty things, believing on Him should not only get all the blessing, but enjoy the blissful company of the blessed for ever and ever!" "O magnify the Lord with me, and let us exalt his name together" (Psa. 34:3.)

But perhaps your eager inquiry may be, *"How is it that since I do really distrust self and self-work, and wholly rely upon Christ and Christ's work, that I have not the full certainty of my salvation?"* You say, "If my *feelings* warrant my saying that I am saved one day, they are pretty sure to blight every hope the next and I am left like a ship storm-tossed, without any anchorage whatever." Ah! *there* lies your mistake. Did you ever hear of a captain trying to find anchorage by fastening his anchor *inside the ship?* Never. *Always outside.*

It may be that you are quite clear that it is *Christ's death alone* that gives SAFETY; but *you think* that it is *what you feel that gives* CERTAINTY.

Now, again, take your Bible; for I now wish you to see from God's Word how He gives a man

The Knowledge of Salvation

Before you turn to the verse which I shall ask you very carefully to look at, which speaks of *HOW* a believer is to *KNOW* that he *HAS* eternal life, let me quote it in the distorted way that man's imagination often puts it: 'These happy feelings have I given unto you that believe on the name of the Son of God; that ye may know that ye have eternal life.' Now open your Bible, and while you compare this with God's blessed and unchanging Word may He give you from your very heart to say with David, *"I hate vain thoughts: but thy law do I love"*

(Psa. 119:113). The verse just misquoted is 1 John 5:13, and reads thus in our version: "These things HAVE I WRITTEN unto you that believe on the name of the Son of God; that ye may KNOW that ye HAVE *eternal life.*"

How did the firstborn sons of the thousands of Israel know for certain that they were safe the night of the Passover and Egypt's judgment? (See Exod. 12.)

Let us take a visit to two of their houses and hear what they have to say.

We find in the first house we enter that they are all shivering with fear and suspense.

What is the secret of all this paleness and trembling? We inquire, and the firstborn son informs us that

THE ANGEL OF DEATH IS COMING

round the land, and that he is not quite certain how matters will stand with him at that solemn moment.

"When the destroying angel has passed our house," says he, *"and the night of judgment is over,* I shall *then know* that I am safe; but I can't see how I can be quite sure of it until then. They say they ARE sure of salvation next door, but we think it VERY PRESUMPTUOUS. All *I* can do is to spend the long dreary night HOPING *for the best.*"

"Well," we inquire, "but has the God of Israel not provided a way to safety for His people?"

"True," he replies, "and we have availed ourselves of that way of escape. The blood of the spotless and unblemished first year lamb has been duly sprinkled with the bunch of hyssop on the lintel and two sideposts, but we still are not fully assured of shelter."

Let us now leave these doubting, troubled ones, and enter next door.

What a striking contrast meets our eye at once. Peace rests on every countenance. There they stand, with girded loins, and staff in hand, feeding on the roasted lamb.

What *can* be the meaning of all this tranquility on such a solemn night as this? "Ah," say they all, "we are only waiting for Jehovah's marching orders and then we shall bid a last farewell to the taskmaster's cruel lash and all the drudgery of Egypt!"

"But hold! Do you forget that this is the night of Egypt's judgment?"

"Right well we know it; but our firstborn son is safe. The blood has been sprinkled according to the wish of our God."

"But so it has been next door," we reply; "but they are all unhappy because all are uncertain of safety."

"Ah!" firmly responds the firstborn, but WE have MORE THAN THE SPRINKLED BLOOD; we have the UNERRING WORD OF GOD ABOUT IT. God has said: 'When I SEE the BLOOD I will pass over you.' *God rests satisfied* with *the blood outside,* and *we rest satisfied* with *His Word inside.*"

The *sprinkled blood* makes US SAFE.

The *spoken word* makes us SURE.

Could anything make us *more safe* than *the sprinkled blood,* or more sure than His spoken word? *Nothing, nothing.*

Now, reader, let me ask YOU a question. *"Which of those two houses, think you, was the safer?"*

Do you say No. 2, where all were so peaceful? Nay, then, you are wrong.

Both are safe alike.

Their *safety* depends upon what God thinks about the *blood outside* and *not* upon the state of their *feelings inside.*

If you would be sure of your own blessing, then, dear reader, listen not to

THE UNSTABLE TESTIMONY OF INWARD EMOTIONS, but to the infallible witness of the Word of God.

"Verily, verily, I say unto you, He that believeth on *me* HATH everlasting life (John 6:47).

Let me give you a simple illustration from everyday life. A certain farmer in the country, not having sufficient grass for his cattle, applies for a piece of pasture land which he hears is for rent near his own house. For some time he gets no answer from the landlord. One day a neighbor comes in and says, "I feel quite sure you will get that field. Don't you recollect how that last Christmas he sent you a special present of game and that he gave you a kind nod of recognition the other day when he drove past in the carriage?" And with such like words the farmer's mind is filled with sanguine hopes.

Next day another neighbor meets him, and in course of conservation he says, "I'm afraid you will stand no chance whatever of getting that grass field. Mr. —— has applied for it, and you cannot but be aware what a favorite he is with the Squire—occasionally visits with him," etc. And the poor farmer's bright hopes are dashed to the ground and burst like soap bubbles. One day he is hoping, the next day full of perplexing doubts.

Presently the postman calls and the farmer's heart beats fast as he breaks the seal of the letter; for he sees by the handwriting that it is from the Squire himself. See his countenance change from anxious suspense to undisguised joy as he reads and re-reads that letter.

"*It's a settled thing now*," exclaims he to his wife; no more doubts and fears about it; "*hopes*" and "*ifs*" are things of the past. "The *Squire* says the field is mine as long as I require it, on the most easy terms, and *that's enough for me*. I care for no man's opinion now. *His word settles all!*"

How many a poor soul is in a like condition to the poor troubled farmer—tossed and perplexed by the opinions of men, or the thoughts and feelings of his own treacherous heart; and it is only upon receiving the Word of God *as the Word of God* that *certainty* takes the place of doubts and peradventures. When God speaks there *must* be a certainty, whether He pronounces the damnation of the unbeliever, or the salvation of the believer.

"*For ever*, O Lord, thy word is *settled in heaven*" (Psa. 119:89); and to the simple-hearted believer His WORD SETTLES ALL.

"Hath he said, and shall he not do it? or hath he spoken, and shall he not make it good?" (Num. 23:19).

"But how am I sure that I have *the right kind of faith?*"

Well, there can be but one answer to that question; *viz.*, Have you confidence in *the right person; i. e., in the blessed Son of God?*"

It is not a question of the amount of your faith, but of the *trustworthiness of the person* you repose your confidence in. One man takes hold of Christ, as it were, with

A DROWNING MAN'S GRIP.

Another but touches the hem of His garment; but the sinner who does the former is not a bit safer than the one who does the latter. They have both made the same discovery; viz., the while all of self is totally untrustworthy they may safely confide *in Christ*, calmly rely on *His Word*, and confidently rest in the eternal efficacy of *His finished work*. That is what is meant by believing on HIM. "Verily, verily, I say unto you, He that believeth on me HATH everlasting life" (John 6:47).

Make sure of it then, reader, that your confidence is *not* reposed in *your works of amendment, your religious observances, your pious feeling* when under religious influences, *your moral training from childhood*, and the like. You may have the *strongest faith* in any or all of these and perish everlastingly. Don't deceive yourself by any "fair show in the flesh." The *feeblest faith in Christ* eternally saves, while the *strongest faith in aught beside* is but the offspring of a *deceived heart;* but the leafy twigs of your enemy's arranging over the pitfall of eternal perdition.

God, in the gospel, simply introduces to you the Lord Jesus Christ, and says: "This is *my* beloved Son, in whom *I* am well pleased." 'You may,' He says, 'with all confidence trust *His* heart, though you cannot with impunity trust your own.'

"I do really believe on Him," said a sad-looking soul to me one day, "but yet, when asked if I am saved, I don't like to say *yes, for fear I should be telling a lie.*" This young woman was a butcher's daughter in a small town in the Midlands. It happened to be marketday and her father had not then returned from market. So I said, "Now, suppose when your father comes home you ask him how many sheep he bought today, and he answers, '*Ten.*' After awhile a man comes to the shop and says, 'How many sheep did your father buy today?' and you reply, 'I don't like to say, for fear I should be telling a lie.'" "But," said the mother (who was standing by at the time), with righteous indignation, "that would be making your *father* the liar."

Now, dear reader, don't you see that this well-meaning young woman was virtually

MAKING CHRIST OUT TO BE A LIAR,

saying, "I do believe on the Son of God, and HE says I have everlasting life, but I don't like to say I have *lest I should be telling a lie.*" What daring presumption!

"But," says another, "*how may I be sure that I really do believe?* I have *tried* often enough to believe, and looked *within to see if I had got it,* but the more I look at my faith the less I seem to have."

Ah, friend, you are looking in the wrong direction to find *that* out, and your *trying to believe* but plainly shows that you are on the wrong track.

Let me give you another illustration to explain what I want to convey to you.

You are sitting at your quiet fireside one evening when a man comes in and tells you that the stationmaster has been killed that night on the railroad.

Now, it so happens that this man has long borne the character in the place for being a very dishonest man and the most daring, notorious liar in the neighborhood.

Do you believe, or even *try to believe,* that man?

"Of course not," you exclaim.

"Pray, why?"

"Oh, I *know him* too well for that!"

"But tell me how you *know* that you don't believe him. Is it by looking within at your faith or feelings?"

"No," you reply, *"I think of the man that brings me the message."*

Presently a neighbor drops in, and says, "The stationmaster has been

RUN OVER BY A FREIGHT TRAIN

tonight, and killed on the spot." After he has left I hear you cautiously say, "Well, I *partly* believe it now; for to my recollection this man only once in his life deceived me, though I have known him from boyhood."

But again I ask, "Is it by looking at your faith this time that you *know* you partly believe it?"

"No," you repeat, "I am thinking of the character of my informant."

Well, this man has scarcely left your room before a third person enters, and brings you the same sad news as the first. But this time you say, "Now, *John, I believe it.* Since YOU tell me, I *can* believe it."

Again I press my question (which is, remember, but the re-echo of your own), "How do you KNOW that you so confidently believe your friend John?"

"Because of *who* and *what* JOHN is," you reply. "He never *has* deceived me and I don't think he ever will."

Well, then, just in the same way *I know that I believe the gospel; viz.,* because of the One who brings me the news. "If we receive the witness *of men,* the witness of God is greater: for this is the witness of God which He *hath testified of His Son.* He that BELIEVETH NOT GOD HATH MADE HIM A LIAR; because he believeth not the record *that God gave* of His Son" (I John 5:9-10). "Abraham *believed* God, and it was counted unto him for righteousness" (Rom. 4:3).

An anxious soul once said to a servant of Christ, "Oh, sir, I *can't believe!*" To which the preacher wisely and quietly replied, "Indeed, WHO *is it* that you can't believe?" This broke the spell. He had been looking at faith as an indescribable something he must feel within himself in order to be sure he was all right for Heaven; whereas faith ever looks outside to a living Person and His finished work, and quietly listens to the testimony of a faithful God about both.

It is the *outside look* that brings the *inside peace*. When a man turns his face towards the sun *his own shadow* is behind him. You cannot look at self and a glorified Christ in Heaven at the same moment.

Thus we have seen that the blessed PERSON of God's Son wins my confidence. His FINISHED WORK makes me eternally safe. GOD'S WORD *about those who believe on* Him makes me unalterably sure. I find in Christ and His work the *way of salvation* and in the Word of God the *knowledge of salvation*.

But if saved, my reader may say, "How is it that I have such a fluctuating experience, so often

LOSING ALL MY JOY

and comfort and getting as wretched and downcast as I was before my conversion?" Well, this brings us to our third point, viz.,

The Joy of Salvation

You will find in the teaching of Scripture that while you are *saved* by *Christ's work* and *assured* by *God's Word,* you are maintained in comfort and joy by the *Holy Ghost* who indwells every saved one's body.

Now you must bear in mind that every saved one has still with him "the flesh"; i.e., the evil nature he was born with as a natural man and which perhaps showed itself

WHILE STILL A HELPLESS INFANT

on his mother's lap. The Holy Ghost in the believer resists the flesh and is *grieved* by every activity of it in motive, word, or deed. When he is walking "worthy of the Lord," the Holy Ghost will be producing in his soul His blessed fruits: "love, joy, peace," etc. (See Gal. 5:22.) When he is walking in a carnal, worldly way the Spirit is grieved, and these fruits are wanting in greater or lesser measure.

Let me put it thus for you who do believe on God's Son:

Christ's work
                 }
and   stand or fall together.
Your salvation
                 }

Your walk
                 }
and   stand or fall together.
Your enjoyment
                 }

When *Christ's work* breaks down (and, blessed be God, *it never, never will*) *your salvation* will break down with it. When your *walk* breaks down (and be watchful, for it *may*), *your enjoyment* will break down with it.

Thus it is said of the early disciples (Acts 9:31), that they *walked "in the fear of the Lord,* and in the *comfort of the Holy Ghost."*

And again in Acts 13:52: "The disciples were filled with *joy,* and with the *Holy Ghost."*

My spiritual joy will be in proportion to the spiritual character of my walk after I am saved.

Now do you see your mistake? You have been mixing up *enjoyment* with your *safety,* two widely different things. When through self-indulgence, loss of temper, worldliness, etc., you grieved the Holy Spirit and lost your joy, you thought your safety was undermined. But again I repeat it:

Your safety hangs upon Christ's work FOR *you; your assurance upon God's Word* TO *you; your enjoyment upon your not grieving the Holy Ghost* IN *you.*

When, as a child of God, you do anything to grieve the Holy Spirit of God, your communion with the Father and the Son is, for the time, practically suspended; and it is only when you judge yourself and confess your sins, that the joy of communion is restored.

Your child has been guilty of some misdemeanor. He shows upon his countenance the evident mark that something is wrong with him. Half an hour before this

HE WAS ENJOYING A WALK WITH YOU

around the garden, admiring what you admired, enjoying what you enjoyed. In other words, he was in *communion with you;* his feelings and sympathies were in common with yours.

But now all this is changed, and as a disobedient child he stands in the corner, the very picture of misery.

Upon penitent confession of his wrongdoing you have assured him of forgiveness; but his pride and self-will keep him sobbing there.

Where is now the joy of half an hour ago? All gone. Why? Because communion between you and him has been interrupted.

What has become of the relationship that existed between you and your son half an hour ago? Has that gone too? Is that severed or interrupted? Surely not.

His relationship depends upon *his birth; his communion* upon *his behavior.*

But presently he comes out of the corner with broken will and broken heart, confessing the whole thing from first to last, so that you see that he hates the disobedience as much as you do, and you take him in your arms and cover him with kisses. His *joy* is restored because *communion* is restored.

When David sinned so grievously in the matter of Uriah's wife, he did not say, 'Restore unto me *thy salvation,*' but "Restore unto me the *joy of thy salvation*" (Psa. 51:12).

But to carry our illustration a little further, supposing while your child is in the corner there should be a cry of "fire" through your home; what would become of him then? Left in the corner to be consumed with the burning, falling house! Impossible!

Very probably he would be the very first person you would carry out. Ah, yes, you know right well that the *love of relationship* is one thing and the *joy of communion* quite another.

Now, when the believer sins, communion is for the time interrupted and joy is lost until, with a broken heart, he comes to the Father and confesses his sins.

Then, taking God at His word, he knows he is again forgiven; for His Word plainly declares that "If we confess our sins, he is *faithful* and *just* to forgive us our sins, and to cleanse us from all unrighteousness" (I John 1:9).

Oh, then, dear child of God, ever bear in mind these two things, that there is *nothing so strong as the link of relationship; nothing so tender as the link of communion.*

All the combined power and counsel of earth and Hell cannot sever the former, while an impure motive or an idle word will snap the latter.

If you are troubled with a cloudy half hour, get low before God, consider your ways. And when the thief that has *robbed you of your joy* has been detected, drag him at once to the light,

CONFESS YOUR SINS TO GOD,

your Father, and judge yourself most unsparingly for the unwatchful, careless state of soul that allowed the thief to enter unchallenged.

But never, *never,* NEVER, confound your *safety with* your *joy.*

Don't imagine, however, that the judgment of God falls a whit more leniently on the believer's sin than on the unbeliever's. He has not two ways of dealing judicially with sin and He could no more pass by the believer's sin without judging it, than He could pass by the sins of a rejecter of His precious Son. But there is this great difference between the two; viz., that the believer's sins were *all* known to God and all laid upon His own provided Lamb when He suffered upon the cross at Calvary, and that there and then, once and forever, the great *"criminal question"* of his guilt was raised and settled, judgment falling upon the blessed Substitute in the believer's stead. "Who his own self bare our sins in his own body on the tree" (I Pet. 2:24).

The Christ-rejecter must bear *his own* sins in his own person

IN THE LAKE OF FIRE FOREVER.

Now, when a saved one fails, the *"criminal question"* of sin *cannot be raised against* him, the Judge Himself having settled that once for all on the cross; but the *communion question is raised within him* by the Holy Ghost as often as he grieves the Spirit.

Allow me, in conclusion, to give you another illustration. It is a beautiful moonlight night. The moon is at full and shining in more than ordinary silver brightness. A man is gazing intently down a deep, still well, where he sees the moon reflected, and thus remarks to a friendly bystander: "How beautifully fair and round she is tonight! How quietly and majestically she rides along!" He has just finished speaking, when suddenly his friend drops a small pebble into the well, and he now exclaims, "Why, the moon is all broken to shivers, and the fragments are shaking together in the greatest disorder!"

"What gross absurdity," is the astonished rejoinder of his companion. *"Look up, man!* the moon hasn't changed one jot or tittle. *It is the condition of the well* that reflects her, that has changed."

Now, believer, apply the simple figure. Your heart is the well. When there is no allowance of evil the blessed Spirit of God takes of the glories and preciousness of Christ and reveals them to you for your comfort and joy. But the moment a wrong motive is cherished in the heart, or an idle word escapes the lips unjudged, the Holy Ghost begins to disturb the well, your happy experiences are smashed to pieces, and you are all restless and disturbed within, until in brokenness of spirit before God you confess your sin (the disturbing thing), and thus get restored once more to the calm, sweet joy of communion.

But when your heart is thus all unrest, need I ask, *Has Christ's work changed?* No, no. Then your *salvation* has not altered.

Has *God's Word changed?* Surely not. Then the *certainty of your salvation* has received no shock.

Then, what has changed? Why, the action of the Holy Ghost in you has changed, and instead of taking of the glories of Christ and filling your heart with the sense of *His* worthiness, He is grieved at having to turn aside from this delightful office to fill you with the sense of *your* sin and *unworthiness*.

He takes from you your present comfort and joy until you judge and

RESIST THE EVIL THING

that He judges and resists. When this is done communion with God has again been restored.

The Lord makes us to be increasingly jealous over ourselves, lest we grieve "the holy Spirit of God, whereby ye are sealed unto the day of redemption" (Eph. 4:30).

Dear reader, however weak your faith may be, rest assured of this, that the *blessed One* who has won your confidence will never change.

"Jesus Christ the same yesterday, and to day, and FOR EVER" (Heb. 13:8).

The work He has accomplished will never change.

"Whatsoever God *doeth,* it shall be FOR EVER: nothing can be put to it, nor anything taken from it" (Eccl. 3:14).

The *word* He has spoken will never change.

"The grass withereth, and the flower thereof falleth away: But the word of the Lord endureth FOR EVER" (1 Pet. 1:24-25).

Thus the *object of my trust, the foundation of my safety*, the *ground of my certainty*, are alike ETERNALLY UNALTERABLE.

My love is oftimes low,
My joy still ebbs and flows;
But peace with Him remains the same,
No change Jehovah knows.

I change, He changes not;
My Christ can never die;
His love, not mine, the resting place;
His truth, not mine, the tie.

Once more let me ask, "WHAT CLASS ARE YOU TRAVEL-LING?" Turn your heart to God, I pray you, and answer that question *to Him*.

"Let *God be true,* but every man a liar" (Rom. 3:4).

"He that hath received his testimony has set to his seal that *God is true*" (John 3:33).

May the joyful assurance of possessing this "great salvation" be yours, dear reader, now and "till He come."

Evangelist
R. A. TORREY, D.D.

Dr. Torrey was graduated from Yale University. Converted from infidelity, he took seminary training and then did further work at the University of Hamburg, Germany. He was first a Congregationalist; was called from city mission work in Minneapolis by D. L. Moody to be first superintendent of what is now Moody Bible Institute. There he developed the curriculum which has since been largely followed in Bible institutes all over the world. Dr. Torrey was also pastor of Moody Memorial Church, was right-hand man of D. L. Moody. Later he was called out to a worldwide career as evangelist, being second only to Moody in this work. He helped develop the Bible Institute of Los Angeles and the great Church of the Open Door there, and is the author of many great books.

XIV

HOW I KNOW THERE IS A GOD

By Dr. R. A. Torrey

Suppose you were to go up to an opening in a wall and order beefsteak and potatoes, and beefsteak and potatoes were passed out; and the next day you ordered lamb chops and pumpkin pie, and lamb chops and pumpkin pie were passed out; and the next day you ordered turkey and cranberry sauce, and turkey and cranberry sauce were passed out; and that went on day after day and you got what you asked each time. Even though you saw no person back of that opening, would you not know that there was some intelligent person there listening to your requests? Well, that is my exact experience with God. Day after day, week after week, month after month, year after year, I have walked up to that aperture in Heaven which men call "prayer" and I have asked God for many things of many kinds, and God has answered my prayer and given me the very things for which I asked—oftentimes when no human being knew I needed it, and sometimes when it could not by any possibility have come except by the direct action of God. I have asked God for fifty dollars, and fifty dollars came; for a hundred dollars, and a hundred dollars came; for five thousand dollars, and five thousand dollars came; for a hundred thousand dollars, and got it.

I shall never forget a day during the World's Fair in Chicago. Mr. Moody was carrying on, as you know, a great campaign involving the expenditure of many thousands of dollars. A little group of us, forming the inner circle of advisers, met every day for dinner in Mr. Moody's rooms in the Bible Institute in Chicago. One day as we gathered together, before we sat down to eat, Mr. Moody said, "We need seven thousand dollars today for our work. I have already received one thousand dollars, but before we eat I propose that we ask God for the other six thousand dollars." We all knelt in prayer. Mr. Moody, with that childlike trust that characterized his relation to God, led us into the very presence of our Father and asked for the six thousand dollars which was needed at once for the work. We arose from our knees and sat down at the table. We were a long time at the table discussing various phases of the work. Before we arose from the table there came a knock at the door and I said, "Come in." One of my students at the Institute entered with a telegram in his hand. He took it to Mr. Moody and Mr. Moody opened it and read it and said, "Here, take it to Mr. Torrey," and then he said to me, "Read it to the others." I read, "Mr. Moody—your friends in Northfield had a feeling you needed money for your work in Chicago. We have just taken up a collection and there is six thousand dollars in the basket, and more to follow." It was signed by H. M. Moore of Boston. Some months after I met Mr. Moore and told him our end of the story. Then he continued, "As we drew near to the close of our morning session at Northfield, Dr. A. J. Gordon (who was presiding in the absence of Mr. Moody) called me to the platform and said, 'Mr. Moore, I have a feeling that Mr. Moody needs some money for his work in Chicago. What do you say to our taking up a collection?'" Mr. Moore approved. A collection was taken and God put it into the hearts of three thousand people in Northfield, nearly one thousand miles away, to put into the basket the exact sum we had asked for in Chicago. I think it would have been difficult at that time to have convinced any one of us that there was no God, or that God does not answer prayer.

Many years ago I determined to put the theory that there was a God, that the God of the Bible was the true God and that He answered prayer on the conditions laid down in the Bible, to the test of rigid, practical, personal experiment. I say the theory that there was a God, for at that time it was a theory—a theory that I firmly believed—but nevertheless a theory. I determined that I would risk all that men hold dear upon that theory, and upon that theory I did risk my health, my life, my reputation, the life, health and welfare of my wife and four children whom I had at that time. On that theory I risked everything that men hold dear and if there had been no God, or if the God of the Bible were not the true God, or if He did not answer prayer upon the conditions laid down in the Bible, years ago I would have lost all that men hold dear. *But I risked and I won,* and today I know that there is a God and I know that the God of the Bible is the true God. There was a time in my life when I literally lived by prayer. In a single day I cut off every source of income that I had had before for myself, my family, and my work. I gave up my salary, I gave up all collections and all subscriptions for the work. I determined that I would ask no one for one single penny for the support of myself and wife and children for the payment of hall rent, for the support of missionaries, or for any part of the work. I do not think that God asks all men to do that, nor do I think that He asks one man to do it all the time, but I saw clearly that God told me to do it then. I had had a strong society back of me—a generous society—but I felt sure that God had asked me to take that step at that time; so I asked the society to hand the work over to me. They handed the work over to me and very properly cut off all support in a day. From that time on every penny that was obtained for myself and my family and all the work in all its phases, was obtained by prayer. And the money came day after day, week after week, month after month, sometimes in small amounts, sometimes large amounts, sometimes in ways most ordinary and sometimes in ways apparently most extraordinary—but it came. Never one penny of debt was incurred for one single hour; I had taken the ground that I owe no man anything either for myself, the family, or the work; for running in debt is not trusting God, it is disobeying God, for He says, "Owe no man anything." As I say, the money came and when I got through I knew that there was a God and I knew that the God of the Bible was the true God. I and my family literally lived from hand to mouth—from God's hand to our mouth—but we never went hungry.

It is clear from these various arguments that I have presented to you, it is sure beyond a question, that there is a God. The best proven fact in the universe is the existence of God—that God is. Now we have seen that a man who denies a fact simply because he does not wish to believe it, is a fool, but the man who denies the supreme fact because he does not wish to believe it is the supreme fool. And not only is it a fact that there is a God, but that is the supreme fact. The profoundest and loftiest philosophy that was ever written is found in the first four words of the Bible, "In the beginning God." In the beginning of all true history, God; in the beginning of all correct science, God; in the beginning of all real philosophy, God; in the beginning of all right conduct, God: *"in the beginning, God."* The existence of God is the supreme fact, the fact of facts, and therefore anyone who denies it simply because he does not wish to believe it is a supreme fool, the fool of fools. So it is written in God's own Word, "The fool [that is, the supreme fool, the fool of fools, the prince of fools, the colossal, archetypal fool] hath said in his heart, There is no God." Yes, beyond a peradventure, beyond the possibility of any honest doubt or question, God is!

XV

A THRILLING CHRISTMAS TIME ON THE FRONTIER

By a Pastor's Wife

I remember a day one winter that stands out like a boulder in my life. The weather was unusually cold; our salary had not been regularly paid and it did not meet our needs when it was.

My husband was away much of the time, traveling from one district to another. Our boys were well, but my little Ruth was ailing and at best none of us were decently clothed. I patched and repatched, with spirits sinking to the lowest ebb. The water gave out in the well and the wind blew through the cracks in the floor.

The people in the parish were kind, and generous, too, but the settlement was new and each family was struggling for itself. Little by little, at the time I needed it most, my faith began to waver.

Early in life I was taught to take God at His word, and I thought my lesson was well learned. I had lived upon the promises in dark times until I knew, as David did, who was my Fortress and Deliverer. Now a daily prayer for forgiveness was all that I could offer.

My husband's overcoat was hardly thick enough for October, and he was often obliged to ride miles to attend some meeting or funeral. Many times our breakfast was Indian cake and a cup of tea without sugar.

Christmas was coming; the children always expected their presents. I remember the ice was thick and smooth and the boys were each craving a pair of skates. Ruth, in some unaccountable way, had taken a fancy that the dolls I had made were no longer suitable; she wanted a nice large one, and insisted on praying for it.

I knew it was impossible, but, oh! how I wanted to give each child his present. It seemed as if God had deserted us. But I did not tell my husband all this. He worked so earnestly and heartily, I supposed him to be as hopeful as ever. I kept the sitting room cheerful with an open fire, and I tried to serve our scanty meals as invitingly as I could.

The morning before Christmas, James was called to see a sick man. I put up a piece of bread for his lunch—it was the best I could do—wrapped my plaid shawl around his neck and then tried to whisper a promise as I often had, but the words died away upon my lips. I let him go without it.

That was a dark. hopeless day. I coaxed the children to bed early, for I could not bear their talk. When Ruth went, I listened to her prayer. She asked for the last time most explicitly for her doll and for skates for her brothers. Her bright face looked so lovely when she whispered to me, "You know, I think they'll be here early tomorrow morning, Mama," that I thought I could move Heaven and earth to save her from disappointment. I sat down alone and gave way to the most bitter tears.

Before long James returned, chilled and exhausted. He drew off his boots. The thin stockings clipped off with them and his feet were red with cold. "I wouldn't treat a dog that way; let alone a faithful servant," I said. Then as I glanced up and saw the hard lines in his face and the look of despair, it flashed across me that James had let go, too.

I brought him a cup of tea, feeling sick and dizzy at the very thought. He took my hand and we sat for an hour without a word. I wanted to die and meet God and tell Him His promise wasn't true—my soul was so full of rebellious despair.

There came a sound of bells, a quick step and a loud knock at the door. James sprang up to open it. There stood Deacon White. "A box came by express just before dark. I brought it around as soon as I could get away. Reckoned it might be for Christmas. 'At any rate,' I said, 'they shall have it tonight.'

Here is a turkey my wife asked me to fetch along and these other things I believe belong to you."

There were a basket of potatoes and a bag of flour. Talking all the time, he hurried in the box and then with a hearty good night he rode away.

Still without speaking, James found a chisel and opened the box. He drew out first a thick red blanket and we saw that beneath it, the box was full of clothing. It seemed at that moment as if Christ fastened upon me a look of reproach. James sat down and covered his face with his hands. "I can't touch them," he explained. "I haven't been true, just when God was trying me to see if I could hold out. Do you think I could not see how you were suffering? And I had no word of comfort to offer. I know now how to preach the awfulness of turning away from God."

"James," I said, clinging to him, "don't take it to heart like this. I am to blame. I ought to have helped you. We will ask Him together to forgive us."

"Wait a moment, dear. I cannot talk now." Then he went into another room. I knelt down—and my heart broke. In an instant all the darkness, all the stubbornness rolled away! Jesus came again and stood before me, with the loving word, "Daughter!"

Sweet promises of tenderness and joy flooded my soul. I was so lost in praise and gratitude that I forgot everything else. I do not know how long it was before James came back, but I knew he, too, had found peace.

"Now, my dear wife," he said, "let us thank God together," and he then poured out words of praise—Bible words, for—nothing else could express our thanksgiving.

It was eleven o'clock; the fire was low and there was the great box with nothing touched but the warm blanket we needed. We piled on some fresh logs, lighted two candles and began to examine our treasures.

We drew out an overcoat. I made James try it on—just the right size—and I danced around him, for all my lightheartedness had returned. Then there was a cloak and he insisted on seeing me in it. My spirits always infected him and we both laughed like foolish children.

There were a warm suit of clothes also and three pairs of woolen hose. There were a dress for me and yards of flannel, a pair of arctic overshoes for each of us and in mine a slip of paper. I have it now and mean to hand it down to my children. It was Jacob's blessing to Asher: "Thy shoes shall be iron and brass; and as thy days, so shall thy strength be." In the gloves, evidently for James, the same dear hand had written: "I the Lord thy God will hold thy right hand, saying unto thee, Fear not; I will help thee."

It was a wonderful box and packed with thoughtful care. There were a suit of clothes for each of the boys and a little red gown for Ruth. There were mittens, scarfs, and hoods, and down in the center—a box. We opened it and there was a great wax doll!! I burst into tears again and James wept with me for joy. It was too much! And then we both exclaimed again, for close behind it came two pairs of skates. There were books for us to read—some of them I had wished to see— stories for the children to read, aprons and underclothing, knots of ribbon, a gay little tidy, a lovely photograph, needles, buttons and thread; actually a muff, and an envelope containing a ten-dollar gold piece.

At last we cried over everything we took up. It was past midnight and we were faint and exhausted even with happiness. I made a cup of tea, cut a fresh loaf of bread and James boiled some eggs. We drew up the table before the fire. How we enjoyed our supper! And then we sat talking over our life and how sure a help God always proved.

You should have seen the children the next morning! The boys raised a shout at the sight of their skates—Ruth caught up her doll and hugged it tightly without a word; then she went into her room and knelt by her bed.

When she came back she whispered to me, "I knew it would be here, Mama, but I wanted to thank God just the same, you know."

"Look here, wife, see the difference!" We went to the window and there were the boys out of the house already and skating on the crust with all their might.

My husband and I both tried to return thanks to the church in the East that sent us the box—and have tried to return thanks unto God every day since.

Hard times have come again and again, but we have trusted in Him—dreading nothing so much as a doubt of His protecting care. "They that seek the Lord shall not want any good thing."

REV. OSWALD J. SMITH,
D.D., Litt.D., LL.D., F.R.G.S.

Oswald J. Smith is an author, hymn writer, preacher and missionary leader. With Presbyterian background and training, Dr. Smith worked with the Christian Missionary Alliance and then independently; for years was pastor of the Peoples Church, Toronto. He is the author of a good many books, which are usually printed in England, widely read; the author of a number of popular hymns.

Dr. Smith has been active in promoting independent, fundamental missionary work around the world and raising funds for this work. In his early years he was a missionary to the Indians in Canada. Dr. Smith then became widely used in evangelistic work.

XVI

THE ONLY WAY

By Oswald J. Smith, Litt.D.

"Ridiculous! Absurd! Foolishness!" And the proud banker curled his lip in scorn.

"But why?" inquired the one to whom he had spoken.

"Why? Do you, a thinking man, ask why? Such nonsense!" And he laughed in derision.

"Yes, sir," responded the other. "I ask you why?"

The face of the banker took on a scowl, and there was anger in his voice as he answered.

"Why? Do you mean to tell me that the death of Jesus Christ in my place on the cross is going to satisfy God? Away with such theories! If I am to be saved, I must accomplish it by my own efforts." And he stamped his foot with passion.

"Ah! I see," replied the other. "Now I know what is the trouble. You think you have a right to manufacture a way of your own, and so you reject and spurn the God-provided plan."

"What do you mean by that?" questioned the banker, with a mystified expression on his face.

"Now, listen! Suppose a man should come to you and say, 'Mr. Banker, I am in great need, and I want you to loan me some money.' Tell me, who would have the right to make the terms and conditions upon which the money was to be loaned, you as banker and owner, or the man in need?"

"Why, I would, of course. He would have to meet my conditions before he could get the money," replied the banker.

"Exactly. And that, sir, is your position. You are the poor, helpless sinner, lost and undone, and God is the great Banker. You are coming to Him for mercy and pardon. Will you tell me who has the right to make the terms and lay down the conditions upon which you may receive His salvation, remembering now that you are the man in need, and God the Banker?"

"Ah! I never saw it that way before," responded the banker in an astonished tone of voice. Why, of course, I am not in a position to dictate terms. God has that right, and He alone."

"And yet you have been manufacturing a scheme of your own, forgetting that paupers do not dictate; they accept. And all the time God, the great Banker, has been offering you salvation according to His plan. Will you now abandon yours and accept His? Are you ready to meet God on His own terms?"

"God helping me, I will," responded the now humbled banker, as the new light broke upon his soul.

When we think of God's plan of salvation, we immediately think of such passages as the following:

"Look unto me, and be ye *saved,* all the ends of the earth: for I am God, and there is none else."—Isa. 45:22.

"The Son of man is come to seek and to *save* that which was lost."—Luke 19:10.

"What must I do to be *saved?* Believe on the Lord Jesus Christ, and thou shalt be saved."—Acts 16:30-31.

"By grace are ye *saved* through faith."—Eph. 2:8.

"Christ Jesus came into the world to *save* sinners."—I Tim. 1:15.

"If thou shalt confess with thy mouth the Lord Jesus, and shalt believe in thine heart that God hath raised him from the dead, thou shalt be *saved.*"—Rom. 10:9.

Yet it is doubtful if there is any word in the Bible about which there is greater misunderstanding than the word *saved.* How are men saved? What constitutes salvation? One says one thing and another something else, but "what saith the Lord?"

"There is a way which seemeth right unto a man, but the end thereof are the ways of death" (Prov. 14:12). That way we must avoid by all means.

In the early days of the church there were those who taught the wrong way. They said, "Except ye be circumcised after the manner of Moses, ye cannot be saved" (Acts 15:1). That teaching Paul had to refute. And he did. He proved conclusively that it was neither necessary to be circumcised or to keep the law in order to be saved.

Likewise there are those today who also have erroneous ideas regarding God's salvation, and it is with these false views I want to deal first of all.

Religion

A lot of people think that their *religion* saves them.

"Madam, how is it with your soul?" inquired a British nobleman of Madam Cherkoff of Russia.

"Sir," replied the indignant Countess, "that is a matter between my father confessor and God."

Was she not a member of the Greek Orthodox Church? Had she not paid large sums of money for its upkeep? Did she not believe and practice all its doctrines? Was she not faithful in her attendance on its services? Why then should she worry? It was no concern of hers; it was up to the Church to get her through.

Yes, my friend, and you, too, may be trusting in your church membership. But I want to tell you that religion cannot save. No religion, Protestant, Roman Catholic, Jewish, Greek Orthodox, Coptic, Mohammedan, or any other, can save your soul. Only Jesus Christ can do that.

You may join as many churches as you like and still be lost. The church cannot save. You may be a Presbyterian, a Methodist, a Baptist, an Episcopalian, or anything else, and yet perish. There is no salvation in the church. Salvation is in Christ.

"Thou shalt call his name Jesus: for he shall save."—Matt. 1:21.

"Neither is there salvation in any other: for there is none other name under heaven given among men, whereby we must be saved."—Acts 4:12.

If you are to be saved at all, you must be saved by Jesus Christ. There is no other. He is the one and only Saviour. "Look unto ME, and be ye saved," says God.

Nicodemus was religious, but he wasn't saved. Jesus, therefore, said to him, "Ye must be born again" (John 3:7). The Pharisee was religious, but he wasn't saved (Luke 7:36-50). Cornelius was devoutly religious. He feared God, gave alms, prayed, fasted, was well thought of, and yet he, too, was lost and had to be saved (Acts 10:22).

Paul was perhaps the most religious man of his day. His religion dated from his childhood. He spoke of himself as zealous for God. He had been circumcised and had kept the law blamelessly. And yet he was a sinner in the sight of God. He was lost though he knew it not. He, too, had to be saved, for God's righteousness he did not have. He was religious, oh yes, a religious sinner. In fact, he called himself the "chief of sinners." But listen to his testimony:

"If any other man thinketh that he hath whereof he might trust in the flesh, I more: Circumcised the eighth day, of the stock of Israel, of the tribe of Benjamin, an Hebrew of the Hebrews; as touching the law, a Pharisee; Concerning zeal, persecuting the church; touching the righteousness which is in the law, blameless.

"But what things were gain to me, those I counted loss for Christ. Yea doubtless, and I count all things but loss for the excellency of the knowledge of Christ Jesus my Lord; for whom I have suffered the loss of all things, and do count them but dung, that I may win Christ, And be found in him, not having mine own righteousness, which is of the law, but that which is through the faith of Christ, the righteousness which is of God by faith."—Phil. 3:7-9.

Well now, my friend, if religion could not save Paul and Cornelius, Nicodemus and the Pharisee, how then is it going to save you?

Have you ever heard of anyone as religious as John Wesley, the founder of Methodism? He was a minister of the Episcopalian Church and yet he himself says he was not converted.

He considered himself a Christian because he was religious, because he read his Bible, went to church, and said his prayers. He says he set apart an hour or two a day for religious retirement. He took communion and prayed for inward holiness. On Wednesdays and Fridays he fasted. He became a missionary to the Indians and preached the gospel.

But Wesley was not saved. "Who shall convert me?" he cried. Oh, what a confession! His chief motive in becoming a missionary was, to quote his own words, "the hope of saving my own soul." What a tragedy! An Episcopalian clergyman, devoutly religious, and yet unsaved.

Are you, too, depending on your religious life for salvation? Then you are anchored to a false hope. You do not yet know Christ.

If religion can save, then why did Christ die? Calvary was unnecessary if religion, too, can save. No, my friend, there is but one Saviour, not religion, but Christ.

Religion cannot impart life, and you must receive a new life in order to be saved. "Ye must be born again" (John 3:7).

> 'Twas not the church that saved my soul,
>   Nor yet my life so free from sin;
> 'Twas Jesus Christ, the Lamb of God,
>   He rescued me, He took me in.
> Oh, hallelujah, praise His name!
>   'Twas Jesus Christ who made me whole;
> He rescued me from sin and shame,
>   He bled, He died, He saved my soul.

Morality

A great many people think they are saved because they live a good life. They rely on their morality to save them.

My friend, you might as well try to lift yourself by your own boot straps as to expect morality to save you.

If a moral, upright life can save, then why did Christ die? Of what value is His death? You don't need Him if you can save yourself.

If you could reach Heaven by your own efforts, you would cry out, "Look at me! I got in because of the wonderful life I lived. I was so good, so moral and upright, that God let me in. I didn't need a Saviour. Christ I ignored, I saved myself." But no, my friend, a thousand times, no! No one will ever talk like that, for no one can ever live a good enough life to satisfy God.

"All our righteousnesses are as filthy rags" (Isa. 64:6), declares God. "There is none righteous, no, not one" (Rom. 3:10). "All have sinned," therefore all need a saviour.

In any case, if you are righteous, self-righteous, then Christ never came for you. "I came not to call the righteous, but sinners to repentance" (Luke 5:32), He said. "They that be whole need not a physician, but they that are sick" (Matt. 9:12). Are you whole? Are you perfect? Are you righteous in your own eyes? Then, my friend, you do not need Christ.

"I am not an extortioner, nor am I unjust. I am not an adulterer," said the Pharisee. "I am not even a sinner like this publican. I am righteous." But the publican, with downcast eyes, smiting on his breast, cried, "God be merciful to me a sinner." And Jesus justified the publican but condemned the Pharisee.

You know you are not righteous. Why, you wouldn't want your friends to know your thoughts. Do you think then you are fit to stand in the presence of a holy God?

You tell me there is no dust in this room? Let the sun in. Now look at that ray of light. No dust! Millions, billions of specks everywhere.

You say you are righteous. But wait a moment. Let the white light of God's holiness enter your heart. Now what? Corruption, vileness, pollution—in a word, sin.

Peter cried, "I am a sinful man, O Lord." Job exclaimed, "I am vile." Isaiah said, "Woe is me! for I am undone; because I am a man of unclean lips." And these men were the best, the most moral and upright of their day. But when they saw the Lord, they saw themselves. And so will it be with you.

Did ever a man live a better life than Paul, or Nicodemus, or Cornelius? But their morality did not save them. Nor can morality save you. "Ye must be born again."

Here is the testimony of a public executioner:

"I have always been a God-fearing, religious person.

"I have endeavoured to lead an honest, moral life, and in my dealings with others, have tried to follow the Golden Rule.

"I have striven to be a good husband and a good father.

"Wherever I may have failed, it has not been for lack of sincere effort."

Sounds good, doesn't it? But it is all wrong. It is all "I." He speaks of his own honesty and morality, and his efforts to adhere to the Golden Rule. But where is Christ? He is never even mentioned. He claims to have been a good husband and father. But what has that to do with salvation? He talks of his sincerity. But it is sincerity without knowledge. He claims to be a religious man, not a saved man. There is no mention of the new birth, no word about having accepted Christ. He seeks to be his own saviour and he bases his hope on his personal morality. What a false foundation! Yet there are millions like him. He could not say,

"On Christ the solid Rock I stand,
All other ground is sinking sand."

And are you, too, going to stand on your own righteousness? My friend, you know you are not righteous. If you compare yourself with others, you may make a good showing. But when you measure yourself by the standards of God, how far short you fall! God demands a perfect righteousness and there is only One who has it. That One is Jesus Christ. If you are clothed in His righteousness you will be accepted; if not you will be condemned. Your own is faulty; it will never avail.

You may do your best, but your best will never pass muster with God. But do you do your best? Have you ever done your best? You know you never have. Time and time again you could have done just a little better than you did, and if that be so, then you did not do your best. No one does. Be honest now and face the facts. You are not doing the best you can, and you know it.

Then, my friend, you need Christ. Only the wedding garment of His righteousness will get you through. Like the prodigal, you must cast away your filthy rags, and let Him cover you with His spotless robe. Plead His merits, not yours. Say, and say from your heart,

> "I'm only a sinner and nothing at all,
> But Jesus Christ is my all in all."

Queen Victoria offered pardon to all deserters who would report. But they had to report as deserters; in other words, they had to admit their guilt. Bunyan compels the citizens of Mansoul to put ropes on their necks and come out with barred heads, pleading "guilty," "guilty," in order to be pardoned. So, too, must it be with you, for you, too, are guilty. You have no righteousness of your own.

Works

A great many people think they are saved by their works. They practice penance and self-denial. They give alms and say prayers. They visit the sick and imprisoned and perform numerous deeds of kindness. They make long pilgrimages and afflict their bodies. And thus they expect to get to Heaven.

They work "for" salvation, whereas God tells them to work "out" their salvation. It must become theirs first; then they can work it or live it out. The student must first enroll before he can work out his college career. You must first receive Christ and be saved; you must get salvation if you are to work it out.

What did the dying thief do to be saved? Work he could not, for his hands were nailed to a cross. He did nothing, yet Jesus saved him.

Man's plan of salvation emphasizes the word "do." God speaks of "done." Man insists on doing something, paying something. He wants to merit salvation. God says it is done. There is nothing to do. Jesus did it all.

Salvation, my friend, is a gift. "The gift of God is eternal life" (Rom. 6:23). What can you do to earn a gift? If you pay for it then it is not a gift. If you work for it you have a right to it, so that again is not a gift. A gift is free, and so is salvation.

What did the prodigal son pay? When you tell me how much he paid I will tell you how much you must pay. But you know he paid nothing, for he had nothing. He was bankrupt, and so are you. Salvation, my friend, is without money and without price. It cannot be bought.

When I was in India I saw so-called holy men working for salvation. "What are you lying on that bed of spikes for?" I might have asked. "To save my soul," would have been the answer. But why should they do what Christ did? Did He not suffer, bleed and die for them? Did He not atone for their sins? And is not God satisfied with the sacrifice of His Son? Why, then, should they, or you, seek to add to the finished work of Christ?

Were you in the last war? And did they tell you that if you died on the battlefield you would go to Heaven? That if you paid the supreme sacrifice in the uniform of your country, you would be saved? What a lie! What blasphemy! To think of putting your sacrifice up against the sacrifice of Christ! Did you believe it? Believe that, regardless of the sinful, Christ-rejecting life you lived, you were ready to meet God, just because you died for your country?

Oh no, my friend, your death means nothing, absolutely nothing. It is His death, His blood that avails. Jesus paid it all. Oh that you would believe it and accept Him as your sin-bearer, your Saviour!

Hear now the Word of God. How clear it is! How emphatic!

"For by grace are ye saved through faith; and that not of yourselves: it is the gift of God: Not of works, lest any man should boast."—Eph. 2:8-9.

"Not by works of righteousness which we have done."—Titus 3:5.

"But to him that worketh not, but believeth on him that justifieth the ungodly, his faith is counted for righteousness. Even as David also describeth the blessedness of the man, unto whom God imputeth righteousness without works."—Rom. 4:5-6.

"Worketh not" and "not of works." How definite! No work of yours, no deeds of merit, nothing that you can do will avail in the least. It is Christ and Christ alone who saves. Oh that you would come to Him, and rely on His finished work on Calvary, trust Him this moment and be saved.

> *'Twas not my works that saved my soul,*
> *Nor yet my zeal, my prayers, my tears,*
> *'Twas Jesus Christ, the Son of God,*
> *He bore my sins, He calmed my fears.*

> *Oh, hallelujah, praise His name!*
> *'Twas Jesus Christ who made me whole;*
> *He rescued me from sin and shame,*
> *He bled, He died, He saved my soul.*

Commandments

Some people think they are saved because they keep the commandments.

But Jesus said, "None of you keepeth the law," and I would rather believe Him than you. You haven't kept the commandments, my friend, and what is more, you know it. At some time or other in your life you broke one of them. Now God says, "Whosoever shall keep the whole law, and yet offend in one point, he is guilty of all" (Jas. 2:10). One point, one sin, one commandment broken, and you have broken the law.

Then you are doomed. You are condemned. You are a sinner. You have transgressed, and you are guilty. Well, what are you going to do about it? "Oh," you say, "I am going to turn over a new leaf and live right. I will never again break the commandments." No? Don't be too sure. Frankly, I wouldn't trust you. But even if you could, what about the past? What about the commandment you broke? Will God overlook it?

Most certainly not. You must answer for every sin, that is, unless you will let Christ answer. He never broke the commandments. He was sinless. He kept the law perfectly. But because you did not, an atonement must be made, a sacrifice offered. Now He, the Lamb of God, is my sacrifice. Why not let Him be yours, too?

Clean pages are fine and a clean life is ideal, but remember, you have still to reckon with the old pages with their blots of sin. God will not overlook them. They must be washed and washed clean. Every debt must be wiped out. And "What can wash away my sin? Nothing but the blood of Jesus."

Reformation is fine, but it will not impart life. It does not change the heart. You may dress a private in an officer's uniform but he is still a private. You may adopt the garb and language of a Christian but you are still a sinner. "Ye must be born again."

Suppose you run up a bill at the grocery store, and then one day start to pay cash. Will that wipe out your debt and cancel your bill? Why, certainly not. The debt remains until it is paid. Turn over a new leaf if you want to; start to keep the commandments if you can, but what about the ones you have broken?

But suppose someone walks in and pays your debt, then what? Oh, now you can begin anew. Pay from now on and all will be well. My friend, Christ paid your debt. He atoned for every commandment you broke, every sin you ever committed. Believe it, thank Him and go free.

If you were dying on the battlefield and had only three minutes to live, would you want me to tell you to keep the commandments? When, where, how would you start? Which would you begin to keep? Oh what despair would fill your heart!

But if I tell you that Christ died, that He bore your sins in His own body on the tree, that He offered Himself as a sacrifice to atone for your sin, and that all you have to do is to accept Him as your own personal Saviour, just where you are and just as you are, how easy it would be for you to be saved, yes, saved in three minutes!

It is as sensible to talk about keeping the law in order to be saved as to offer a patient in the sanitorium a book on the laws of health. He has a cancer and he needs a cure. You, too, are diseased. You have a sin cancer. You need someone who can take your disease and give you His health, not a book of laws. My friend, Christ did that. He took your sin, bore it in His own body on the cross, and now He offers you His life —eternal life.

Paul had a never-ending battle with the Judaizers of his day over the law. He called it "the Jews' religion" and turned from it to Christ. Listen now to what he wrote:

"Therefore by the deeds of the law there shall no flesh be justified in his sight: . . . But now the righteousness of God without the law is manifested. Therefore we conclude that a man is justified by faith without the deeds of the law."—Rom. 3:20-28.

"No man is justified by the law" (Gal. 3:11). "A man is not justified by the works of the law . . . by the works of the law shall no flesh be justified. . . If righteousness come by the law, then Christ is dead in vain" (Gal. 2:16-21).

> 'Twas not the law that saved my soul,
>   Nor yet the deeds of virtue done;
> 'Twas Jesus Christ, the gift of God,
>   He bled, He died, my soul He won.
>
> Oh, hallelujah, praise His name!
>   'Twas Jesus Christ who made me whole;
> He rescued me from sin and shame,
>   He bled, He died, He saved my soul.

Ordinances

Many people think they are saved by what they call the sacraments or ordinances of the church, namely, baptism and the Lord's Supper.

Was the thief on the cross baptized? Did he ever partake of the Lord's Supper? Yet he was saved, for Christ said, "To day shalt thou be with me in paradise." And if one could be saved without baptism, all can, for baptism is not a saving ordinance.

How about Cornelius? Was he saved before he was baptized or after? The Bible says before. As a matter of fact, the Holy Spirit fell upon him and he spoke in tongues. He believed, was granted repentance, and was saved. And only after all that had happened was he baptized.

Perhaps you are thinking of the question and answer in the Cathechism: "Who gave you this name? My sponsors in baptism: wherein I was made a member of Christ, the child of God and an inheritor of the kingdom of Heaven."

But don't you know that that answer was given by fallible man and not by God? It isn't in the Bible. It isn't inspired. God never said it. And you know it isn't true. Surely you have enough intelligence to know that a few drops of water sprinkled on you in infancy could never save your soul. Could you conceive of the great God of the universe devising such a stupid plan for man's salvation?

Suppose you go on in your sin after you have been baptized, are you still saved? Does not salvation deliver you, change you, and make you a new creature? "Thou shalt call his name Jesus: for he shall save his people *from* their sins" (Matt. 1:21). Not *in* their sins, mark you, but *from* their sins. And if you are not saved *from* sin, you are not saved at all. Can baptism do that? Does the Lord's Supper make such a change?

Away with such a thought. All that you can do is vain, utterly vain. You are baptized because you are saved, not in order to be saved, just as you unite with the church and partake of the communion, not in order to be saved, but because you have been saved. Christians, not sinners, are baptized and Christians, not sinners, partake of the Lord's Supper. John Wesley says, "I took communion every week," and yet he admits that it was years after before he was saved. Church ordinances do not save; you are saved by Christ and Christ alone.

Christ the Only Saviour

My friend, thus far I have dealt with man's way—religion, morality, works, commandments, ordinances — and proved it false. Now let me turn to God's way of salvation.

There is only One who can save, and that One—the Lord Jesus Christ.

"I am the way . . . no man cometh unto the Father, but by me."—John 14:6.

"I," Jesus Christ. There is no other. Not religion. Not mortality. Nor good works. Christ, the Son of God, is the one and only Saviour.

He is "the Way." Not the way-shower. No man can get to God but by Him. Neither by Moses, nor by Buddha. Not by Mohammed or Confucius. Nor by a priest, a minister or a pope. Only by Christ. Will you then let Him save you?

"Neither is there salvation in any other: for there is none other name under heaven given among men, whereby we must be saved."—Acts 4:12.

What a verse! There is no clearer statement in the Bible. Salvation in no other. No other church. No other individual. No other. Will you believe it? No other name—Roman Catholic, Greek Orthodox, Coptic, Protestant, Presbyterian, Methodist, Anglican, Baptist—no other name. "Thou shalt call His name Jesus, for HE shall save." Will you, then, turn from all other, and trust Him, and Him alone? He only can save you.

But will He save you? "Him that cometh to me I will in no wise cast out," are His own words. He can cast you out or take you in. He says He will not cast you out. Then what will He do? He will take you in. Thank God for such a Saviour.

You will never go to Heaven just because you join the church,
For religion cannot save your guilty soul;
You will have to be converted, just like anybody else,
And accept the One who died to make you whole.

You will never go to Heaven just because you do your best,
Even though you turn away from every sin;
You are lost and need a Saviour, you must have eternal life,
Jesus Christ will have to come and dwell within.

You will never go to Heaven just because you work and pray.
For your efforts, God has said, are all in vain;
Jesus purchased your redemption, "It is finished," was His cry,
Now He bids you trust Him and be born again.

What You Must Do

Perhaps you think that because God has provided salvation there is nothing for you to do.

What a mistake! Can you not see that you must accept God's offer? The Bible says Choose, Take, Receive. Salvation has been provided, but you must accept it. I may offer you a glass of water, but you must take it. It is one thing for the doctor to prescribe medicine for you, but what good will it do you unless you take it? You will have to receive Jesus Christ if you are ever to be saved.

Oh, my friend, take Christ. "As many as received him, to them gave he power to become the sons of God" (John 1:12). But only those who receive Him are His sons and daughters. No one has ever drifted into salvation. As a matter of fact, we cannot get anything without making a decision. Nor can we get salvation. We must act. A choice is absolutely necessary. Oh then, receive Christ and receive Him now.

And remember, there is a difference between believing with the head and receiving in the heart. You believe the elevator can take you down. But you do not get down until you act on your belief and step into the elevator. You believe the train can take you to your destination. But you do not reach your destination until you act on your belief and enter the train. You believe Jesus can save you. But you are not saved until you act on your faith and trust Him. You must choose Christ, take Him, rely upon Him, give yourself to Him. It is trust that saves. Then why not trust Him now?

> *Are you among the thousands who believe,*
> *But who have never trusted Christ the Lord?*
> *Who know about Him, and defend Him, too,*
> *And yet who do not take Him at His Word?*

> *You always have believed, but are you His?*
> *Have you received Him as your Saviour, true?*
> *When was the time, the place? Can you, my friend,*
> *Say boldly, "He who saved you saved me, too"?*

> *You may not know the hour, but can you say,*
> *"The work is done; He lives within my heart;*
> *I first believed and then I ventured all,*
> *And gave myself to Him, no more to part"?*

> *Oh, friend, receive, receive this Saviour true,*
> *Take Jesus now, oh make Him yours today;*
> *You may believe, but you must trust Him, too,*
> *For He Himself is God's appointed Way.*

Now Is the Time

Perhaps you know you are not saved, but you are putting it off for some other time.

There is no future time with God. "Now is the accepted time; behold, now is the day of salvation" (II Cor. 6:2). God's time is "now." My friend, the hour has struck, the time is at hand. Now is the moment to decide. Tomorrow may be too late.

Whatever you do, don't procrastinate. Take Christ and take Him now. This moment eternal life may be yours. This moment you may be saved. If Satan can persuade you to put it off, you may be lost forever. Come, then, accept Him now. "Seek ye the Lord while he may be found, call ye upon him while he is near" (Isa. 55:6). There is a time coming when He will not be found; therefore seek Him now.

Excuses and Objections

Let me deal now with your excuses and objections. Perhaps I can help you.

1. It may be that you do not think you are lost or that you need salvation.

My friend, God would never have provided salvation for you if you were not lost. Nor would He urge you to be saved. Hence, you must be lost. But there is One who says He came "to seek and to save that which was lost." Therefore, if you are lost, and God says you are, Jesus came to find and save you, and He will save you now, if you will let Him.

2. Perhaps you think you are too great a sinner and that God will not forgive you.

Hear then the Word of God. There is nothing to add.

"God commendeth his love toward us, in that, while we were yet sinners, Christ died for us."—Rom. 5:8.

"Though your sins be as scarlet, they shall be as white as snow; though they be red like crimson, they shall be as wool."—Isa. 1:18.

"God be merciful to me a sinner."—Luke 18:13. He was justified, said Jesus.

"I came not to call the righteous, but sinners to repentance."—Luke 5:32.

"Christ Jesus came into the world to save sinners."—1 Tim. 1:15.

The Christ who forgave Mary Magdalene, the woman of Samaria, and thousands of other fallen women, will forgive you. Yes, and the Lord who saved Matthew and Zacchaeus the publicans, Jerry McAuley the river thief, and Mel Trotter the drunkard, can save you, too. And the God who had mercy on John Bunyan the blasphemer and John Newton the foul-mouthed slave-trader, will have mercy on you. You are not too great a sinner.

3. *It may be that you think you are good enough as you are and do not need to be converted.*

Again I give you God's Word instead of mine. Let it suffice.

"All have sinned, and come short of the glory of God."—Rom. 3:23.

"All we like sheep have gone astray; we have turned every one to his own way."—Isa. 53:6.

"Whosoever shall keep the whole law, and yet offend in one point, he is guilty of all."—Jas. 2:10.

"All our righteousnesses are as filthy rags."—Isa. 64:6.

"Except ye be converted . . . ye shall not enter into the kingdom of heaven."—Matt. 18:3.

4. *Perhaps you think you have committed the unpardonable sin and that it is now too late.*

Tell me, are you anxious? Are you concerned? Do you want to be saved? Then you have not yet crossed the deadline. When you have said "no" for the last time, the Spirit will cease to strive, and all will be over. But if you are still interested, then the Spirit has not yet ceased to strive, and you may yet be saved. "Him that cometh to me I will in no wise cast out" (John 6:37).

5. *Possibly you do not come because you think there are too many hypocrites in the church.*

There are no hypocrites in the true church, not one. But the visible church is full of them. Are you surprised? Don't you know that Christ said there would be hypocrites in the church? Of course there are hypocrites, but they are going, every last one of them, to Hell.

And that, my friend, is where you, too, are going if you are not saved—to Hell—to the abode of the hypocrites. And yet you do not want to associate with them for a few years here. But you are willing to spend eternity with them. What foolishness! Better a thousand times to spend a few years with them here than to be with them forever.

But if there are hypocrites, then there must be genuine Christians. Counterfeit coin always implies genuine. You may rest assured, then, that there are real, genuine believers as well as hypocrites. Why then, let the hypocrites keep you from being a Christian?

Jesus, you remember, spoke of the wheat and the tares, the true and the false, the hypocrites and the Christians, the children of Satan and the children of God. He said there were bad fish as well as good. And these hypocrites, mark you, were so like the genuine that only the angels could distinguish them. Don't let the hypocrites keep you out of Heaven.

6. *Perhaps you argue that you have tried before and failed.*

I suppose you mean you made a profession or joined the church. Or possibly you turned over a new leaf. But, tell me, did you receive Jesus Christ as your Saviour? Were you born again?

You see, it makes a difference. God keeps His own. He takes care of those who are His children. He does not look after the devil's children. Had you been God's child He would have kept you. The probability is that you made a start of some kind, you reformed, perhaps, you united with the church, but you were never born again. If you were, then you failed to trust Christ. God says He is "able to keep you from falling." Look then to Jesus, receive Him as your Saviour and trust Him to keep you.

7. *Perhaps you are saying that you don't feel like it.*

Well, you may not feel like climbing over the side of the ship and getting into the lifeboat. You are deathly sick, but the ship is sinking, and while you don't feel like it, you know perfectly well that you must do it and do it quickly or it will be too late, and so you get into the lifeboat and you are saved.

Why go by feeling? You know what you must do. You realize now that you are lost and that only Jesus can save you.

Why don't you let Him, feelings or no feelings? Do it and do it now.

8. *Perhaps you are afraid you can't give up your sins.*

That, my friend, is your only genuine reason for rejecting Christ. Only you do not mean you can't; you mean you won't. You can if you will. And what is more, you must or you will perish eternally.

Do you not know that Christ can deliver you? He can break every fetter and snap every chain. "He breaks the power of cancelled sin and sets the prisoner free." When cures have failed and self-effort has been in vain, Jesus Christ can rescue you and set you free. He can take away even the desire for sin. Habits of years standing He can break. Oh, what a Saviour!

9. *Perhaps you think that you do not need to be born again.*

That is what Nicodemus thought. That is what a lot of good people think. But it was to Nicodemus Jesus said, "Ye must be born again" (John 3:7).

When you were born the first time, you received natural life. When you are born the second time, you receive spiritual life. And only spiritual life can enter Heaven. To enjoy, commune with, and understand God, you must have the same kind of life that He has, namely, divine life.

Your dog cannot understand your sorrow because it has animal life. If it had human life, it could. You cannot enjoy fellowship with God because you have human life. If you had God life, you could.

When you are born again, you get eternal life. You got natural life from your parents; you get spiritual life from God.

You were born the first time into the realm of the natural. Hence, no matter what you do, good or bad, and no matter what you are, religious or atheist, you are still in the same natural realm; whereas, if you are to be saved, you must get into the spiritual realm, and that is accomplished by the miracle of the new birth, and in no other way.

"That which is born of the flesh is flesh," and it will never be anything else. "That which is born of the Spirit is spirit" (John 3:6). Therefore, "Ye must be born again" (John 3:7);

"not of blood, nor of the will of the flesh, nor of the will of man, but of God" (John 1:13).

There are those who preach the universal Fatherhood of God and the universal brotherhood of man. My friend, it is a lie. God is not your Father, nor are you His child, and you cannot become my brother until you are born into the family to which I belong, the family of God. "Ye are of your father the devil," said Jesus.

God is your Creator, but not your Father. "As many as received him, to them gave he power to become the sons of God" (John 1:12). Why should He tell you how to *become* His son if you are already His son. No, my friend, if God is to become your Father, you must be born into His family. Therefore, "Ye must be born again."

Why Still Refuse

Why now, do you still refuse to accept Jesus Christ as your Saviour?

With some people it is because they are ignorant. They do not know about God's salvation. But it cannot be that with you, for you do know. You have heard. Therefore you are not ignorant.

With some it is pride. It was pride with Naaman. He had a great opinion of himself and he expected to be honoured, for as he stood before the door of Elisha, he thought the prophet would "do some great thing," something that would be worthy of his exalted position. He said, "I thought."

Is it pride that keeps you back? Are you ashamed to "wash and be clean"? Have you refused to walk down an aisle and kneel at a penitent form? Are you unwilling to be saved God's way? Do you insist on your own? Pride, my friend, must go. You must come God's way and just as you are, in true humility, if you are to be saved. It isn't what you think; it is what God says. O then, put away your prejudice and pride; you are a sinner just like anybody else, no matter who you are.

With some it is unbelief. They allow their intellects to get in their way and they just will not believe. It is my experience, however, that the man who says he cannot believe is holding on to sin. If he would give up his sin his intellectual problems would be solved. He is an atheist, an infidel, a skeptic, a doubter because he is living in sin. How is it with you?

With most it is an unwillingness to accept Christ. Just that and nothing else. Men will not take Christ. What about you? Are you, too, unwilling to let Jesus Christ come into your heart and life? Have you, too, rejected Him? Oh, my friend, reverse your decision. Give yourself to the Saviour. Accept Him and accept Him now.

Questions and Answers

Now let me ask you some questions, questions that God Himself answers.

1. Do you not realize that you are a sinner in the sight of God?

Some people lop off the branches, but they fail to recognize that the tree itself is bad. They pick off the sour apples but next year there are more than ever. It is not your sins God is concerned about; it is the fact that you are a sinner. Your very nature is corrupt.

Hence, there must be a new graft if there are to be sweet apples. So, too, there must be a reception of a new life—God life, divine life, eternal life—if you are to have a new nature. Make the tree good and its fruit will be good also. Come to Him then as a sinner. Don't attempt to improve yourself; come as you are. Not reformation, but regeneration. It is a new life that you need, for in your Adamic nature you are bad, bad throughout. You are a sinner, and a sinner needs a Saviour.

2. Do you not know that God loves you?

Yes, my friend, God loves you. "God so loved that he gave." He gave "his only begotten Son." No matter what you have done, God loves you. He does not love your sin, but He does love you. You may not love the diphtheria, but you love your child.

"God commendeth his love toward us, in that, while we were yet sinners, Christ died for us" (Rom. 5:8). Some die for the good; Christ died for the bad.

". . . who loved me, and gave himself for me" (Gal. 2:20). An individual. One person—you. He loved *you* and He gave Himself for *you*. Oh, what love!

"Unto him that loved us, and washed us from our sins in his own blood" (Rev. 1:5). First He loved, then He washed.

"In his love and in his pity he redeemed them" (Isa. 63:9). Yes, He loved them first; then He redeemed them. They were slaves, but He loved them, nevertheless, and because He loved them, He redeemed them. Oh, what love!

"For God so loved the world, that he gave his only begotten Son, that whosoever believeth in him should not perish, but have everlasting life."—John 3:16.

3. *Do you not know that God does not want you to be lost?*

"The Lord is . . . not willing that any should perish, but that all should come to repentance."—II Pet. 3:9.

"As I live, said the Lord God, I have no pleasure in the death of the wicked; but that the wicked turn from his way and live."—Ezek. 33:11.

That, my friend, should be sufficient. God does not want you to perish. He says so. He wants you to be saved. Why then be lost?

4. *Are you not aware of the fact that Christ became your substitute?*

Just as Abraham offered a ram "in the stead of" his son, Isaac, so God offered Christ for you.

Just as Christ died on the cross in the place of Barabbas, so, too, He died instead of you.

"Christ suffered, the just for the unjust" (I Pet. 3:18). Thus, my friend, He became your Substitute. He suffered in your place, bore your penalty, that you might be saved.

Well now, what are you going to do about it? He is waiting for you to decide. Will you try to be your own Saviour, or will you take Him as your Substitute?

5. Do you not know that you must rely on the atoning blood of Christ for salvation?

False cults ignore it, but it is man's only hope.

"Without shedding of blood is no remission."—Heb. 9:22.

"When I see the blood, I will pass over you."—Exod. 12:13.

"It is the blood that maketh an atonement for the soul."—Lev. 17:11.

"Ye were not redeemed with corruptible things, as silver and gold, . . . But with the precious blood of Christ."—I Pet. 1:18-19.

So then, there is no salvation apart from blood.

Adam and Eve tried to cover themselves with fig leaves, but God provided coats of skins which necessitated the death of an animal, thus portraying the blood that was to be shed by Christ on Calvary.

Cain brought to God the first fruits of the field and was rejected. Abel offered a lamb and was accepted. Blood had to be shed.

Moses instituted the Passover, when a lamb was slain and the blood sprinkled on the doorposts, and all down through the centuries millions of animals were offered in sacrifice and their blood shed, thus typifying the death of Christ.

Up until Calvary, the Israelites looked forward, and in faith offered their sacrifices. Christ has now died, His blood has been shed. Today we look backward, and rest our faith on the Word of God which tells us that the blood of Jesus Christ cleanseth from all sin.

The blood may be repugnant to you now, but, once you are saved, it will become precious. You will realize that Christ had to shed His blood in order to atone for your sin.

6. Have you never considered the five most important questions in the Bible?

Let me quote them for you; they are important, every one.

"What shall it profit a man, if he shall gain the whole world, and lose his own soul?"—Mark 8:36.

"How shall we escape, if we neglect so great salvation?"—Heb. 2:3.

"What must I do to be saved?"—Acts 16:30.

"What shall I do then with Jesus which is called Christ?"—Matt. 27:22.

"How long halt ye between two opinions?"—I Kings 18:21.

Solemn questions, these, and worthy of your most serious consideration. "What, How, and Why?" God asks. Can you answer? Well then, "Why halt?" Why don't you decide? What are you waiting for? You want to be saved? Why not now?

7. *Do you mean to say that you have never given ear to God's words of exhortation?*

Hear them as I quote them from His Word:

"Look unto me, and be ye saved, all the ends of the earth: for I am God, and there is none else."—Isa. 45:22.

"Choose you this day whom ye will serve."—Josh. 24:15.

"Seek ye the Lord while he may be found, call ye upon him while he is near: let the wicked forsake his way, and the unrighteous man his thoughts: and let him return unto the Lord, and he will have mercy upon him; and to our God, for he will abundantly pardon."—Isa. 55:6-7.

Have you looked? That is all you have to do—look. But look in faith. Look, not to your works, your church, your religion, your self, but to Christ. "Look unto me." Look and live.

"Choose." Have you made your choice? No one can choose for you. "This day." You are to act and act now. "Whom." Not what you will do, but the one, Christ or Satan, you will serve. And when you finally make your choice, if you are really saved, you will serve the Lord Jesus Christ as long as you live.

"Seek." Have you sought? "Seek, and ye shall find" (Matt. 7:7). "Ye shall seek me, and find me, when ye shall search for me with all your heart" (Jer. 29:13). "Those that seek me early shall find me" (Prov. 8:17).

God has promised mercy, mercy and an abundant pardon, to all who seek Him. But seek Him now, for there will come a day when He will not be found.

8. *Have you not heard God's voice of warning, and if you have, dare you ignore it?*

You will hear it in the following verses. God help you to give heed.

"The harvest is past, the summer is ended, and we are not saved."—Jer. 8:20.

"He, that being often reproved hardeneth his neck, shall suddenly be destroyed, and that without remedy."—Prov. 29:1.

"It is appointed unto men once to die, but after this the judgment."—Heb. 9:27.

"Except a man be born again, he cannot see the kingdom of God."—John 3:3.

"Except ye repent, ye shall . . . perish."—Luke 13:3.

"Except ye be converted . . . ye shall not enter into the kingdom of heaven."—Matt. 18:3.

"Because there is wrath, beware."—Job 36:18.

God warns you. Trifle not. His Word can never be broken. His appointments must be kept. Delay not, lest "sudden destruction" overtake you. Do you not tremble when He says, "Ye shall perish?" Has the "Judgment" no terrors for you? Will you face death as you are? Has your summer ended and are you "not saved?" God help you to heed His voice before it is forever too late.

Why You Should Be Saved

If you were to ask me why you should be saved, my answer would be fivefold:

First, because God loves you.

Second, because Christ died for you.

Third, because Judgment faces you.

Fourth, because Hell awaits you.

Fifth, because Heaven beckons you.

If you, my friend, are prepared to ignore the love of God and the death of Christ, then you will face the judgment, go to Hell, and miss Heaven, in spite of all I can say.

"It is appointed unto men once to die, but after this the judgment" (Heb. 9:27). You may break your appointments with men, but you cannot break God's appointment with you.

Death is certain, and there is no escape. The King of Terrors will not be denied. Judgment, too, is certain, and you must face it.

You say there is no Hell. God says there is. Hence, there may be. You do not take out insurance because you are certain of an early death, but because you may die early, and, if you should, your dependents would be protected. You admit that there may be a Hell. Suppose there is not. You have lost nothing. But, if there is, and you die unsaved, then you will lose everything. Why not play safe? There may be a Hell. God says there is. Oh, then, "Flee from the wrath to come."

But will you still go on in your sin? Have you not learned that the way of transgressors is hard? (Prov. 13:15). Ah, yes, my friend, Satan is indeed a hard taskmaster. There is nothing but sorrow in sin. "There is no peace, saith my God, to the wicked."

And remember, you can never undo what is done. "What I have written I have written" (John 19:22), said Pilate. All your tears and prayers will be in vain. Repent as much as you will, reform and live as perfect a life as you can—the marks, the memory, will still be there. You cannot erase it. You draw out the nails, but not the holes. Oh sin! sin! What a monster it is!

But, thank God, you can be forgiven. The blood of Christ can cleanse your heart. You can be justified—accounted righteous. "The blood of Jesus Christ his Son cleanseth us from all sin" (I John 1:7). "Though your sins be as scarlet, they shall be as white as snow; though they be red like crimson, they shall be as wool" (Isa. 1:18).

Therefore, my friend, you should be saved. I urge you because God loves you, Christ died for you, Judgment faces you, Hell awaits you, and Heaven beckons you—to be saved.

Four Things to Do

Well now, are you forgiven? Have you accepted Jesus Christ as your Saviour? Does God's Spirit bear witness with your spirit that you have passed from death unto life? (Rom. 8:16). Have you been born again and do you know it? If so, there are four things I want to ask you to do:

First, take a public stand for Christ.

I say, a public stand. Don't try to be a secret believer for it won't work. Unfurl your flag and come out in the open. Confess Christ at every opportunity. Tell others about Him. Don't hide your light. "Whosoever therefore shall be ashamed of me and of my words . . . of him also shall the Son of man be ashamed" (Mark 8:38). If you want Him to acknowledge you, then you must acknowledge Him. If you want to grow rapidly, confess Him openly. Do it at once. Don't wait. Start now. There is nothing like it.

Second, turn from all you know to be wrong.

As His Spirit indwells, you will be delivered. "Greater is he that is in you, than he that is in the world" (I John 4:4). "If any man be in Christ, he is a new creature: old things are passed away; behold, all things are become new" (II Cor. 5:17). He gives you a new nature, a nature that loves righteousness and hates iniquity. The Holy Spirit is His enablement. He sets you free. You can now overcome. "Sin shall not have dominion over you" (Rom. 6:14).

But you must choose righteousness and forsake sin. Turn your back on it. Put it away. Set your regenerated will against it. "Abhor that which is evil; cleave to that which is good" (Rom. 12:9). That besetting sin of yours—run from it. Slay utterly every Canaanite alive. Destroy your Achan. Have no dealings with sin. "If I regard iniquity in my heart, the Lord will not hear me" (Psa. 66:18). When you mean business, God will deliver you. All you have to do is to plead the merits of the blood and the power of the name of Jesus. "Let not sin therefore reign in your mortal body" (Rom. 6:12). Come clean. Be through with sin. "Yield not to temptation." "Cease to do evil; Learn to do well" (Isa. 1:16-17).

Third, spend much time in Bible study and prayer.

The more you read the Bible the more you will want to read it. If you want to grow in grace, meet God every day.

Have a place and a time for prayer and Bible study. Be a Bible Christian. Never let a day pass without spending time alone with God. "As newborn babes, desire the sincere milk of the word, that ye may grow thereby" (I Pet. 2:2). "Wherewithal shall a young man cleanse his way? by taking heed thereto according to thy word (Psa. 119:9). If you neglect the Word you will backslide. If you learn how to pray, you will make rapid strides in the Christian life.

Fourth, keep busy in the service of God.

Satan always finds mischief for idle hands to do. Therefore, find something to do. Give out gospel tracts. Get into some live, soul-winning church. Don't wait to be asked to do something. Pray about it and get busy. Sing in the choir. Help in the young people's work. Attend the prayer meeting. Become a personal worker. Teach a Sunday School class. Go to the street meetings. Visit the poor, the sick, the imprisoned. Give your testimony. Put first things first.

Do something, but avoid cold, formal, modernistic churches. Go where the gospel is preached and the invitation given. Associate with spiritual people, people with a testimony, people who can pray, people who love to sing gospel hymns. Keep away from choirs that only sing anthems, and ministers that never invite sinners to come down the aisles to the inquiry room.

Have nothing to do with worldly churches where the play room takes the place of the prayer room, and there is no separation. Go where people are being converted and where the message is, "Ye must be born again." Never mind the denomination. If you can find a spiritual, soul-winning, missionary ministry, that is all you want.

Choose

My friend, I am through. I need say no more. "I call heaven and earth to record this day against you, that I have set before you life and death, blessing and cursing: therefore choose life" (Deut. 30:19).

"As Moses lifted up the serpent in the wilderness, even so must the Son of man be lifted up: That whosoever believeth in him should not perish, but have eternal life."—John 3:14-15.

"He that believeth on the Son hath everlasting life: and he that believeth not the Son shall not see life; but the wrath of God abideth on him."—John 3:36.

"Verily, verily, I say unto you, He that heareth my word, and believeth on him that sent me, hath everlasting life, and shall not come into condemnation; but is passed from death unto life."—John 5:24.

"The wages of sin is death; but the gift of God is eternal life through Jesus Christ our Lord."—Rom. 6:23.

"God hath given to us eternal life, and this life is in his Son. He that hath the Son hath life; and he that hath not the Son of God hath not life."—I John 5:11-12.

"Him that cometh to me I will in no wise cast out."—John 6:37.

> *I take Thee, Lord, I take Thee now,*
> *For Thou didst die for me;*
> *On Calvary Thy blood was shed,*
> *From sin to set me free.*
> *I trust, dear Lord, I trust in Thee,*
> *Thou Saviour of my soul;*
> *With all my heart I now believe,*
> *My guilt on Thee I roll.*
> *I yield, dear Lord, I yield to Thee,*
> *Thy love has won my heart;*
> *And from Thy side, O Saviour, mine,*
> *I'll never more depart.*
> *I come, dear Lord, I come to Thee,*
> *Constrained by love alone;*
> *I come with all my sin and shame,*
> *And claim Thee as my own.*

Evangelist
HYMAN APPELMAN, D.D.

Dr. Appelman was born in Russia, and came to America at the age of thirteen. He trained for and practised law in Chicago, and taught in a university. With impaired health, he enlisted in the army where he found Christ. Of Jewish birth, he gave up family and friends to preach Christ. He then attended Southwestern Baptist Theological Seminary at Fort Worth, became well-known as a fervent evangelist, greatly used of God in Texas. Then his work as an evangelist became nationwide. He has been constantly used for years in both citywide and single-church campaigns all over America, in Canada, Australia, India and elsewhere. Since he is an Israelite, his message on the Jew is the more appropriate.

XVII

THE JEW IN HISTORY AND DESTINY

1. **The Heritage of the Jew**
2. **The Hatred of the Jew**
3. **The Hope of the Jew**

By Evangelist Hyman J. Appelman

(Sermon preached Sunday afternoon, March 18, 1945, Bethany
Reformed Church, Chicago, Ill. Mechanically recorded for
The Sword of the Lord.)

I want to remind you of the fact that, especially lately, say
in the last fifteen years, the Jews have become the most discussed people in the world.

It will be interesting to know why an evangelist speaks on a
subject such as this when there are so many other more pertinent themes from which to choose. The reason is self-evident.
Some one has said, "As goes the Jew, so goes the world." You
watch the Jew if you want to know what is going to happen
to the United States. If you want to know what is going to
happen to England; if you want to know what is going to
happen to Germany, watch the Jew. The reason I know Germany
is through, that there will not be any more great Germany—at
least not as great as it has been—is for the very self-same
reason that Spain is no longer a real world power. At one
time Spain was the greatest nation on earth. You know that.
You Dutch certainly ought to know because the Spaniard
dealt your forefathers plenty of misery. Why, Netherlands'
blood ran in rivers because your fathers refused to become
Catholics under the Duke of Alva. What terrible massacres
and persecutions swept across the Netherlands under Spanish
brutality!

There is another reason why it is important for us to understand the Jew. He is God's measure, God's yard-stick, God's plan, God's outline, God's program, God's blue print of what He will do with all the other nations of the globe under given circumstances. If you want to know all the story of the Jew, read the book of Deuteronomy. That is all you have to do. The past, the present, the future of the Jew is recorded in that book.

I read you several verses from the seventh chapter, and one verse in the eighth chapter of Deuteronomy. There is no use for you to open your Bibles as I am taking a piece here, a piece there and weaving them together. Listen:

"For thou art an holy people unto the Lord thy God; the Lord thy God hath chosen thee to be a special people unto himself, above all people that are upon the face of the earth. . . . Because the Lord loved you, and because he would keep the oath which he had sworn unto your fathers, hath the Lord brought you out with a mighty hand, and redeemed you out of the house of bondmen. . . . Wherefore it shall come to pass, if ye hearken to these judgments, and keep, and do them, that the Lord thy God shall keep unto thee the covenant and the mercy which he sware unto thy fathers. . . . And it shall be, if thou do at all forget the Lord thy God, and walk after other gods, and serve them, and worship them, I testify against you this day that ye shall surely perish."

All I can hope to do this afternoon is to give you an outline of the story of the Jew, praying as I am giving it that the Holy Spirit of God may stir your souls to take the outline, to go to the Bible, to study out what God has to say about the Jew. That outline is a warning to America, to Great Britain, to Russia, to France, to China, to the South American peoples. It is a warning to every nation under God's shining stars. The things that God did to the Jews, the things that God worked out in the history of the Jews, God will work out in the life, in the activities of every other nation.

In many ways the Jew is an anomaly. He is the most hated and at the same time the most loved person in the world. He has done more harm and at the same time more good than any other person in the world. They say that Karl Marx was a Jew, the original socialist, and so he was. But, so was David a Jew! Everyone of us will admit that David was worth a hundred Karl Marxes! They tell us that Trotsky was a Jew, the partner of Lenin in the Bolshevik uprising; that he has done a great deal of harm over this world by his communism. Well, that is true! Trotsky was a Jew! But you must remember that Saul, Paul the apostle, was also a Jew, and that one Paul is worth ten thousand Trotskys! Oh, yes, the Jews have a place in the moving picture industry. They are debauching the morals of our people. But you must remember that Peter was also a Jew, and that he was the prince of the apostles. In addition to that, you must always remember that Jesus the Christ after the flesh was of the seed of Abraham, a Jew, and that salvation is of the Jews, if for no other reason than because Christ came from the Jews.

The only nation in the world whose origin we know is the Jew. The only nation in the world whose lineage we know is the Jew. Where did the Dutch come from? Where did the Swedes come from? Where did the Germans come from? Where did the English come from? Where did the French come from? Where did the Indians come from? Where did the Hindus come from? Where did the Greeks come from? Where did the Italians come from? Where did the Armenians come from? Where did the Chinese come from? Where did the Japanese start? Whence are the Koreans? There is no way of knowing. But everybody who believes the Bible is the Word of God knows where the Jews come from. What's going to happen to the English when Jesus comes? What's going to happen to the Americans when Jesus comes? What's going to happen to the Chinese when Jesus comes? What's going to happen to the Negroes when Jesus comes? What's going to happen to Brazil when Jesus comes? What's going to happen to Belgium when Jesus comes? What's going to happen to Rumania and Poland when Jesus comes? But everyone who believes that the Bible is the Word of God knows what's going to happen to the Jew when Jesus comes! It is written; it is recorded because, as I told you a minute ago, God intends to use the Jew as a sealed painting to show the rest of the world the outcome of His dealings of men.

Take three words: First, there is the heritage of the Jew; second, we have the hatred of the Jew; third, note the hope of the Jew.

I. The Heritage of the Jew

1. God Gave the Jew a Law

The heritage of the Jew is threefold: First, God gave the Jews a law. He gathered them together at Mt. Sinai, took Moses up to Himself, gave the Jews the law, the Ten Commandments, the statutes, the ordinances, the requirements that are recorded in the first five books of the Bible. That law was perfect. That law still is perfect. With all of the education, with all of the civilization, with all of the cultivation, with all of the legislation, with all of the science, with all of the art and philosophy, with all of the schools and governments, the world never has improved on the Ten Commandments. Everybody who has any sort of religious, or political, or social, or economic sense knows that any community living up to the Ten Commandments would be pretty nearly a Heaven on earth. Man has never been able to improve on the Ten Commandments. I say this without the chance of the slightest exaggeration, that every good law that any civilized nation in the world has can be traced back to the principles and the precepts of the Old Testament. Every single law that is any good, that is worth obeying, that has in it justice, honor and honesty, can be traced back to the Old Testament, especially to the Decalogue.

That law covered every detail of life. It covered the relationship of man to man, of man to wife, of husband to wife, of wife to husband, of father and mother to children, of children to father and mother. It covered business engagements. It covered all political and all governmental angles. It covered economic, national, international matters. There was nothing left to chance. When you have an opportunity, read over again the law as contained in the books of Moses and see if I am not justified in saying that God took care of every need, of every problem, of every sort of exigency that could possibly arise. All details of essential living were taken care of and provided for in the law of Moses. The bitterest tragedy in this world, next to its rejection of the Lord Jesus Christ, is the fact that it is trying to make laws of its own, man-made laws instead of obeying God-revealed laws.

2. God Gave the Jew a Land

The second part of the Jews' heritage was that God gave them a land, a land flowing with milk and honey, a land that was prosperous to the nth degree, a land that was proverbial in its fertility, a land that was so good, so well taken care of by God, so abundantly provided for by the grace of God, that there were times when a farmer man could reap three crops from the same piece of acreage in one year—not the same kind of crops, to be sure not three crops of cotton, or three crops of corn, or three crops of wheat, or three crops of vegetables—but three crops in rotation. One of the chief reasons for the marvel of that land was the display of God's providential care in the latter and the former rains with their almost miraculous qualities of fertilizing power. Not only was all this true about the fertility of Palestine, but God hemmed in, fenced in, legislated it in all so carefully, so exactly, that there was no chance of there being rich man, poor man, beggar man, thief. Permit me to call your attention—but surely you know these things— to some of the ways in which God took care of the land.

First, the land was supposed to lie fallow every seventh year. It was to be given a chance to get back its virginity, its fatness. With this wise provision, there was no possibility of there happening in Palestine what happened in Colorado, in Kansas, in Texas, in Oklahoma, in the dust bowls of America. The farmers of that part of America have taken everything out of the land that it had without giving it a chance; have worked it until it was barren, until its womb was dry. The winds came, blew the top soil away. It never will be the same. It will be almost desert from now on until some display of God's power that never has happened in the history of the world before, comes to pass.

In addition to this, there was what is known as the Jubilee year. Every fifty years all the property was to be redivided, given right back to its original owners. You see how clever that was, you see how wise that was. Why should a man want to be a plutocrat when at the end of fifty years, at the end of forty-nine years, he had to give back his property anyway? Why, a man wouldn't strive with, a man wouldn't oppress his fellowmen if he had enough to eat and a reasonably good place to sleep. That was all he wanted. He could afford to be charitable, because every fifty years the whole round began all over again. There was no chance of one generation impoverishing another. There was no chance of one generation saddling another with heavy debts. Nobody owned the land in fee simple. There was no chance in disinheriting anyone. God saw very carefully to that. That was God's communism, a great deal better than Lenin's. That was God's New Deal, saner, safer than our New Deal.

Further, the Lord made certain provisions about the harvesting of the land. For example, a man was not allowed to glean in the corners. He was supposed to make a round trip in the field. The crop in the corners was to be left for the poor. A man was not allowed to go twice over his field. He was not allowed to go twice over his orchard. He was not allowed to go twice over his vineyard. The second growth was left for the poor. I don't know much about farming, but I live in a farming country down there in Texas, and I know even in Texas, where as compared to what it was in Palestine, the soil is poor, there is an after crop. In Texas you go over a cotton field, or a wheat field, or a corn field. A few days or a few weeks later there is an after crop. The Jews were not allowed to touch that. It was by God's decree left over for the poor. There was no chance of anybody going hungry in a land that was so good, in a climate that was so salubrious, on farms that were so productive. There was plenty for the poor as well as for those who actually owned the land.

3. God Gave the Jew a Lord

The third part of the Jewish heritage was that God gave them a Lord. He gave them the Lord Jesus Christ. It is written that the gospel was to be preached to the Jew first. It is written that Jesus Christ came to His own first. The Lord sent Him, the Messiah, the King, the Anointed, that He might lead the Jews to God first; that He might lead the Jews, His chosen people, into peace and prosperity, into spiritual holiness, into justification, into righteousness.

What did the Jews do with the law? What did they do with the land? What did they do with the Lord? They did exactly the same thing that the United States of America is doing with the law; exactly the same thing that the United States of America is doing with the land; exactly the same thing that the United States of America is doing with the Lord.

a. The Jew Defiled the Land

The first thing the Jews did was to defile the land. Instead of taking care of it properly, instead of handling it according to God's provisions, according to God's wisdom, according to God's planning, they followed their own schemings. They broke the Sabbatical year. They kept on reaping! They kept on plowing! They kept on planting! They kept on harvesting year in and year out, without giving the land a chance to rest. The first thing you know the land lost its fertility, became dry and barren. The winds came sweeping off the top soil. The rock was exposed and that was the beginning of the end. Farm after farm, acre after acre, mile after mile was just wasted and was sent into sterility by this hoggish abuse, by this base ingratitude, by this selfishness, by this niggardliness, by the miserable desire of each Jew to make all he could in his own day and time.

The Jews disregarded the Jubilee year. They refused to return the land back to its original owners. Men became rich. They accumulated acres by hook or by crook. It seemed to make no difference. Men began to own great expanses of land. Those who worked on that land were share-croppers, renters. Instead of living on the land as farmers, the Jews began to build large, congested cities. They had their slaves on the soil while they themselves drank, gambled, committed adultery, lived in idle luxury. You know in the United States of America, as well as in every other country, the same thing holds true. Russia is probably the only exception. When an infantile paralysis epidemic breaks out, when an influenza epidemic comes along, when any other kind of a disease plague sweeps in, it never starts out in the country. It always begins in the city, in the congested city. In the country you work hard. You have fresh air, fresh milk, fresh vegetables. You have plenty of room to draw a deep breath. In the city you are enervated. In the city there is drunkenness, gambling, adultery, effeminacy, all sort of debilitating habits. It is always the cities that are swept by the plagues. Palestine was no exception to that. If the Jews had stayed on the land, if they had lived like God wanted them to live, He would have kept His promises to them; the diseases of the Egyptians, the sickness of the rest of the world would have never affected them or affected them but very little.

b. The Jew Defied the Law

The Jews defied the law. Not only did they defile the land, but they defied the law. They broke the Sabbath. They broke the seventh commandment. They broke the commandments about stealing, coveting, bearing false witness. They introduced idolatry, the idols of the peoples round about them. They defied the law exactly as the United States of America has done. Why, if the Jews had spent their days and nights inventing idols, they still couldn't approximate and appreciate the idols that we have here in the United States of America. We have idols of fashion, idols of style, idols of sport. What do you think of a nation that will go hog-wild about a man such as Frank Sinatra? Tell me, what do you think of a nation that will stand in line for hours to buy a package of Camels, or Lucky Strikes, or Old Golds, or whichever brand it is you smoke, some of you right here in this crowd. Boy, I always knew the human race was foolish, but I never realized it was as foolish as to stand in line two blocks long and sometimes, in a pouring rain, waiting to buy their issue of cigarettes. Lord in Heaven help us! What do you think of a land, what do you think of the idolatry and the defiance of God's law of a land whose styles are set, not by the righteous, not by the moral, not by the decent, not by the clean, not by the honorable, not by the Christian and the Christ-like, but by the Hell-holes of Hollywood, by the denizens of those Hell-holes? We have defied the law just as the Jew has defied the law. We have introduced idols of every sort and description just as did the Jews.

c. The Jew Denied The Lord

The last thing the Jews did was that they denied the Lord. They may not be entirely guilty of the cross. It was not a form of Jewish punishment. But nevertheless, they denied the Lord Jesus Christ. They turned their backs on Him. They still have their backs turned to Him. But remember, my friends, that the great majority of the people in the United States of America are not Christians. They say by governmental statistics that seventy-three out of every hundred people in the United States of America do not belong to any evangelical church. Add to that number the people who do belong to evangelical churches who are not Christians, and it would not surprise me that in our own so-called Christian country eighty-five out of every hundred people are going to Hell. Why talk about the Jews denying the Lord? At least they didn't know He was the Messiah. At least they were not sure of it. At least the gospel had not been fully preached to them. But here, the great majority in America, if they were to be questioned, would definitely say, "Yes, I believe Jesus is the Christ, the Son of God." Yet that same great majority will have nothing to do with Him. So, when the Lord in mercy gave the Jews a law, a land and a Lord, they defied the law, they defiled the land, they denied the Lord.

II. The Hatred of the Jew

The second point we consider is the hatred of the Jew. The Jew has been treated in different ways. At times, and in some places, he has been exalted. For example, it is a toss up as to which was the greatest Prime Minister England ever had, whether Benjamin Disraeli, the Earl of Beaconsfield, a Jew, or William Ewart Gladstone, the Gentile, a gracious Christian. Beaconsfield gave England, gave Great Britain, gave Queen Victoria, India. To this day the English will say that Beaconsfield, the Jew, put in the English crown its choicest jewel. England became, until America came into power, the greatest, the richest nation in the world, not because of the poor British Isles, but because of the inexhaustible wealth of India. The Jew Beaconsfield was the one who brought India under the sway of the British Empire.

Thore Belisha was Minister of War in England just before this war started. At one time King Sigismund of Poland made a Jewish rabbi Emperor of Poland for twenty-four hours in order to honor the man as the chiefest among all Poland's citizenry. A few short years ago Galveston, Texas, that great city down there on the gulf, elected Rabbi Cohen, a man in the eighties, as the first citizen, the man who had made the greatest contribution to that metropolis. They say—he is not of my party, I am not of his politics—they say that next to Alexander Hamilton, the first treasurer of these United States, the greatest Secretary of the Treasury America ever had is Henry Morgenthau, whom so many people curse (I don't know enough to know whether they curse him properly or improperly). Economists, political statesmen, political economists say that Henry Morgenthau, next to Alexander Hamilton, is the greatest Secretary of the Treasury the United States of America has ever had.

In some places the Jew has been exalted. In other places the Jew has been caricatured, criticized, many times falsely. You know I learned a lesson when I was a soldier. I was a soldier in the Walter Reed Hospital in Washington, D. C., then in Fort Sill, Oklahoma. I would go down town. Civilians would drink, gamble, curse, tell dirty stories, reel around the streets. Nobody would say a word. Let a soldier get drunk, let a soldier be heard using abusive language, and everybody would say, "Well, there's that damn soldier. There's that damn soldier." A soldier has got a uniform on. He sticks out like a sore thumb. It is the same way with a Jew. When he does any good, nobody says a word. But when he does bad, hail Columbia! A Gentile can lie, cheat, steal—do anything under the sun—and it seems to be all right. Sure! They say the Jews are crooked. But most of the Jews are not.

Walk down State Street here. Here is a Jew selling dry goods. Here is a Gentile in the same business. Walk into the Jew's store. He will sell you cotton, swearing up and down it's wool. Walk into the Gentile store and he will sell you cotton. He won't even swear. He will just charge you for wool! What difference is there? It is six of one and half a dozen of the other. But a Jew is in uniform. He is a Jew. He is supposed to be different from anybody else and everybody else. He is in uniform. He stands out from the crowd. Gentiles can do almost anything they want to. The communists of the United States of America are led by Gentiles; Harry Bridges, Earl Browder, and some of the rest of them. Yet: "Oh, the Jews are all communists." You listen to one man and he will say that the Jews own all the money in America. Another man will say the Jews are all communists. In the name of common sense, pick out which one you want the Jew to be. He can't own all the money in the United States and be a communist. Capitalists are too opposed to communism. Make up your mind which you want the Jew to be, and he will try to accommodate you. He can't be both.

I was in a revival meeting in Dallas, Texas. I was holding services in the great Jewish neighborhood on the south side of that city. A crowd of Jews came ready to rotten-egg me. They were going to throw rotten eggs and rotten vegetables at me as I was preaching. I guess the Lord took care of me. In the course of my sermon I said something like this,—(that was at the time when certain folks were being sued for taxes, numbers of them, some of them thrown into prison.)—"If you can show me a single really rich Jew who has been sued for taxes or thrown into prison for evasion of taxes, I will buy you the best suit in this town." The Jews began to applaud and must have dropped their missiles. That saved me from a very embarrassing situation. It is all true.

Always and everywhere the Jew has been castigated, has been whipped, has been pitilessly penalized. Do you know that in some of our great schools in America there is what is known as the numerus clausis, which means that only a certain percentage of Jews are allowed. When the Jews raised a hullabaloo, the schools apparently withdrew the offensive regulation. But still there is just a certain percentage of Jews allowed in some of the really great schools. They see to it that not too many Jews get into the schools. Now why? Why does the world hate the Jew?

1. Because of His Peculiarity

The first reason is because the Jew is peculiar. He is different from anybody else. They say—I don't know enough about ornithology (I've been waiting all week to use that word. Boy, it's a good one, isn't it!)—I don't know enough about ornithology, that's bird-ology. I don't know enough about birds to be able to say whether it is so or not, but they say that if you take a home-raised canary and put it with a bunch of field birds, wild birds, the other birds will try to kill the canary. They hate it.

Now the Jew is the canary among the nations. He is different. Don't laugh! That is true. He is different. A Dutch person comes to the United States of America. In a little while, you call him an American. When a Swede comes to America, in a little while you call him an American. A German comes to America, and in a little while you call him an American. When a Scotsman comes to America, in a little while you call him an American. When a Jew comes to America, you call him an American Jew, *an American Jew*. He is different. It is God's will that it is that way. He has kept the Jew apart from the nations. God has a purpose for it. The Jew is peculiar. He has his own holidays. He has his own church. He has his own rituals and ceremonials. He has his own stores. He has his own customs like circumcision, confirmation, and so on. He has his own language. He won't intermarry with anybody else, and when he does, there is trouble, there is definite trouble. There is talk and criticism on the part of the Jews and the Gentiles. We are so constituted that we hate anybody who is different from us. In spite of ourselves, abhorrence rises in us at anybody who holds himself aloof from us. There is in us the idea that that person thinks he is "somebody come to town." As a matter of fact, the Jew does not think he is better than any other people or race. I was never taught that. My people didn't raise me that way. I am a Jew of Jews. My rabbi never led me to believe that. No! On the other hand, the Jew is definitely of the conviction that there are good people in every race and nation.

2. Because of His Prosperity

Secondly, the reason why the world hates the Jew is because he is prosperous. If a Jew were nobody, if he didn't have a cent, if he were a slave of slaves, if he were a porter of porters, why, nobody would pay any mind to him. But he is prosperous. He's got money. He runs big businesses in America. Another psychological reason is—and I wish I had time to develop this to give you a chance to ask questions—the Jew has built up a defense mechanism against the world. He is afraid of the world. He is afraid of the Gentiles. He is afraid of what will happen to him. When he gets a chance for freedom, he just blows off. He wants the biggest signs, the finest clothes, the fastest automobiles, the largest stores, the loudest parties. Do you know why? He's whistling in the dark while walking through the cemetery peopled with his own ghosts.

There are folks who cannot stand prosperity in others. They try to pull down to their own level those striving ahead. The Jews have achieved a greater percentage of success than any other people. They lead in the professions, in medicine, in science, in music, in literature. They are some of the greatest lawyers of the land. At one time two of them sat on the Supreme Court bench. One has been the adviser of four presidents. There are little-minded, small-hearted people who just cannot stand this. They snarl. They find fault. They bring up false accusations. They try to pull the Jew down from his pinnacle. It is a matter of jealousy, of psychological frustration.

3. Because of the Punitive Justice of God for the Rejection of His Son

The third reason—I wish I didn't have to say this—why the Jew is hated is not only because of his peculiarity, not only because of his prosperity, but because of the punitive justice of God upon him for his rejection of the Lord Jesus Christ. It is the punishment of his turning his back on the Son of God. Listen, they have an organization in the United States of America which Catholic, Protestant and Jew established in order to stop anti-Semitism. Even though so-called Christian leaders are in on it, it is not of God. It is of the devil. Listen! What fellowship has a Pope-serving Catholic with a Pope-denying Protestant? What fellowship has a Christ-believing Protestant with a Christ-denying Jew? Tell me! If that is of God, I am deaf, dumb, and blind! It is going to do more harm than good.

Oh, I have heard preachers—they have them in a certain church group—bragging about the fact that they have invited Jews, Jewish rabbis to come to preach in their pulpits. If this be narrowness, if this be small-mindedness, I hope God keeps me that way. But no Christ-denying Jew or anybody else who does not believe in the Lord Jesus Christ will ever preach in my pulpit. Not in my pulpit! I don't care whether it is good-neighbor, bad-neighbor or whatever it is! I'll go along with him in the Red Cross. Even then I will have my fingers crossed, because I don't know whether I am doing right or wrong. I will go along with him in the USO! I will go along with him to petition the city to clear out the bad neighborhood, to close saloons. But when it comes to religion, I will stay by my lonesome, with my Lord and Saviour, Jesus Christ, and with those who believe with me and like I do about Him. No, my friends, it is just not going to work.

III. The Hope of the Jew

1. Not Legislation

I have told you about the heritage of the Jew, the hatred of the Jew. What is the hope of the Jew? What is the hope of the Jew? Well, certainly it is not legislation. The Jews had enough laws to protect them in Germany, to have taken care of everyone of them from now until Jesus came, but when Hitler arose into power, those laws were not even good scraps of paper. Legislation won't do it. We are barking up the wrong tree. We are wasting our time when we think that in the United States of America or anywhere else, we can legislate the Jews into a position of security. It just won't work.

2. Not Segregation

What about segregation? Let us see. Let us take the Jews out of the United States. Let us send them to Africa. Let us send them to Asia. Let us send them to some Island. Let us take all of the Jews out of the United States. We do not want the Jews in America. Take Hyman Appelman from the pulpit.

Take Max Reich from Moody Bible Institute. Take all of the Jews out of America. What would happen? Well, you would have five million less people in the United States than you have now. Wait a minute now! You would have to send at least a hundred thousand more Gentile boys into the United States armies. You hadn't thought of that, had you? Your taxes would go up one-fifth because by government report the Jews pay one-fifth of the taxes in the United States.

What else would happen? I'll tell you. There would be no competition and the prices would go sky-high. You take a town where there are no Jews and you have to pay extra for everything you buy. No, segregation will not work. You would have to close many of the hospitals. Many of you in this crowd have Jewish doctors, Jewish nurses, and Jewish dentists. You would have to take all the inventions such as Listerine, such as the Wassermann Test out of the hands of the medical authorities. Thousands would die because the Jewish inventions were not to be used inasmuch as we hate the Jews. No, segregation will not work.

3. Not Assimilation

What about assimilation? Let us turn to the Jew and say, "Appelman, Goldberg, Cohen, Greenberg, Goldstein, don't circumcise your boys anymore. Don't do it. Close your synagogues. Close your Hebrew Bible. Forget about your Day of Atonement. Forget about your Passover. You are not a Jew anymore. You have got to become a Gentile." But God doesn't want it that way. God intends for the Jew to stay a Jew until Jesus comes, when they shall turn to Him as a nation. Besides that, just about the time the Jews were getting ready to be assimiliated like many of them were in Germany, some Hitler would rise up and say, "If you've got a drop of Jew blood in your veins, you are a damned Jew. I'm going to kill you anyway." No, it won't work, will it?

4. Not Annihilation

What is the hope of the Jew? I'll tell you. There is just one hope, and that is annihilation. Let's kill them off. Let us shoot them down like a bunch of mad dogs. Would you do that? Would you be willing to do that to anybody? Will you understand me when I say that I prayed every day for Franklin Roosevelt, but that I prayed five times as often for Adolph Hitler or Schnickelgruber or whatever you want to call him. Will you understand me when I say that I prayed for "Ike" Eisenhower, but I prayed five times as much for hangman Himmler. Will you understand me when I say right now, I call you to witness, I would have gladly given my life for Hitler's salvation. I will give my life for the salvation of the dirtiest Nazi whose hands are stained with my people's blood; I will give my life right now for his salvation. I don't want anybody to go to Hell. Will you say, "Amen" to that, or are you shocked? (Audience: Amen.)

No, my friends, annihilation will not work. No, there is really one hope for the Jew, Scriptural hope, spiritual hope, God-hope, divine hope, eternal hope, and that is salvation, justification, regeneration through the Lord Jesus Christ. You want to kill the Jew? I will tell you how to do it. Make a Christian out of him. When we are in Christ there is neither Jew nor Gentile but all are one in Christ Jesus. You want to destroy the Jew? Win him for Jesus. You want to destroy the Jew? Wash him in the blood of the Lamb. You want to solve the Jewish problem? Give him the Lord Jesus Christ. That is where we come in. That is our part. You say, "Preacher, it is hard." But we've got to do it just the same. What are we going to do?

5. Salvation, His Only Hope

Well, first of all, we have got to pray for the Jews, pray as we have never prayed for them before. Pray for the Jew. You know I didn't find out until after I had been a preacher a long while that there is something about the conversion of a Jew that just seems to be different from the conversion of a

Gentile. For example, just this year in Roosevelt High School, in Los Angeles, on the East side, we had a meeting and had 566 conversions, actual conversions in the inquiry room. Listen. Among those 566 there were eight Jews. There were only three of us preachers who were Jews in the campaign. There were Gittel and Zimmerman and I. Gittel and Zimmerman had churches over there, missions. I was the evangelist. Listen. When Gentile leaders made the report of the revival to the Christian business men, they said, "We had 566 conversions and eight of them were Jews." My goodness; 558 didn't seem to bring as much joy to their hearts as the eight Jews! Don't ask me why it is. I don't know, unless it is that the Jews are just nearer to God's heart than any other people. Let us pray for them. God says, "Pray for the peace of Jerusalem." He didn't say, "Pray for the peace of New York," or "Pray for the peace of Chicago." He said, "Pray for the peace of Jerusalem."

Then, let us preach to them. Let us witness to them. Let us invite them to church, to these services, to every other service. You say, "Preacher, it is hard." I know it is hard. Let me ask you this question. Let me make you this proposition. How many of you in this congregation who have ever done personal work will say by your uplifted hand, "Preacher, it is getting next to impossible to get the unsaved to come to the house of God"? Will you raise your hand high? I want to see. I want to see those of you who have done personal work. Yes, most of us know how hard it is to win the unsaved Gentiles. Well now, if it is hard to win them, I will tell you what let's do. It is hard to win them. They won't come to church. We are Christians. We are saved. It is hard to win them. They won't come. Let them go to Hell! You won't do that, will you? You will just pray harder, won't you? Why not give the Jew the same advantage? Why not give the Jew the same chance? As a matter of fact, I have learned a long time ago that the person to whom I owe the greatest debt is the person who is the hardest and the farthest away from Jesus.

Then, let us pay for them; not only pray for them, not only preach to them, but let us pay for them. Let us pay for them with our tears. Let us pay for them with our testimony. Let us pay for them with our tithe. Let us pay for them with our offerings. Let us pay for them as we give of our means in order to promote revivals, in order to erect missions, in order to send witnesses to them. You can't take offerings among the Jews. They won't understand. Let us pay so that those whom God has called can go among them and witness to them, and win them to Christ.

My parents live here in Chicago, in Humboldt Park. We were in Russia. My daddy came to the United States a year and a half before Mamma, my two brothers and I did. He established himself in Chicago and sent for us. I am the oldest child. There were three of us children; my brothers Morris, and Harry, and I. Three others were born in the United States; my brother Max, my sister Helen, then my baby brother, Issahr. But there was a little brother, the fourth one after me, by the name of Mendel who died in Russia, just barely past five. I can just remember him. He died of pneumonia.

My father wrote me a letter and said, "Son, you are the man of the family. You've got to take care of Mamma and Morris and Harry, and bring them safely to America." I watched Mamma like a hawk. Everywhere she would go, I would say, "Where are you going? When are you going to be back?" Came the day for us to leave. We piled our trunks and other baggage up into the wagon. We were going to drive to the station and go on by train. I lost Mamma. I thought I would go wild. I ran around that yard crying, "Mamma! Mamma! Mamma!" Granddaddy got hold of me. "I know where she is." He took me by the hand. We went down the street. We came out to the end of it. There was the Jewish cemetery. We walked in there. There was Mamma, stretched out on the grave of that little baby brother, clawing at the earth. We couldn't tear her away. Finally granddaddy and I, by sheer force, had to pull her to the wagon. We went on board that

train, then on board the boat. We spent twenty-one long days
on the sea. We came to America, Castle-Garden, Ellis Island,
immigration. My father came, of course, to get us. As my
mother threw herself on his neck, they hugged and kissed each
other. All she could think of was to sob out, "Oh, Lozhe, (my
father's name is Eliezer Lazarus) what kind of a mother am
I anyway, that I could leave our darling child back yonder in
that cold Russian soil thousands of miles away from here!"
You know why my mother carried on like that? Because she
didn't know that God said, "I am the resurrection and the life.
He that believeth in me, though he were dead, yet shall he live,
and whoso liveth and believeth in me shall never die." She had
no hope.

Last May, a year ago, I was going from Cincinnati, Ohio,
to Portland, Oregon, to get a Doctor's Degree from a seminary
out there. I stopped by home. I had five hours between planes,
so I went home. Daddy and I talked for awhile, then Mamma
and I. Daddy had to go out somewhere. We sat down, Mamma and I, on the couch side by side. I asked about this, that,
and the other thing. I asked her where my baby brother was.
I hadn't heard from him. He was in the Army, and I hadn't
heard from him. She said, "Son, he's gone across. He is in
France. I got a letter from him. I am praying for him all the
time, but he may not come back." She was struggling to keep
her tears back so she could talk to me coherently. Then she said,
"Son, America has been good to the Appelmans. Daddy has
always had work. He has made money. You children have
gotten a good education. I have had a fine home. America has
been good to the Appelmans. And if an Appelman has to die,
America has been good to us. Besides that, there are a lot of
other mothers. Other mothers suffer. I am no better than they
are. If Issahr has to die, well, it is just that way. But, son,
there is one thing that hurts."

I said, "Mamma, what is it?"

She said, "Son, if he died in America, there would be a
grave somewhere I could go to and cry over and put some

flowers on. But if he dies in France, or in Europe, they may not send him back and I may never even have his ashes to go to." She started sobbing.

Oh, my God, what hopelessness! What darkness! What doom! How my heart ached! How hard I tried to tell Mamma about the hope in Jesus, but, oh, she would not listen. Pray for her. One baby in glory, two sons on the battlefront. No Christ! No hope!

Multiply that by the five million Jews there are in the United States, and I don't care what the Jews are, I don't care what they have done; if you have the love of God in your heart, you are going to pray for them, you are going to preach to them, you are going to pay for them, you are going to win them for the Lord Jesus Christ, that they may have the hope of the resurrection, that together with us they may rejoice in the assurance of life everlasting. This revival is an opportunity for us to do something like that. Let us, each of us, dedicate ourselves to this extraordinarily holy task. Let us say to the Saviour, "O Lord, Thine own people are still in the darkness of death, in the slavery of sin. Use us, Master, to win them for Thyself."

Oh, will you covenant with me to pray for the peace of Jerusalem? Will you covenant with me to preach Christ to the people of Israel? Will you covenant with me to pay for the proclamation of the gospel to Israel? Tell me that you will. Write me that you will. God will bless you for it. God will reward you for it.

REV. B. H. SHADDUCK, Ph.D.

Dr. Shadduck was a native of Pennsylvania. In early manhood he prepared for the teaching profession, intending to take up the practice of law later. At the age of eighteen he attended an old-fashioned revival meeting conducted by Clark Wilson, the brother-in-law of P. P. Bliss. His conversion gave him a different vision of life and prepared the way for a full surrender in a consecration meeting eighteen months later. This upset the earlier plans for his life's work, and he took work with the Salvation Army, where he was given a job as teacher in the schools the Army maintained for training officers. Believing he could better serve his genera-tion by getting souls saved before the rum sellers ruined their bodies, he accepted a pastorate in West Virginia and completed a four-year course of study under the direction of the Methodist church. Later, he matriculated for a course in philosophy at a Presbyterian college in Grove City, Pennsylvania, and received a doctor's degree after three years. When the tabernacle revival movement was at its height, before the first World War made cheap lumber and free labor no longer possible, he was active in that work. In later life, he had many calls to speak at Bible conferences, and in the sunset years of life he was best known for the small books he has published. His incisive thought, pungent language, and devotion to Christ and the Bible make his writing most readable and convincing. Dr. Shadduck died several years ago.

XVIII

STOPPING THE STORK
Building for Bats

One title is poetry, the other is prose. When translated into history, they may mean the same thing.

Compiled from shorter manuscripts, "Sprouts from Old Stumps," "Footprints of Pharaoh," and "Keepers of the Gates."

By B. H. Shadduck, Ph.D.

Just to Get Started Right

What does a man know about the problems of maternity?

He ought to know enough to be sympathetic and appreciative, but just to make sure, take a blue pencil and censor every statement that would not be true if the author were a grandmother.

Some years ago a mama robin began building a nest in the eaves trough of my house, and I tore up the half-built nest. She knew more about building a nest than I did, and the only time I ever sat on an egg, I was disappointed; but I knew more about rain water than she did. Mrs. Redbreast called me names that I hesitate to print. I reasoned with her in soothing tones, but she said, as I understood it, that I was meaner than a cat—a monster whose death was long overdue. Then I chided her, "You little feathered lump of baffled fury with a thimbleful of brains, I am doing you a kindness if you had sense enough to know it."

By this time all the robins in the neighborhood joined in the clamor, and I hurried into the house to escape their abuse. The nest was rebuilt and every time I showed myself in the yard, they greeted me with insults. Then it rained and I was sorry for them.

Viewpoints change.

We outgrow viewpoints as a crab outgrows its shell. As a child, if a neighbor had offered me a baby or a kitten, I would have taken the kitten. Later in life, I wanted to be an Indian fighter or a circus performer. Now in my sunset years I can see that, barring cataclysmic events, the future of the church and the nation depends, more than ever before, on *what groups of believers furnish the mothers.* Our fathers relied on great public schools, great religious schools, great revivals, and a *great need for frugality* to keep up our ideals. Unscaring sinners has largely displaced the revivals, and if patriotism and Christianity make large families unfashionable, it will be time for God to try other methods.

My earnest wish is that your decisions now shall fit your viewpoint in old age.

Read It Twice

I am concerned for Christians and patriots. *I am not discussing abnormalities.*

Certainly there are people who are morally unfit for family life, and there are multitudes who are mentally and physically unfit to bring children into the world, and such unfitness may not be due to any fault of their own. I would not urge any doctrine or theory that would add to the ratio of children who are born crippled in mind or body.

On the other hand, keep in mind that *there are no parents with perfect pedigrees.* Sin has damaged all the race, and God is working with the best He has. Sooner or later, in one way or another, God will win, *with us I hope.*

Since there are pathological angles to childbirth, it would be easy to say, "Take the doctor's advice," but somewhere there is a doctor who will tell you what you want to be told. Lest this appear to be an unkind appraisal of doctors, I would say the same thing of preachers. This discussion is to help you *decide what you want to be told.* Many people find it easy to believe that they *ought* to do what they *want* to do.

I covet for the reader a happy old age with few regrets. Jesus spoke of "little ones which believe in me," and said, "In heaven their angels do always behold the face of my Father." I would have many angels interested in your home.

I have not the slightest wish to pass judgment on anyone. I do wish to help confused people in their thinking. I have discussed these matters with many young people who face parental responsibilities.

I do not know all the answers.

I do not even know all the questions.

God does.

"If any man willeth to do his will, he shall know. . . ."— John 7:17 R. V.

I sometimes wonder how many who have crossed the "Great Divide" would like to come back and relive their lives—making quite other decisions.

Efforts have been made to save the world with education, ceremony, social service, 'isms, 'ocracies, and 'archies; I have no notion that it can be saved with biology, but it is obvious that when a race dies, the world has ended for that race.

How many children are too many?

Who wants to know?

The landlord and the neighbors may think *any are too many*. This is written in 1944, when Nazis want fewer Jews and many pillaged lands want fewer Nazis. The Chinese and Koreans prefer small Japanese families and would like to *make it retroactive*. Pharoah wanted few Hebrew boys, and his daughter adopted the one who made much trouble for the family.

Too many where?

If they are to be left on my doorstep when my wife is away from home, it could be overdone. If the environment is villainously bad for children, any are too many.

How many are too many in a modest home?

Too many looking forward or looking back?

I have never known an elderly couple to wish they had fewer children unless the children were ingrates. I have known many who would have given a fortune for more children *after it was too late*.

How many are too many for a young couple?

Too many before they are born or after?

It is an inconsistency that must try the forbearance of God that people who do not want another child will go almost insane with grief if the unwanted child is born and dies three years later. God is blamed for many human ills that are the harvest of human sowing, and if death has been permitted to *take out* of a home a child where children have been *kept out*, the parents find it difficult to believe that God is good. They interfere with nature to keep life out and God is asked to interfere with nature to keep it in.

How Much Humans Hinder Their Own Prayers

Many years ago I made a pastoral call and found a middle-aged mother and three daughters in tears. They declined to reveal the cause of their grief. Some months later the three girls had a baby sister. Two years later there was not enough money in the country to have bought that idolized child. Twenty-five years later that baby had children of her own and they never knew that Grandma and their aunties would never have allowed them to have a mother if tears could have prevented it. In more than fifty years of ministry I have prayed that God might sweeten the sorrow of bereaved parents, and sometimes I fancied that angels whispered, "We know something that you don't."

Two questions that are much alike would have different answers in millions of homes. How many children can you afford to have? How many of your children can you afford to keep?

I have heard sermons and read poems that exalted mother love as something divine. When I see that love beginning to manifest itself in the little girl playing with her dolls I am convinced. If, in later life, she slams the door of life in the face of God and His greatest material blessing, I weaken.

How many are too many for the best interests of all?

Too many in the past, in the present, or in the future?

Speaking of the past, I was the ninth child in the family (two others followed), and I am so glad they did not think nine were too many.

How many are too many for poor folk?

Too many for what level of comfort?

My father's boyhood home was built of logs. There were so many children and so little money that they did not provide foot covering for the younger children, or the geese. If there was snow on the ground, the geese stood on one foot at a time, and the children ran so fast that their feet were in the snow just long enough to make tracks. If the trip was farther than to the barn, they carried an old garment to stand on at intervals. There were sixteen of them and they reckoned it a disgrace to die under eighty years of age.

Culture in the Backwoods

How did they go to school?

There was no school for children under teen age. The older ones attended school only long enough to learn to read, write, and "cypher" (make mathematical calculations). They reckoned themselves well-to-do and educated *as compared with the Indians.* They were more thankful for their good fortune, abounding health, and blazing fireplaces, than their grandchildren a hundred years later.

In my childhood the neighbors had more than we did and *that made us poor folk.* I went without much that other boys had, and how thankful I am now that it was so—I had no time or money for folly. The reason is obvious; according to modern standards, *I was one of seven children too many.* Even so, Solomon in all his glory had not such opportunities as we had. He never had potatoes, tomatoes, canned fruit, ice cream, huckleberry pie, hulled corn, sweet corn, popcorn, corn bread, or buckwheat cakes with maple syrup. Poor Solomon! He never went to a red brick schoolhouse, made a raft on a pond, lighted a firecracker, or had a sled ride.

If children ought not to come into the world unless they can have four years in college, then Cain and Abel were the second and third mistakes in recorded history and we have nearly six thousand years of ancestry that we ought not to have.

If children ought not to come into the world unless they have as good a chance as our neighbors, then nine-tenths of the people of the world ought to die childless. It might be well to reflect that we have had four grandparents, eight great-grandparents and perhaps a million greater-grandparents, and *if any one of them had died childless, we would not be here.* WE OWE SOMETHING TO THE PAST. It is scarcely consistent for me to set up standards that, if followed in the past, would have left me out of the picture.

The Bible says, "Children's children are the crown of old men," and we may add, the halo of old women. It is the only coronation that amounts to much in this life, and if God lets us look back from beyond the flowers that have been sent in, we shall be more interested in the family than in the monument.

I have vivid recollections of a man who said to a group of friends, "I buried my best friend today. I buried my dog." *He was an old man with white hair.* No hope that the dog will bark a greeting when the old man crosses the "Great Divide."

I was called to visit another old man, and in this case death was waiting for him in the shadows. He grieved most that *he must leave his lodge behind,* and the saddest hour was when his lodge brothers carried him in an arm-chair to the lodge hall where he sobbed a good-bye to the various chairs he had occupied as a grand exalted something-or-other. The breaking of bonds is tragic when there is no hope of reunion.

I like to think of the aged mother of sons and daughters who, in her last hour, summoned them to her bedside and said,

"Children, I have sung lullabies to you many times. Now will you sing a sleepy-time song for me and then kiss me good-night?" The oldest son took her right hand, the oldest daughter her left hand, and with a circle of clasped hands they sang their mother's favorite song, changing the order of the first two words:

> We shall meet beyond the river
>> Where the surges cease to roll,
> Where in all the bright forever
>> Sorrow ne'er shall press the soul.

How many are too many?
Why is a decision so important now?

In many things *we learn by making mistakes.* Other mistakes cannot be undone in time or eternity. Esau "found no place of repentance, though he sought it carefully with tears." He had exchanged a birthright for temporal comfort. We are discussing the birthright of potential life, sometimes denied for social achievements. Said the poet, "Of all sad words of tongue or pen, the saddest are these, 'It might have been.' "

Barnyard Philosophy

There is a barnyard philosophy that parades under the imposing name of eugenics that *lends itself to barnyard morals.* If it were forced to be consistent its villainy would be obvious. It urges that because he is not handicapped by puritanic morals, a stockman can appraise the value of domestic animals so accurately that a colt may sell for thousands of dollars *before it is born.*

Teachers who would put you on the level of cultured beasts do not tell you that breeder's methods adopted by humans would mean polygamy and *the birth of so many* that weaklings and cripples must be killed. The herd would take the place of the family and corrals would replace the home.

Human greatness depends on the mind and spirit as well as the body, and many of earth's greatest characters for good or evil come from homes of an opposite type. Who dares to take the responsibility of deciding when and where life is to be shut out of the normal home?

It is reported that a woman missionary in a land where girl babies are looked upon as less than a favor from the gods and are often bartered in marriage in childhood, lost all patience with the men of a nation that treated cows and sacred monkeys better than the mothers of its children. She said, "I wish to God that there might be not another girl baby born in that nation for fifty years." Let us keep in mind that all fathers in that nation wanted girl babies *in other people's homes,* if only the gods would send boys to them. What about a nation that is freckled with Christianity, where millions of POTEN-TIAL mothers want all the babies born in other homes, so that they may be free to radiate culture to others? Whether it is Pharoah's methods with Israel or Haman and Hitler's methods with the Jews, birth frustration will put skids under any nation that fosters it, if you give it time. Not even the great pseudo-god, science, can nullify the multiplication table. The nation that has more deaths than births and continues that misfortune, is on the way out.

Are there superior and inferior races?

Certainly some nations make themselves superior or inferior. The most vehement advocate of race equality, if he had to come back to earth as a baby, would have very pronounced preferences as to what race was to furnish a mother and what sort of religion and ancestry she had when he arrived. How distressed he would be if the women who would make the most desirable mothers *didn't want him.*

The Arithmetic Plays No Favorites

How can I doubt the prophecies of the Bible; history fulfills them. If the Japs, with their high birth rate, had waited another hundred years before attacking a nation that thinks it cannot afford large families, the prophecies of Japan might have been fulfilled. God saw to it that they did not; let us hope that He will yet save America, yawning in false security.

We send missionaries to pagan lands, as we ought to do, and they teach wretched idol worshippers *how to lower the death rate of their babies.* Here at home we spend about as much money *to lower the birth rate.* Many people think of God as they do of a magician who can take a white rabbit out of an empty hat. The theme song of shortsighted optimists might well be, "Let me dream on if I am dreaming."

Some of the world religions forbid birth frustration; some others foster it, tolerate it, or ignore it. What is the answer if God lets this age go on another hundred years? If you do not know, you wouldn't believe me if I told you. Consider one situation. The French Roman Catholics of Canada have families that average more than twice the size of Protestant families and there is nothing about that to worry Roman Catholics. The birth rate among Mormons is greater than that of their jitter-bugging, bitterjugging Gentile neighbors.

So what?

When and if church leaders build a new world, many groups will try to furnish the religion for it. Religious freedom is part of the plan and if some cult worships a horned toad, who is to stop it? What religions will dominate the new world? Years ago the childless Shakers showed religions how *not* to do it. Are family, nation, faith, and ideals worth dying for? Then they ought to be worth living for.

Years ago I was much impressed by the story of a Christian Indian. He was traveling on a Missouri River steamer with his Christian mother and a young squaw named Mary, and a missionary. While they were looking out upon the river, the steamer struck a snag, rocked violently, and the mother and Mary were thrown into the river. The Indian dived into the swirling waters and managed to save Mary, but before help could reach her, the mother had disappeared. The missionary tried to comfort the grief-stricken Indian with words of commendation. He said, "You knew that your mother was saved. You knew that Mary, not yet converted, would be lost. Like your Lord, you went after the one that was lost."

The Indian replied, "Go away, white man. You do not understand. My tribe is dying. My mother old woman soon die. No can help my tribe. My tribe need Mary. Mary help save my tribe."

The murderer waiting execution has a chaplain eager to add a Christian convert to the invisible church. The Lord gave a prayer pattern to His disciples that contained the plea, "Thy will be done *in earth,* as it is in heaven." The distressing need for good people is *on this earth.* For all we know to the contrary, the time to do something for this world is while we are here.

"Blessed are the meek: for they shall inherit the earth." They are not coming from Heaven to colonize the earth. Perhaps God has nominated you to be one of their ancestors.

How many must there be if this nation, if any nation, is to continue?

If every woman became the mother of two children—no more, no less—the nation would dwindle to extinction because some would die before maturity. Because some women do not marry, some ought not to marry, and some who marry are childless, the average number of children, where there are children, must be *more than three.* If half the families average one child, the other half must average more than five. Facts are stubborn things, and patriotism that is a thin veneer may exhaust itself with flag-waving and fireworks.

Is there to be a new world?

Yes. The Bible forecasts "a new earth, wherein dwelleth righteousness." Any new earth with less than that would be about as permanent as the Tower of Babel. Righteousness isn't something that furnishes a dull background for artistic sin.

Stubborn Facts of Mathematics

A religious group increases when it wins more converts than it loses deserters, or has a birth rate greater than its death rate.

As an example, if a group of one thousand have an annual increase of 1 per cent for two hundred years, they will then number more than seven thousand.

If the annual gain is 2 per cent, they will multiply to more than fifty thousand.

If the annual gain is 3 per cent, they will reach the amazing total of 368,000.

At 4 per cent, the one thousand will multiply to more than 2,500,000 in the two centuries.

Before you decide that these figures would win a prize in a liar's contest, get an interest table from your banker and convince yourself.

If they approximate the truth, you need no fortuneteller to forecast what will happen in a new world, or any world, if *your kind* of people have few children and a *predatory kind* of people have many. If the peace-loving people in the new world do no better than the ones who are making the blueprints, the plan will backfire.

Am I a pessimist?

No. I am old-fashioned enough to believe the Bible. When a land is overfilled with iniquity, God empties it (Isa. 24:1-3), though He endures with much longsuffering the vessels of wrath (Rom. 9:22). Two examples are given in Genesis 15:16 and Matthew 23:32: "The iniquity of the Amorites is not yet full"; "Fill ye up then the measure of your fathers." The Father said to our Lord, "Sit thou on my right hand, till I make thine enemies thy footstool" (Matt. 22:44 and five other places in the Bible). Keep that FOOTSTOOL in mind.

Is it possible for a religious or political group to have an annual increase of 4 per cent over a period of years?

It has happened many times with *smaller groups*, but never, so far as the records I have seen, has it continued for more than two centuries. Percentages sag as families and religious isms drift in habits and ideals.

My grandfather had sixteen children; there were no screens in the windows, no modern sanitation, no modern remedies;

they did not even know that heat would sterilize instruments, bandages, and drinking water. I never heard of one of them getting drunk, remaining single, or seeking a divorce. The second generation could afford many hurtful things, and the third generation went in for modern conveniences and small families.

A national magazine with a circulation of four million said in 1942 that the French Roman Catholics in Canada numbered 65,000 in 1763, and multiplied to six million in 1942—many of them living south of the border.

Benevolent America showed Japan how to lower her death rate, and later, Japan showed us how they could raise ours. If the social gospel stops short of saving pagans, it will greatly add to their numbers.

Childless Women with Mother Hearts

I have only sympathy for the woman with a mother heart who has not been blessed with children. To such I would say that if you will look for it, God has compensation, both in this and the world to come.

There are tribes and racial groups where every woman, from the time she is born till the time she is buried, belongs to some man. She may not choose a mate, or refuse one if her owner has willed it so. More than any other man in human history, Christ has set women free, but Christianity ought not to be at a disadvantage because of this freedom. Where this freedom prevails, no woman is forced into bondage with a physical or moral wreck, nor is she an outcast if her prayers for children are not answered.

I have known the woman who kept in a locked drawer a doll, that in lonely hours she took from its hiding place to ease the pain of empty arms and open the vials of her tears. I have known others to borrow from a neighbor a baby—something to love and cuddle. I have known of empty baby shoes on which, in hours when the house was too quiet, tears have splashed since thirty years ago. I have seen in old Bibles little curls of baby hair, coiled like question marks among the promises of God. I like to think that such childless women are very dear to the heart of Mary's compassionate Son.

I knew a young woman who asked of an evangelist, "What can God do for me? I want a home of my own, with a husband and little children, but there are not enough decent young men who are looking for a wife with Christian ideals." She was a young woman in radiant health, cultured, musical, a lover of children, the cherished friend of the sick and aged. Perhaps if she had put her religion away in moth balls till after marriage, it would have been a great comfort to her when she had to go to church alone.

I am sure that God can do much for her and millions more like her, but I don't know what He will do with a nation that fosters the things that make loafers, drunkards, gamblers and profligates out of men who might otherwise make good fathers. In the name of personal liberty, unborn generations must suffer damage from alcohol, narcotics, vice, spendthrift habits, and guttersnipe ideals. While we are hoping our government will do better, *God send us good mothers,* both in quantity and quality. If you want a longer prayer, *"God send us statesmen and lawmakers who will protect our young people as well as a hired man would a pedigreed pup."* If, in our nation, voters refuse to support such a program, then it is time to read history to see what God has done when His patience has reached a limit. In reading history, it is well to keep in mind that unfulfilled prophecy is history that has not yet happened.

Mistaken Theories

There is a theory that the children of a small family have better opportunities than the children of large families. If this is true, then we have a basis for the theory that race superiority and family superiority are *the levels attained just before they reach extinction.*

Very recently the newspapers have featured the story of a Michigan mother who has nine sons in the Army and thirteen other living children and not one of them is undernourished. *If that family maintains that rate of increase for eight more generations, they will number twice the present population of the world.* There is not a remote possibility of it happening, but the fact that there can be such a family—healthy, happy, and well-behaved, nullifies some theories and suggests that those who plan for the future of the world may properly reckon with the birth rate of pagan and Christian, those for peace and those for plunder.

If the meek are to inherit the earth *(and they shall)*, they must do it by conquest, a tide of evangelism, a higher birth rate, or God must dispossess most of the tenants. *Do you know any other method?*

This would be a good time for some folk to revise their theories.

We have had multitudes who have dedicated their lives to filling Heaven with people who are happy in doing the will of God; why not other multitudes eager to fill this world with the same kind of people. In the "Lord's Prayer" we say, "In earth, as it is in heaven."

The Wisdom of God

With perhaps one exception, God planned that humans would be *least prolific of any creatures on earth.* What a world it would have been had it been otherwise! Even as it is there are too many who love sin; too few who love righteousness. What is God to do if the people called by His name fail Him? They have done so many times in history and the world has lapsed into savagery.

The First Command

God's first command was, "Multiply and replenish the earth." It is clear that in centuries that followed, God gave His blessing to those who remained unmated, that they might devote their lives to making this a better world for the children of others. Whether we like it or not, the grim fact remains that those who accept the responsibilities of marriage *must average enough children to make up for those who do not,* or the nation is on the way out.

Matthew 19:6 says, "What therefore God hath joined together . . ."

Does that apply to all weddings, or is God just a hopeful spectator at some weddings? To claim God as a mediator and forthwith treat Him as a meddler is dangerous inconsistency.

In the first chapter of Luke there is the story of an angel who said, "I am Gabriel, that stand in the presence of God." He came to discuss the birth of a child who was then only potential. In the same chapter is the story of a visit to Mary and a discussion of another child that was then only potential. This is significant because so many folk think God is no more concerned with potential life than He is with which side of your bread is buttered. Our Lord said of some children, "Their angels do always behold the face of my Father which is in heaven" (Matt. 18:10). Evidently angels are interested quite some time before they are born.

"Planned Families"

When a farmer chloroforms all but two of a litter of kittens, he thinks he is un-planning the old cat's family, but it eases the conscience somewhat if a *constructive* word can be used for a destructive *process.* The ancient Romans "planned" their families by disposing of children they did not want. Their method had one advantage—*they looked them over before discarding any.* Since the size of the family concerns God, angels, church, nation, and the far reaches of eternity, Heaven's blessings will be on the God-planned family. God made the plans when He made humanity and if they are to be modified for the individual, such modification should be made in harmony with the ordinances of God. Gabriel stood "in the presence of God" *before* he planned; some others do their planning *first* and explain to God when the books are opened. Of all creatures, humans are the only ones who tamper with *potential* life and say by their actions, "We do our own choosing; *God can take what we decide on and like it."* He might not like it.

Could it be that social, financial, or other ambitions dictate the plan?

Consider that the Board of Strategy *can only plan to shut life out.* The child who arrives may be any one of a thousand possibilities that God has put beyond the power of human choice except as prayer may win the favor of God. That children of the same mother may be amazingly different must be obvious to observant readers. *A devout couple will not hinder their own prayers by offending God.*

Better read that again.

Since early history some people have frustrated the chief purpose God had in the institution of marriage by the misuse of God's blessings. God's reaction to behavior that made mockery of His plans is well known to Bible students. Now, in an age when God has multiplied our temporal blessings, men have devised means whereby unchastity need not endanger one's *surface* respectability. It is difficult to believe that God desires such inventions in the Christian home.

A young minister asks, "Would you advise a young couple riding down a steep hill to take off the brakes and trust God to prevent a wreck?"

The question seems to assume that the car does not have *built-in brakes* but must have the wheels locked like a farm wagon with a load of hay. Perhaps the "wreck" is *in the mind and not at the bottom of the hill.* My mother used to tell of a backwoodsman who thought he saw a bear in a tree when it was only a tiny creature on his eyebrow. If the ride does not damage the car and they take on a little passenger that they would not part with for a fortune, nothing has been wrecked *but a man-made program.* Of course, if it is an expensive car and the couple *want a later model as soon as this one is paid for,* that puts another face on the parable. If it is a question of a new car or a new baby, take the baby and in two years you will not wish to trade for the car.

The fact is that there are proportionately very few families too large for their own good, unless the home was a matrimonial disaster before any children arrived. In the country school I attended as a boy there were twenty-four families in the district and never more than twenty-seven children in school. No family had more than three children in school. I have had some pastorates among the so-called "hillbillies" and I never knew one family where there were too many children, though I did know some fathers that were unworthy of their children. The families had few of our modern conveniences, but I could earnestly wish that the people of our cities behaved as well as they did.

The Abundant Life

I came into life soon after hoop-skirts went to the attic. They served a purpose in their day. At no considerable expense they enabled ambitious people with low incomes to keep up with society folk. When one could keep in style a whole year with ten extra yards of calico, the inconvenience of flattening one's circumference to get through a door was worth the effort. What a blessing it might be for the world if college graduates would show the world that they can do as well with five children as a log cabin family in the mountains.

Most people like to keep up with their neighbors, and that is a wholesome ambition if social altitude is measured not so much by what civilization has done for a family as by *what the family is doing for civilization.*

Catherine Booth lived simply but she gave seven sons and daughters who modified the religious thinking of the world, and 35,000 people filed past her casket—many of them moved to tears with grateful memories.

New Worlds for Shortsighted Dreamers

Oh, what a world it will be when every couple has a college education, lives in an air-conditioned home fully electrified, drives a car or airplane, has a summer cottage, flower garden, pedigreed cats and dogs, and after they are fifty years old, *they order a family of curly-haired children from a catalog!* This last convenience is not in the published program—evidently an oversight. All the various schemes promise a world without war and if they keep the birth rate lower than the death rate, in a few centuries there will be no one to do any fighting except homeless cats and dogs among the tombstones. With the birth rate no higher than the present average among conspicuous patrons of culture, there will be few who need killing and no one near enough to do it. New-world dreamers ought to have an arithmetic book handy for wakeful moments.

Suicidal Culture

Grandma had a spinning wheel. She made garments for the family, made her own soap, did her own washing, made her own bread, churned her own butter, and made her own tallow candles. Even so, she was not too busy to raise a sturdy family. Modern inventions have taken the drudgery out of the lives of American women and medical science has found specifics for many ills. Must we pay for these blessings with a fade-out of the heroic families who made this a great nation?

This is one of the many ways we do it: Monty and Molly hold hands, but marriage must be delayed until they have finished college. Then with a third of their life gone, they marry, but they decide there must be no children until their house and garage is furnished like the homes of their friends. Finally the appearance of the first-born is attended with the anxiety that may be expected if the first-born appears when half of the mother's span of life is in the past. It is a marvelous child, but he interferes greatly with his mother's social activities. In a few years Junior writes to Santa Claus to ask for a baby sister and Mama adds a postcript that she needs a new car. In due time Santa Claus brings Junior a pedigreed pup and Mama gets a shining automobile. Some years later in a junk yard there is a discarded automobile—*a pathetic memorial of a potential child who never arrived.* Junior came of a long line of heroic ancestors and it will be tragic if the families of the pioneers are to be civilized into oblivion. Instead of automobiles, the reader may substitute any convenience or comfort that is more desired than children.

Something must be wrong when man's blessings work against the perpetuation of the people who are reckoned the most fortunate. Psalms 127:3 says: "Lo, children are an heritage of the Lord." Is it any wonder that many prayers go nowhere and bring nothing back?

Divorces

Childless homes are more likely than others to be broken homes. When a couple is bound together by a romance, a beautifully furnished house and mutual friends, it is easy to magnify each the other's faults. He may be bored with the monotony of the same make-up, and she resents it when he is charmed by the smiles of another. He finds that he can afford to pay alimony and she decides that he ought to. No woman of good stock is likely to be unfairly critical of the father of her children, and only a man lacking in ordinary gratitude will not try to see goodness in the mother of his children. If published statistics needed any confirmation, we need only consider the heroes and heroines of movie patrons who have made the largest collection of castoff mates.

Fiction writers, always willing to write something that will be talked about, have drawn on an elastic imagination to portray shocking conditions among migrant and shack-dwelling people. Others are ready to blame these conditions on too many children. The facts are not nearly so distressing as the fiction, and what distress there is would largely disappear if drinking and gambling were suppressed.

Sprouts from Old Stumps

Have you noticed that man is the only creature on earth who needs lawgivers to restrain him from self-destruction?

Without God, and sometimes with false gods, man gravitates to beast level or extinction. Other creatures fulfill their cycles of life as God wills; only in the case of man has God imposed laws to prevent one generation from destroying the next. Contrary to nature and the warnings of God man has, from early history, resorted to grievous sex abnormalties that have swept out some races and crippled others. Early pagan religions worshipped their monstrous gods with unspeakable public indecencies. Paul said of their private infamies, "It is a shame even to speak of those things that are done of them in secret."

Like a noxious vine, vice has poisoned many nations, and though its noisome branches have been cut off many times, *new sprouts are growing from the stumps.*

If the devil has a favorite sin, it must be the perversion of God-given powers to pass the stream of life on to the next generation. No human transgression has so kindled the wrath of God or brought so much misery into the world. Nations were cut down but sprouts came up from the stumps.

The flood was sent to cleanse the earth after matings that grieved God and corrupted the race. Sodom gave its name to human depravity and, with similar cities, suffered "the vengeance of eternal fire." Because of "the doctrine of Balaam," 24,000 Israelites died in a plague, and the Midianites who seduced them were slain by thousands and finally blotted out as a nation. Through the ages two infectious diseases due to human depravity have taken the lives of millions. A friend of mine who could speak English with difficulty, used to say of doubtful human behavior,

"Maybe God No Like"

Ecclesiastes 7:29 says, "God hath made man upright; but they have sought out many inventions." Some inventions provide us with more food; others insure that there will be fewer people to eat it. With inventions, more of us go where we are going faster and fewer of us come back. Misused blessings are dangerous. James 1:17 says, "Every good gift and every perfect gift is from above."

Where do you suppose the other ones come from?

Did God overlook anything when He "made man upright"?

It is argued that God delayed such gifts as the microscope, the radio, and X-rays until the more highly cultured nations were ready for them, and for the same reason God delayed the inventions that interfere with the cycle of life. I might add that these things are (on the same theory) God's gifts to cultured people *to reduce the birth rate lest there be too many of them.* There are two verses of Scripture in striking contrast. In Genesis 1:28 God commanded humans to multiply and with the command He commissioned them to *subdue* the earth, that is, be master of it. In Leviticus 18:28 God said, "That the land spue not you out also, when ye defile it, as it spued out the nations that were before you." The "abominations" that nauseated the earth centered in the misuse of sex.

Does the author mean to compare modern respectable interferences with the divinely planned cycle of life with ancient indecencies? No indeed!

I am only asking the reader to consider whether or not the *motives* and *results* are the same. The man who sells rum to a father whose children are going hungry is much more refined than a cannibal who would eat them, but the motive is the same —that is, live at the expense of others.

Pharaoh, Haman, Hitler and Others

Pharoah feared the Hebrews. The only method he understood was to kill the boy babies. Haman hated one Jew and to get that one he planned the death of all of them. Hitler hates all Jews and, by preventing the birth of Jews, he will *save the expense of killing so many.* He hates Americans and has done much to increase our death rate, but there isn't much he can do to lower our birth rate other than to kill prospective fathers. Alas and alack! He has no need to hire someone to lower our birth rate; *we have a multitude of patriotic citizens who will attend to that.*

The Continuity of Life

The life that has come from Adam to us has been continuous. The apple tree of today contains a life that was in an apple tree a thousand years ago. That life, at times, may have lain dormant in a tiny seed or waiting the call of summer in a slumbering bud, but it was life. The Bible declares the continuity of life between Abraham and his descendants hundreds of years after Abraham died.

No one would argue that cooking an apple seed is killing an apple tree.

The great question that has been debated a thousand times is, WHAT PHASE OF HUMAN LIFE IS SACRED IN THE SENSE THAT ITS DESTRUCTION IS MURDER? The question has wrapped within it several questions.

Is wrong-doing in the ACT only, or is it also in the INTENT?

If we take it for granted that there is a difference, *how much* difference does it make what phase of life it is, if the destruction is intentional and in either case has the same purpose in mind?

It will be urged that one phase of life is uncertain, divided, and having no more independent life than the pollen that the honeybee carries to its hive, and that the other phase is that of individuality.

Then let us assume that God is the partner in the home and that He has investments to protect. What difference does it make to God *whether we wreck the plan of God for us or the gift of God to us?* I do not say that it makes no difference, but I ask, How much difference, if the intent and the results are the same?

Does God Need a New Way Out of Difficulty?

I have received letters from young men urging that if they did their best for God, contraceptives were necessary.

The ancient pagans also believed that *their gods demanded the sacrifice of child life*. In the twentieth century some confused young people believe that the absence of children in the home will glorify God, *if the sacrifice is made soon enough*. I will outline briefly cases that are reckoned to justify birth frustration.

(a) A young couple engaged as a musical team in evangelistic work. Childbirth would break up their team.

(b) A young husband is attending a Bible school or seminary, while the young couple live in a furnished room, hard pressed for funds.

(c) A young pastor or missionary beginning service in a hard field. He has more work than two people can do and gets less money than three people need.

The problems are based on the false assumption that after God has taken care of His people for thousands of years, conditions are now so changed that He needs additional gates to keep handicaps out of preachers' homes.

Now I have no idea that Baal or Moloch could do anything for such couples without a drug store, but I think of the God of the Bible as more resourceful. God has had many difficult situations to deal with. Hebrews 11:38 says of some of the people of God, "They wandered in deserts, and in mountains, and in dens and caves of the earth." They were not all single folk, for they *all* "obtained a good report."

When Mary and Joseph camped in a stable at Bethlehem, a baby was a distressing inconvenience from the viewpoint of modern society. They were as unready for such an event as the couples referred to above, but the angels were very happy about it. If the shepherds had taken their wives to see the new baby, and if those wives had notions like many excellent women I have known; on the way home can't you imagine someone saying, "People have no right to bring children into the world if they can't provide for them"? I have heard that, oh, so many times. Of course the stable visitors did not know that God had a donation party coming from the East.

In the case of (a), I cannot believe that God ever calls any-one to help Him carry a load *that He does not carry the heavy end*. He who numbers the hairs of the heads of His children, can be trusted to number the children in the family. If Jesus said of sparrows, "One of them shall not fall on the ground without your Father," can a baby, who is credited in the Bible as a gift from God, get past the will of God into a Christian home and wreck God's plan? If that is too much to expect of God, at least He has not forbidden continence.

In the case of (b), thousands of students have gone to school while the wife lived with relatives or earned money to help pay school expenses. I speak from experience.

In the case of (c), the God who fed Elijah could send a neighbor with ample supplies for the family *and the baby*. I have seen it happen many times.

If, in any case mentioned, a baby were born and a worthy family offered to adopt it, and urged that it was a hindrance and ought to be given up for the sake of their more important work, the parents would resent such nonsense.

Some people get amazing ideas about how they can best serve God. I know a man who insisted that he was called to do city mission work. He needed a wife who was musical, so he deserted the one he had and advised her to get a divorce. She did and he found another who could sing and play the organ. He reasoned that when God calls a man, legalism, based on ancient notions of propriety, must not be allowed to interfere with God's plans. Of course if an angel with a drawn sword had forbidden his behavior, as in the case of Balaam, he might have postponed his bad behavior as Balaam did. Incidentally, it may be well to remark that the angel stopped Balaam once and the next time he needed killing, there was no donkey to advise him and he discovered his mistake after he was dead. Alas, how easy it is to believe God *wants* us to do what we *hope* He wants us to do. I knew one brilliant young preacher who excused the use of contraceptives on the plea that Jesus said, "My sheep hear my voice." He argued that since he was a sheep and he had not been forbidden by the shepherd, other sheep ought not to substitute for the shepherd.

The Urges in Human Life

There are many urges in life; let us discuss three of them— hunger, thirst, sex. Without food and drink the *individual* will die; without matings the *nation* will die, though individuals may live to old age. In the wisdom of God, He has given His blessing to some individuals who have remained single, and to married folk, who, through no fault of their own, have been childless.

When God made His image-man, He had the inheritance of a great family in mind (See Deut. 32:9). When sex was planted in Adam and Eve, *it was God's investment for the future*. When some misuse of sex (Gen. 6) threatened to defeat the plan, corrupt the race and make a bankrupt of God, He washed "the face of the earth" and began again with the untainted family of Noah. Since then, families and nations have found new ways of handing in their resignations.

There are seven forms of sex depravity condemned in the Bible—sub-classification would add to the number. Gentle spirits would not be so shocked at the severities of the Old Testament if they knew how God has been shocked with loathsome behavior connected with idol worship. There is no language that aptly describes some forms of depravity without use of figures of speech. God uses such a figure of speech in Leviticus 18:25, "The land itself vomiteth out her inhabitants."

The casual reader of the Old Testament may read in the sixth chapter of Judges that Gideon threw down an altar of Baal belonging to his father and cut down the GROVE near by. That might appear to be needless spite work to destroy a beautiful park in a land where trees were so scarce. Forty times this word appears in the Authorized Version of the Old Testament as a translation that *hides an abomination* with a word that suggests beautiful trees, cherished for perhaps a century.

When Adam and Eve sinned, God made clothing for them. Satan did not like garments that contributed to modesty and he has been trying to get them off ever since—as you may have observed. Pagan worship of ancient gods left nothing for the devil to desire.

Too Many and Too Few

Since the dawn of history it is obvious that there have been too many bad people and too few who were relatively good. To save the race from insufferable depravity, God has many times greatly increased the death rate, and there is record that for a brief period He reduced the birth rate of "the house of Abimelech." Whatever may be the reader's ideas as to race equality, *the future of the world depends much on their relative numbers.* When this is written in 1944, I have no neighbors who think the world would be as well off if there were twice as many Japanese and half as many Americans.

If by some stretch of imagination one could believe that modern devices for lowering the birth rate are gifts from God, Santa Claus (figuratively speaking) *hung them on the wrong Christmas trees.*

Three Puzzling Questions

Is a baby a fortunate or unfortunate accident in a world of chance?

Are some babies the gifts of God as Jacob and Joseph testified?

Has God delegated all right of choice to potential parents, content to do the best He can with whatever is given to Him to work with?

Like birds on a bush, some people flit from one twig to the other, depending on whether they are thinking of the children they have or the children they don't want.

God gives to His people a wide range of liberty. If they marry, when they marry, whom they marry are left to the individual with the admonition, "only in the Lord." Unless the choice will damage himself or others, man is free to live in a tent or a tenement, dig coal or raise flowers, go up stone steps or a wooden stairway to a place of worship. In matters that would wreck the home or jeopardize the future of the family, God has made basic laws that nations have disregarded and have left us nothing but relics in the dust heaps of the world.

Unless there is a trinity of father, mother, God—maternity may be only a gamble, as one who patronizes a lottery reaches for a ticket in a bowl and takes what he gets.

Are children to be borne at the risk of the mother's health?

That must depend on how great the risk and what is the value of the child. All life's activities are attended with risks. Every birth puts a mother in jeopardy, but there are *more women killed and damaged in automobiles than in maternity hospitals.* I take it that sometimes the risk is too great in either case.

For thousands of years the people of God have faced these problems, and in some measure death has attended every activity of life. Now, medical skill and a knowledge of antiseptics have made maternity much safer. We may well thank God for the knowledge of disease germs and how to kill them, but whom shall we thank for inventions that multiply delinquency by making it safer to sin?

If we thank God for such inventions, the devil will certainly add a fervent "Amen!" That would be disconcerting, if we heard it.

Some have testified that they have been led of God to limit their families to two or three. I have no reason to question the sincerity of such testimony, but if true, I marvel that He never mentioned it till eighteen hundred years after the last book of the Bible was written. Then it puzzles me that God wants Christian families small and sends missionaries to teach pagans how to raise large families by improving sanitary conditions.

Twenty-six hundred years ago Sarah, Rebecca, and Rachel had not too many children, but too few. They lived in tents with less equipment than a family in a trailer has now. *Their descendants survive and will survive.* They had neighbors who built palaces and temples and LEFT THEM FOR THE BATS.

Now I know that the best known method of answering such warnings is to get an old scrapbook and read that in every generation there have been prophets of gloom who deplored the ebbing tides of their day. I do not need a scrapbook; I heard such prophets in my youth. If you think they guessed wrong, then drive out in the country, past the road houses and "night spots" to where there is an abandoned church and not enough children in the community to keep a Sunday School going. On the way back stop at the courthouse and pay an installment on your taxes and buy a war bond if you have any money left. If you still think that the puritanical preachers of those days were gloomy because something was wrong with their liver, read the report of J. Edgar Hoover that "crimes against decency" among girls of school age have increased fifty-six per cent in a few months. He might have said that they have multiplied by ten since the abandoned church was filled with worshippers. Perhaps it would have been well if people had heeded the unpopular preachers instead of the assurances of the scrapbook.

It seems that in Bible times there was scarcely a generation that did not have one or more disagreeable preachers who saw trouble in the direction the nation was going. Isaiah says that the popular demand was, "Speak unto us smooth things," and when the prophets persisted in being disagreeable, *they killed them.* The Lord Jesus reminded His critics that their fathers had killed the prophets and then they killed Him. No prophet was killed because he was a popular preacher. The rubble heaps of the world are monuments of forgotten nations that probably had soothsayers who told them what they wanted to hear.

One thing I like about Belshazzar; after hearing the most caustic indictment that, in my judgment, was ever leveled at a king by a prophet, *he promoted the prophet.* I would contribute to a tombstone for him if that amazing fact were to be chiseled on it.

Optimistic Prophecy

"For the earth shall be full of the knowledge of the Lord, as the waters cover the sea" (Isa. 11:9). Just now it is as full of theories of God as the clouds that drift over the sea. It will be a glorious age for someone's investment in children when the prayer, "Thy kingdom come," is answered. Let us hope that in that glad era you may look on from wherever you are *as a happy stockholder.* If you may not have children of your very own, invest in the neglected children of the world.

In the life to come, are we to lose all interest in our children, spiritual and literal? Some who read Hebrews 12:1 believe that from the galleries of Glory some who have departed to be with the Lord will look down on us as eagerly as the alumni of a great school watch the students of the school in an athletic contest. When Herod killed the children of Bethlehem, the mourners included Rachel (Matt. 2:16-18). Others see in these statements only poetical figures of speech. Truth runs parallel to Bible figures of speech and parables are the wrappings of great truths. I can easily believe that the glory world is equipped as well as we are with radio and television *or better.*

A Story

One hundred ten years ago there was born in a log cabin in the backwoods of Pennsylvania a baby girl who was to be a workslave or heroine, depending on the viewpoint of the reader. Those were the days of the tallow candle, oxcart, and muzzle-loading rifle. It required a day's travel to go to and from the store. There was no church and school was only a neighborhood arrangement to teach reading, writing, and simple mathematical calculations. Sickness was unusual and doctors were far away . In some of the cabins there was a homemade doll, and usually there was a live baby for the older children to care for. For entertainment there were tales of Indians, bears, panthers, wolves and wildcats. According to modern standards this girl was foolish or ill advised, for, after a childhood of hardship, she married a young woodsman and they moved into a cabin with bare floor, bare walls, and bare windows. All the furnishings they had, other than a bed, they could have carried in their arms. The first dinner in their new home was simple—the only thing hot was a corn pone baked on a board by an open fire. Not knowing any better, they thought they were well-to-do and welcomed into the home two children to share their good fortune. Then came the Civil War and the young father carried a musket for thirteen dollars a month. He lost his life in the Battle of the Wilderness, and the grief-stricken wife was saved from dire poverty by the pension she received. That, added to her own earnings, provided ample support.

Chapter Two of the Story

There is an old saying, "Once a fool, always a fool." Of course, if she were a heroine, she might continue heroic. At any rate, she married a poor farmer with six children and began washing, sewing, cooking for the family of ten. Continuing in her folly or heroism, *three more children were born*. When she remarried the pension stopped and poverty was inevitable. If she could have had fewer children, balanced rations, and occasional vacations, she might have lived to be ninety years old, but the deadly monotony of work and self-denial cut short her life soon after she was eighty-eight years old.

Her last days were spent with her daughter in the Northwest, on a farm ten miles from a railroad. Counting the grandchildren, there were ten in the family. The neighbors thought of her as an old woman from another age, about ready to be forgotten with her stories of Indians, bears, and wolves. Throughout her later years this woman hoped that the children would do something in life to prove that her toil and sacrifice had not been in vain. Four of the older children had become schoolteachers, but few people knew about that. As she neared the end of life, she made one request concerning her funeral: Would they send for the only preacher who knew her family? As a child, he had played with her children. Indeed, she was there when he came into the world; he could tell the story of her past. Yes, he would come, though he was a busy pastor hundreds of miles away. When the day of the funeral arrived, the trains were delayed and they kept the funeral waiting for four hours. I ought to know, I was the preacher. That day in a country church I told the story of a woman who had sacrificed much to give life and opportunity to others. If she had no other way of knowing, I hope the angels told her that I did my best. And then, while the birds were busy with their nestlings in the trees overhead, I pronounced the words of the committal service, "Earth to earth, ashes to ashes, dust to dust," over all that remained on earth of my mother.

Evangelist
JOHN R. RICE, D.D., Litt.D.

Dr. Rice edited *The Sword of the Lord* for over 46 years. Born in Texas, December 11, 1895, Dr. Rice was educated in Decatur College, Baylor University, Chicago University, and Southwestern Baptist Seminary. He grew up on a ranch and stock farm, played junior college football, debated in university, taught in Wayland Baptist College, Plainview, and was pastor in Shamrock, Texas, and Dallas, Texas. Entered full-time evangelism in 1940, moved to Wheaton, Illinois, where *The Sword of the Lord,* was published until 1963 when the Foundation moved to Murfreesboro, Tennessee. Author of some 200 books and pamphlets with total circulation of 60 million copies. Over 21,000 sent word they found Christ as Saviour through his writings alone. In full-time work as an evangelist and speaker in conferences on revival and soul winning. Such campaigns were held in Buffalo, Cleveland, Seattle, Chicago, Dayton, etc. He devoted his life to helping bring back large-scale revivals to America. Dr. Rice died December 29, 1980.

XIX

UNSEEN RESOURCES

Christians Should Rely on the Unseen, Eternal Resources of
God; Unseen Provision and Protection and the Unseen Presence

By Evangelist John R. Rice, D.D., Litt.D.

Hagar, the Egyptian servant girl of Sarah whom she gave
to be Abraham's wife, and then hated, has always had my
sympathy. Sarah and Abraham doubted that God would give
Sarah a child when she was old, and they agreed to help God
keep His promise of a son and heir by having Abraham take
the slave girl as a wife. The story is told in Genesis, chapters
16 to 21. There is small wonder that when the Egyptian girl
conceived a child "her mistress was despised in her eyes"
(Gen. 16:4). Sarah made the life of her servant woman
miserable, greatly to Abraham's distress, and he later was
instructed to hearken to Sarah and send the defenseless woman
and her child out into the pitiless wilderness. The poor mother
went away with a bottle of water and some bread, and when
the water was gone she laid her child down to die and hid
her face from his suffering with the despairing tears of a
mother's anguish. But God had not forgotten. Genesis 21:16-
19 says:

*"And she went, and sat her down over against him a good
way off, as it were a bowshot: for she said, Let me not see
the death of the child. And she sat over against him, and
lift up her voice, and wept. And God heard the voice of the
lad; and the angel of God called to Hagar out of heaven, and
said unto her, What aileth thee, Hagar? fear not; for God
hath heard the voice of the lad where he is. Arise, lift up the
lad, and hold him in thine hand; for I will make him a great
nation. And God opened her eyes, and she saw a well of*

water; and she went, and filled the bottle with water, and gave the lad drink."

The Unseen Well

There near at hand was a bountiful well of water. Expecting that she and her son would die of thirst, Hagar had not seen the well which God had provided.

So it is with all of us day by day. God's loving-kindness and provident care is all about us, unseen, unrecognized, unappreciated and often unclaimed. A child of God has unseen provision for all his needs. He only lacks having his eyes opened that he may see.

Do you suppose that God had instructed Abraham to hearken to Sarah and send the slave-girl-wife with her baby and his away into the wilderness to die? (Gen. 21:12). Would God now leave them to suffer with no thought and no care for their needs? Does God not care about a mother's anguish or a baby's cry? Many of us act as if He does not, but oh, my dear reader, God does care and God does provide!

In verse 17 the Scripture says:

"And God heard the voice of the lad; and the angel of God called to Hagar out of heaven, and said unto her, What aileth thee, Hagar? fear not; for God hath heard the voice of the lad where he is."

"And God heard the voice of the lad." The dear Lord has a tender heart and He cared more for the thirsty boy than his mother did. God heard!

It is a shameful and wicked trait of human beings, even of Christians, that they do not constantly recognize and praise the boundless mercies of God. He causes it to rain upon the just and the unjust. He pours out upon us, from His horn of plenty, a thousand mercies every day. The Psalmist reminds us to praise Him "who daily loadeth us with benefits" (Psa. 68:19). Man feels so independent that he thinks he does not need God. Then in his failure and want, man naturally feels that there is no help.

God heard the voice of little Ishmael, and why should He not hear ours? Do you fear that there will not be bread for tomorrow? Do you fear your little ones will not have cover from winter's cold or garments for their nakedness? Then you need your eyes opened so that you may see the unseen well, the unseen provision of a loving God for His people.

Jesus taught us a lesson from the sparrow. Not even one of these tiny birds falls to the ground without the Father (Matt. 10:29). He taught us a lesson from the flowers. "Consider the lilies of the field, how they grow." He said, "They toil not, neither do they spin: And yet I say unto you, That even Solomon in all his glory was not arrayed like one of these." Then half in loving promise and half in indignant rebuke, Jesus said, "Wherefore, if God so clothe the grass of the field, which today is, and tomorrow is cast into the oven, shall he not much more clothe you, O ye of little faith?" (Matt. 6:28-30).

One of the shocking sins of Christians is that they do not believe that God will care for them. They do not see tomorrow's bread, nor even the help that they need today, and so they doubt and shame God and disgrace their profession as His children. But God always has a well when it is needed, whether we see it or not, and God will never be too late. God will reveal His plan just in time. As He opened the eyes of Hagar and provided the water in the wilderness, so in a world where we are sojourning strangers, God has wells on every side and will show them to our blinded eyes when the time comes, if we let Him.

The Unseen Sacrifice

When Abraham was called to offer his son Isaac as a burnt sacrifice on Mount Moriah, he faithfully intended to carry out the command of God. When the wood was laid on the altar, Isaac was bound and Abraham raised the knife to slay his son. With a broken heart, yet he would obey God, believing that

God would raise his son from the dead (Gen. 22:5-12; Heb. 11:17-19).

When the angel told Abraham to stay his hand, he looked about and there behind him was a ram caught in a thicket by his horns.

Abraham was willing to offer his son, and all of us should be willing to give the dearest and best we have in this world at the command of God. God never asks too much. His "yoke is easy" and His "burden is light" (Matt. 11:30). But many a time when we believe that we face the loss of everything life holds dear, God has a substitute, unseen, but at hand. How many times in my time of need I turned about, and lo! God had a lamb caught in a thicket just to supply my need. It was good that Abraham did not worry before about the sacrifice. Isaac, his son, had asked him on the way, "My father . . . Behold the fire and the wood: but where is the lamb for a burnt-offering?" Abraham wisely replied, "My son, God will provide himself a lamb for a burnt-offering." What a world of meaning in that reply! Abraham was a prophet (Gen. 20:7). These words of Abraham were a prophecy from God and they had a triple meaning, I think.

First of all, they meant that God would some way provide a substitute for Isaac. Abraham expected to come back down that mountain and go the three days' journey home with his dear son by his side. Some way—he did not know how—he expected God to raise him from the dead and provide Himself a sacrifice on the smoking altar.

The second and greater meaning of Abraham was that that ram caught in the thicket was a picture of our Lord Jesus Christ. Wood stands for evil works, since the bad works of Christians are likened to "wood, hay and stubble" (I Cor. 3:12). The ram caught in the thicket is a picture of Christ, our Substitute, bound for us by our sins and laid on the altar in our stead. Truly God has provided Himself a Lamb for the sacrifice, the Lord Jesus Christ, "the Lamb of God, which taketh away the sin of the world!"

Jesus said, "Your father Abraham rejoiced to see my day: and he saw it, and was glad" (John 8:56).

But the third meaning must be that God ALWAYS provides the lamb that is needed for the sacrifice. God never sleeps; He never forgets; He is never too poor; He is never indifferent. God always, ALWAYS provides the things we need just in time, when we trust Him.

My friend, why do you always seek to have provision made ahead of time? Abraham did not look for the ram until it was time, and then God provided him. Let us be content, every one with such things as we have, "and having food and raiment let us be therewith content." The Saviour has told us, "Sufficient unto the day is the evil thereof" (Matt. 6:34). He taught us to pray, "Give us this day our daily bread," or "Give us DAY by DAY our daily bread." One day at a time is enough for a child of God who has a wise heavenly Father who revealed the well in the wilderness to Hagar and who showed the ram caught in the bushes to Abraham. Praise His dear name! God provides a sacrifice just in time for His children who trust Him. Let us rely upon the unseen resources of God.

The Unseen God

When Jacob went away from home to escape the murderous wrath of his brother, Esau, he stopped that night at Bethel and slept the sleep of a tired boy, with his head pillowed upon a stone. He had a dream, and behold a ladder ascended to Heaven and angels went to Heaven and returned on this ladder. God appeared and promised to bless him with the blessings of Abraham and Isaac. He awoke deeply moved and said, "Surely the Lord is in this place; and I knew it not" (Gen. 28:16).

There he made his vow to God to serve the true God, and to tithe his increase, and committed his career into the hands of the God of his father, Isaac, and his grandfather, Abraham. "Surely the Lord is in this place; and I knew it not" could be the cry of every Christian. Oh! that our eyes were opened that we could see that every day the place where we are, God is there, too! Many a time, if we were but tuned in to hear the voice of God, we could hear Him say as He did to Moses, "Put off thy shoes from off thy feet, for the place whereon thou standest is holy ground" (Exod. 3:5).

God was with Jacob. Later, in thanking God for His mercies (Gen. 32:10) Jacob said, "For with my staff I passed over this Jordan; and now I am become two bands." He should have said, "With my staff AND GOD I passed over this Jordan." Jacob, the poor scheming boy who had stolen his brother's birthright, deceived his father, and yet loved and believed in God, had more with him than his walking stick when he fled penniless from home! May God grant that all of us will have our eyes opened to our unseen riches. Dear reader, if you have God, you are not poor. We ought to cry out, 'The eternal God is my refuge, and underneath are the everlasting arms' (Deut. 33:27). Remember the exhortation of Hebrews 13:5-6:

Let your conversation be without covetousness; and be content with such things as ye have: for he hath said, I will never leave thee, nor forsake thee. So that we may boldly say, The Lord is my helper, and I will not fear what man shall do unto me."

If you have God, you have all you need. In His own way and time He will provide.

THE CHILD OF A KING

My Father is rich in houses and lands,
He holdeth the wealth of the world in His hand!
Of rubies and diamonds, of silver and gold,
His coffers are full, He has riches untold.
My Father's own Son, the Saviour of men,
Once wandered on earth as the poorest of them.
But now He is pleading our pardon on high,
That we may be His when He comes by and by.

I once was an out-cast stranger on earth,
A sinner by choice, and an alien by birth;
But I've been adopted, my name's written down,
An heir to a mansion, a robe and a crown.
A tent or a cottage, why should I care?
They're building a palace for me over there!
Though exiled from home, yet, still I may sing:
All glory to God, I'm a child of the King.

Chorus
I'm a child of the King,
　　A child of the King:
With Jesus my Saviour,
　　I'm a child of the King.

The Unrecognized Christ

Two downcast disciples walked one day from Jerusalem to Emmaus. It was three days after Jesus had been crucified and the horror and sadness of that awful event hung like a pall about them. Sorrow was written on their faces, and they talked along their journey of what had occurred. A third Person came along beside them, as the story is told in Luke 24:13-35. They told Him how their faith had fled away when Jesus died. They had heard a woman say that He was risen, but they did not believe it. The Stranger, with words that made their hearts burn, told them how foolish they had been. He showed them from the law of Moses, from the Psalms and from all the prophets that Jesus had to die and that He must rise again. The Stranger made clear to them the purpose of the crucifixion and the triumphant glory of the resurrection, and their minds and hearts were opened to understanding the Scriptures. Their faith revived and their hearts grew happy!

When they came to the little village of Emmaus, they invited this Stranger, yea, they urged Him, to come in and break bread with them. And when that marvelous One gave thanks and blessed the bread they were to eat, their eyes were opened and they knew Him AND IT WAS JESUS. Once before we were told, in Luke 24:16, that "their eyes were holden that they should not know him." Now the Scriptures say, in verse 31, "And their eyes were opened, and they knew him"!

The unrecognized Christ! He walks with you down every sad pathway, yea, even through the valley of the shadow of death. The reason you are sad is because you do not recognize Him by your side. The reason you are disappointed and your hope flees away is that your "eyes are holden" that you cannot see Him.

Oh, I pray that as men read these lines their eyes may be opened that they may see Jesus! He was with you in that sickness when you thought you were all alone, and when you were rebellious and sad, He was right there. If you had only recognized Him you would have been content.

Jesus was there when you walked through the vale of poverty, and when you climbed the mountainous trail of hardship. He was there, right there by your side, only your eyes were holden and you did not see Him! How different it would be if every day we recognized that Christ is here with us, beside us; in you and in me. God forgive us, our poor blind, carnal, worldly-minded eyes do not see Jesus, do not recognize Him though He walks by our side along the way of struggle and through the night of sorrow as well as the day of hope and joy. The unseen, the unrecognized Christ! How we need His presence! How we ought to stop and be conscious of Him, feel for Him, listen for Him every day!

Jesus gave to His disciples, and through them to us, the Great Commission and promised, "Lo, I am with you alway, even unto the end of the world." Those of us who carry out the commission of Christ have a right to claim and expect this promise. Christ is with us! Yes, even if we are unfaithful. But if we have been born again, the Holy Spirit has come into our bodies to dwell, and we have been given the Spirit to cry, "Abba, Father." Every child of God can say with Lord Tennyson, "Closer is He than breathing and nearer than hands and feet." The Psalmist well said in Psalms 139:7-12:

"Whither shall I go from thy spirit? or whither shall I flee from thy presence? If I ascend up into heaven, thou art there: if I make my bed in hell, behold, thou art there. If I take the wings of the morning, and dwell in the uttermost parts of the sea, Even there shall thy hand lead me, and thy right hand shall hold me. If I say, Surely the darkness shall cover me; even the night shall be light about me. Yea, the darkness hideth not from thee; but the night shineth as the day: the darkness and the light are both alike to thee."

It is pitiful but shameful that children of God should go through this world without feeling His presence, without seeing His provision, without enjoying His protection, without delighting in Him.

Unseen Angels

When Elisha, the prophet of God, was sought by the Syrian king who would have killed him, the prophet was surrounded in the little town of Dothan by the Syrian army. It looked like a tight place. A whole army was sent to destroy one of God's ministers. It is small wonder that the young man, Elisha's servant, asked, "Alas, my master! how shall we do?" II Kings 6:15-17 tells us:

"And when the servant of the man of God was risen early, and gone forth, behold, an host compassed the city both with horses and chariots. And his servant said unto him, Alas, my master! how shall we do? And he answered, Fear not: for they that be with us are more than they that be with them. And Elisha prayed, and said, Lord, I pray thee, open his eyes, that he may see. And the Lord opened the eyes of the young man; and he saw: and, behold, the mountain was full of horses and chariots of fire round about Elisha."

If the armies of Satan are around about you, then you ought to know that above them and all about are the chariots of fire and the angels of God. "They that be with us are more than they that be with them."

What the young man saw that day was not a fancy, nor just a vision. For the first time in his life, he saw things as they really were.

Today people do not believe in the miraculous, and so they, like the Sadducees, do not believe in angels or spirits. Many preachers do not believe that men can be demon-possessed, and they do not believe that God's angels guard and miraculously protect His children who trust Him; but their trouble is that they have blind eyes. They need someone like Elisha to pray for them that the Lord may open their eyes.

Psalms 34:7 says:

"The angel of the Lord encampeth round about them that fear him, and delivereth them."

That shows that not only Elisha, but every one who fears the Lord, has the protecting care of angels. In fact, angels are meant to be our servants and ministers. Speaking of angels, Hebrews 1:14 says:

"Are they not all ministering spirits, sent forth to minister for them who shall be heirs of salvation?"

Every heir of salvation, that is, every one who has trusted in Christ, has around about him guardian angels.

These lines are dictated as I drive from Dallas to Gainesville, Texas, in the midst of a busy, busy day. I must often drive far and fast. The highways are infested with the reckless and the drinking. In a thousand cases, accidents and death could have claimed me. I try to drive carefully, but I know that my wisdom and skill are not sufficient. So day by day I commit myself to the care of a loving heavenly Father, and thus far through the years He has surrounded me with a convoy of angels who have kept me safe on my journeys. It is sweet to depend on the supernatural care of the messengers of God who are ministers, or servants, of us who are the heirs of salvation. I claim and delight in the protection of unseen angels. All children of God in times of danger or distress should claim these unseen resources. And this protection extends even to little children, for Jesus said, "Their angels do always behold the face of my Father which is in heaven" (Matt. 18:10).

God Give Us Eyes to See the Unseen!

Our lives are geared too much to this sorry old sin-cursed world. Christians, unfortunately, often think as much of the things of this world as do their unsaved kinsmen. We are as anxious sometimes to make money, to have position and power and to be well spoken of by men as if we knew nothing of a far better world. Children of God are sometimes so fond of the treasurers that can be deposited in banks and with which one can buy houses, clothes and automobiles, that they do not lay up treasures in Heaven. Eye glasses sometimes have two lenses; one for seeing near at hand, and another for seeing far away. Children of God who will inherit the kingdom with Christ ought to spend more time looking through their long-distance glasses. God knows we need to develop "other-worldliness." The Scripture says about this:

"For our light affliction, which is but for a moment, worketh for us a far more exceeding and eternal weight of glory; While we look not at the things which are seen, but at the things which are not seen: for the things which are seen are temporal; but the things which are not seen are eternal."— II Cor. 4:17-18.

Our God has wells in the desert if we but have our eyes open to behold them. There is a ram caught in the bushes when you need a sacrifice. The Lord Jesus Christ has all His righteousness available for us when we call for it. Christ died for you and His blood is available to cover every sin you ever did or ever will commit. Look away from yourself to Christ, the Lamb that God has provided.

Unseen angels are round about God's children, heavenly messengers and ministers who wait on the heirs of salvation. Let us never be afraid. The chariots of God are more than the armies of Satan. What comforting joy it should be to know that the heavenly host is our bodyguard!

Christ is ours, and He is near at hand. God is in this place where you sit today to read these words.

"The weapons of our warfare are not carnal, but mighty through God to the pulling down of strong holds.—II Cor. 10:4.

Our weapons are invincible, intangible, but mighty, like all our resources.

There are too many poverty-stricken Christians. The riches of all creation are ours if we call upon, believe in, and rejoice over the mighty, the unseen, the eternal things that are ours. May God open our eyes to see the well in the wilderness, the Lamb which God has provided and the unrecognized Lord and Saviour, the One who walks by our side!

XX

BLESSINGS THROUGH TROUBLE

"And call upon me in the day of trouble: I will deliver thee, and thou shalt glorify me."—Psa. 50:15.

By EVANGELIST JOHN R. RICE, D.D., Litt.D.

Trouble is the common lot of mankind. We are told that "Man that is born of a woman is of few days, and full of trouble" (Job 14:1). The author recently spent ten days of painful sickness in bed, and even yet has not fully regained his strength. But there were rich blessings in the painful chastening, and with a prayerful heart we wish to acknowledge the wisdom and kindness of God in sometimes permitting suffering.

Suffering, trouble, sickness, disappointment and sorrow are evidently the loving provision of an all-wise God for a sinning race. As soon as Adam and Eve had sinned, before driving them out from the Garden of Eden, God gave them assurance that they faced a life of sorrow and trouble. "Unto the woman he said, I will greatly multiply thy sorrow and thy conception; in sorrow thou shalt bring forth children; and thy desire shall be to thy husband, and he shall rule over thee" (Gen. 3:16). God multiplied sorrow for woman. In sorrow womankind is to bring forth children. In sorrow woman is to be subject to her husband.

God has a holy and wise purpose in the pangs and sorrows of childbirth. Through suffering God often transforms a vain, idle and selfish woman into a mother. Through suffering, through anxious weeks and months of waiting, love is born for the unseen little one. I have seen many a mother weep with a broken heart over her baby who died the day it was born. With sinful women, a part of a sinning race, with de-

ceitful hearts and rebellious, wicked natures, suffering is necessary.

The whole problem of motherhood is one of sacrifice. In
one sense I suppose that it could be said to every mother as it
was said to the mother of Jesus, "A sword shall pierce through
thy own soul also" (Luke 2:35). Self-sacrifice, vicarious suffering and then parting are the lot of every mother.

Just as definitely sorrow and pain are the weight and burden
of every man. God said to Adam,

*"Cursed is the ground for thy sake; in sorrow shalt thou eat
of it all the days of thy life; Thorns also and thistles shall it
bring forth to thee; and thou shalt eat the herb of the field;
In the sweat of thy face shalt thou eat bread, till thou return
unto the ground; for out of it wast thou taken; for dust thou
art, and unto dust shalt thou return."* —Gen. 3:17-19.

Hard labor, financial worry, the responsibility of a family,
the problems of rent, food, clothes, discipline—these are intended to be the heritage of every man. God says that man is to
eat his bread in sorrow from an accursed earth.

Suffering, then, is the appointed and necessary thing for a
sinning race. But for the checks of suffering and hard labor
and sickness, the human race would have long ago plunged
headlong into Hell. It seems likely that the vigorous health
and the long life of those who lived before the flood, when
Adam lived 930 years and Methuselah 969 years—that vigor
and health must have been one of the reasons for the raging
violence and wickedness that caused God to blot out all the
race except Noah in the terrible flood. So, "Man that is born
of a woman is of few days, and full of trouble" (Job 14:1).
It is the plan of God.

God Permits His Choicest Saints to Suffer

And suffering is not only for sinners nor on account of sin.
A study of the Bible shows that the choicest saints of God were
the men who suffered the most. Job, a righteous man, a godly,
prayerful, reverent, humble man, is made an example of suf-

fering. For no sin of his own he lost children, property, friends and health.

Joseph, an innocent lad, was sold into slavery, slandered by Potiphar's wife and languished, forgotten, in prison for years. The purity of his life and his devotion to God shine out with undimmed luster through suffering.

Daniel was seized as a captive of war, grew up in a foreign land, was hated, envied and feared. He was cast into the den of lions. He was accustomed to fasting and tears. Yet not once does the Word of God accuse him of sin.

When you think of Jeremiah, the weeping prophet—imprisoned, beaten, hated and carried captive by his own people— you must realize that there is a reason for a saint of God to suffer.

Paul is a supreme example of a suffering saint. He was stoned and left for dead. He was hunted like a wild beast; he fought with the lions at Ephesus; was shipwrecked in the sea; was in constant peril at the hand of Jewish mobs. In the final years of his life he is revealed as a prisoner bearing a heavy chain, "a prisoner of Jesus Christ." And as if the outward persecutions were not enough, God allowed to be sent upon him some terrible thorn in the flesh that He would not remove, though Paul besought Him thrice. God answered, "My grace is sufficient for thee: for my strength is made perfect in weakness." And Paul then exultantly said, "Most gladly therefore will I rather glory in my infirmities, that the power of Christ may rest upon me. Therefore I take pleasure in infirmities, in reproaches, in necessities, in persecutions, in distresses for Christ's sake: for when I am weak, then am I strong" (II Cor. 12:9-10).

God has some holy reasons why saints ought to suffer. Those that love Him best He draws into the inner holy of holies to suffer. And that ought not to surprise us, for Jesus was above all "a man of sorrows and acquainted with grief" (Isa. 53:3). We are told that "it pleased the Lord to bruise him" (Isa. 53:10). Again we are told about Jesus, "For it became him, for whom are all things, and by whom are all things, in bringing many sons unto glory, to make the captain of their salvation perfect through sufferings" (Heb. 2:10). If Jesus our Saviour needed to be made perfect, or complete, through suffering, then Christians ought to suffer, ought to be willing to suffer.

Trouble Brings Growth of Character

Trouble often brings people to serious, wholesome thought. Outside of Wichita Falls, Texas, in 1930 I picked up the occupants of a car, wrecked by wild driving. One woman said, "God forgive me! I haven't any sense. I haven't had a serious thought in the last three months!" That night she gave herself to Christ and trusted Him for salvation at midnight. Trouble brings serious thoughts.

Nothing opens the heart in sympathy toward others like trouble. As a five-year-old boy I lost my dear mother. I know that God made me better fit to comfort others by this great sorrow. Again and again by open graves I have told weeping loved ones how I had lost my mother and hoped to see her again. I have learned to weep with those who weep, because of my sorrows.

Suffering often makes us grateful for God's mercies. Children who have too many toys do not appreciate them, do not care for them. So, many a man in perfect health, with plenty of money, has no real gratitude to God for His mercies; but if brought to direst poverty, such a man learns to be grateful for the poorest shelter and the most ordinary food. Those who have once known sickness and suffering are more likely to be thankful for good health.

And the Scripture says that tribulation worketh patience. In Romans 5:3 and 4 we are told, "And not only so, but we glory in tribulations also; knowing that tribulation worketh patience; And patience, experience; and experience, hope." A quick tongue and a violent temper are often tamed by the hand of God in sorrow.

It Is Not Always God's Will to Heal the Sick

I know that God answers prayer for the sick. I have seen the sick raised up in answer to prayer, sometimes immediately, sometimes when doctors said there was no hope. I believe that many live who would have died had they not called on God. I do believe, I say, that God answers prayer and God often heals the sick in answer to prayer.

But I thank God that He does not always heal the sick. There are other things better than healing. One of them is the presence and power of God. God did not heal Job until His purpose was accomplished. God did not heal Paul's thorn in the flesh though Paul besought Him often (II Cor. 12:7-10). God did not heal Timothy's weak stomach and often infirmities. He could have done so but evidently chose not to do it. In fact the Scripture plainly says, "It is appointed unto men once to die" (Heb. 9:27). It would not do for a man to live forever in his frailty and sin. It is better that we should suffer some and draw near to God; suffer some and be purged from our sins; suffer some and be like Jesus; and then it is better that we should die and go to be with the Lord, if Jesus does not come soon. God is good to heal the sick and He often does. But often the Lord's strength is made perfect in weakness and we can say like Paul, "When I am weak, then am I strong" (II Cor. 12:10).

God Is Particularly Near in Time of Trouble

You who read this have had your troubles. If you have not had them, then you will. Trouble is the lot of mankind. And whatever that trouble may be, whether sickness, poverty, shame, disappointment or parting, you may be sure that God is nearer in the time of sorrow than ever before. There is something about God that is infinitely tender, and He is always touched by a broken heart. David, overwhelmed with shame after his sin with Bath-sheba, cried out, "The sacrifices of God are a broken spirit: a broken and a contrite heart, O God, thou wilt not despise" (Psa. 51:17).

It is better to be poor than to be rich, for Jesus said, "Blessed be ye poor" (Luke 6:20). It is just as good to be poor in spirit, for Jesus said, "Blessed are the poor in spirit: for their's is the kingdom of heaven" (Matt. 5:3). Read the beatitudes and you will find that they that mourn are blessed; that they that hunger and thirst after righteousness are blessed; that the persecuted are blessed, as are those who hunger and those who weep! Don't you see? God is nearer to those in trouble than to those who are not.

God is nearer to the woman who is a widow than to the woman who has a husband. He is nearer to the defenseless orphan child than to the child provided for and protected by a father. For God has said He is a "father of the fatherless, and a judge of the widows" (Psa. 68:5). How near God is to all them that be in trouble, them that be weak and helpless and poor and friendless! The Jews were told in the Mosaic Law that the stranger or foreigner must not be oppressed, that if they called at all upon God He would surely avenge them.

I know that our troubles are often brought by our sins. But even then God is near at hand. He was nearer to the prodigal boy in the hogpen than He was to the elder brother safe at home! He was nearer to the publican, a guilty sinner, than He was to the moral Pharisee! God was nearer to the dying thief than He was to the scribes and elders.

God is very, very near in time of trouble. That is the reason He commands us, "Call upon me in the day of trouble: I will deliver thee, and thou shalt glorify me" (Psa. 50:15).

When you are in trouble, if you really take your trouble to heart and turn in penitence to God, it is easy to pray. It is easy to have your sins forgiven when you are in trouble. It is easy to feel the Spirit of God when you are in trouble. The next time sorrow or disappointment of any kind comes upon you, then remember that God is near to all that are of a broken heart!

God Always Has a Loving Purpose in Trouble

Maybe you do not understand your trouble, dear friend—God has a loving purpose in it. He wants you to love Him better. He wants you to find His will. He wants to keep you from sin. And if you are not saved, brother, He wants to draw you to Himself. Many a sinner would never listen to the gospel until death came into the home. Many a wild, irresponsible boy would never consider being a Christian until his sins found him out and some Christian spoke to him behind the jail bars about Christ, the Friend of sinners! My dear friend, whatever your trouble, God means it for good!

The other day as I lay sick on my bed, one of my little girls needed a whipping. I was sick, but a whipping means a lot more when it is delivered by Daddy. Father, you cannot shirk your duty. It was a sad occasion for all of us. She had been warned and warned again, and when she persisted in her wrongdoing she had to be whipped. The Scripture was clear on my duty. "He that spareth his rod hateth his son: but he that loveth him chasteneth him betimes" (Prov. 13:24). Again we are told, "The blueness of a wound cleanseth away evil: so do stripes the inward parts of the belly" (Prov. 20:30), and, "Chasten thy son while there is hope, and let not thy soul spare for his crying" (Prov. 19:18). That is old-fashioned, but it is the Word of God, and well I know I have no hope of success in rearing my family except I do it by God's Word. Sin must be punished. Not in a temper, but sadly and resolutely I did what God commanded. When she brought me my belt and the first painful blows began to fall, my child said, "I'm sorry, Daddy, I'm sorry! I'm sorry!" I stopped for a little and reminded her that she had had much time to be sorry before but she was not sorry until punishment came. Then I talked some more and then whipped some more. She cried and my heart bled. Then she promised to do better and went back to her work.

I lay back on my bed and cried out to God. I well know that it takes far more than a whipping to make good women out of my girls. It takes prayer and the leadership of the Holy Spirit and careful training. We must aim for definite results, results of character and love for right. I prayed that God would give me wisdom about it and that He would not let the stripes and the tears and the pleading and the teaching be in vain!

Then suddenly my heart turned to God for myself. I, too, have cried out to God many a time, "I'm sorry! I'm sorry, Lord! I'm so sorry!" I am always sorry when my sin finds me out, when grief catches up with me. But God knows that many a time I seem careless and indifferent about the things that displease Him until I feel His wrath!

Weeping, I began to pray, "O God, whatever this sickness is for, do not take it away until You accomplish Your purpose." I thought, "What a tragedy if these days of pain, fever and sickness, with the work delayed and sorrow to many, should go by and yet I not be a better man, not be a better preacher." I know that often I have begged God to heal me immediately when I have been sick, and sometimes He has. I have never been sick very much, nor very long, but now I see the importance of the chastening rod of God.

I remember that Hebrews 12:11 tells us, "Now no chastening for the present seemeth to be joyous, but grievous: nevertheless afterward it yieldeth the peaceable fruit of righteousness unto them which are exercised thereby." It is my earnest cry to God that whatever sorrow He brings my way may be used to bring the peaceable fruits of righteousness, because I am exercised thereby.

It is wicked for a Christian to be indifferent or prayerless or impatient about suffering. Rather let us kiss the hand that smites us. Let us cry with Job, "Though he slay me, yet will I trust in him" (Job 13:15). We can well say about every loss, "The Lord gave, and the Lord hath taken away; blessed be the name of the Lord" (Job 1:21).

Let our hearts be comforted in every trial and trouble. Our loving heavenly Father has a purpose in every sorrow, every sickness, every burden. It is a token of His loving heart. He chasteneth every son that He loves.

What to Do in Trouble

It ought to be clear, then, what one should do in trouble. Certainly we should pray. Certainly we should think on our way. We should open all the closet doors in our hearts and ask the Holy Spirit of God to turn His searchlight into every secret nook and corner to find and reveal to us all the things that grieve HIS holy heart.

When trouble comes your way, then the thing to do is to humble yourself under the mighty hand of God and let Him lift you up. In Hosea 6:1-2 we have the cry of the remnant of the Jews who have been so far away from God. Here it is:

"Come, and let us return unto the Lord: for he hath torn, and he will heal us; he hath smitten, and he will bind us up. After two days will he revive us: in the third day he will raise us up, and we shall live in his sight."

When sickness or loss or heartbreak comes to you, my dear reader, I earnestly beg you to return to the Lord. He who has torn will heal. "He hath smitten, and he will bind us up." Your prodigal boy, your automobile accident, your unhappy home, your broken health, your break with a dear friend—any of these may be simply the chastening rod of God that warns you of His displeasure. When trouble comes, run to the Lord at once!

Sinner, Trouble Is God's Call to Be Saved

Wicked King Ahab, the idolater who brought such a curse upon Israel, turned to God in penitence when trouble came upon him and God was pleased. I Kings 21:27-29 tells us:

"And it came to pass, when Ahab heard those words, that he rent his clothes, and put sackcloth upon his flesh, and fasted, and lay in sackcloth, and went softly. And the word of the Lord came to Elijah the Tishbite, saying, Seest thou how Ahab

humbleth himself before me? because he humbleth himself before me, I will not bring the evil in his days: but in his son's days will I bring the evil upon his house."

Wicked King Manasseh of Judah was so wicked and godless that he was carried away captive into Assyria. But II Chronicles 33:11-13 tells us of his marvelous repentance in his trouble and the tender answer of God, who brought him back to his kingdom. Here is the story in divine words:

"Wherefore the Lord brought upon them the captains of the host of the king of Assyria, which took Manasseh among the thorns, and bound him with fetters, and carried him to Babylon. And when he was in affliction, he besought the Lord his God, and humbled himself greatly before the God of his fathers, And prayed unto him: and he was intreated of him, and heard his supplication, and brought him again to Jerusalem into his kingdom. Then Manasseh knew that the Lord he was God."

In Shamrock, Texas, in 1926 or '27 I was pastor of the First Baptist Church. A man called me on the 'phone and said, "Brother Rice, can you meet us at the cemetery for a funeral at three o'clock?" I learned that a new-born baby had died. I was glad to go. The little casket was held on the knees of men in overalls, carried in a model T Ford car. The mother was still in bed. The father, in overalls, stood by the open grave and wept as I preached on the words of David about his little child, "I shall go to him, but he shall not return to me" (II Sam. 12:23).

When the little mound was covered, when neighbors had placed home-grown roses and honey-suckle over the bare earth, and friends had shaken his hand and gone, I put my arm around the father and said, "Are you a Christian?" He answered that he was not. He said, "I can't understand why he died. The doctor said he was perfect but he just did not breathe! I can't understand why!" I told him that perhaps the dear Lord was calling him to be a Christian, that through trouble God longed to draw the father near enough to give him salvation and peace. He answered, "Why, that is just what my wife said this morning!" I suggested that we pray, and we did, there beside that little mound. He gave himself to Jesus Christ and found forgiveness and peace and went back home to comfort his wife, the sorrowing mother.

Sinner, what will you do in time of trouble? The best example I know is that of the dying thief. He deserved to die. He knew it and openly confessed it. He could promise nothing. He would not even have a chance to be baptized and could never live a day for the Lord. Yet in his dying hour he cried to the Lord Jesus, "Lord, remember me when thou comest into thy kingdom" (Luke 23:42). And the Lord Jesus, dying Himself, and so near to all the suffering and dying who will have Him near, answered back, "Verily I say unto thee, To day shalt thou be with me in paradise" (Luke 23:43). Sweet words of forgiveness and pardon! Sweet words of hope for the sinning and troubled!

The Saviour said, "Come unto me, all ye that labour and are heavy laden, and I will give you rest. Take my yoke upon you, and learn of me; for I am meek and lowly in heart: and ye shall find rest unto your souls" (Matt. 11:28-29).

If troubles come your way, then call upon the Lord. Put your trust in Him. Take Him as Saviour today and surrender Him all your life. There are many blessings in trouble! God means it for good. If your heart turns to God in surrender and penitence and trust, then you will find that out of trouble will grow the sweet peace of God that passes understanding, the peace of salvation. Let trouble turn you to God and everlasting joy!

XXI

JUDAS ISCARIOT

—Apostle, Miracle-worker, Moral Man, Unconverted, Devil-possessed, Hypocrite, Thief, "Devil," "Son of Perdition," Suicide, Who Went to Hell

Showing the Awful Danger of Church Membership or Moral Life Without Being Born Again, the Sinful Love of Money and the Eternal Ruin of One Who Puts Anything Before Christ and Salvation

By EVANGELIST JOHN R. RICE, D.D., Litt.D.

The most awful name in human history is that of Judas Iscariot. Benedict Arnold was a traitor and to many Americans it is a term of great reproach. But Benedict Arnold had grievances; he betrayed only a human cause. He turned from one group of ordinary mortals like himself to another group. But Judas Iscariot was the arch-hypocrite of the centuries and betrayed the lovely Son of God Himself. He sold the Saviour of mankind for thirty pieces of silver and then that godless tongue said, "Hail, master," and those wicked lips stained the holy face of Jesus with the kiss of a traitor. The Saviour Himself said Judas was a "devil," and "the son of perdition" (John 6:70; John 17:12). The term "the son of perdition" is only used in all of the Bible of one other being and that is the terrible Man of Sin or Antichrist who will appear on the earth in the Great Tribulation time in all the power of Satan. The apostles spoke of Judas with horror as one who went "to his own place," that is, evidently Hell (Acts 1:25). No other man ever had greater privileges, and none ever abused them so wickedly. Judas returned evil for good, hate for love, and that to the holiest and purest and most kindly Being who ever walked this earth in human form. So the name *Judas Iscariot* is now a synonym for all that is unholy and vile and traitorous.

And yet, dear reader, you who shudder at the wickedness of Judas Iscariot, are you guilty of the same sin? Some who read this message may be on the road that leads by the same devious ways to the place where Judas Iscariot went.

Judas Iscariot was not always vile. Some mother loved him proudly and dreamed of a great future for the boy who nursed at her breast and then slowly under her fond eyes grew to manhood. Perhaps his parents dreamed as proudly of the future of Judas when they saw him follow Jesus as did Zebedee and his wife when they gave up the stalwart James and John and saw them leave their nets and ships and the fishing business to follow Jesus and so take their places in the hall of eternal fame as the apostles of our Lord. Judas was loved and respected. He was regarded as a model Christian. He was never suspected by the other apostles. Outwardly he had many of the marks of a Christian. He was a professed disciple of Christ, a preacher of the gospel, even a miracle-worker. He was chosen evidently by the other apostles as treasurer. To the very last they never suspected him of treachery. You may be in the shoes of Judas Iscariot, and I earnestly urge you to consider some ten facts about him given below.

Part I. Ten Facts About Judas

In Matthew 10:1-8, we find the account of how Jesus called the apostles, named them and sent them out to preach, and gave them supernatural power.

"And when he had called unto him his twelve disciples, he gave them power against unclean spirits, to cast them out, and to heal all manner of sickness and all manner of disease. Now the names of the twelve apostles are these; The first, Simon, who is called Peter, and Andrew his brother; James the son of Zebedee, and John his brother; Philip, and Bartholomew; Thomas, and Matthew the publican; James the son of Alphaeus,

and Lebbaeus, whose surname was Thaddaeus; Simon the Canaanite, and Judas Iscariot, who also betrayed him. These twelve Jesus sent forth, and commanded them, saying, Go not into the way of the Gentiles, and into any city of the Samaritans enter ye not: But go rather to the lost sheep of the house of Israel. And as ye go, preach, saying, The kingdom of heaven is at hand. Heal the sick, cleanse the lepers, raise the dead, cast out devils: freely ye have received, freely give."—Matt. 10:1-8.

Beginning here, we call your attention to some of the Bible facts about Judas Iscariot.

1. HE WAS CALLED TO BE AN APOSTLE. The honor that came only to a few men in the history of the world came to Judas. His was the same privilege with Simon Peter, with James and John, that trio of great preachers who shook the world of their day with the gospel. Matthew, the converted publican who wrote the gospel called by his name, was a companion of Judas, and Judas could have been as greatly used of God.

We know certainly that Judas publicly claimed to be a Christian, that is, to love and trust Jesus Christ. The very fact that he followed Jesus as one of His chosen twelve was a profession of his faith. Besides, he most certainly had been baptized. After Judas had killed himself and after Jesus had arisen from the dead, the apostles, meeting together, considered the question of a successor to take the place of Judas, and they said:

"Wherefore of these men which have companied with us all the time that the Lord Jesus went in and out among us, Beginning from the baptism of John, unto that same day that he was taken up from us, must one be ordained to be a witness with us of his resurrection."—Acts 1:21-22.

One who was to take the place of an apostle must have companied with the disciples during the entire ministry of Jesus, "beginning from the baptism of John." Judas, then, like the other apostles, must have been baptized when John was baptizing in the river Jordan. If Judas went to Hell, then he went as a church member, went to Hell as a professing Christian.

2. JUDAS WAS A PREACHER. Not only was Judas called as an apostle, but he actually was sent forth to preach as you see from Matthew 10:5-8. He probably baptized others, for "Jesus himself baptized not, but his disciples" (John 4:2). Jesus gave Judas power over unclean spirits, power to work miracles, commanded him to heal and preach, for Judas was one of the twelve. And Matthew 10:5-8 says, "These twelve Jesus sent forth, and commanded them . . . preach . . . Heal the sick, cleanse the lepers, raise the dead, cast out devils." Judas was commanded to do these things and, as far as we know, he did. Certainly there have been some preachers who did do such things though unsaved, as Matthew 7:22-23 tells us. How strange to think that Judas Iscariot went about daily claiming to be a Christian, even acting as a minister of the gospel, when he would eventually betray Jesus Christ!

3. JUDAS LIVED IN MOST INTIMATE CONTACT WITH JESUS. Jesus and the twelve seem to have gone almost everywhere together. In one or two cases, Peter, James and John went with Jesus and saw His miracles when others did not, but we may be sure that Judas heard practically every sermon that Jesus ever preached. He was there when Jesus healed the maniac of Gadara, casting out a legion of devils. He saw the woman at the well of Sychar in Samaria when she was so happily converted that she forgot her waterpot and ran to tell the people, "Come, see a man, which told me all things that ever I did: is not this the Christ?" And he saw the great revival that followed. He saw the storm on the Sea of Galilee stilled by the voice of Jesus. He, with the other apostles, passed the broken pieces of bread and fish to the multitude when five little barley loaves and two small fishes fed five thousand. We suppose he saw the water turned to wine. He saw lepers cleansed. He saw the dead raised. There could have been in his mind, it seems, no reasonable doubt about the Saviour being all that He claimed to be.

But even more precious than these miracles, Judas knew the compassionate heart of Jesus. He saw Him in His daily walk. He heard the tender tones of His voice, He knew when Jesus wept and prayed, sometimes all night. He knew His compassion for sinners and publicans. He saw Him forgive the harlots, receive the outcasts, give hope to the hopeless, and preach the gospel to the poor! I say, Judas knew the intimate heart of Christ by daily contact for three and one-half years. He dipped into the same bowl at meal times and slept, no doubt many times, in the same room at night. In their times of prayer together, surely Judas must have many a time lifted his voice with the others. How could such a man as Judas turn out to be a traitor?

4. JUDAS WAS, AT FIRST, A MAN OF HIGHEST MORAL CHARACTER, RESPECTED BY ALL. This must have been so. Judas passed for a Christian, and there is not a hint that any one ever suspected that he was otherwise. Though Jesus early in His ministry said, "Have not I chosen you twelve, and one of you is a devil?" yet no one seemed to suspect Judas. Down to the last night the disciples honored Him. Others were jealous when James and John sought the leadership and had their mother ask that they be given the first places in the coming kingdom (Matt. 20:21,24), but no such resentment against Judas is ever mentioned. Peter said, "Though all men shall be offended because of thee, yet will I never be offended" (Matt. 26:33). But even then no one accused or suspected Judas. When Jesus said openly at the table the same night that He was betrayed, "One of you shall betray me," each disciple there said, "Lord, is it I?" Peter had John, who was leaning on the Saviour's breast, to ask Him who it would be. None of them thought it would be Judas. And when Jesus said to Judas, "What thou doest, do quickly," even yet they simply thought that Judas was to buy something for the passover feast. The moral life of Judas deceived all the apostles; in fact, it deceived everyone, I suppose, but Jesus Himself.

Judas was even made treasurer of the band and "had the bag, and bare what was put therein" (John 12:6). The disciples would not have chosen it so if they had not been convinced that Judas was all right. How fearful a truth it is that Judas at first was a moral man of the very highest type and yet fell into such sin and came to such an awful end!

5. YET JUDAS WAS NEVER CONVERTED. In John 6:64 Jesus said, "But there are some of you that believe not. For Jesus knew from the beginning who they were that believed not, and who should betray him." Then when other disciples left Him, Peter declared that "we believe and are sure that thou art that Christ, the Son of the living God." But in verses 70 and 71 "Jesus answered them, Have not I chosen you twelve, and one of you is a devil? He spake of Judas Iscariot the son of Simon: for he it was that should betray him, being one of the twelve."

Judas never did believe in Jesus as his Saviour! Even from the beginning Jesus knew that Judas had not trusted Him and would betray Him. Thus, early in the ministry of Jesus, Judas was said to be a devil! Here is a sad truth, then, that Judas was never converted. He was a moral man but not a born-again man. His name might have been with the church members, but his name was not on the Lamb's book of life. He was a professor but not a possessor of everlasting life. Judas was not one who was first saved and then became lost. No, he was never saved. He never trusted Christ for salvation, never was cleansed in the blood, never was made a new creature by the Holy Spirit of God. He fooled men but he did not fool God!

6. THE LOVE OF MONEY PROBABLY LED JUDAS TO REJECT CHRIST AND THUS DAMN HIS SOUL. The Word of God tells so much in so few words. In the twelfth chapter of John we see a happy scene around a supper table. Lazarus has been raised from the dead and they have made a great feast. Mary, the sister of Lazarus, her heart overflowing with love and thankfulness, was taught by the Holy Spirit about the coming death of Jesus and so with "a pound of ointment of spikenard, very costly" she had anointed the feet of Jesus and wiped His feet on her hair. The whole house was filled with the odor of that precious ointment, and Jesus was touched

and pleased so much that He promised what she had done should be told to the whole world wherever the gospel is preached (Matt. 26:13). But we are told that Judas was there, and these verses reveal with startling clearness what is happening to his character:

"Then saith one of his disciples, Judas Iscariot, Simon's son, which should betray him, Why was not this ointment sold for three hundred pence, and given to the poor? This he said, not that he cared for the poor; but because he was a thief, and had the bag, and bare what was put therein."—(John 12:4-6).

He had become a thief! Trusted by all the disciples, he has betrayed their trust. The love of money has eaten like a canker into his soul and now Judas steals for himself what he can from the offerings given to support Jesus and the twelve and to care for the poor! The man who tried morality without Christ found his morals broken down. There is no true morality without Christ, without regeneration. The outwardly moral man is not moral inside. Every unregenerate heart is rotten with sin and out of such hearts "proceed evil thoughts, murders, adulteries, fornications, thefts, false witness, blasphemies" (Matt. 15:19). It was immediately after this that Judas went to the chief priests and offered to betray Jesus for money, as you see from Matthew 26:14-16:

"Then one of the twelve, called Judas Iscariot, went unto the chief priests, And said unto them, What will ye give me, and I will deliver him unto you? And they covenanted with him for thirty pieces of silver. And from that time he sought opportunity to betray him."

It seems to have been a clear choice between Jesus and money. For thirty pieces of silver Judas was to betray the Son of God! It was the price foretold in the Scriptures (Zech. 11:12-13). It was the price of an injured and mangled servant (Exod. 21:32). For this amount of money, estimated to be between seventeen and twenty dollars in value, Judas committed the terrible crime which has made his name accursed through the centuries.

7. JUDAS BECAME LITERALLY POSSESSED OF SA-
TAN. In Luke 22:3 we are told,

*"Then entered Satan into Judas surnamed Iscariot, being of
the number of the twelve."*

And following this Judas covenanted with the chief priests
to betray Jesus! John 13:2 tells us that "the devil . . . put
into the heart of Judas Iscariot, Simon's son, to betray him."
He who cast out devils was now possessed by Satan himself!
Judas was like the man out of whom the unclean spirit went
and then returned "and taketh with himself seven other spirits
more wicked than himself, and they enter in and dwell there:
and the last state of that man is worse than the first" (Matt. 12:
45). This explains as well as anything else can do, how Judas
committed this terrible sin of betraying Jesus.

8. JUDAS DESCENDED TO THE LOWEST HYPOC-
RISY, BETRAYING JESUS WITH A KISS. Can you imagine
the breaking heart of Jesus when this took place?

*"And while he yet spake, lo, Judas, one of the twelve, came,
and with him a great multitude with swords and staves, from
the chief priests and elders of the people. Now he that betrayed him gave them a sign, saying, Whomsoever I shall kiss,
that same is he: hold him fast. And forthwith he came to Jesus,
and said, Hail, master; and kissed him. And Jesus said unto
him, Friend, wherefore art thou come? Then came they, and
laid hands on Jesus, and took him."*—Matt. 26:47-50.

Jesus loved him, called him "friend," even though He had
known all these years that Judas would betray Him. Judas said
to Jesus, "Hail, master." Then the mob seized Jesus and bound
Him and Judas collected his thirty pieces of silver!

9. TERRIBLE REMORSE OF CONSCIENCE SEIZED JU-
DAS SO THAT HE BROUGHT BACK THE MONEY TO
THE PRIESTS AND CONFESSED HIS SIN. However, these
wicked friends were no help. They did not pray for him to have
pardon. They could not show him any way of peace. He had
sold Christ for money and now the money burned like fire in
his soul, and in utter despair he committed suicide. In the
words of the Scripture,

"Then Judas, which had betrayed him, when he saw that he was condemned, repented himself, and brought again the thirty pieces of silver to the chief priests and elders, Saying, I have sinned in that I have betrayed the innocent blood. And they said, What is that to us? see thou to that. And he cast down the pieces of silver in the temple, and departed, and went and hanged himself."—Matt. 27:3-5.

After Judas hanged himself, his body fell and burst asunder (Acts 1:18), a horrible reminder to all the passers-by of the sad fruits of sin.

10. JUDAS, AFTER ALL HIS OPPORTUNITIES, WENT TO ETERNAL TORMENT IN HELL! The inspired apostles asked God to help them select an apostle "that he may take part of this ministry and apostleship, from which Judas by transgression fell, *that he might go to his own place"* (Acts 1:25). Judas fell, not from salvation, for he never had it, but from the ministry and apostleship, "that he might go to his own place." His own place was Hell, the place of every sinner not born again, whether he is a church member or not, whether he is moral or not, whether he is a preacher or not. This is what Jesus meant in John 17 when in His prayer to the Father He said, "Those that thou gavest me I have kept, and none of them is lost, but the son of perdition; that the scripture might be fulfilled" (John 17:12). Judas, the son of perdition, was lost and not saved. Jesus had kept all those who really came to Him. But Judas never truly came in his heart, so he died and went to Hell.

Judas "repented himself" about the money and brought it again to the chief priests, but he did not repent toward God nor have faith in Jesus Christ as Saviour. So the poor, hopeless, devil-possessed man who had been moral, who had been numbered with the apostles, who had preached and worked miracles, who had been trusted by all the disciples, died without Christ and now must spend eternity in torment. As Jesus said of him, "It had been good for that man if he had not been born" (Matt. 26:24).

Part II. Lessons for You From Judas Iscariot

Many will read this sermon, we believe, who are not saved and every soul, saved or lost, needs to give earnest heed to the lessons to be drawn from the life of Judas Iscariot. He has been on a pinnacle of infamy and his name is heaped with the scorn of those who despise his sin, but beware, reader, lest you be guilty as he was, deceived by sin, captured by Satan, at last to suffer eternal remorse in Hell. Then let us consider the following lessons which God's Word brings to our mind as we consider Judas Iscariot.

LOST IN THE CHURCH

Judas was counted a Christian but was lost. He was baptized and yet was lost. He preached the gospel and yet was lost. He worked miracles and yet was lost. He was trusted by all who knew him, save Jesus, and yet was lost! It is a terrible thing to go to Hell from anywhere, but what remorse must be the portion of those who go to Hell from a church! More people go to Hell than go to Heaven, for "straight is the gate, and narrow is the way, which leadeth unto life, and few there be that find it." Many who expect to go to Heaven will be disappointed, for Jesus said, "Not every one that saith unto me, Lord, Lord, shall enter into the kingdom of heaven; but he that doeth the will of my Father which is in heaven" (Matt. 7:21). Many who expect to go to Heaven are lost and will not go. The five foolish virgins expected to go into the marriage and yet they had no oil. They had only the lamps of profession and not the oil of salvation.

In the first revival wherein I ever preached, two young women called me to talk with an old man who sat on the ground near the country brush arbor. He said, "Brother Rice, I am all right. I never did anybody any harm."

"But have you ever been converted?" I asked. "Have you ever trusted Christ as your own personal Saviour?"

"Why, I have been a church member for a long time," he said. "I was superintendent of a Sunday School once. I have prayed in public many times. I am as good as the other church members. You need not worry about me."

I insisted that religious activities were not enough. He must have more than that to meet God in peace. But he said, "Well, I have never done anything very bad. About all I ever did wicked was to cuss a little bit."

"You might just as well say, 'About all I ever did was to kill a few men now and then,' " I said. "You are a sinner and unless Christ has changed your heart you are lost and condemned today. Jesus said, 'He that believeth on him is not condemned: but he that believeth not is condemned already, because he hath not believed in the name of the only begotten Son of God.' And again He said, 'Marvel not that I said unto thee, Ye must be born again.' Has God changed your heart?"

I remember that he looked down quietly for a little bit and then answered frankly, "No, Brother Rice, I don't know that I was ever born again. I guess I have never been saved if that is what it takes."

"Then don't you think it is time you got that settled today?" I said.

He answered, "Yes, I do!" and arose and came with me at once to the altar where he knelt down with tears and prayed for forgiveness and salvation and trusted Christ. Thank God he received it and went home happy! How sad if he had died, this Sunday School superintendent, this man who prayed in public, this moral church member, before he was ever born again!

Some years ago in a Sunday morning service when thirty-seven or thirty-eight people responded to the invitation in public profession of faith in Christ or coming as backsliders to renew their vows, a young woman came screaming from the back of the church house and weeping aloud. She said, "My name has been on the church book but it has never been on the book of life!" She was saved that day by simple faith in Jesus.

Let me warn you with all the solemnity of which I am capable, that you may be in the church unsaved. Maybe you were sprinkled as a baby and all your life have counted yourself a Christian because you were in the church. Or maybe you decided to mend your ways and reform; with others you joined the church, expecting to live a better life and hoping thereby to get to Heaven. Do not be deceived. Millions are in Hell who went there from the churches. Church membership cannot save you.

A woman in Dallas, Texas, came to me, saying, "I have been baptized; now I want to be born again."

In an Oklahoma revival some years ago, a dear girl of Catholic faith looked at me with burning eyes and told in broken voice how she had looked to her church and priest and confessions and prayers and mass to save her soul until she was brought to death's door by illness. Then she declared, "I found that what I had might be good enough to live by but it wouldn't do to die by! I promised God if He would give me another chance I would make sure this time that I was saved."

I remember the agonized heart-searching that went on as I taught her the simple way of salvation by trusting Jesus and depending wholly upon His blood, shed for sinners. When she saw how simple it was to trust in Jesus, what a quiet, deep joy was expressed in her face! I remember that she went to her sister and urged her to make sure of her salvation beyond any doubt, lest she should be damned and lost by being in the church without Christ and having a profession without a real possession of salvation.

The reason Judas was lost is that he did not trust in Jesus for salvation, did not surrender his heart to Jesus and take by faith the salvation freely offered for every sinner, purchased fully on Calvary. Jesus died to take *your* place. Today He will be *your* Saviour if you will simply trust Him with all your heart, depend upon Him, receive Him, claim Him as yours. May God grant that no reader of this message may go to Hell depending on church membership, or baptism, or good deeds, as many others have.

A MORAL LIFE UTTERLY FAILED TO SAVE JUDAS

I suppose there is no doubt that Judas, to begin with, was a man of the highest moral standing. His life deceived everybody but Jesus. The other apostles believed in his morals and I suppose elected him treasurer. But for all his moral standing, Judas went to Hell.

I said that church membership could not save a sinner. Neither can the lodges. There are doubtless multiplied thousands of Masons in Hell, not because they were Masons but because they had not been born again. The lodges have done irreparable harm in causing men to depend upon a system of morals. But the man who has a cultured mind and a tender conscience will go to Hell if he does not have Christ, just as surely as a reprobate sinner. The man who is kind to his neighbors, who pays his bills and keeps his marriage vows, is as certainly lost as Judas Iscariot if he has not been regenerated and given a new heart by the work of the Holy Spirit. It is only by faith in Christ that a lodge member can keep out of Hell, and so with every other moral man. It was to Nicodemus, a ruler of the Jews religiously, a Pharisee in practice, one of the greatest moral men of his day, that Jesus said, "Except a man be born again, he cannot see the kingdom of God," and "Ye must be born again" (John 3:3, 7).

And the sad part is that Judas' morals failed him. After all, there is no true morality outside of Christ. How could Judas really be moral in heart and hate the Lord Jesus Christ? The very fact that he rejected Christ in his heart, did not love Him nor trust Him, is the best possible proof of his own wicked heart. The Pharisees who crucified Jesus claimed to be moral men, too, but they have gone down in history with Judas Iscariot as the most striking examples of wicked hate and selfishness. The man who rejects Christ is immoral and rotten at heart. "The heart is deceitful above all things, and desperately wicked: who can know it?" (Jer. 17:9). Outwardly men may be genteel, cultivated, attractive and magnetic. Inwardly we know that without Christ they are whited sepulchres, wolves in sheep's clothing, and hypocrites, even as Judas Iscariot. Jesus Himself is the touchstone of true morality. Let me know a man's attitude toward the immaculate Son of God and I will know his heart better than any other possible way. If he hungers and thirsts after righteousness, he will rejoice in the righteousness of Christ. If he, himself, has a longing for purity, he will love the pure and holy Lamb of God. If he is merciful, he will be attracted by the merciful Saviour. If he truly loves men, he will be drawn by the compassion of Jesus. There is no godliness, no true morality, no true righteousness outside of Christ. The pretensions of Judas soon fell away and he was revealed as a wicked sinner, a thief, a money-loving criminal, a despicable and cowardly traitor. I warn you now moral men, that your morals will end as did those of Judas. Your character without Christ will gradually break down, and one day you will appear outwardly to be what you really are inwardly, a wicked-hearted, Christ-rejecting, Hell-deserving sinner!

Today I beg you, confess your sin and seek Christ's mercy and forgiveness. If Judas had done that he would not have become a thief and then the betrayer of Jesus, a suicide and then an inmate of Hell.

HYPOCRITES WHO BETRAY CHRIST WITH A KISS

What is purer than a mother's kiss? How much sacrifice and forgiving love it stands for! With a kiss sweethearts pledge their undying love one toward another. How sweet is the kiss of a true wife and of innocent children! A kiss means devotion and loyalty and true love. But Judas turned the emblem of love and devotion into the sign of a traitor, saying, "Hail, master." He kissed Jesus that the soldiers and mob would thus know who to take for crucifixion.

Doubtless, many of you who read this do lip service to Christ. You claim to believe the Bible, to believe in Christ, in Heaven, in Hell, in salvation. I wonder if your pledge of devotion is as insincere and hypocritical as the kiss of Judas? Some of you teach Sunday School classes and yet you have never said good-bye to the picture show and the bridge party. The same mouth that praises Jesus Christ, blows forth cigarette smoke. The same tongue that offers testimony in the prayer meeting, later talks scandal about your neighbor. "Out of the same mouth proceedeth blessing and cursing" (James 3:10). The same lips that sing in the choir, take God's holy name in vain! If that be so, then you are guilty of hypocrisy like Judas. You say, "Hail, master," and kiss Him but you run with the mob that would crucify Him. Beware lest your praise is only from the lips! Beware lest your service is fraudulent and offensive to God. The Lord said about certain people, "Ye hypocrites, well did Esaias prophesy of you, saying, This people draweth night unto me with their mouth, and honoureth me with their lips; but their heart is far from me" (Matt. 15:7-8). Our thanks at the table are formal. Our service in the churches too often has no heart, no feeling, no devotion. This cold-hearted, unfelt religion is an abomination to God! No wonder sinners are not moved by our preaching or that God does not answer our praying. Cold churches, professional preachers, formal worship, matter-of-fact service—these, I fear, have taken the joy out of our religion, have robbed Christ of His glory and betrayed Him before the world. We have said, "Hail, master" alas, too many times and kissed Him with a kiss of insincerity, a traitor's kiss like Judas!

May God give us sincerity in our religion! May we awake to our shams and confess our lukewarmness and forsake our hypocrisy!

THE LOVE OF MONEY: WHAT A TERRIBLE SIN!

If Judas drank, that is not told in the Bible. If he cursed, it is never mentioned. Judas had no part, we suppose, with the whoremonger or the reveler. No, his sin was much more respectable in the sight of men. He had a money lust, a covetousness, a selfish wilfulness that led him to reject Christ and damned his soul for eternity. This sin, I say, is a respectable sin. It is practiced by the leaders in the church, is condoned from the pulpit. People are encouraged to "make all the money *you* can just so *you* make it honestly," and provided, of course, *they* give a tenth to the Lord! But that is not the teaching of God's Word. The Bible says, "The love of money is the root of all evil" (I Tim. 6:10), and we are warned that "How hardly shall they that have riches enter into the kingdom of God!" (Mark 10:23). It is harder, we are told, to get a rich man saved than to get a camel through the eye of a needle (Matt. 19:24), and only by a miracle of God is it ever done. How striking that the besetting sin of Judas, the betrayer of Jesus Christ, should be this common sin so little noticed and yet so ghastly in its results!

The love of money is back of every saloon that sells its liquid poison to make murderers, paupers and harlots; to break homes; to thwart mother's prayers; to take roses from the cheeks of wives and take bread from the mouths of little children! For money people sell the booze that fills our asylums and hospitals and penitentiaries and yea, enlarge the population of Hell! For money newspapers sell their integrity and advertise the vile stuff. For money church members rent their property for saloons and package stores. For money women sell their bodies and lawyers sell their souls! For money men neglect their wives, neglect their children, their homes. For money men stay away from church, forget to pray, neglect their Bible reading and lose their desire to save sinners. Men so pursue money that alas, too often like Judas, they lose their souls. Let it be burned into your soul that it was for money, a paltry thirty pieces of silver, only seventeen or eighteen dollars, that Judas betrayed the Son of God and heaped upon his name eternal shame. What will not men do for money!

Jesus told of the rich fool who said,

"Soul, thou hast much goods laid up for many years; take thine ease, eat, drink, and be merry. But God said unto him, Thou fool, this night thy soul shall be required of thee: then whose shall those things be, which thou hast provided? So is he that layeth up treasure for himself, and is not rich toward God."
—Luke 12:19-21.

Reader, if you are not rich toward God, how foolish you are ever to work for an hour to make money, ever to let your thoughts even center on the money. What good will money do when you die and go to Hell? No wonder that God said such a man was a fool.

Yes, Judas got his money but it could not still the gnawings of his conscience. It burned his hands until he brought it and offered it again to the priests. They would not have it and said, "What is that to us? see thou to that." So he laid it on the temple floor and went and hanged himself. Even yet the money is accursed. It could not be put into the treasury because it was the price of blood. With it they bought a potter's field to bury strangers in. And from that day to this in the English language everywhere "the potter's field" is a name for the spot where they bury paupers. What a reminder of the curse that follows the love of money! Judas tasted part of the curse that was on those who wished to be rich. James 5:2-3 says,

"Your riches are corrupted, and your garments are moth-eaten. Your gold and silver is cankered; and the rust of them shall be a witness against you, and shall eat your flesh as it were fire. . . ."

If one reads this today who is not converted, I charge you with the highest folly, in God's sight you have played the fool. You have thought of food and drink and have neglected your soul. In Christ's name, I beg you remember the question, "What is a man profited, if he shall gain the whole world, and lose his own soul? or what shall a man give in exchange for his soul?" (Matt. 16:26).

Jesus said, "No man can serve two masters: for either he will hate the one, and love the other; or else he will hold to the one, and despise the other. Ye cannot serve God and mammon" (Matt. 6:24). It is mammon or Christ. The love of money is at enmity with God. Oh, turn to Christ for salvation! He loves you enough to care for your needs daily. And you who are saved, I beg you, "Lay not up for yourselves treasures upon earth, where moth and rust doth corrupt, and where thieves break through and steal: But lay up for yourselves treasures in heaven, where neither moth nor rust doth corrupt, and where thieves do not break through nor steal" (Matt. 6:19-20). Judas is an eternal reminder of the folly of desiring money. Out of an honest man it made a thief. Out of a moral man it made a hypocrite. Out of an apostle it made a Christ-betrayer. Out of a proud and honored man it made a dejected suicide. Out of one who walked and talked and ate in the most intimate contact with Jesus it made an inmate of Hell! Beware of the love of money!

FALSE PROPHETS COME IN SHEEP'S CLOTHING

If Judas Iscariot, the apostle of Jesus Christ, was an unsaved, wicked thief, the son of perdition, possessed of the devil, then surely we must beware about false prophets. We have many warnings on this subject in the Bible. Jesus said, "Beware of false prophets, which come to you in sheep's clothing, but inwardly they are ravening wolves" (Matt. 7:15). And Paul wrote to the Corinthian Christians:

"For such are false apostles, deceitful workers, transforming themselves into the apostles of Christ. And no marvel; for Satan himself is transformed into an angel of light. Therefore it is no great thing if his ministers also be transformed as the ministers of righteousness; whose end shall be according to their works."—II. Cor. 11:13-15.

One is commanded to "try the spirits" and one of the gifts of the Spirit greatly to be desired is that of "discerning of spirits" (I Cor. 12:10). If Satan could use an apostle of Christ, he may mislead and use others in high positions. Unless we beware, false prophets will lead us away from faith in a supernatural Bible, the atoning blood of Christ and the necessity for a new birth. Satan and his demons are very real when one studies the catastrophe in the life of this moral man Judas.

Part III. The Bitter End of Sin

How well Judas learned that "the way of the transgressor is hard." Sin promises much but it gives little. The cup of pleasure seems sweet until you come to the bitter, gagging dregs that you must drink. It is said about spiritual wisdom, "Her ways are ways of pleasantness, and all her paths are peace" (Prov. 3:17), but concerning the way of the Christ-rejecting sinner we are told that "There is a way which seemeth right unto a man, but the end thereof are the ways of death" (Prov. 14:12). How well Judas learned the sad truth! He was entangled by a goal of morality without Christ. He looked for profit and doubtless part in an earthly kingdom without repentance and regeneration. He looked for wealth as the treasure of the King and of an empire. But he fell to the sin of embezzling the alms of the poor and sold the King of the Jews, the Prince of Peace, the Son of God, for a paltry thirty pieces of silver that burned like fire in his pockets and in his conscience until he threw them ringing on the stone floor, and went and hanged himself!

Where are the friends of Judas? Those smart friends with whom he counselled cunningly and entered into a solemn covenant? Judas doubtless thought that he would be a big man when it was all over, standing well with those in authority. But he failed to count on the remorse of conscience and their scoffing laugh as they said, "What is that to us? see thou to that." His friends were like the friends of the prodigal boy when he landed in the hogpen. They had helped him spend his money—the wine-drinkers and harlots had—but when his money was gone, the friends were gone. So when Judas had served his day, there was no one who cared for his anguished heart, no one to pray, no one to counsel him, not a friend who loved him.

The girl who would be popular and sometimes throws away her modesty, her reputation and even her virtue to have friends, soon learns, alas! that those kind of friends never do any good when you are in distress of soul.

Suppose you make money: Judas did. It will trickle between your fingers as you go out into the horror of black darkness at death to meet an angry God you have scorned and neglected.

When your body is eaten with disease and when youth has fled, what good then is money you got at the price of your soul? Judas learned that lesson too late.

The end of sin is always unexpected. Bob Silver, convicted of murder and sentenced to the electric chair, said to me in the Tarrant County jail one day, "I never thought it would come to this! We only thought of the money. We didn't intend to kill anybody. We thought we had gotten away, but when we were caught, I said, 'It is the hand of God. He is against us!' I never expected to be condemned to die as young as I am." The end of sin is unexpected to the sinner. It is unexpected because he does not believe the Bible, unexpected because he will not listen to his mother, will not see the tears of his wife, will not heed the warnings of the preacher, will not give heed to the tender pleading of the Holy Spirit. "The soul that sinneth it shall die," says the Bible, and "Whatsoever a man soweth, that shall he also reap." Judas learned it, as you will, too, my friend, if you go on in sin without Christ. Please hear this solemn word: the end of sin is bitter, as bitter as gall! You are on Judas' road if you do not turn to Christ for mercy and forgiveness. Turn your heart from sin to accept God's mercy and be saved.

Neglected opportunities mean a hardened heart, offending the Spirit of God and finally eternal condemnation.

These years I have been preaching I have brought the message again and again that "Now is the day of salvation," "Today if ye will hear his voice, harden not your hearts." A thousand illustrations of it have come to mind, some in the Scripture and some from my own experience. But I never knew a more pertinent example of the disastrous results of neglected opportunities than the case of Judas Iscariot.

Judas had a finely developed moral nature. He must have been taught morality, honesty and virtue in childhood. He was respected and honored for his virtues. And even after he had committed such a horrible sin, selling Jesus for money and betraying Him with a kiss, still the ghost of that moral character returned to haunt him and his conscience lashed him to suicide.

With that kind of nature, can you imagine how Judas was touched when he saw Jesus bless the little children and heard Him say, "Of such is the kingdom of heaven"? He heard Jesus say that "Except ye be converted, and become as little children, ye shall not enter into the kingdom of heaven" (Matt. 18:3). The fiery preaching of Jesus when He said, "Except ye repent, ye shall all likewise perish" (Luke 13:1-5) must have stirred him to the depths of his heart. He saw case after case of marvelous conversions. He heard the burning words of Jesus as He preached in the twenty-third chapter of Matthew His scathing sermon to self-righteous Pharisees like Judas who had never been born again. He must have trembled when Jesus said to them,

"Woe unto you, scribes and Pharisees, hypocrites! for ye make clean the outside of the cup and of the platter, but within they are full of extortion and excess. Thou blind Pharisee, cleanse first that which is within the cup and platter, that the outside of them may be clean also. Woe unto you, scribes and Pharisees, hypocrites! for ye are like unto white sepulchres, which indeed appear beautiful outward, but are within full of dead men's bones, and of all uncleanness. Even so ye also outwardly appear righteous unto men, but within ye are full of hypocrisy and iniquity."—Matt. 23:25-28.

Do you think that he could ignore the warning when Jesus said in verse 33, "Ye serpents, ye generation of vipers, how can ye escape the damnation of hell?" He certainly knew the insistence of Jesus that "Ye must be born again." In my own mind I feel sure that Judas thought, "Some day I will be saved. I dare not wait too long." But he was ashamed to confess his hypocrisy. Like multitudes of others in the churches, he did not want it known that all these years he had been a hypocrite, claiming to be what he was not. Then he felt that he could not be saved without in his heart giving up his thieving, his love for money which had now well nigh mastered his soul. Eventually his heart grew harder and harder, and when Jesus rebuked him publicly for objecting when Mary anointed the Saviour's feet with ointment, his hard heart seemed to turn to stone. The respect and admiration which he must have had for Jesus seemed to curdle into hate. He was too far gone in sin to take warning. His heart was too hard to be touched. He shook off what conviction he had. He must have ground his teeth in vengeful spite as he went to covenant with the chief priests to betray the Saviour to them for thirty pieces of silver. At last Satan had entered into Judas Iscariot and in person the Prince of Devils, the enemy of mankind, rushed him out of his reason, away from the call of the Holy Spirit, past all the warning signals until at last in anguish and despair Judas hung himself and with the last gasp his soul, like the rich man's, awoke in Hell, tormented in flame.

Every sinner who reads this and says, "Sometime I will be saved," is walking the road of Judas Iscariot. Pharaoh said, "Tomorrow." It was typical of the Christ-rejecting heart, and Pharaoh must eventually have committed the unpardonable sin that we believe Judas did.

Tomorrow your heart will be hardened. Tomorrow you will not listen to the preaching of the gospel. Tomorrow you will be so involved in sin that you cannot break loose. Tomorrow you may have so long rejected Christ and grieved the Holy Spirit that He will leave you forever. Tomorrow you may have sinned away your day of grace: tomorrow may be too late. Tomorrow may never come. God help you, sinner, to trust Jesus today. Be saved while you can. Today your heart may be tender and I earnestly plead with you to come while you can. If your heart is hard today, it will be harder tomorrow. If you think you cannot give up your sins today, how can you do it tomorrow after sin has slowly bound you with chains that you cannot break?

Is there any way I can make you see the danger of neglecting your soul's salvation? Judas started the road you are traveling and you see where it took him. And every man in Hell, if you could talk with them today, would tell you, "Yes, I intended to be saved but I said, 'I am not ready yet.'" They went to Hell, every one of the millions there, because they did not repent of their sins and trust Christ while they had time and opportunity. Isaiah calls:

"Seek the Lord while he may be found, call ye upon him while he is near: Let the wicked forsake his way, and the unrighteous man his thoughts: and let him return unto the Lord, and he will have mercy upon him; and to our God, for he will abundantly pardon."—Isa. 55:6-7.

Today is God's time to be saved. The proverb says, "The road of Bye and Bye leads to the town of Never."

When Judas dropped to the lowest depths of sin, Jesus called him "friend" (Matt. 26:50). However hard your heart, however wicked your life, however many times you have rejected Him, he loves you today. He wants you to be saved. Today, this minute, if you will turn to Him with all your heart, He will save you. Will you let Him do it just now?

It is the burning desire of my heart that by this message sinners may be turned to God and saved from sin and Hell. So with an earnest prayer in my heart, I ask you today to trust Jesus now. He died for you. He loves you. He is ready. The very second that you turn your heart to Him in penitence and trust Him to take you, He will. He said, "Him that cometh to me I will in no wise cast out" (John 6:37). Then come just now and then write and tell me so that I may rejoice with you. Turn, oh, turn today from the way of Judas Iscariot and be named instead with those who love and trust Jesus Christ and have been washed and made white in His blood. If you will say, "Yes," to Jesus today, will give Him your whole heart, will risk Him to forgive all your sins, then write to me today. I will rejoice with all my heart. We will have a prayer meeting and a time of praise here in the office and I will write you a personal letter. Oh, the angels in Heaven will rejoice! Do it just now and your letter will be counted confidential and will not be published unless you desire it. Can you sign the following statement and mail it to me today?

Date _____

Dr. Curtis Hutson
P. O. Box 1099
Murfreesboro, Tennessee 37130

Dear Dr. Hutson:

I have read Dr. Rice's sermon on Judas Iscariot and God knows I do not want to go his wicked way. I know I am a sinner and to-day, right now, with all my heart I turn to God confessing my sin and depending on Him for salvation. I believe that He loves me, that He died for me, and here and now I take Him to be my Saviour, trusting Him to take me to Heaven. I believe that He changes my heart and will help me to live for Him. I am glad to confess Him as my Saviour and I write this to let you know.

Signed _____

Address _____

_____

(Of course you should tell others, too. Tell your loved ones there and go to the house of God as soon as possible and publicly confess Christ as Saviour. Then we hope you will follow Him in baptism and live a happy life of service for Him.)